THÉATRE D'ALFRED DE MUSSET

I

ALFRED DE MUSSET

THÉATRE
I

LES MARRONS DU FEU
LA NUIT VÉNITIENNE
LA COUPE ET LES LÈVRES
A QUOI RÊVENT LES JEUNES FILLES
ANDRÉ DEL SARTO
LES CAPRICES DE MARIANNE
FANTASIO
ON NE BADINE PAS AVEC L'AMOUR
LORENZACCIO

Chronologie, préface et notices
par
Maurice Rat
agrégé de l'Université

GF

FLAMMARION

AVERTISSEMENT

Les deux tomes de cette édition contiennent à très peu près la totalité de l'œuvre dramatique d'Alfred de Musset. Le lecteur y trouvera en effet réunis : *les Marrons du feu, la Coupe et les Lèvres, A quoi rêvent les jeunes filles,* trois pièces qui parurent d'abord, la première, à la fin de 1829, dans *les Contes d'Espagne et d'Italie,* les deux autres à la fin de 1832, dans la première livraison, en vers, d'*Un spectacle dans un fauteuil* et que Musset maintint toujours par la suite dans les éditions de ses *Poésies; les Comédies et Proverbes* qui sont compris dans les deux volumes de l'édition de 1853, réimprimée en 1856 : *André del Sarto, Lorenzaccio, les Caprices de Marianne, Fantasio, On ne badine pas avec l'amour, la Nuit vénitienne, Barberine, le Chandelier, Il ne faut jurer de rien, Un caprice, Il faut qu'une porte soit ouverte ou fermée, Louison, On ne saurait penser à tout, Carmosine, Bettine* *; le proverbe *l'Ane et le Ruisseau,* qui, lu à la cour de Napoléon III en 1855, ne fut publié qu'après la mort de Musset, en 1858, et qui, loin de valoir les proverbes de la bonne époque, n'en possède pas moins un certain charme. Nous n'avons laissé de côté que la méchante *Quittance du Diable* que Musset n'a jamais publiée, encore qu'il l'ait présentée un jour au Théâtre des Nouveautés, le médiocre proverbe *Faire sans dire* qui, paru en 1836 dans le recueil collectif *Dodécaton ou le Livre des Douze,* ne fut pas recueilli par Musset dans ses œuvres et n'y fut inclus que par son frère en 1866, *l'Habit vert* écrit en collaboration avec Emile Augier, mais

---

* *Nous énumérons ici les pièces dans l'ordre où elles ont été rangées par Musset dans les éditions des* Comédies et Proverbes *de 1853 et 1856. Comme on le verra plus bas, nous n'avons pas respecté cet ordre. Le premier volume des éditions de 1853 et 1856 contient les sept premières pièces, le second les huit autres.*

où la part de Musset est probablement fort peu important, enfin les divers fragments.

Nous avons présenté les pièces dans l'ordre chronologique de publication. Nous avons reproduit *les Marrons du feu*, *la Coupe et les Lèvres*, *A quoi rêvent les jeunes filles* dans le texte de l'édition de 1854 des *Premières Poésies*. Pour les *Comédies et Proverbes* nous avons suivi l'édition de 1853 * sauf pour les pièces que Musset y a publiées dans le texte adapté par lui en vue de la représentation. Pour celles-ci, c'est-à-dire *André del Sarto*, *les Caprices de Marianne*, *la Quenouille de Barberine* **, *le Chandelier*, *Il ne faut jurer de rien*, *Un caprice*, nous avons suivi le texte de l'édition de 1840 incontestablement supérieur au texte remanié. Enfin nous avons imprimé *l'Ane et le Ruisseau* dans le texte du manuscrit autographe tel que l'a donné Maurice Allem dans son édition des *Comédies et Proverbes* des Classiques Garnier.

---

* *Comme nous l'avons dit plus haut l'édition de 1856 n'en est qu'une réimpression.*

** *Sur ce titre, voir la notice de la pièce.*

1810. — 11 Décembre : Naissance d'Alfred de Musset à Paris, 33, rue des Noyers (aujourd'hui 57, boulevard Saint-Germain).

Son père, connu sous le nom de Musset-Pathay, avait publié ou devait publier (de 1799 à 1826) de nombreux ouvrages : romans, récits de voyage, essais de critique littéraire, etc., dont une *Histoire de la vie et des œuvres de Jean-Jacques Rousseau* et une édition des œuvres du philosophe. Son grand-père maternel, Guyot-Desherbiers, magistrat, membre des Cinq-Cents, puis, sous le Consulat, du Corps législatif, versificateur adroit, avait été l'ami du poète Roucher, l'auteur des *Mois*, qu'il tenta d'arracher au Tribunal révolutionnaire, et se plaisait à lire et à jouer les *Proverbes* dramatiques de Carmontelle.

La famille paternelle d'Alfred, originaire du Vendômois, conservait au Gué-du-Loir un domaine, celui de Bonne-Aventure, où Musset enfant fera quelques séjours. De toute petite noblesse, encore que le poète fût plus tard assez fier de « l'épervier d'or dont *son* casque est armé », il ne semble pas que Musset ait compté pour « aïeule en ligne maternelle », ni même pour arrière-grand-tante Jeanne d'Arc, qui fut la tante de la belle-sœur de la première femme d'un de ses ancêtres, mais l'un de ses lointains aïeux avait épousé la fille de Cassandre Salviati, cette Cassandre pour qui Ronsard composa de si beaux sonnets d'amour, et son bisaïeul avait, au XVIIIᵉ siècle, épousé la descendante de cousins de Joachim du Bellay.

Né donc en 1810, Musset avait environ vingt ans de moins que Lamartine, treize ans de moins que Vigny, huit ans de moins que Hugo, six ans de moins que George Sand et Sainte-Beuve, un an de plus que Gautier.

1819. — OCTOBRE : Musset entre au collège Henri-IV où il poursuivra ses études jusqu'à la classe de philosophie, d'excellentes études, écrivant, alors qu'il n'avait pas encore quatorze ans, ses premiers vers (une chanson pour la fête de sa mère) obtenant au Concours général un second prix de dissertation latine, dont sa mère pleurera de joie.

1827-1828. — FIN : Incertain, au sortir du collège, sur sa vocation, il commence et abandonne des études de droit, puis de médecine, mais hante surtout les cafés à la mode, connaît de bonnes ou mauvaises fortunes amoureuses, a pour amis d'élégants viveurs : Alfred Tattet, Roger de Beauvoir, cependant que Paul Foucher, qu'il avait eu pour condisciple à Henri-IV, le présente à Victor Hugo, son beau-frère. Il publie dans un journal de Dijon, *le Provincial*, une ballade intitulée *Un rêve* puis, à Paris, une traduction de *l'Anglais mangeur d'opium* de Thomas de Quincey.

1829. — Dans le cercle des amis de Musset entre un autre viveur, de vingt-cinq ans son aîné, le poète et romancier Ulrich Guttinguer, ami de Tattet et de Sainte-Beuve, héros d'un douloureux drame d'amour, et dont le poète se souviendra dans *Rolla*.
AVRIL : Il devient pour quelques mois employé de MM. Febvrel et Cie, entrepreneurs de chauffage militaire.
DÉCEMBRE : Musset publie *les Contes d'Espagne et d'Italie*, comprenant quinze pièces en vers dont les principales sont : *Don Paez, les Marrons du feu, Mardoche*.

1830. — PREMIER SEMESTRE : *La Quittance du diable*.
1er DÉCEMBRE : *La Nuit vénitienne ou les noces de Laurette*, jouée à l'Odéon, y connaît un noir échec; elle est publiée le même mois dans *la Revue de Paris*. L'insuccès de la pièce décourage Musset et le détourne du théâtre.

1831. — JANVIER-JUIN : Musset publie, dans *le Temps*, *les Revues fantastiques*.

1832. — 8 AVRIL : Mort de Victor de Musset-Pathay, père du poète, qui décide, très affecté, d'essayer de ne plus être à charge à sa famille et de gagner sa vie par sa production littéraire.
DÉCEMBRE : Publication d'*Un spectacle dans un fauteuil*, daté de 1833, et qui comprend : *la Coupe et les Lèvres, A quoi rêvent les jeunes filles, Namouna*.

1833. — MARS : Musset inaugure avec un compte rendu d'un opéra de Scribe et Auber, *Gustave III*, sa collaboration à *la Revue des Deux Mondes*, dirigée par Buloz.

1er AVRIL : *André del Sarto* dans *la Revue des Deux Mondes*.

15 MAI : *Les Caprices de Marianne*, dans la même revue.

JUIN : A un dîner offert par Buloz à ses collaborateurs, Musset fait la connaissance de George Sand, auteur déjà célèbre de deux romans : *Indiana, Valentine*, et lui adresse, le 24 juin, un poème qui paraîtra dans ses œuvres posthumes : *Après la lecture d'Indiana*. George Sand lui répond le jour même par une invitation à venir la voir.

31 JUILLET-1er AOUT : Début de la liaison de George Sand et de Musset, et ensuite séjour commun des amants à Fontainebleau (4-11 août).

15 AOUT : Publication de *Rolla*.

12 DÉCEMBRE : Départ des amants pour l'Italie; ils passent par Lyon, Marseille, Gênes, Livourne, Pise, Florence. Ils arrivent, le 30 ou le 31, à Venise, descendant, Alfred, à l'hôtel de l'Europe, George, au Danieli puis occupent, dès le 1er janvier, la même chambre à balcon au premier étage de l'hôtel Danieli.

C'est au cours de cette année, entre le début de sa liaison avec Sand et son départ avec elle pour l'Italie, que Musset compose son drame de *Lorenzaccio*.

1834. — 1er JANVIER : *La Revue des Deux Mondes* publie *Fantasio*.

31 JANVIER-FÉVRIER : Musset, tombé malade à Venise, découvre la liaison d'un médecin qui le soigne, Pagello, avec Sand.

29 MARS-12 AVRIL : Musset convalescent, accompagné par Sand jusqu'à Mestre, rentre de Venise, par Genève, à Paris.

1er JUILLET : *La Revue des Deux Mondes* publie : *On ne badine pas avec l'amour*.

AOUT : Publication de *Lorenzaccio* dans la seconde livraison (en prose) d'*Un spectacle dans un fauteuil*, qui contient, en outre, *les Caprices de Marianne, André del Sarto, Fantasio, On ne badine pas avec l'amour, la Nuit vénitienne*.

14 AOUT : Sand arrive à Paris avec Pagello et revoit Musset dans les jours qui suivent.

SEPTEMBRE : Séjour de Musset à Bade, d'où il écrit à Sand des lettres brûlantes et où il poursuit la rédaction, commencée dès juillet, de *la Confession d'un enfant du siècle*.

OCTOBRE-NOVEMBRE : Reprise de la liaison de Musset avec Sand.

DÉCEMBRE : Nouvelle rupture, après des scènes violentes.

1835. — JANVIER-MARS : Reprise très orageuse de la liaison de Musset avec Sand, que celle-ci prend l'initiative de rompre pour toujours, en partant pour Nohant (6 mars). Musset se console bientôt avec Mme Jaubert, sa « marraine », sœur de son ami le comte Alton Shée, spirituelle et légère épouse d'un magistrat qui pourrait être son père; elle a trente-deux ans, Musset vingt-cinq. La jalousie maladive de Musset mettra rapidement un terme à leur amour, mais non pas à leur amitié.

JUIN : *La Nuit de Mai.*

AOUT : Musset publie *la Quenouille de Barberine.*

NOVEMBRE : *Le Chandelier.*

DÉCEMBRE : *La Nuit de Décembre.*

1836. — FÉVRIER : Publication de *la Confession d'un enfant du siècle* (dont un chapitre avait paru en septembre 1835 dans *la Revue des Deux Mondes*).

MARS : Publication dans *la Revue des Deux Mondes* du poème *Lettre à M. de Lamartine.*

JUILLET : *Il ne faut jurer de rien.*

AOUT : *La Nuit d'Août.*

SEPTEMBRE-MAI 1837 : Les quatre *Lettres de Dupuis et Cotonet* (dans *la Revue des Deux Mondes*).

OCTOBRE : Les stances *A la Malibran*, poème.

1837. — AVRIL : Liaison de Musset et du « petit moinillon », c'est-à-dire d'Aimée d'Alton, cousine de Mme Jaubert, qui deviendra plus tard la femme de Paul de Musset frère aîné du poète.

JUIN : *Un caprice.*

AOUT : *Emmeline.*

OCTOBRE : *La Nuit d'Octobre.*

NOVEMBRE : *Les Deux Maîtresses.*

1838. — JANVIER : *Frédéric et Bernerette.*

FÉVRIER : *L'Espoir en Dieu.*

MAI : *Le Fils du Titien.*

JUILLET : *Dupont et Durand* paraît dans *la Revue des Deux Mondes.*

OCTOBRE : *Margot*. Musset est nommé bibliothécaire au ministère de l'Intérieur.

NOVEMBRE : *De la tragédie*. A propos des débuts de Mademoiselle Rachel.

1839. — Assiduités en janvier auprès de Pauline Garcia, sœur de la Malibran, ensuite liaison avec Rachel.

FÉVRIER : *Croisille* (nouvelle).

NOVEMBRE : Musset compose le roman *le Poète déchu*.

DÉCEMBRE : *Sur La Fontaine*.

1840. — PRINTEMPS : Grave maladie du poète, soigné avec dévouement par sœur Marcelline, qui tente de le ramener à la foi.

L'éditeur Charpentier donne la première édition des *Poésies complètes* et des *Comédies et Proverbes*. Les deux volumes sont enregistrés à la *Bibliographie de la France* le 4 juillet.

JUIN : *Tristesse*, poème.

AOUT : *Une soirée perdue*, poème à la gloire de Molière.

1841. — FÉVRIER : *Souvenir*, poème.

1842. — JANVIER : *Sur la paresse*.

Au cours de cette année assez morne, le poète retourne auprès d'Aimée d'Alton, mais l'un et l'autre constatent la mort de leur amour.

1ᵉʳ OCTOBRE : Dans *la Revue des Deux Mondes* : *Sur une Morte*, poème dirigé contre la princesse de Belgiojoso dont il fréquentait depuis longtemps le salon et à qui il avait inutilement fait la cour.

OCTOBRE : *Histoire d'un merle blanc*.

1843. — JANVIER : Nouvelle maladie du poète, dont l'abus de l'alcool a ruiné la santé.

Au cours de cette année, il se réconcilie avec Rachel et Hugo, songe un instant à se marier avec la fille de l'auteur dramatique Melesville, compose des poésies pour Marie Nodier. A la fin de septembre et au début d'octobre, quinze jours à la maison d'arrêt de la Garde Nationale où il avait déjà dû passer vingt-quatre heures en 1841 et où il séjournera encore en 1849.

1844. — La santé de Musset périclite. Une pleurésie manque de l'emporter au printemps. Il a néanmoins plusieurs liaisons. *A mon frère revenant d'Italie* (avril), *Pierre et*

Camille (avril), *le Secret de Javotte* (juin), *les Frères Van Buck* (juillet). *A Mme Jaubert.*

1845. — Nouvelle grave maladie, au printemps, du poète. Il est nommé en même temps que Balzac chevalier de la Légion d'honneur (24 avril).

NOVEMBRE : *Il faut qu'une porte soit ouverte ou fermée,* comédie-proverbe.

DÉCEMBRE : *Mimi Pinson* dans *le Diable à Paris.*

C'est semble-t-il au cours de l'année 1845 qu'il se lia d'amitié avec la comtesse Kalergis, une Russe d'origine polonaise qui était l'amie de Mme Jaubert et qui a inspiré à Gautier sa *Symphonie en blanc majeur.*

1847. — 27 NOVEMBRE : Première représentation d'*Un caprice* à la Comédie-Française, dont Buloz venait d'être nommé administrateur, avec Mme Allan, dans le rôle de Mme de Léry : succès éclatant.

1848. — 5 MAI : Musset perd son poste de bibliothécaire.

1849. — FÉVRIER : Première représentation de *Louison.* Amitié amoureuse de Musset et de la comédienne Augustine Brohan.

30 MAI : Première représentation au Théâtre-Français d'*On ne saurait penser à tout.* Début de la liaison orageuse de Musset et de Mme Allan.

1850. — 22 OCTOBRE-6 NOVEMBRE : *Carmosine* paraît dans *le Constitutionnel.*

1851. — 1er NOVEMBRE : *Bettine* paraît dans *la Revue des Deux Mondes.*

1852. — 12 FÉVRIER : Élection de Musset, après deux échecs antérieurs (en 1848 et en 1850) à l'Académie française. Il prononce son discours de réception le 27 mai. Liaison de Musset et de Louise Colet, qui avait été la maîtresse d'Alphonse Karr et de Flaubert; leurs amours durèrent six mois.

Le poète publie ses poésies dans leur classement définitif : *Premières Poésies* (1829-1835), *Poésies Nouvelles* (1836-1852), respectivement enregistrées à la *Bibliographie de la France* en juillet et août.

1853. — MARS : Musset est nommé bibliothécaire au ministère de l'Instruction publique.

Juillet : La première édition complète des *Comédies et Proverbes* est enregistrée à la *Bibliographie de la France*. 23 Décembre 1853-6 Janvier 1854 : *La Mouche*.

1855. — *L'Ane et le Ruisseau*.

1856. — Année particulièrement triste et morne : Musset n'écrit presque plus, et continue de boire.

1857. — 2 Mai : Mort de Musset.

4 Mai : Une trentaine de personnes seulement, après la cérémonie funèbre à l'église Saint-Roch, sa paroisse, accompagnent Musset au Père-Lachaise.

10 Mai : Louise Colet, qui avait été la maîtresse de Musset en 1852, publie à sa mémoire un long poème dans *la Presse* dont ces vers peuvent être détachées :

Les murmures des monts, les rumeurs de la plaine,
Les souffles odorants dont la campagne est pleine,
Indicible concert qui répand dans les cœurs
Le printemps amoureux de la beauté des fleurs,
Tout ce que tu chantas te salue, ô Poète!
En t'ensevelissant la terre te fit fête,
Et pour te recouvrir d'un linceul embaumé
Te coucha dans son sein au premier jour de mai...

Tantôt tu me contais tes douleurs de Venise
Et comme un cœur trahi dans l'angoisse se brise;

Frondeur passionné d'un amour orageux,
Tu disais, raillant tout et te raillant toi-même :
Déjà la haine germe aux heures où l'on aime;
Ainsi le cirque antique ensanglantait ses jeux.

1858. — 23 Mars : Le cercueil du poète fut transféré dans son tombeau actuel sur la stèle duquel ont été gravés ces vers du poème élégiaque intitulé *Lucie* :

Mes chers amis, quand je mourrai,
Plantez un saule au cimetière.
J'aime son feuillage éploré;
La pâleur m'en est douce et chère,
Et son ombre sera légère
A la terre où je dormirai.

Le saule demandé par Musset a été souvent replanté sur sa tombe.

PRÉFACE

MUSSET ET SON THÉÂTRE

Il faut le voir tel qu'il était dans ses belles années, élégant chérubin de 1830, petit maître et dandy, avec son frac pincé à la taille qui moulait ses hanches rondes, et cette jolie figure de « *chèvre blonde* », selon le mot de Suarès, où s'allumaient des yeux rieurs et doux, et soudain brillants et faunesques. Il faut le voir comme il s'est peint lui-même à son aurore, aimant la vie et cherchant à plaire, gracieux, séduisant, lorsque dans les salons, aux Italiens, ou sur le boulevard,

> *Il était gai, jeune et hardi*
> *Et se jetait en étourdi*
> *A l'aventure...*

Plus tard, dans la détresse et la maladie, la lèvre pendante, des poches sous les yeux, en dépit des fréquentes syncopes qui assombrissent ses dernières années, il gardait l'aspect jeune encore, la taille mince, l'air d'un viveur fourbu, mais qui se souvient du temps où, prince de la jeunesse, chevalier de la Régence, il était recherché de toutes.

Parisien de Paris, et le plus parisien sans doute avec Boileau — mais oui! — de tous les poètes de France, Alfred de Musset vint au monde le 11 décembre 1810. De toute petite noblesse, robe et épée, il eut pour père un administrateur, homme de lettres à ses heures, qui publia des œuvres de toute sorte et se fit connaître surtout par une édition monumentale des œuvres de Jean-Jacques. Son grand-père — son grand-père maternel — fut ce bon Guyot-Desherbiers, député des Cinq-Cents sous le Directoire et du Corps législatif sous le Consulat, qui composa, à l'imitation de Moncrif, un poème sur les chats et qui mimait dans l'intimité, spirituel et habile diseur, les *Pro-*

verbes de Carmontelle. Peut-être doit-il à cet aïeul le goût qu'il eut toujours pour les spectacles dans un fauteuil, à son père une conception rousseauiste et un peu folle de l'amour, à tous les deux une tendresse certaine pour le XVIIIe siècle sentimental, libertin et railleur.

Après de brillantes études au collège Henri-IV, où il obtint au Concours général, dans la classe de Philosophie, le second prix de dissertation latine, et où il s'attira l'amitié du duc de Chartres, fils du futur Louis-Philippe, et de Paul Foucher, qui devint le beau-frère de Victor Hugo, il tâta tour à tour du droit et de la médecine, fit des dessins qui furent remarqués de Delacroix, dit des vers et dansa, introduit par Foucher aux salons de l'Arsenal où tout ensemble amant de Byron et de Shakespeare, mélancolique ou gai selon les heures, dandy impertinent, il se donnait l'allure d'un page de Deveria, féru de parodies, de gageures et d'amour, et brodant des ballades.

Alors commence sa vie littéraire, qui se confond avec sa vie même, et qui a pu être divisée, comme on l'a fait non sans justesse, en trois temps : celui des caprices, celui des passions, celui des tristesses.

De 1828 à 1834, il publie ses œuvres capricantes; en vers : la ballade d'*Un Rêve*, son vrai début, les quinze pièces des *Contes d'Espagne et d'Italie*, *la Coupe et les Lèvres*, *A quoi rêvent les jeunes filles*, *Namouna*, qui le rend célèbre, et finalement *Rolla;* en prose : *la Nuit vénitienne*, *André del Sarto*, *les Caprices de Marianne*, *Fantasio*, *On ne badine pas avec l'amour*, *Lorenzaccio*.

De 1835 à 1841, il écrit en vers : *Lucie*, *les Nuits*, la *Lettre à Lamartine*, les stances *A la Malibran*, l'*Espoir en Dieu*, *Dupont et Durand*, *Tristesse*, *le Souvenir;* en prose : *La Quenouille de Barberine*, *le Chandelier*, *la Confession d'un enfant du siècle*, *Il ne faut jurer de rien*, *les Lettres de Dupuis et Cotonet*, *Un Caprice* et des contes et nouvelles.

Après 1841, dans la période de la solitude et de la détresse, il donne encore en vers : *Sur la paresse*, *Après une lecture*, *A mon frère revenant d'Italie*, *Sur trois marches de marbre rose;* en prose : *Il faut qu'une porte soit ouverte ou fermée*, *Carmosine*, *Bettine*, des contes parmi lesquels *Histoire d'un merle blanc* et *Mimi Pinson*. Et, dans les dernières années de sa vie, impuissant et malade, un seul conte, *la Mouche*, un seul « proverbe », et faible, l'*Ane et le Ruisseau*.

La mort, venue très tôt, le délivre d'une longue et stérile langueur, où il lamentait les dons gaspillés de sa jeunesse, fondant parfois en larmes sur son brillant passé, triste et atone entre deux crises cardiaques ou deux évanouissements.

Avec quel feu pourtant, et quelle pétulance, « *l'enfant du siècle* » s'était lancé dans la grande aventure romantique! Non qu'il y crût beaucoup : il avait trop d'esprit et de goût, étant même l'un des rares romantiques, sinon le seul, qui en eût, pour donner dans toutes les fariboles et inventions de l'École; indépendant d'ailleurs et rebelle de nature. Il ne croit ni à la rime riche, chère à Hugo et même à Sainte-Beuve, et qu'il trouva, bien avant Verlaine, ridiculement facile; ni à la couleur locale et au bariolage, où le procédé est parfois trop visible. Dès 1829 — il avait dix-huit ans — il écrit, au retour d'une séance de lecture, ces lignes qui sont la négation même du processus hugotique : « *Je ne comprends pas que, pour faire un vers, on s'amuse à commencer par la fin, en remontant le courant, tant bien que mal, de la dernière syllabe à la première, autrement dit de la rime à la raison, au lieu de descendre naturellement de la pensée à la rime. Ce sont là des jeux d'esprit avec lesquels on s'accoutume à voir dans les mots autre chose que le symbole des idées* ». Croit-on qu'on pût être plus classique et plus près de Boileau et de Racine, que le jeune homme qui pense de la sorte et qui, ayant horreur de la couleur locale, lorsqu'elle est, comme dans *les Orientales*, affectée et *plaquée*, raille impertinemment :

Si d'un coup de pinceau je vous avais bâti
Quelque ville *aux toits bleus*, quelque *blanche* mosquée,
Avec l'horizon *rouge* et le ciel *assorti*... ?

De même qu'il moque un jour les pâles imitateurs de Lamartine :

    « ... *Les pleurards, les rêveurs à nacelles,*
    Les amants de la nuit, des lacs, des cascatelles. »

Musset reste lui-même et fait cavalier seul; et il sied de ne point prendre pour une vulgaire boutade le mot fameux : *Mon verre n'est pas grand, mais je bois dans mon verre*, il sied de lui donner son sens plein et la force de sa rebelle vertu. De même la charmante parade d'*A quoi rêvent les jeunes filles* ne respire-t-elle pas La Fontaine et Molière plus qu'Ossian-Mac Pherson ? Et ne croit-on pas entendre le grand auteur des *Fables* et des *Contes* recommander

de ne point quitter la nature et son simple langage lorsque,
dans *Namouna*, on trouve ces vers-programme :

> *Sachez-le, c'est le cœur qui parle et qui soupire,*
> *Lorsque la main écrit, — c'est le cœur qui se fond...*

Mais *Namouna*, qui le rendit célèbre, est une date dans
la vie et dans l'œuvre de Musset, et non seulement parce
qu'il connut la gloire du jour au lendemain, mais encore
et surtout parce que ce grand poème clôt le temps des
caprices et de la seule fantaisie pour ouvrir celui des
passions. Sans doute de telles divisions dans l'existence
d'un homme et d'un auteur ne sont-elles point si nettement tranchées, et l'on pourrait sourire d'une coupure si
précise. Il n'en reste pas moins qu'à partir de cette date,
ou de la date très proche de *Rolla*, Musset se laisse conduire
au flot de ses passions que dominaient d'abord ses caprices.
Elles l'assaillent, l'agitent et le gouvernent. Il les prolonge
en lui et les renouvelle sans cesse par les images vivantes
du souvenir. « *Tu te sentais jeune*, lit-on dans les *Lettres
d'un voyageur* de George Sand, *tu croyais que la vie et le
plaisir ne doivent faire qu'un. Tu te fatiguais à jouir de tout,
vite et sans réflexion... et tu laissais aller ta vie au gré des
passions qui devaient l'user et l'éteindre...* » Quelle vue juste
et profonde ! Le cœur, les sens, la frénésie d'aimer, l'ivresse
des sensations, — tels furent chez Musset la grande ressource de l'art à partir de cette vingt-troisième année où
l'adolescent et le dandy de jeunesse se sentit enfin adulte.
Ressource terrible qui se tue elle-même, par l'habitude et
par l'hébétude !

Moins débauché que volage, Musset aimait le plaisir,
ce pis-aller de l'amour, en croyant qu'il aimait l'amour.
Homme du XVIIIe siècle, il vécut dans un temps où l'on
exaltait la passion, où l'on attribuait à la passion la vertu
du plus grand mal et du plus grand bien, où toute passion
semblait sainte. Musset fut par ses faciles succès de chérubin donjuanesque une victime dévolue à cette foi absurde
que l'amour purifie les êtres.

Son aventure avec George Sand, plus saine et plus
robuste que son amant, mais aussi avide que lui de plaisir,
et qui recherchait des sensations que son être ne pouvait
ressentir, a retenti profondément sur sa vie ; mais à tout
prendre, et quel que soit le bilan des torts réciproques des
deux amants, la liaison vénitienne n'est qu'un, entre autres,
et le plus éperdument littéraire, des troubles épisodes de

sa vie amoureuse. Que de fantômes, que d'images successives de créatures un instant « *aimées* », s'élèvent d'une
existence inquiète, inassouvie, où l'impression de fixer,
que dis-je ? de rencontrer le bonheur, en dépit d'un désir
toujours exacerbé, « *éclate* » douloureusement ! Quel épui-
sement précoce de sève et de génie, avec, pour le poète,
l'amer constat que le génie s'enfuit, et le besoin, meurtrier
de soi-même, de noyer sa misère dans un verre de vin ou
d'alcool ! Certes, les pharisiens ont eu beau jeu avec l'écrivain d'hypocritement pleurer ce qu'ils nomment sa
déchéance ; et Musset, avec ses nerfs de femme et une
sensualité quelquefois un peu basse, justifie certaine pré-
vention. Mais quoi ? Il a aimé, puisqu'il a cru aimer. Et
plus que tous les poètes élégiaques et voluptueux de l'antiquité, plus que Méléagre, plus que Catulle ou Properce,
il a été sincère, ingénu, misérable. De sa folie même et de
son cœur vacillant, il a tiré des œuvres dont l'accent est
trop simple pour qu'on l'oublie jamais.

Les quatre *Nuits* — *la Nuit de Mai* (1835), confiante,
presque joyeuse, *la Nuit de Décembre* (même année),
pathétique et funèbre, *la Nuit d'Août* (1836), d'une indicible tristesse, *la Nuit d'Octobre* (1837), déjà presque
apaisée — sont des poèmes personnels, et d'une vérité
nue. La plus grande méprise qu'on pourrait commettre à
leur endroit serait de trouver factice cette Muse avec qui
le poète converse. Elle était bien pour lui — et son frère
ne ment pas, qui l'atteste — une personne réelle et vivante
qu'il attendait, le soir, dans une chambre fleurie, tous
flambeaux allumés, — une personne en qui il trouvait,
l'ayant sentie venir, l'inspiration directe. Rien dans Musset
n'est conventionnel ni insincère. Chaque poème qu'il
écrit jaillit d'un cœur fiévreux. *Lucie* est un adieu attristé
à une douce vision fugitive. La *Lettre à Lamartine* n'est
qu'un long cri poignant. Et les stances *A la Malibran* sont-
elles rien d'autre qu'un pleur versé par le poète aux funérailles de sa propre jeunesse ? Le *Souvenir*, s'il est inférieur
par l'art au *Lac* et à la *Tristesse d'Olympio*, surpasse par le
naturel ces deux chefs-d'œuvre.

La même illusion emplit tous les poèmes d'amour de
Musset : c'est l'idée chimérique que l'amour se suffit,
hors de l'objet aimé ; mais aussi que la poursuite de l'amour
tarit sa source même, et que ceux-là qui essaient d'aimer
aboutissent à un vide du cœur, au blasement et à l'impuis-
sance. Cette idée, Musset l'a faite sienne en l'inscrivant
dans ses poèmes, dans sa « *confession* », dans ses récits et,

comme nous l'allons voir, dans son théâtre... Elle a mené
le poète à la lassitude qu'exprime *la Nuit de Décembre*,
à l'effort de « *divertissement* » qu'est *la Nuit d'Août*, à la
recherche si trouble de *la Nuit d'Octobre*, à l'assoupisse-
ment du *Souvenir*, où vainement il tente de sauver du
naufrage l'amour, par la double aile du rêve quand naît la
flamme, du souvenir quand sont venues les cendres.

Tristesse, qui fut publiée en décembre 1841, mais est de
1840, ouvre déjà la période du déboire et du dégoût, de la
détresse, de la défaite, de l'usure. Le poète, malade, devient
sombre. La fierté, cette fierté « *qui faisait croire à son génie* »,
l'a abandonné. Où il cherchait naguère le bonheur, le voilà
maintenant qui recherche l'oubli. La débauche lui est un
alibi et un refuge. Le seul bien qui lui reste au monde « *est
d'avoir quelquefois pleuré* ». Commence alors cette agonie
lente, où le poète survit à lui-même. En vain l'Académie,
un peu plus tard d'ailleurs, lui fera signe ; en vain Buloz,
son admirateur et son ami, qui dirige avec tant d'habileté
la Revue des Deux Mondes, le presse et le conjure de lui
donner un poème : le poète sent qu'est tarie la veine de
son inspiration, et ses œuvres se font rares. Le succès même
du *Caprice*, porté à la scène en 1847, dix ans après sa publication, et l'avènement de ses autres « *comédies et proverbes* »
aux feux de la rampe, l'applaudissement que certaines de
ces pièces reçoivent, ne le distraient guère de sa solitude,
douloureuse, parfois hébétée. Une sorte d'apathie enveloppe et fige l'écrivain. Le monde même, la société bril-
lante, lui sont devenus presque intolérables. Mme Jaubert,
la princesse Belgiojoso, Rachel, Berryer, Alfred Tattet,
l'invitent à leurs parties de plaisir : elles lui pèsent ; il bâille
et rentre chez lui rêver au coin du feu. On le tient pour
« *un homme fini* » et il est assez lucide pour constater ce que
son frère Paul appellera un déni de justice. Il garde dans
ses tiroirs les quelques pièces qu'il fait. En 1842, Sainte-
Beuve classant, dans la revue de Buloz, les poètes contemporains en trois groupes, ne le range que dans le second,
celui des poètes « *qui n'ont pas complètement réussi, qui n'ont
pas été au bout de leurs promesses et qu'aussi la gloire publique
n'a pas consacrés* ». Ses relations avec Rachel se sont refroi-
dies. Tattet quitte Paris pour Fontainebleau. Le duc
d'Orléans meurt. Le vide s'accroît autour de lui. La princesse Belgiojoso, étrange et cruelle coquette, pédante froide
et sophistiquée, trouve plaisant de s'acharner contre lui,
le meurtrit de ses avances, puis de ses dérobades : il lui
décerne le méprisant poème *Sur une Morte*. Il lit Léopardi,

« *ce sombre amant de la mort* », qui lui inspire *Après une lecture;* puis, malade, il accueille avec un vague sursaut son frère Paul « *revenant d'Italie* ».

> *Mon pauvre cœur l'as-tu trouvé;*
> ....
> *L'as-tu trouvé tout en lambeaux... ?*

Et c'est, en effet, sa rupture, sa douloureuse et première rupture avec Sand, au Lido, près du cimetière juif, que lui rappelle surtout le voyage de son frère, comme aussi mal actuelle faiblesse. Le retour de son frère lui est-il salutaire? Musset écrit alors, et *le Constitutionnel* publie, le conte de *Pierre et Camille* (16-23 avril 1844), celui du *Secret de Javotte* (18-22 juin 1844), celui des *Frères Van Buck* (27 juillet 1844), et l'année suivante une gracieuse anecdote en prose agrémentée d'une chanson charmante, *Mimi Pinson; la Revue des Deux Mondes* donne la même année une petite comédie en un acte, un peu lente, mais non trop indigne d'*Un Caprice : Il faut qu'une porte soit ouverte ou fermée.*

Le bilan est maigre pourtant; et Mme Jaubert, l'amie et la « marraine » du poète s'en émeut. Elle morigène l'auteur, lui reproche un peu brutalement son libertinage et son ivrognerie; Musset réagit peu et confesse son mal, qui ne saurait être un vice :

> *Dans ce verre où je cherche à noyer mon supplice*
> *Laissez plutôt tomber quelques pleurs de pitié...*

Au vrai, il s'abandonne. Sa sœur mariée établie en province où l'a suivie sa mère, Paul sans cesse en voyage, il est à Paris seul, et préfère les cafés aux salons. On le rencontre à la Régence, au Divan de la rue Lé Peletier, où il boit d'atroces mélanges de bière et d'absinthe, et se montre, lui jadis si affable, bizarre et brusquement colérique. En 1849, il donne·*Louison*, deux actes en vers, *On ne saurait penser à tout*, un acte en prose. Sa veine est de plus en plus courte : en 1850 la piécette de *Carmosine;* en 1851, celle de *Bettine;* après 1852 il ne produit plus de notable que *La Mouche*, son dernier conte, et une assez médiocre comédie de salon, *l'Ane et le Ruisseau.*

La maladie de cœur dont il souffre — une altération des valvules de l'aorte — provoque des troubles de plus en plus graves dans son être usé. Bien qu'il affecte l'insouciance, il sent la camarde qui rôde autour de lui. Il eût pu dire, comme dans ces vers qui datent vraisemblablement de 1845, et qui sont déjà le douloureux bulletin d'une santé vacillante :

> L'heure de ma mort depuis dix-huit mois
> De tous les côtés sonne à mes oreilles
> Depuis dix-huit mois d'ennuis et de veilles,
> Partout je la sens, partout je la vois...

Au mois de mars 1857, il alla soutenir à l'Académie la candidature d'Émile Augier : son frère dut le ramener chez lui. Au mois d'avril, il voulut répondre à une invitation du prince Napoléon : ce fut sa dernière sortie. En rentrant il s'alita. Sa gouvernante appela Paul de Musset, qui était à Angers, et dont le retour fut doux au poète. Le 1er mai au soir, il se sentit mal, et mourut aux premières lueurs de l'aube. Il n'y eut presque personne à ses obsèques : « il ne s'était jamais mêlé de politique ». Vigny, Mérimée, Sainte-Beuve obtinrent pourtant du préfet de la Seine une concession gratuite au Père-Lachaise et que fût planté, sur sa tombe, le saule pleureur qu'il avait jadis demandé.

Les contemporains avaient surtout admiré en lui le romantique éperdu, l'écrivain en vers de *Rolla* et des grands poèmes d'amour byroniens où pendait « *quelque goutte de sang* » ; et sa vie même, déréglée et folle, ne fut pas pour contredire ce sentiment. Mais Musset, malgré son « *pélicanisme* » et son « *dolorisme* », est assez peu romantique et survit par son classicisme.

Il est classique par son indifférence et même par son mépris à l'égard de toute nouveauté. Trop avisé pour croire au progrès de l'espèce humaine il n'a nul souci du mystère de l'homme et des mystères du monde, nulle inquiétude politique et sociale. Littérairement, il n'a pas la curiosité du passé, se moque absolument des époques défuntes, ne cherche pas le moins du monde à anticiper sur l'avenir. Il répudie la couleur locale, la « description » qui serait sa propre fin, les mythes, les symboles, les vocables grandioses, et cette magie verbale où triomphe un Hugo. Il n'est un acrobate ni du rythme ni de la rime.

Indépendant, il ne s'intéresse guère qu'à lui-même, et son œuvre est l'écho, non du monde extérieur, mais de ses propres rêves, désirs et déceptions intimes. Non qu'il

qu'il soit ignorant et ne sache que son âme ; il a au contraire
beaucoup lu, et tout, sans aucun ostracisme, lui fut bon :
Byron, Shakespeare, Ossian, autant que Léopardi, Dante,
Pétrarque ; Bandello et Boccace autant que Gœthe,
Jean-Paul et Hoffmann ; parmi les vieux classiques,
Sophocle, Aristophane, Horace. De Brantôme à André
Chénier, il connaît et goûte nos vieux auteurs ; il n'a point
attendu que vînt Rachel pour admirer Racine ; il honore
Régnier, La Fontaine et Molière ; Boileau, tant honni de
son temps, est sur sa table ; et il a lu, avec Rabelais, Bona-
venture des Périers, Voltaire, l'abbé Prévost, Rousseau et
Diderot.

Il est de formation, de goût, de style classiques. On a
dit, pour lui en faire grief, que sa poésie est un discours
et non un chant, une épître et non un poème ; on lui a
reproché de n'avoir pas de musique, de n'être ni Baudelaire
ni Verlaine. Et il n'est que trop vrai. Mais pourquoi le lui
reprocher, s'il est Musset, c'est-à-dire un poète plein de
feu et de mouvement, de pétulance légère, et dont la meilleure forme — non exempte d'impropriétés, d'incorrec-
tions, voire de rhétorique écolière — est celle, à mi-chemin
de la prose courante et du haut lyrisme, de la causerie
en vers, mi-pédestre mi-ailée, une sorte d'intermezzo
aimable, toujours très personnel, où l'auteur s'abandonne
à sa nature faite de grâce, d'esprit, de fantaisie, de sensi-
bilité rêveuse et de naturel, toutes qualités qu'il est déjà
rare de rencontrer séparées, et qui sont uniques, réunies.

Et ce style mi-haut dont il use en ses vers, c'est celui
qu'il emploie aussi dans la prose de ses comédies, qui
assure l'éternelle durée de son théâtre ; la prose de ses contes
et nouvelles, qui est incomparable. Cette prose délicate-
ment et légèrement ailée, sobre sans être sèche, vive sans
être trop pimpante, et franche, nette, naturelle, est proprement un charme. Qu'on cherche ailleurs pareille aisance.
Mérimée, à côté, est sec ; Stendhal, monotone ; Sand,
bavarde ; Courier, affecté ; Hugo, barbare ; Balzac, vulgaire.
Seul, Nodier quelquefois, ou Nerval...

André Suarès, le trépidant Suarès, si dur aux vers du
poète, loue sans réserves le prosateur au tour léger, à l'accent
pur, au goût charmant. Là seulement, à l'en croire, on
retrouve, en France, Shakespeare. « *L'amour y passe, et
son ombre est partout, cette ombre douce au soleil et à la
lune, faite de tendresse un peu folle et de rieuse mélancolie.* »
Depuis le début du XXᵉ siècle, le prosateur en lui — et
surtout l'écrivain de théâtre — est mis sur le même plan

que jadis le poète, si bien que, tout compte fait, semble être approuvé le mot de Henri Heine, qui a dit magnifiquement de lui : « *La Muse de la comédie l'a baisé sur les lèvres, et la Muse de la tragédie sur le cœur.* »

Le romantisme n'aurait laissé au théâtre aucune œuvre durable, si nous n'avions le théâtre de Musset. Cette remarque qui est, je crois, de René Doumic, peut paraître sévère; elle est juste. Le théâtre de Musset n'appartient guère à l'histoire du romantisme que par les dates, par le nom de l'auteur et par l'inspiration lyrique, Musset ayant rempli ses pièces de sa personne et de ses émotions; et c'est la raison pour laquelle toute introduction à son *Théâtre* doit commencer par une biographie et un portrait de l'écrivain et poète qu'il fut.

Une des chances paradoxales de ce théâtre est que la plupart de ses pièces n'ont pas été écrites pour être jouées. De là vient qu'il ait pu, en les écrivant, s'affranchir des conventions qui sévissaient alors, et en général de toutes les espèces de conventions, pour faire une œuvre où il ne s'est soucié que de dire ce qui lui plaisait et dans la forme qui lui plaisait.

Sauf dans *Lorenzaccio*, qui demeure son chef-d'œuvre et le chef-d'œuvre du drame romantique, mais qui est un grand drame à part dans son théâtre, et qui est sa seule pièce « *historique* », l'histoire en est absente, qui n'est la seule histoire de lui-même. Il ne s'est proposé nulle part d'ailleurs de peindre les mœurs ou de décrire les sentiments d'une époque ou d'un pays. Il a bien pu situer à Venise ou à Naples, en Bavière ou en Hongrie, l'action de ses comédies et proverbes, voire en France; c'est en fait et toujours un pays ou une ville que le lecteur ou le spectateur peuvent placer où bon leur semble et nommer du nom qu'il leur plaît, un pays où les jours sont enveloppés de brumes dorées, où les nuits sont « *tièdes, où courent dans l'air des souffles embaumés, un pays où tout est fait à souhait pour l'amour.* » C'est le pays de la fantaisie et de la passion, donc de la vérité; le pays des surprises, des malentendus, des souffrances de l'amour. A côté des figures de jeunes filles et de jeunes femmes pures et naïves, coquettes ou méchantes, qui représentent l'Eve éternelle créée pour le tourment de l'homme, Musset n'a guère donné de cet homme d'autre figure, d'autre âme, que la sienne. Il n'a mis partout d'autre personnage en scène que lui-même. Il s'y est mis dans *Lorenzaccio*, où le débauché victime de son vice, qui en a horreur et ne peut s'en affranchir,

c'est Lorenzo et c'est Musset; dans *Fantasio*, où l'adolescent rêveur et spirituel et tendre, c'est Fantasio, et c'est
Musset. Il s'y est mis dans *Il ne faut jurer de rien* sous les
traits de Valentin, le petit maître qui nie la vertu des
femmes. Il s'y est mis dans *le Chandelier*, sous les traits de
Fortunio, un Fortunio qui ressemble parfois à Chérubin.
Il est l'inoubliable Perdican d'*On ne badine pas avec l'amour*,
un Perdican qui exprime à merveille la conception qu'a
Musset de l'amour et de la vie.

On dira, et l'on n'a pas manqué de dire déjà qu'il n'est
parlé dans le théâtre de Musset que des choses de l'amour
et que la vie n'y est envisagée que de ce seul point de vue.
Mais, depuis Racine, qui donc sur la scène avait pénétré
plus avant dans l'analyse du cœur? C'est l'honneur de
Musset qu'il soit de la famille de Racine, qu'il doive aussi
à Marivaux l'art des subtils détours et des nuances compli-
quées de l'amour, à Shakespeare le décor indéterminé
où le drame et la comédie se déroulent entre ciel et terre.

Le théâtre de Musset est tenu de nos jours pour une part
de son œuvre aussi vivante que ses poèmes. La même
flamme y circule, et la même sincérité s'y fait jour, cette
sincérité que, de Nisard qui l'accueillit à l'Académie
française à Vitet qui l'y remplaça, de Gautier à
Mme Ackermann, on a louée à l'envi, et que Taine mieux
que personne peut-être a célébrée, dans la page curieuse-
ment placée au dernier tome de son *Histoire de la Littérature anglaise* où il demande : « *Y eut-il jamais accent plus
vibrant et plus vrai ? Celui-là au moins n'a jamais menti.
Il n'a dit que ce qu'il sentait, et il l'a dit comme il le sentait.
Il a pensé tout haut. Il a fait la confession de tout le monde.
On ne l'a point admiré, on l'a aimé : c'était plus qu'un poète,
c'était un homme. Chacun retrouvait en lui ses propres sentiments, les plus fugitifs, les plus intimes... Il avait les dernières
vertus qui nous restent : la générosité et la sincérité. Et il
avait le plus précieux des dons qui puissent séduire une civili-
sation vieillie : la jeunesse. Comme il a parlé de cette* chaude
jeunesse, arbre à la rude écorce, qui couvre tout de son
ombre, horizons et chemins! *Avec quelle fougue a-t-il
lancé et entrechoqué l'amour, la jalousie, la soif de plaisir,
toutes les impétueuses passions qui montent avec les ondées
d'un sang vierge, du plus profond d'un jeune cœur!* »

L'un des écrivains de théâtre les plus proches de Musset
en notre siècle, Maurice Donnay, lui a rendu un parfait
hommage, quand, parlant des pièces du poète, il a surtout
voulu voir en elles l'auteur même; un auteur qui para de

son esprit, de ses rêves, de sa finesse, de toutes les grâces de sa poésie, les femmes qui traversèrent sa vie et celles qui sont sorties de son imagination, et qui ne lui furent pas les moins chères : « Il a aimé des grisettes qui demeurent anonymes, mais ces grisettes, ce sont Bergerette et Mimi Pinson; il a aimé des jeunes filles, mais les jeunes filles, ce sont Déidamia, Ninette, Ninon, Cécile de Mantes, Carmosine et l'inquiétante Camille d'*On ne badine pas;* il a aimé des femmes mariées, des femmes du monde, mais ces femmes mariées ce sont Marianne, Jacqueline et Barberine, et Donnay rapporte ce mot d'une jeune femme qui lui disait un jour : « Alfred de Musset! je ne suis pas très sûre qu'il n'ait pas été mon amant. »

Le théâtre de Musset a une saveur unique; il est, à sa façon, un *Embarquement pour Cythère.* Comme dans le tableau de Watteau, la laideur, la vieillesse n'y figurent pas; il est le royaume, féerique et vrai, de l'éternelle jeunesse. A l'écoute de son cœur, un homme y parle au nôtre, qui nous conte, en mêlant ses rêves d'adolescent aux souvenirs et aux songes de la maturité, l'inassouvissement de ses désirs et l'illusion sans cesse renaissante de ses candeurs premières.

MAURICE RAT.

LES MARRONS DU FEU

Écrite à dix-neuf ans et publiée dans les *Contes d'Espagne et d'Italie* (fin décembre 1829), cette piécette — une « bagatelle » dira Musset plus tard — pleine de désinvolture, parsemée de réminiscences, d'allusions, souvent espiègle et parodique, atteste les dons certains, pour le théâtre, d'un poète qui a beaucoup lu et qui tire avec irrévérence un original parti de ses lectures.

Si le titre en est emprunté à l'une des plus jolies fables de La Fontaine, *le Singe et le Chat*, et le sujet à l'*Andromaque* de Racine, dont une Camargo de fantaisie serait l'Hermione et l'abbé Desiderio l'Oreste, si des tirades reflètent çà et là des passages du *Dom Juan* de Molière et l'épigramme servant d'exergue est tirée du *Don Carlos* de Schiller, le drame, car c'est un drame et non une comédie, comme le prétend l'auteur dans son « Prologue », est déjà de constitution romantique.

L'action se déroule au bord de la mer. Il s'y succède, entre autres événements, un naufrage, une provocation en duel et l'assassinat, sur l'ordre de Camargo-Hermione, du don Juan libertin qui l'a trahie. L'ardeur juvénile et déjà « mussettiste » des passions contraste avec le flegme qui permet à la Camargo de refuser sa récompense à l'abbé Desiderio qui, comme le chat de la fable, a tiré vainement... les marrons du feu.

La pièce à la Comédie-Française n'a eu que huit représentations.

M. R.

PROLOGUE

Mesdames et messieurs, c'est une comédie,
Laquelle, en vérité, ne dure pas longtemps;
Seulement que nul bruit, nulle dame étourdie
Ne fasse aux beaux endroits tourner les assistants.
La pièce, à parler franc, est digne de Molière;
Qui le pourrait nier? Mon groom et ma portière,
Qui l'ont lue en entier, en ont été contents.

Le sujet vous plaira, seigneurs, si Dieu nous aide;
Deux beaux fils sont rivaux d'amour. La signora
Doit être jeune et belle, et, si l'actrice est laide,
Veuillez bien l'excuser. — Or, il arrivera
Que les deux cavaliers, grands teneurs de rancune,
Vont ferrailler d'abord. — N'en ayez peur aucune;
Nous savons nous tuer, personne n'en mourra.

Mais ce que cette affaire amènera de suites,
C'est ce que vous saurez, si vous ne sifflez pas.
N'allez pas nous jeter surtout de pommes cuites
Pour mettre nos rideaux et nos quinquets à bas.
Nous avons pour le mieux repeint les galeries. —
Surtout considérez, illustres seigneuries,
Comme l'auteur est jeune, et c'est son premier pas.

PERSONNAGES

ABBÉ ANNIBAL DESIDERIO.
RAFAEL GARUCI.
PALFORIO, hôtelier.
MATELOTS.
VALETS.
MUSICIENS.
PORTEURS, etc.
LA CAMARGO, danseuse.
LÆTITIA, sa camériste.
ROSE.
CYDALISE.

> L'amour est la seule chose ici-bas qui ne veuille d'autre acheteur que lui-même. — C'est le Trésor que je veux donner ou enfouir à jamais, tel que ce marchand qui, dédaignant tout l'or du Rialto, et se raillant des rois, jeta sa perle dans la mer, plutôt que de la vendre moins qu'elle ne valait.
>
> SCHILLER.

SCÈNE 1

Le bord de la mer. — Un orage.

UN MATELOT

Au secours! il se noie! Au secours, monsieur l'hôte!

PALFORIO

Qu'est-ce? qu'est-ce?

LE MATELOT

Un bateau d'échoué sur la côte.

PALFORIO

Un bateau, juste Ciel! Dieu l'ait en sa merci!
C'est celui du seigneur Rafael Garuci.

En dehors.

Au secours!

LE MATELOT

Ils sont trois; on les voit se débattre.

PALFORIO

Trois! Jésus! Courons vite, on nous paîra pour quatre
Si nous en tirons un. — Le seigneur Rafael!
Nul n'est plus magnifique et plus grand sous le ciel!

Exeunt.
Rafael est apporté, une guitare cassée à la main.

RAFAEL

Ouf! — A-t-on pas trouvé là-bas une ou deux femmes
Dans la mer?

DEUXIÈME MATELOT

Oui, seigneur.

RAFAEL

Ce sont deux bonnes âmes.
Si vous les retirez, vous me ferez plaisir.
Ouf !

Il s'évanouit.

DEUXIÈME MATELOT

Sa main se raidit. — Il tremble. — Il va mourir.
Entrons-le là-dedans.

Ils le portent dans une maison.

TROISIÈME MATELOT

Jean, sais-tu qui demeure
Là ?

JEAN

C'est la Camargo, par ma barbe, ou je meure !

TROISIÈME MATELOT

La danseuse ?

JEAN

Oui, vraiment, la même qui jouait
Dans le Palais d'Amour.

PALFORIO, *rentrant.*

Messeigneurs, s'il vous plaît,
Le seigneur Rafael est-il hors, je vous prie ?

TROISIÈME MATELOT

Oui, monsieur.

PALFORIO

L'a-t-on mis dans mon hôtellerie,
Ce glorieux seigneur ?

TROISIÈME MATELOT

Non ; on l'a mis ici.

UN VALET, *sortant de la maison.*

De la part du seigneur Rafael Garuci,
Remercîments à tous, et voilà de quoi boire.

MATELOTS

Vive le Garuci !

PALFORIO

Que Dieu serve sa gloire !
Cet excellent seigneur a-t-il rouvert les yeux,
S'il vous plaît ?

Un Valet

Grand merci, mon brave homme, il va
Holà! retirez-vous! Ma maîtresse vous prie   [mieux.
De laisser en repos dormir sa seigneurie.

SCÈNE II

Chez la Camargo.

RAFAEL, *couché sur une chaise longue.*
LA CARMAGO, *assise.*

Camargo

Rafael, avouez que vous ne m'aimez plus.

Rafael

Pourquoi? — d'où vient cela? — Vous me voyez perclus,
Salé comme un hareng! — Suis-je, de grâce, un homme
A vous faire ma cour? — Quand nous étions à Rome,
L'an passé...

Camargo

Rafael, avouez, avouez
Que vous ne m'aimez plus.

Rafael

Bon! comme vous avez
L'esprit fait! — Pensez-vous, madame, que j'oublie
Vos bontés?

Camargo

C'est le vrai défaut de l'Italie,
Que ses soleils de juin font l'amour passager.
— Quel était près de vous ce visage étranger,
Dans ce yacht?

Rafael

Dans ce yacht?

Camargo

Oui.

Rafael

C'était, je suppose,
Laure.

CAMARGO

Non.

RAFAEL

C'était donc la Cydalise — ou Rose.
Cela vous déplaît-il?

CAMARGO

Nullement. — La moitié
D'un violent amour, c'est presque une amitié,
N'est-ce pas?

RAFAEL

Je ne sais. D'où nous vient cette idée?
Philosopherons-nous?

CAMARGO

Je ne suis pas fâchée
De vous voir. — A propos, je voulais vous prier
De me permettre...

RAFAEL

A vous? — Quoi?

CAMARGO

De me marier.

RAFAEL

De vous marier?

CAMARGO

Oui.

RAFAEL

Tout de bon?   — Sur mon âme,
Vous m'en voyez ravi. — Mariez-vous, madame!

CAMARGO

Vous n'en aurez nulle ombre, et nul déplaisir?

RAFAEL

Non. —
Et du nouvel époux peut-on dire le nom?
Foscoli, je suppose?

CAMARGO

Oui, Foscoli lui-même.

RAFAEL

Parbleu! j'en suis charmé; c'est un garçon que j'aime,
Bonne lignée, et qui vous aime fort aussi.

CAMARGO

Et vous me pardonnez de vous quitter ainsi?

RAFAEL

De grand cœur! Écoutez, votre amitié m'est chère;
Mais parlons franc. Deux ans! c'est un peu long. Qu'y
[faire?
C'est l'histoire du cœur. — Tout va si vite en lui!
Tout y meurt, comme un son, tout, excepté l'ennui!
Moi qui vous dis ceci, que suis-je? une cervelle
Sans fond. — La tête court, et les pieds après elle;
Et, quand viennent les pieds, la tête au plus souvent
Est déjà lasse, et tourne où la pousse le vent!
Tenez, soyons amis, et plus de jalousie.
Mariez-vous. — Qui sait? s'il nous vient fantaisie
De nous reprendre, eh bien! nous nous reprendrons : —
[hein?

CAMARGO

Très bien.

RAFAEL

Par saint Joseph! je vous donne la main
Pour aller à l'église et monter en carrosse :
Vive l'hymen! — Ceci, c'est mon présent de noce, —

Il l'embrasse.

Et j'y joindrai ceci, pour souvenir de moi.

CAMARGO

Quoi! votre éventail!

RAFAEL

Oui. N'est-il pas beau, ma foi?
Il est large à peu près comme un quartier de lune, —
Cousu d'or comme un paon, — frais et joyeux comme une
Aile de papillon, — incertain et changeant
Comme une femme. — Il a des paillettes d'argent
Comme Arlequin. — Gardez-le, il vous fera peut-être
Penser à moi; c'est tout le portrait de son maître.

CAMARGO

Le portrait en effet! — O malédiction!
Misère! — Oh! par le Ciel, honte et dérision!...
Homme stupide, as-tu pu te prendre à ce piège
Que je t'avais tendu? — Dis! Qui suis-je? — Que fais-je?
Va, tu parles avec un front mal essuyé
De nos baisers d'hier. — Oh! c'est honte et pitié!
Va, tu n'es qu'une brute, et tu n'as qu'une joie
Insensée, en pensant que je lâche ma proie!
Quand je devrais aller, nu-pieds, t'attendre au coin

Des bornes, si caché que tu sois et si loin,
J'irai. — Crains mon amour, Garuc', il est immense
Comme la mer! — Ma fosse est ouverte; mais pense
Que je viendrai d'abord par le dos t'y pousser.
Qui peut lécher peut mordre, et qui peut embrasser
Peut étouffer. — Le front des taureaux en furie,
Dans un cirque, n'a pas la cinquième partie
De la force que Dieu met aux mains des mourants.
Oh! je te montrerai si c'est après deux ans,
Deux ans de grincements de dents et d'insomnie,
Qu'une femme pour vous s'est tachée et honnie,
Qu'elle n'a plus au monde, et pour n'en mourir pas,
Que vous, que votre col où pendre ses deux bras,
Qu'elle porte un amour à fond, comme une lame
Torse, qu'on n'ôte plus du cœur sans briser l'âme;
Si c'est alors qu'on peut la laisser, comme un vieux
Soulier qui n'est plus bon à rien.

RAFAEL

                Ah! les beaux yeux!
Quand vous vous échauffez ainsi, comme vous êtes
Jolie!

CAMARGO

    Oh! laissez-moi, monsieur, ou je me jette
Le front contre ce mur!

RAFAEL, l'attirant.

          Là, là, modérez-vous.
Ce mur vous ferait mal, ce fauteuil est plus doux.
Ne pleurez donc pas tant. — Ce que j'ai dit, mon ange,
Après votre demande, était-il donc étrange?
Je croyais vous complaire en vous parlant ainsi;
Mais — je n'en pensais pas une parole.

CAMARGO

              Oh! si!
Si, vous parliez franc.

RAFAEL

       Non. L'avez-vous bien pu croire!
Vous me faisiez un conte, et j'ai fait une histoire.
Calmez-vous. — Je vous aime autant qu'au premier jour,
Ma belle! — mon bijou! — mon seul bien! — mon amour!

CAMARGO

Mon Dieu, pardonnez-lui, s'il me trompe!

RAFAEL

Cruelle !
Doutez-vous de ma flamme en vous voyant si belle ?

Il tourne la glace.

Dis, l'amour, qui t'a fait l'œil si noir, ayant fait
Le reste de ton corps d'une goutte de lait ?
Parbleu ! quand ce corps-là de sa prison s'échappe,
Gageons qu'il passerait par l'anneau d'or du pape !

CAMARGO

Allez voir s'il ne vient personne.

RAFAEL, *à part.*

Ah ! quel ennui !

CAMARGO, *seule un moment, le regardant s'éloigner.*

— Cela ne se peut pas. — Je suis trompée ! Et lui
Se rit de moi. Son pas, son regard, sa parole,
Tout me le dit. — Malheur ! Oh ! je suis une folle !

RAFAEL, *revenant.*

Tout se tait au-dedans comme au-dehors. — Ma foi,
Vous avez un jardin superbe.

CAMARGO

Écoutez-moi ;
J'attends de votre amour une marque certaine.

RAFAEL

On vous la donnera.

CAMARGO

Ce soir, je pars pour Vienne ;
M'y suivrez-vous ?

RAFAEL

Ce soir ! — Était-ce pour cela
Qu'il fallait regarder si l'on venait ?

CAMARGO

Holà !
Lætitia ! Lafleur ! Pascariel !

LÆTITIA, *entrant.*

Madame ?

CAMARGO

Demandez des chevaux pour ce soir.

Exit Lætitia.

RAFAEL

Sur mon âme,
Vous avez des vapeurs, madame, assurément.

CAMARGO

Me suivrez-vous?

RAFAEL

Ce soir! à Vienne? — Non vraiment.
Je ne puis.

CAMARGO

Adieu donc, Garuci. Je vous laisse. —
Je pars seule. — Soyez plus heureux en maîtresse.

RAFAEL

En maîtresse? heureux? moi? — Ma parole d'honneur,
Je n'en ai jamais eu.

CAMARGO, *hors d'elle.*

Qu'étais-je donc?

RAFAEL

Mon cœur,
Ne recommencez pas à vous fâcher.

CAMARGO

Et celle
De tantôt? Quels étaient ces gens? — Que faisait-elle,
Cette femme? — J'ai vu! — Voudrais-tu t'en cacher?
Quelque fille, à coup sûr. — J'irai lui cravacher
La figure!

RAFAEL

Ah! tout beau, ma belle Bradamante.
Tout à l'heure, voyez, vous étiez si charmante!

CAMARGO

Tout à l'heure j'étais insensée; — à présent
Je suis sage!

RAFAEL

Eh! mon Dieu, l'on vous fâche en faisant
Vos plaisirs! — J'étais là, près de vous. — Vous me dites
D'aller là regarder si l'on vient. — Je vous quitte,
Je reviens. — Vous partez pour Vienne! Par la croix
De Jésus! qui saurait comment faire?

CAMARGO

Autrefois,

Quand je te disais : « Va! » c'était à cette place!

Montrant son lit.

Tu t'y couchais — sans moi. — Tu m'appelais par grâce! —
Moi, je ne venais pas. — Toi, tu priais. — Alors
J'approchais lentement, — et tes bras étaient forts
Pour me faire tomber sur ton cœur! — Mes caprices
Étaient suivis alors, — et tous étaient justices.
Tu ne te plaignais pas; — c'était toi qui pleurais!
Toi qui devenais pâle, et toi qui me nommais
Ton inhumaine! — Alors étais-je ta maîtresse?

RAFAEL, *se jetant sur le lit.*

Mon inhumaine, allons! ma reine! ma déesse!
Je vous attends, voyons! Les champs clos sont rompus!
M'osez-vous tenir tête?

CAMARGO, *dans ses bras.*

Ah! tu ne m'aimes plus!

SCÈNE III

Devant la maison de la Camargo.

L'ABBÉ ANNIBAL DESIDERIO, *descendant de sa chaise.*
MUSICIENS, PORTEURS.

L'ABBÉ

Holà! dites, marauds, — est-ce pas là que loge
La Camargo?

UN PORTEUR

Seigneur, c'est là. — Proche l'horloge
Saint-Vincent, tout devant; ces rideaux que voici,
C'est sa chambre à coucher.

L'ABBÉ

Voilà pour toi, merci.
Parbleu! cette soirée est propice, et je pense
Que mes feux pourraient bien avoir leur récompense.
La lune ne va pas tarder à se lever;
La chose au premier coup peut ici s'achever.
Têtebleu! c'est le moins qu'un homme de ma sorte
Ne s'aille pas morfondre à garder une porte;
Je ne suis pas des gens qu'on laisse s'enrouer.

— Or, vous autres coquins, qu'allez-vous nous jouer?
— Piano, signor, basson, — amoroso! la dame
Est une oreille fine! — Il faudrait à ma flamme
Quelque *mi* bémol, — hein? je m'en vais me cacher
Sous ce contrevent-là; c'est sa chambre à coucher,
N'est-ce pas?

UN PORTEUR

Oui, seigneur.

L'ABBÉ

Je ne puis trop vous dire
D'aller bien lentement. — C'est un cruel martyre
Que le mien! Têtebleu! Je me suis ruiné
Presque à moitié, le tout pour avoir trop donné
A mes divinités de soupers et d'aubades.

MUSICIENS

Andantino, seigneur!

Musique.

L'ABBÉ

Tous ces airs-là sont fades.
Chantez tout bonnement : « Belle Philis », ou bien
« Ma Clymène. »

MUSICIENS

Allegro, seigneur!

Musique.

L'ABBÉ

Je ne vois rien
A cette fenêtre. — Hum!

La musique continue.

Point. — C'est une barbare.
— Rien ne bouge. — Allons, toi, donne-moi ta guitare

Il prend une guitare.

Fi donc! pouah!

Il en prend une autre.

Hum! je vais chanter, moi. — Ces marauds
Se sont donné, je crois, le mot pour chanter faux.

Il chante.

Pour tant de peine et tant d'émoi...

Hum! *mi, mi, la.*

Pour tant de peine et tant d'émoi...

Mi, mi. — Bon.

> *Pour tant de peine et tant d'émoi*
> *Où vous m'avez jeté, Clymène,*
> *Ne me soyez point inhumaine,*
> *Et, s'il se peut, secourez-moi,*
>   *Pour tant de peine.*

                                    Quoi! rien ne remue!
Va-t-elle me laisser faire le pied de grue?
Têtebleu! nous verrons!

Il chante.

> *De tant de peine, mon amour...*

RAFAEL, *sortant de la maison, s'arrête sur le pas de la porte.*

                                    Ah! ah! monsieur l'abbé
Desiderio! — Parbleu, vous êtes mal tombé.

L'ABBÉ

Mal tombé, monsieur! — Mais, pas si mal. Je vous chasse,
Peut-être?

RAFAEL

          Point du tout; je vous laisse la place.
Sur ma parole, elle est bonne à prendre, et, de plus,
Toute chaude.

L'ABBÉ

              Monsieur, monsieur, pour faire abus
Des oreilles d'un homme, il ne faut pas une heure : —
Il ne faut qu'un mot.

RAFAEL

                      Vrai? j'aurais cru, que je meure,
Les vôtres sur ce point moins promptes, aux façons
Dont les miennes d'abord avaient pris vos chansons.

L'ABBÉ

Tête et ventre! monsieur, faut-il qu'on vous les coupe?

RAFAEL

Là tout beau, sire! Il faut d'abord, moi, que je soupe.
Je ne me suis jamais battu sans y voir clair,
Ni couché sans souper.

L'ABBÉ

                      Pour quelqu'un du bel air,
Vous sentez le mauvais soupeur, mon gentilhomme.

Le touchant.

Ce vieux surtout mouillé! Qu'est-ce donc qu'on vous
[nomme?

RAFAEL

On me nomme seigneur Vide-bourse, casseur
De pots; c'est, en anglais, Blockhead, maître tueur
D'abbés. — Pour le seigneur Garuci, c'est son père
Le plus communément qui couche avec ma mère.

L'ABBÉ

S'il y couche demain, il court, je lui prédis,
Risque d'avoir pour femme une mère sans fils.
Votre logis?

RAFAEL

               Hôtel du Dauphin bleu. La porte
A droite, au petit Parc.

L'ABBÉ

               Vos armes?

RAFAEL

                              Peu m'importe;
Fer ou plomb, balle ou pointe.

L'ABBÉ

                     Et votre heure?

RAFAEL

                                        Midi.

L'abbé le salue et retourne à sa chaise.

Ce petit abbé-là m'a l'air bien dégourdi.
Parbleu, c'est un bon diable; il faut que je l'invite
A souper. — Hé, monsieur, n'allez donc pas si vite!

L'ABBÉ

Qu'est-ce, monsieur?

RAFAEL

               Vos gens s'ensauvent, comme si
La fièvre à leurs talons les emportait d'ici.
Demeurez pour l'amour de Dieu, que je vous pose
Un problème d'algèbre. — Est-ce pas une chose
Véritable, et que voit quiconque a l'esprit sain,
Que la table est au lit ce qu'est la poire au vin?
De plus, deux gens de bien, à s'aller mettre en face
Sans s'être jamais vus, ont plus mauvaise grâce,
Assurément, que quand il pleut, une catin
A descendre de fiacre en souliers de satin.
Donc, si vous m'en croyez, nous souperons ensemble;

Nous nous connaîtrons mieux pour demain. Que t'en
Abbé?   [semble,

L'ABBÉ

Parbleu, marquis, je le veux, et j'y vais.

Il sort de sa chaise.

RAFAEL

Voilà les musiciens qui sont déjà trouvés;
Et pour la table, — holà, Palforio! l'auberge!

Frappant.

Cette porte est plus rude à forcer qu'une vierge.
Palforio, manant tripier, sac à boyaux!
Vous verrez qu'à cette heure ils dorment, les bourreaux!

Il jette une pierre dans la vitre.

PALFORIO, *à la fenêtre.*

Quel est le bon plaisir de votre courtoisie?

RAFAEL

Fais-nous faire à souper. Certes, l'heure est choisie
Pour nous laisser ainsi casser tous tes carreaux!
Dépêche, sac à vin! — Pardieu, si j'étais gros
Comme un muid, comme toi, je dirais qu'on me porte
En guise d'écriteau sur le pas de ma porte;
On saurait où me prendre au moins.

PALFORIO

Excusez-moi,
Très excellent seigneur.

RAFAEL

Allons, démène-toi.
Vite! va mettre en l'air ta marmitonnerie.
Donne-nous ton meilleur vin et ta plus jolie
Servante; embroche tout : tes oisons, tes poulets,
Tes veaux, tes chiens, tes chats, ta femme et tes valets!
— Toi, l'abbé, passe donc; en joie! et pour nous battre
Après, nous taperons, vive Dieu! comme quatre.

SCÈNE IV

La loge de la Camargo. — On la chausse.

CAMARGO

Il ira. — Laissez-moi seule, et ne manquez pas
Qu'on me vienne avertir quand ce sera mon pas.
— C'est la règle, ô mon cœur! — Il est sûr qu'une femme
Met dans une âme aimée une part de son âme.
Sinon, d'où pourrait-elle et pourquoi concevoir
La soif d'y revenir, et l'horreur d'en déchoir?
Au contraire un cœur d'homme est comme une marée
Fuyarde des endroits qui l'ont mieux attirée.
Voyez qu'en tout lien, l'amour à l'un grandit
Et par le temps empire, à l'autre refroidit.
L'un, ainsi qu'un cheval qu'on pique à la poitrine,
En insensé toujours contre la javeline
Avance, et se la pousse au cœur jusqu'à mourir.
L'autre, dès que ses flancs commencent à s'ouvrir,
Qu'il sent le froid du fer, et l'aride morsure
Aller chercher le cœur au fond de la blessure,
Il prend la fuite en lâche, et se sauve d'aimer. —
Ah! que puissent mes yeux quelque part allumer
Une plaie à la mienne en misère semblable,
Et je serai plus dure et plus inexorable
Qu'un pauvre pour son chien, après qu'un jour entier
Il a dit : « Pour l'amour de Dieu! » sans un denier.
— Suis-je pas belle encor? — Pour trois nuits mal dormies,
Ma joue est-elle creuse? ou mes lèvres blêmies?
Vrai Dieu, ne suis-je plus la Camargo? — Sait-on,
Sous mon rouge d'ailleurs, si je suis pâle ou non?
Va, je suis belle encor! — C'est ton amour, perfide
Garuci, que déjà le temps efface et ride,
Non mon visage. — Un nain contrefait et boiteux,
Voulant jouer Phœbus, lui ressemblerait mieux,
Qu'aux façons d'une amour fidèle et bien gardée
L'allure d'une amour défaillante et fardée.
Ah! c'est de ce matin que ton cœur m'est connu,
Car en le déguisant tu me l'as mis à nu.
Certes, c'est un loisir magnifique et commode
Que la paisible ardeur d'une intrigue à la mode!
— Qu'est-ce alors? — C'est un flot qui nous berce rêvant!
C'est l'ombre qui s'enfuit d'une fumée au vent!

Mais que l'ombre devienne un spectre, et que les ondes
S'enfoncent sous les pieds, vivantes et profondes,
Le mal aimant recule, et le bon reste seul.
Oh! que dans sa douleur ainsi qu'en un linceul
Il se couche à cette heure et dorme! La pensée
D'un homme est de plaisirs et d'oublis traversée :
Une femme ne vit et ne meurt que d'amour;
Elle songe une année à quoi lui pense un jour!

LÆTITIA, entrant.

Madame, on vous attend à la troisième scène.

CAMARGO

Est-ce la Monanteuil, ce soir, qui fait la reine?

LÆTITIA

Oui, madame, et monsieur de Monanteuil, Sylvain.

CAMARGO

Fais porter cette lettre à l'hôtel du Dauphin.

SCÈNE V

Une salle à manger très riche.

GARUCI, *à table avec* L'ABBÉ ANNIBAL, Musiciens.

RAFAEL

Oui, mon abbé, voilà comme, une après-dînée,
Je vis, pris, et vainquis la Camargo, l'année
Dix-sept cent soixante-un de la nativité
De Notre-Seigneur.

L'ABBÉ

Triste! oh! triste, en vérité!

RAFAEL

Triste, abbé? — Vous avez le vin triste? — Italie,
Voyez-vous, à mon sens, c'est la rime à folie.
Quant à mélancolie, elle sent trop les trous
Aux bas, le quatrième étage, et les vieux sous.
On dit qu'elle a des gens qui se noient pour elle.
— Moi, je la noie

Il boit.

L'ABBÉ

Et quand vous eûtes cette belle
Carmargo, vous l'aimiez fort?

RAFAEL

Oh! très fort! — et puis,
A vous dire le vrai, je m'y suis très bien pris :
Contre un doublon d'argent un cœur de fer s'émousse.
Ce fut, le premier mois, l'amitié la plus douce
Qui se puisse inventer. Je m'en allais la voir
Comme ça, tout au saut du lit — ou bien le soir
Après le spectacle. — Oh! c'était une folie
Dans ce temps-là! — Pauvre ange! — Elle était bien jolie.
Si bien qu'après un mois je cessai d'y venir.
Elle de remuer terre et ciel, — moi de fuir. —
Pourtant je fus trouvé; — reproches, pleurs, injure,
Le reste à l'avenant. — On me nomma parjure,
C'est le moins. — Je rompis tout net. — Bon. — Cependant
Nous nous allions fuyant et l'un l'autre oubliant. —
Un beau soir, je ne sais comment se fit l'affaire,
La lune se levait cette nuit-là si claire,
Le vent était si doux, l'air de Rome est si pur! —
C'était un petit bois qui côtoyait un mur,
Un petit sentier vert, — je le pris, — et, Jean comme
Devant, je m'en allai l'éveiller dans son somme.

L'ABBÉ

Et vous l'avez reprise?

RAFAEL, *cassant son verre.*

Aussi vrai que voilà
Un verre de cassé. — Mon amour s'en alla
Bientôt. — Que voulez-vous? moi, j'ai donné ma vie
A ce dieu fainéant qu'on nomme fantaisie.
C'est lui qui, triste ou fou, de face ou de profil,
Comme un polichinel me traîne au bout d'un fil;
Lui qui tient les cordons de ma bourse, et la guide
De mon cheval; jaloux, badaud, constant, perfide,
En chasse au point du jour dimanche, et vendredi
Cloué sur l'oreiller jusque et passé midi.
Ainsi je vais en tout — plus vain que la fumée
De ma pipe, — accrochant tous les pavés. — L'année
Dernière, j'étais fou de chiens d'abord, et puis
De femmes. — Maintenant, ma foi, je ne le suis
De rien. — J'en ai bien vu, des petites princesses!
La première surtout m'a mangé de caresses;

Elle m'a tant baisé, pommadé, ballotté!
C'est fini; voyez-vous : — celle-là m'a gâté.
Quant à la Camargo, vous la pouvez bien prendre
Si le cœur vous en dit; mais je me veux voir pendre
Plutôt que si ma main de sa nuque approchait.

L'ABBÉ

Triste!

RAFAEL

Encor triste, abbé?

Aux musiciens.

Hé! messieurs de l'archet,
En ut! égayez donc un peu sa courtoisie.

Musique.

Ma foi, voilà deux airs très beaux.

Il parle en se promenant, pendant que l'orchestre
joue piano.

La poésie,
Voyez-vous, c'est bien. — Mais la musique, c'est mieux.
Pardieu, voilà deux airs qui sont délicieux;
La langue sans gosier n'est rien. — Voyez le Dante;
Son Séraphin doré ne parle pas, — il chante!
C'est la musique, moi, qui m'a fait croire en Dieu.
— Hardi, ferme, poussez — crescendo! Mais, parbleu,
L'abbé s'est endormi. — Le voilà sous la table.
C'est vrai qu'il a le vin mélancolique en diable.
O doux, ô doux sommeil! ô baume des esprits!
Reste sur lui, sommeil! Dormir quand on est gris,
C'est, après le souper, le premier bien du monde.

PALFORIO, entrant.

Une lettre, seigneur.

RAFAEL, après avoir lu.

Que le Ciel la confonde!
Dites que je n'irai, certes, pas. — Attendez!
Si — c'est cela — parbleu! — je — non — si fait, restez.
Dites que l'on m'attende.

Exit Palforio.

Eh! l'abbé! — Sur mon âme,
Il ronfle en enragé.

L'ABBÉ

Pardonnez-moi, madame;
Est-ce que je dormais?

RAFAEL

Eh! voulez-vous avoir

La Camargo, l'ami?

L'ABBÉ, *se levant.*

Tête et ventre! ce soir?

RAFAEL

Ce soir même. — Écoutez bien : — elle doit m'attendre
Avant minuit. — Il est onze heures, — il faut prendre
Mon habit. —

L'abbé se déboutonne.

Me donner le vôtre.

L'abbé ôte son manteau.

Vous irez

A la petite porte et là vous tousserez
Deux fois; toussez un peu.

L'ABBÉ

Hum! hum!

RAFAEL

C'est à merveille.

Nous sommes à peu près de stature pareille.
Changeons d'habit. —

Ils changent.

Parbleu! cet habit de cafard

Me donne l'encolure et l'air d'un Escobard.
Le marquis Annibal! l'abbé Garuci! — Certe,
Le tour est des meilleurs. Or donc, la porte ouverte,
On vous introduira piano. — Mais n'allez pas
Perdre la tête là. — Prenez-la dans vos bras,
Et tout d'abord du poing renversez la chandelle. —
L'alcôve est à main droite en entrant. — Pour la belle,
Elle ne dira mot; ne réponds rien. —

L'ABBÉ

J'y vais.

Marquis, c'est à la vie, à la mort. — Si jamais
Ma maîtresse te plaît, à tel jour, à telle heure
Que ce soit, écris-moi trois mots, et que je meure
Si tu ne l'as le soir!

Il sort.

RAFAEL, *lui crie par la fenêtre.*

L'abbé, si vous voulez

Qu'on vous prenne pour moi tout à fait, embrassez
La servante en entrant. — Holà! marauds, qu'on dise
A quelqu'un de m'aller chercher la Cydalise!

SCÈNE VI

Chez la Camargo.

CAMARGO, *entrant.*

Déchausse-moi. — J'étouffe! — A-t-on mis mon billet?

LÆTITIA

Oui, madame.

CAMARGO

Et qu'a-t-on répondu?

LÆTITIA

Qu'il viendrait.

CAMARGO

Était-il seul?

LÆTITIA

Avec un abbé.

CAMARGO

Qui se nomme?...

LÆTITIA

Je ne sais pas. — Un gros, joufflu, court, petit homme.

CAMARGO

Lætitia?

LÆTITIA

Madame?

CAMARGO

Approchez un peu. — J'ai
Depuis le mois dernier bien pâli, bien changé,
N'est-ce pas? Je fais peur. — Je ne suis pas coiffée;
Et vous me serrez tant, je suis tout étouffée.

LÆTITIA

Madame a le plus beau teint du monde ce soir.

CAMARGO

Vous croyez? — Relevez ce rideau. — Viens t'asseoir

Près de moi. — Penses-tu, toi, que, pour une femme,
C'est un malheur d'aimer — dans le fond de ton âme?

LÆTITIA

Un malheur, quand on est riche!

L'ABBÉ, *dans la rue.*

Hum!

CAMARGO

                                         N'entends-tu pas
Qu'on a toussé? — Pourtant ce n'était point son pas.

LÆTITIA

Madame, c'est sa voix. — Je vais ouvrir la porte.

CAMARGO

Versez-moi ce flacon sur l'épaule.

> *La Camargo reste un moment seule, en silence.*
> *Lætitia rentre, accompagnée de l'abbé sous le*
> *manteau de Garuci, puis se retire aussitôt. Le*
> *coin du manteau accroche en passant la lampe*
> *et la renverse.*

L'ABBÉ, *se jetant à son cou.*

Oh!

> *La Camargo est assise; elle se lève et va à son*
> *alcôve. L'abbé la suit dans l'obscurité. Elle se*
> *retourne et lui tend la main; il la saisit.*

CAMARGO

                         Main-forte!
Au secours! ce n'est pas lui!

> *Tous deux restent immobiles un instant.*

L'ABBÉ

                         Madame, en pensant...

CAMARGO

Au guet! — Mais quel est donc cet homme?

L'ABBÉ, *lui mettant son mouchoir sur la bouche.*

                                         Ah! tête et
                                         [sang!
Ma belle dame, un mot. — Je vous tiens, quoi qu'on fasse.
Criez si vous voulez; mais il faut qu'on en passe
Par mes volontés.

CAMARGO, *étouffant*.

Heuh!

L'ABBÉ

Écoute! si tu veux
Que nous passions une heure à nous prendre aux cheveux,
A ton gré, je le veux aussi; mais je te jure
Que tu n'y peux gagner beaucoup, — et sois bien sûre
Que tu n'y perdras rien. — Madame, au nom du Ciel,
Vous allez vous blesser. — Si mon regret mortel
De vous offenser, si...

CAMARGO, *arrache la boucle de sa ceinture et l'en frappe au
visage.*

Tu n'es qu'un misérable
Assassin. — Au secours!

L'ABBÉ

Soyez donc raisonnable,
Madame! calmez-vous. — Voulez-vous que vos gens
Fassent jaser le peuple, ou venir les sergents?
Nous sommes seuls, la nuit, — et vous êtes trompée
Si vous pensez qu'on sort à minuit sans épée.
Lorsque vous m'aurez fait éventrer un valet
Ou deux, m'en croira-t-on moins heureux, s'il vous plaît?
Et n'en prendra-t-on pas le soupçon légitime
Qu'étant si criminel, j'ai commis tout le crime?

CAMARGO

Et qui donc es-tu, toi, qui me parles ainsi?

L'ABBÉ

Ma foi, je n'en sais rien. — J'étais le Garuci
Tout à l'heure, à présent...

CAMARGO, *le menant à l'endroit de la fenêtre où donne la lune.*

Viens ici. — Sur ta vie
Et le sang de tes os, réponds. — Que signifie
Ce chiffre?

L'ABBÉ

Ah! pardonnez, madame, je suis fou
D'amour de vous. — Je suis venu sans savoir où.
Ah! ne me faites pas cette mortelle injure,
Que de me croire un cœur fait à cette imposture.
Je n'étais plus moi-même, et le Ciel m'est témoin
Que de vous mériter nul n'a pris plus de soin.

CAMARGO

Je te crois volontiers en effet la cervelle
Troublée. — Et cette plaque enfin, d'où te vient-elle?

L'ABBÉ

De lui.

CAMARGO

Lui? — L'as-tu donc égorgé?

L'ABBÉ

Moi? non point;
Je l'ai laissé très vif, une bouteille au poing.

CAMARGO

Quel jeu jouons-nous donc?

L'ABBÉ

Eh! madame, lui-même
Ne pouvait-il pas seul trouver ce stratagème?
Et ne voyez-vous point que lui seul m'a donné
Ce dont je devais voir mon amour couronné?
Et quel autre que lui m'eût dit votre demeure?
M'eût prêté ces habits? m'eût si bien marqué l'heure?

CAMARGO

Rafael! Rafael! le jour que de mon front
Mes cheveux sur mes pieds un à un tomberont,
Que ma joue et mes mains bleuiront comme celles
D'un noyé, que mes yeux laisseront mes prunelles
Tomber avec mes pleurs, alors tu penseras
Que c'est assez souffert, et tu t'arrêteras!

L'ABBÉ

Mais...

CAMARGO

Et quel homme encor me met-il à sa place?
De quelle fange est l'eau qu'il me jette à la face?
Viens, toi. — Voyons lequel est écrit dans tes yeux,
Du stupide ou du lâche, ou si c'est tous les deux?

L'ABBÉ

Madame!

CAMARGO

Je t'ai vu quelque part.

L'ABBÉ

Chez le comte
Foscoli.

CAMARGO

C'est cela. — Si ce n'était de honte,
Ce serait de pitié qu'à te voir ainsi fait
Comme un bouffon manqué, le cœur me lèverait!
Voyons, qu'avais-tu bu? dans cette violence,
Pour combien est l'ivresse, et combien l'impudence?
Va, je te crois sans peine, et lui seul sûrement
Est le joueur ici qui t'a fait l'instrument.
Mais écoute. — Ceci vous sera profitable. —
Va-t'en le retrouver, s'il est encore à table;
Dis-lui bien ton succès, et que lorsqu'il voudra
Prêter à ses amis des filles d'Opéra...

L'ABBÉ

D'Opéra! — Hé parbleu, vous seriez bien surprise
Si vous saviez qu'il soupe avec la Cydalise!

CAMARGO

Quoi! Cydalise!

L'ABBÉ

Hé oui! Gageons que l'on entend
D'ici les musiciens, s'il fait un peu de vent.

> *Tous deux prêtent l'oreille à la fenêtre. On*
> *entend une symphonie lente dans l'éloignement.*

CAMARGO

Ciel et terre! c'est vrai!

L'ABBÉ

C'est ainsi qu'il oublie
Auprès d'elle qui n'est ni jeune ni jolie,
La perle de nos jours! Ah! madame, songez
Que vos attraits surtout par là sont outragés.
Songez au temps, à l'heure, à l'insulte, à ma flamme;
Croyez que vos bontés...

CAMARGO

Cydalise!

L'ABBÉ

Eh! madame,
Ne daignerez-vous pas baisser vos yeux sur moi?
Si le plus absolu dévoûment...

CAMARGO

Lève-toi.

As-tu le poignet ferme?

L'ABBÉ

Hai?

CAMARGO

Voyons ton épée.

L'ABBÉ

Madame, en vérité, vous vous êtes coupée.

CAMARGO

Eh quoi! pâle avant l'heure, et déjà faiblissant?

L'ABBÉ

Non pas, mais têtebleu! Voulez-vous donc du sang?

CAMARGO

Abbé, je veux du sang! J'en suis plus altérée
Qu'une corneille au vent d'un cadavre attirée.
Il est là-bas, dis-tu? — cours-y donc, — coupe-lui
La gorge, et tire-le par les pieds jusqu'ici.
Tords-lui le cœur, abbé, de peur qu'il n'en réchappe.
Coupe-le en quatre, et mets les morceaux dans la nappe;
Tu me l'apporteras, et puisse m'écraser
La foudre, si tu n'as par blessure un baiser!
Tu tressailles, Romain? C'est une faute étrange,
Si te tu crois ici conduit par ton bon ange!
Le sang te fait-il peur? Pour t'en faire un manteau
De cardinal, il faut la pointe d'un couteau.
Me jugeais-tu le cœur si large, que j'y porte
Deux amours à la fois, et que pas un n'en sorte?
C'est une faute encor; mon cœur n'est pas si grand,
Et le dernier venu ronge l'autre en entrant.

L'ABBÉ

Mais, madame, vraiment, c'est... Est-ce que? Sans doute
C'est un assassinat. — Et la justice?

CAMARGO

Écoute.

Je t'en supplie à deux genoux.

L'ABBÉ

Mais je me bats

Avec lui demain, moi. Cela ne se peut pas;
Attendez à demain, madame.

CAMARGO

Et s'il te tue? —
Demain! Et si j'en meurs? — Si je suis devenue
Folle? — Si le soleil, se prenant à pâlir,
De ce sombre horizon ne pouvait pas sortir?
On a vu quelquefois de telles nuits au monde.
Demain! le vais-je attendre à compter par seconde
Les heures sur mes doigts, ou sur les battements
De mon cœur, comme un Juif qui calcule le temps
D'un prêt? — Demain ensuite, irais-je pour te plaire
Jouer à croix ou pile, et mettre ma colère
Au bout d'un pistolet qui tremble avec ta main?
Non pas. — Non! aujourd'hui est à nous, mais demain
Est à Dieu!

L'ABBÉ

Songez donc...

CAMARGO

Annibal, je t'adore!
Embrasse-moi!

Il se jette à son cou.

L'ABBÉ

Démons!

CAMARGO

Mon cher amour, j'implore
Votre protection. — Voyez qu'il se fait tard. —
Me refuserez-vous? — Tiens, tiens, prends ce poignard.
Qui te verra passer? il fait si noir!

L'ABBÉ

Qu'il meure,
Et vous êtes à moi?

CAMARGO

Cette nuit.

L'ABBÉ

Dans une heure.
Ah! je ne puis marcher. — Mes pieds tremblent. — Je
Je — je vois...   [sens,

CAMARGO

Annibal, je suis prête, et j'attends.

SCÈNE VII

A l'auberge.

RAFAEL *est assis, avec* ROSE *et* CYDALISE.

RAFAEL *chante.*

> *Trivelin ou Scaramouche;*
> *Remplis ton verre à moitié;*
> *Si tu le bois tout entier,*
> *Je dirai que tu te mouches*
> *Du pied.*

Je ne sais pas au fond de quelle pyramide
De bouteilles de vin, au cœur de quel broc vide
S'est caché le démon qui doit me griser, mais
Je désespère encor de le trouver jamais.

CYDALISE

A toi, mon prince!

RAFAEL

A toi, buvons à mort, déesse!
Ma foi, vive l'amour! Au diable ma maîtresse!
La vie est à descendre un rude grand chemin;
Gai donc, la voyageuse, au coup du pèlerin!

CYDALISE

Chante, je vais danser.

RAFAEL

Bien dit. — Ah! la jolie
Jambe! —

Il se couche aux pieds de Rose, et prélude.

Je suis Hamlet aux genoux d'Ophélie.
Mais, reine, ma folie est plus douce, et mes yeux
Sous vos longs sourcils noirs invoquent d'autres dieux.

Il chante.

> *Si, dans les antres de Gnide,*
> *Aux bras de Vénus porté,*
> *Le vieux Jupiter, que ride*
> *Sa vieille immortalité,*
> *Dans la céleste furie*
> *Me laissait finir sa vie,*

> *Qui jamais ne finira :*
> *Dieux immortels, que je meure!*
> *J'aimerais mieux un quart d'heure*
> *Chez la blanche Lydia.*

Que j'aime ces beaux seins qui battent la campagne!
Au menuet, danseuse! — Et vous, du vin d'Espagne!

A Rose.

Et laissez vos regards avec le vin couler.
Dieu merci, ma raison commence à s'en aller!

CYDALISE

Tu me laisses danser toute seule?

RAFAEL

Ma reine,
Cela n'est pas bien dit.

Il se lève.

Cette table nous gêne.

Il la renverse du pied.

PALFORIO, *entrant.*

Seigneur, je ne puis dire autre chose, sinon
Que de vous déranger je demande pardon;
Mais vous faites un bruit bien fort, et qui fait mettre
Autour de ma maison le monde à la fenêtre.
Veuillez crier moins haut.

RAFAEL

Ah! parbleu, je crierai,
Maître porte-bedaine, autant que je voudrai.
Holà! hé! ohé! ho!

PALFORIO

Seigneur, je vous supplie
D'observer qu'il est tard.

RAFAEL

Allons, paix, vieille truie.
Je suis abbé, d'abord. — Si vous dites un mot,
Je vous excommunie. — Arrière, toi, pied-bot!

Il danse en chantant.

> *Monsieur l'abbé, où courez-vous ?*
> *Vous allez vous casser le cou.*

PALFORIO

Seigneur, si vous criez, j'irai chercher la garde;
J'en demande pardon à Votre Honneur.

RAFAEL

Prends garde
Que mon pied n'aille voir tes chausses.

PALFORIO

Aïe! à moi!
Je suis mort!

RAFAEL

Ventrebleu! je suis ici chez toi;
J'y suis pour mon plaisir, et n'en sortirai mie.

PALFORIO

Seigneur, excusez-moi; c'est mon hôtellerie,
Et vous en sortirez. — A la garde!

RAFAEL, *lui jetant une bouteille à la tête.*

Tiens!

PALFORIO

Ah!

Il tombe.

CYDALISE

Vous l'avez tué!

RAFAEL

Non.

CYDALISE

Si fait.

RAFAEL

Non.

ROSE

Si fait.

RAFAEL

Bah?

Il le secoue.

Hé, Palforio, vieux porc! Il sait mieux que personne
Où vont, après leur mort, les gredins. — Je m'étonne
Que Satan ou Pluton, dès la première fois,
Dans cette nuque chauve aient enfoncé les doigts.
Ma foi, bonsoir; le drôle a soufflé sa chandelle.
Adieu, ventre sans tête. — Il faut partir, ma belle.
Les sergents nous feraient payer les pots. — Allons.
C'est dur de nous quitter si tôt. — Allons, partons.
Je le croyais plus ferme, et que les vieilles âmes
Se rouillaient à l'étui comme les vieilles lames.

CYDALISE

Paix! on vient.

VOIX

Au guet!

RAFAEL

Hein? Je crois que les bourreaux
Sont gens, Dieu me pardonne, à querir les prévôts.
Ne les attendons pas, mon ange. — Cette issue
Secrète nous conduit, par la petite rue,
A mon hôtel.

VOIX

C'est là.

CYDALISE

Mon Dieu! si l'on entrait!

RAFAEL

Allons, le mantelet, le loup et le bonnet;
Par ici, par ici; bonsoir, mes Cydalises.

CYDALISE

Bonsoir, mon prince.

UN SERGENT, *entrant.*

Arrête! en voilà deux de prises.

CYDALISE

Mon prince, sauvez-vous!

LE SERGENT

Qu'on le retienne!

RAFAEL

Il pleut
Un peu, mais c'est égal. — Ma foi, sauve qui peut!

Il saute par la fenêtre.

UN SOLDAT

Sergent, nous n'avons rien. — Votre homme est passé
[maître
Dans le saut périlleux. — Il a pris la fenêtre.

LE SERGENT

Oh! oh! tenez-le bien! — Que vois-je? L'hôtelier
Est mort. Courez tous vite, et sus le meurtrier!

SCÈNE VIII

Une rue au bord de la mer.

RAFAEL *descend le long d'un treillis;*
ANNIBAL *passe dans le fond.*

RAFAEL

Peste soit des barreaux! Hé! rendez-moi ma veste,
Mon camarade! Où donc vous sauvez-vous si preste?
Eh bien, et vos amours — que font-ils?

L'ABBÉ

Le voilà!

RAFAEL

On me poursuit, mon cher. — Je vous dirai cela;
Mais rendez-moi l'habit.

L'ABBÉ

On crie. — On vous appelle!
Têtebleu! qu'est-ce donc?

RAFAEL

Bon! une bagatelle.
Je crois que j'ai tué quelqu'un là-bas.

L'ABBÉ

Vraiment?

RAFAEL

Je vous dirai cela; mais l'habit seulement.

L'ABBÉ

L'habit; non de par Dieu! je ne veux pas du vôtre.
Les sergents me prendraient pour vous.

RAFAEL

Le bon apôtre!

Plusieurs gens traversent le théâtre.

Attendez. — Donnez-moi ce manteau. — Bon. — Je vais
Dire à ces gredins-là deux petits mots.

L'ABBÉ

Jamais
Je n'oserai tuer cet homme.

Il s'assoit sur une pierre.

LE SERGENT

Holà! je cherche
Le seigneur Rafael.

RAFAEL

A moins qu'il ne se perche
Sur quelque cheminée en manière d'oiseau,
Qu'il n'entre dans la terre, ou qu'il ne saute à l'eau,
Vous l'aurez à coup sûr. Le connaissez-vous?

LE SERGENT

Certe,
J'ai son signalement. — C'est une plume verte
Avec des bas orange.

RAFAEL

En vérité! — Parbleu,
Vous n'aurez point de peine et vous jouez beau jeu.
Combien vous donne-t-on?

LE SERGENT

Hai?

RAFAEL

Trouvez-vous qu'en somme
Votre prévôt vous ait assez payé votre homme?
Le bon sire est-il doux ou dur sur les écus?

LE SERGENT

Mais il n'en mourrait pas pour donner un peu plus.
Mais je n'y pense pas. — Le ventre à la besogne,
Et non le dos. — Mieux vaut la hart que la vergogne.
Et puis, l'homme pendu, nous avons le pourpoint.

RAFAEL

Sans compter les revers, s'il met l'épée au poing.

LE SERGENT

J'ai de bons pistolets.

RAFAEL

Voyons. — Et puis?

LE SERGENT

Ma canne
De sergent.

RAFAEL

Bon. — Et puis?

LE SERGENT

Ce poignard de Toscane.

RAFAEL

Très excellent. — Et puis?

LE SERGENT

J'ai cette épée.

RAFAEL

Et puis?

LE SERGENT

Et puis! je n'ai plus rien.

RAFAEL, *le rossant.*

Tiens, voilà pour tes cris
Et pour tes pistolets.

LE SERGENT

Aïe! aïe!

RAFAEL

Et pour ta canne.
Et pour ton fin poignard en acier de Toscane.

LE SERGENT

Aïe! aïe! je suis mort!

RAFAEL

Le seigneur Garuci
Est sans doute au logis. — On y va par ici.

Il le chasse.

C'est du don Juan, ceci.

Revenant.

Que dis-tu du bonhomme?
Sauvons-nous maintenant. — Moi, je retourne à Rome.

*L'abbé va à lui, et lui met son poignard dans
la gorge.*

RAFAEL

Êtes-vous fou, l'abbé? — L'abbé!

Il tombe.

Je n'y suis pas.
Ah! malédiction! Mais tu me le paieras.

Il veut se relever.

Mon coup de grâce, abbé! Je suffoque! Ah! misère!
Mon coup, mon dernier coup, mon cher abbé. La terre
Se roule autour de moi; — miserere! Le ciel
Tourne. Ah! chien d'abbé, va! par le Père éternel!...
Qu'attends-tu donc là, toi, fantôme, qui demeures
Avec ces yeux ouverts?

L'ABBÉ

Moi? j'attends que tu meures.

RAFAEL

Damnation! Tu vas me laisser là crever
Comme un païen, gredin, et ne pas m'achever!
Je ne te ferai rien; viens m'achever. — Un verre
D'eau, pour l'amour de Dieu! — Tu diras à ma mère
Que je donne mes biens à mon bouffon Pippo.

Il meurt.

L'ABBÉ

Va, ta mort est ma vie, insensé! Ton tombeau
Est le lit nuptial où va ma fiancée
S'étendre sous le dais de cette nuit glacée!
Maintenant le hibou tourne autour des falots;
L'esturgeon monstrueux soulève de son dos
Le manteau bleu des mers, et regarde en silence
Passer l'astre des nuits sur leur miroir immense;
La sorcière, accroupie et murmurant tout bas
Des paroles de sang, lave pour les sabbats
La jeune fille nue; Hécate aux trois visages
Froisse sa robe blanche aux joncs des marécages.
Écoutez. — L'heure sonne! et par elle est compté
Chaque pas que le temps fait vers l'éternité.
Va dormir dans la mer, cendre! et que ta mémoire
S'enfonce avec ta vie au cœur de cette eau noire!

Il jette le cadavre dans la mer.

Vous, nuages, crevez! essuyez ce chemin!
Que le pied, sans glisser, puisse y passer demain.

SCÈNE IX

Chez la Camargo.

*La Camargo est à son clavecin, en silence :
on entend frapper à petits coups.*

CAMARGO

Entrez.

*L'abbé entre. Il lui présente son poignard.
La Camargo le considère quelque temps, puis
se lève.*

A-t-il souffert beaucoup?

L'ABBÉ

Bon! c'est l'affaire

D'un moment.

CAMARGO

Qu'a-t-il dit?

L'ABBÉ

Il a dit que la terre

Tournait.

CAMARGO

Quoi! rien de plus?

L'ABBÉ

Ah! qu'il donnait son bien

A son bouffon Pippo.

CAMARGO

Quoi! rien de plus?

L'ABBÉ

Non, rien.

CAMARGO

Il porte au petit doigt un diamant. De grâce
Allez me le chercher.

L'ABBÉ

Je ne le puis.

CAMARGO

La place

Où vous l'avez laissé n'est pas si loin.

L'ABBÉ

Non, mais
Je ne le puis.

CAMARGO

Abbé, tout ce que je promets,
Je le tiens.

L'ABBÉ

Pas ce soir.

CAMARGO

Pourquoi?

L'ABBÉ

Mais...

CAMARGO

Misérable!
Tu ne l'as pas tué.

L'ABBÉ

Moi! que le Ciel m'accable
Si je ne l'ai pas fait, madame, en vérité!

CAMARGO

En ce cas, pourquoi non?

L'ABBÉ

Ma foi, je l'ai jeté
Dans la mer.

CAMARGO

Quoi! ce soir, dans la mer?

L'ABBÉ

Oui, madame.

CAMARGO

Alors, c'est un malheur pour vous, — car sur mon âme,
Je voulais cet anneau.

L'ABBÉ

Si vous me l'aviez dit
Au moins...

CAMARGO

Et sur quoi donc t'en croirai-je, maudit?
Sur quel honneur vas-tu me jurer? Sur laquelle
De tes deux mains de sang? Où la marque en est-elle?
La chose n'est pas sûre, et tu te peux vanter. —
Il fallait lui couper la main, et l'apporter.

L'Abbé

Madame, il faisait nuit... la mer était prochaine...
Je l'ai jeté dedans.

Camargo

> Je n'en suis pas certaine.

L'Abbé

Mais, madame, ce fer est chaud, et saigne encor.

Camargo

Ni le sang ni le feu ne sont rares.

L'Abbé

> > Son corps
N'est pas si loin, madame, il se peut qu'on se charge...

Camargo

La nuit est trop épaisse, et l'océan trop large.

L'Abbé

Mais je suis pâle, moi! tenez.

Camargo

> > Mon cher abbé,
L'étais-je pas ce soir, quand j'ai joué Thisbé
Dans l'opéra?

L'Abbé

> Madame, au nom du Ciel!

Camargo

> > > Peut-être
Qu'en y regardant bien, vous l'aurez. — Ma fenêtre
Donne sur la mer.

Elle sort.

L'Abbé

> Mais... — Elle est partie, ô Dieu!
J'ai tué mon ami, j'ai mérité le feu,
J'ai taché mon pourpoint, et l'on me congédie.
C'est la moralité de cette comédie.

FIN DES « MARRONS DU FEU »

LA NUIT VÉNITIENNE

OU

LES NOCES DE LAURETTE

La publication des *Contes d'Espagne et d'Italie* avait révélé le poète qu'était Musset, et un poète doué pour le théâtre. Aussi Harel, l'intelligent directeur de l'Odéon, lui demanda-t-il une pièce, « la plus neuve et la plus hardie possible », qui pût servir de lever de rideau. Musset, s'inspirant d'Hoffmann, conçut l'aventure d'une jeune fille, Laurette, placée entre un fiancé qu'on lui impose et l'amoureux qu'elle croit aimer, et qui abandonne finalement cet amoureux un peu fol pour le fiancé délicat, mesuré et sensible dont elle s'écartait tout d'abord. Un mot tiré de l'*Othello* de Shakespeare : « Perfide comme l'onde » sert d'exergue à ce marivaudage, qui a pour cadre Venise et ses fêtes.

Contrairement à l'attente de Musset et d'Harel, la première représentation de la pièce, le 1er décembre 1830, fut un échec; une seconde représentation, le 3 décembre, ne fut pas plus heureuse, et une troisième épreuve fut jugée inutile. Le public et la critique s'étaient montrés également surpris par une « comédie » tout en nuances — Marivaux n'était guère à la mode — et les subtilités d'un style emberlificoté. Le ton désinvolte de Musset et sa fantaisie capricante effarouchèrent les classiques, et ne plurent pas davantage aux tenants de la nouvelle école romantique, qui n'oubliaient pas que Musset s'était moqué d'eux dans les *Contes d'Espagne et d'Italie* et dans les *Vœux stériles* et qu'avait exaspérés une intrigue où le fanfaron d'amour qu'était Razetta se voyait préférer un prince raisonnable et rassis.

Cet échec, en partie immérité, éloigna Musset du théâtre et devait le retenir pendant près de vingt ans d'écrire directement pour la scène.

Publiée en décembre 1830 dans *la Revue de Paris*, puis

en 1834 dans la seconde livraison d'*Un spectacle dans un fauteuil*, enfin, à partir de 1840 dans les éditions successives des *Comédies et Proverbes*, *la Nuit vénitienne* n'a été jouée que dix fois à la Comédie-Française avant cette année-ci (1964).

M. R.

PERSONNAGES

LE PRINCE D'EYSENACH.
LE MARQUIS DELLA-RONDA.
RAZETTA.
LE secrétaire intime GRIMM.
LAURETTE.
MADAME BALBI.

La scène est à Venise.

Perfide comme l'onde.
SHAKESPEARE.

SCÈNE I

Une rue ; il est nuit.

RAZETTA *descend d'une gondole ;*
LAURETTE *paraît à un balcon.*

RAZETTA. — Partez-vous, Laurette ? Est-il vrai que vous partiez ?

LAURETTE. — Je n'ai pu faire autrement.

RAZETTA. — Vous quittez Venise ?

LAURETTE. — Demain matin.

RAZETTA. — Ainsi cette funeste nouvelle qui courait la ville aujourd'hui n'est que trop vraie. On vous vend au prince d'Eysenach. Quelle fête; votre orgueilleux tuteur n'en mourra-t-il pas de joie! Lâche et vil courtisan!

LAURETTE. — Je vous en supplie, Razetta, n'élevez pas la voix; ma gouvernante est dans la salle voisine; on m'attend; je ne puis que vous dire adieu.

RAZETTA. — Adieu pour toujours ?

LAURETTE. — Pour toujours!

RAZETTA. — Je suis assez riche pour vous suivre en Allemagne.

LAURETTE. — Vous ne devez pas le faire. Ne nous opposons pas, mon ami, à la volonté du ciel.

RAZETTA. — La volonté du ciel écoutera celle de l'homme. Bien que j'aie perdu au jeu la moitié de mon bien, je vous répète que j'en ai assez pour vous suivre, et que j'y suis déterminé.

LAURETTE. — Vous nous perdrez tous deux par cette action.

RAZETTA. — La générosité n'est plus de mode sur cette terre.

LAURETTE. — Je le vois; vous êtes au désespoir.

RAZETTA. — Oui; et l'on a agi prudemment en ne m'invitant pas à votre noce.

LAURETTE. — Écoutez, Razetta; vous savez que je vous ai beaucoup aimé. Si mon tuteur y avait consenti, je serais à vous depuis longtemps. Une fille ne dépend pas d'elle ici-bas. Voyez dans quelles mains est ma destinée; vous-même, ne pouvez-vous pas me perdre par le moindre éclat? Je me suis soumise à mon sort. Je sais qu'il peut vous paraître brillant, heureux... Adieu! adieu! je ne puis en dire davantage... Tenez! Voici ma croix d'or que je vous prie de garder.

RAZETTA. — Jette-la dans la mer; j'irai la rejoindre.

LAURETTE. — Mon Dieu! revenez à vous.

RAZETTA. — Pour qui, depuis tant de jours et tant de nuits, ai-je rôdé comme un assassin autour de ces murailles? Pour qui ai-je tout quitté? Je ne parle pas de mes devoirs, je les méprise; je ne parle pas de mon pays, de ma famille, de mes amis; avec de l'or, on en trouve partout. Mais l'héritage de mon père, où est-il? J'ai perdu mes épaulettes; il n'y a donc que vous au monde à qui je tienne. Non, non, celui qui a mis sa vie entière sur un coup de dé, ne doit pas si vite abandonner la chance.

LAURETTE. — Mais que voulez-vous de moi?

RAZETTA. — Je veux que vous veniez avec moi à Gênes.

LAURETTE. — Comment le pourrais-je? Ignorez-vous que celle à qui vous parlez ne s'appartient plus? Hélas! Razetta, je suis princesse d'Eysenach.

RAZETTA. — Ah! rusée Vénitienne, ce mot n'a pu passer sur tes lèvres sans leur arracher un sourire.

LAURETTE. — Il faut que je me retire... Adieu, adieu, mon ami.

RAZETTA. — Tu me quittes? — Prends-y garde; je n'ai pas été jusqu'à présent de ceux que la colère rend faibles. J'irai te demander à ton second père l'épée à la main.

LAURETTE. — Je l'avais prévu que cette nuit nous serait fatale. Ah! pourquoi ai-je consenti à vous voir encore une fois?

RAZETTA. — Es-tu donc une Française? Le soleil du jour de ta naissance était-il donc si pâle que le sang soit glacé dans tes veines?... Ou ne m'aimes-tu pas? Quelques bénédictions d'un prêtre, quelques paroles d'un roi ont-elles changé en un instant ce que deux mois de supplice... ou mon rival peut-être...

LAURETTE. — Je ne l'ai pas vu.

RAZETTA. — Comment? tu es cependant princesse d'Eysenach.

LAURETTE. — Vous ne connaissez pas l'usage de ces

cours. Un envoyé du prince, le baron Grimm, son secrétaire intime, est arrivé ce matin.

RAZETTA. — Je comprends. On a placé ta froide main
dans la main du vassal insolent, décoré des pouvoirs du
maître ; la royale procuration, sanctionnée par l'officieux
chapelain de son excellence, a réuni aux yeux du monde
deux êtres inconnus l'un à l'autre. Je suis au fait de ces
cérémonies. Et toi, ton cœur, ta tête, ta vie, marchandés
par entremetteurs, tout a été vendu au plus offrant ; une
couronne de reine t'a faite esclave pour jamais, et cependant ton fiancé, enseveli dans les délices d'une cour,
attend nonchalamment que sa nouvelle épouse...

LAURETTE. — Il arrive ce soir à Venise.

RAZETTA. — Ce soir ? Ah ! vraiment ! voilà encore une
imprudence de m'en avertir.

LAURETTE. — Non, Razetta, je ne puis croire que tu
veuilles ma perte ; je sais qui tu es et quelle réputation
tu t'es faite par des actions qui auraient dû m'éloigner de
toi. Comment j'en suis venue à t'aimer, à te permettre de
m'aimer moi-même, c'est ce dont je ne suis pas capable
de rendre compte. Que de fois j'ai redouté ton caractère
violent, excité par une vie de désordres, qui, seule, aurait
dû m'avertir de mon danger. — Mais ton cœur est bon.

RAZETTA. — Tu te trompes ; je ne suis pas un lâche, et
voilà tout. Je ne fais pas le mal pour le bien ; mais, par le
ciel, je sais rendre le mal pour le mal. Quoique jeune,
Laurette, j'ai trop connu ce qu'on est convenu d'appeler la
vie, pour n'avoir pas trouvé au fond de cette mer le mépris
de ce qu'on aperçoit à la surface. Sois bien convaincue
que rien ne peut m'arrêter.

LAURETTE. — Que feras-tu ?

RAZETTA. — Ce n'est pas du moins mon talent de spadassin qui doit t'effrayer ici. J'ai affaire à un ennemi dont
le sang n'est pas fait pour mon épée.

LAURETTE. — Eh bien donc ?...

RAZETTA. — Que t'importe ? c'est à moi de m'occuper
de moi. Je vois des flambeaux traverser la galerie ; on
t'attend.

LAURETTE. — Je ne quitterai pas ce balcon que tu ne
m'aies promis de ne rien tenter contre toi, ni contre...

RAZETTA. — Ni contre lui ?

LAURETTE. — Contre cette Laurette que tu dis avoir
aimée, et dont tu veux la perte. Ah ! Razetta, ne m'acca-
blez pas ; votre colère me fait frémir. Je vous supplie de
me donner votre parole de ne rien tenter.

RAZETTA. — Je vous promets qu'il n'y aura pas de sang.

LAURETTE. — Que vous ne ferez rien; que vous attendrez... que vous tâcherez de m'oublier, de...

RAZETTA. — Je fais un échange; permettez-moi de vous suivre.

LAURETTE. — De me suivre, ô mon Dieu!

RAZETTA. — A ce prix, je consens à tout.

LAURETTE. — On vient... Il faut que je me retire... Au nom du ciel... Me jurez-vous?...

RAZETTA. — Ai-je aussi votre parole? Alors vous avez la mienne.

LAURETTE. — Razetta, je m'en fie à votre cœur; l'amour d'une femme a pu y trouver place, le respect de cette femme l'y trouvera. Adieu! adieu! Ne voulez-vous donc pas de cette croix?

RAZETTA. — Oh! ma vie!

Il reçoit la croix; elle se retire.

RAZETTA, *seul.* — Ainsi je l'ai perdue. — Razetta, il fut un temps où cette gondole, éclairée d'un falot de mille couleurs, ne portait sur cette mer indolente que le plus insouciant de ses fils. Les plaisirs des jeunes gens, la passion furieuse du jeu t'absorbaient; tu étais gai, libre, heureux; on le disait, du moins; l'inconstance, cette sœur de la folie, était maîtresse de tes actions. Quitter une femme te coûtait quelques larmes; en être quitté te coûtait un sourire. Où en es-tu arrivé?

Mer profonde, heureusement il t'est facile d'éteindre une étincelle. Pauvre petite croix, qui avais sans doute été placée dans une fête, ou pour un jour de naissance sur le sein tranquille d'un enfant; qu'un vieux père avait accompagnée de sa bénédiction; qui, au chevet d'un lit, avais veillé dans le silence des nuits sur l'innocence; sur qui, peut-être, une bouche adorée se posa plus d'une fois pendant la prière du soir; tu ne resteras pas longtemps entre mes mains.

La belle part de ta destinée est accomplie; je t'emporte, et les pêcheurs de cette rive te trouveront rouillée sur mon cœur.

Laurette! Laurette! Ah! je me sens plus lâche qu'une femme. Mon désespoir me tue; il faut que je pleure.

On entend le son d'une symphonie sur l'eau.
Une gondole chargée de femmes et de musiciens
passe.

Une voix de femme. — Gageons que c'est Razetta.

Une autre. — C'est lui; sous les fenêtres de la belle Laurette.

Un Jeune Homme. — Toujours à la même place! Hé! holà! Razetta! le premier mauvais sujet de la ville refusera-t-il une partie de fous? Je te somme de prendre un rôle dans notre mascarade, et de venir nous égayer.

Razetta. — Laissez-moi seul; je ne puis aller ce soir avec vous : je vous prie de m'excuser.

Une des femmes. — Razetta, vous viendrez; nous serons de retour dans une heure. Qu'on ne dise pas que nous ne pouvons rien sur vous, et que Laurette vous fait oublier vos amis.

Razetta. — C'est aujourd'hui la noce; ne le savez-vous pas? J'y suis prié, et ne puis manquer de m'y rendre. Adieu, je vous souhaite beaucoup de plaisir; prêtez-moi seulement un masque.

La voix de femme. — Adieu, converti. *(Elle lui jette un masque.)*

Le Jeune Homme. — Adieu, loup devenu berger. Si tu es encore là, nous te prendrons en revenant.

Musique. La gondole s'éloigne.

Razetta. — J'ai changé subitement de pensée. Ce masque va m'être utile. Comment l'homme est-il assez insensé pour quitter cette vie, tant qu'il n'a pas épuisé toutes ses chances de bonheur? Celui qui perd sa fortune au jeu quitte-t-il le tapis tant qu'il lui reste une pièce d'or? Une seule pièce peut lui rendre tout. Comme un minerai fertile, elle peut ouvrir une large veine. Il en est de même des espérances. Oui, je suis résolu d'aller jusqu'au bout.

D'ailleurs la mort est toujours là, n'est-elle pas partout sous les pieds de l'homme qui la rencontre à chaque pas dans cette vie? L'eau, le feu, la terre, tout la lui offre sans cesse; il la voit partout dès qu'il la cherche, il la porte à son côté.

Essayons donc. Qu'ai-je dans le cœur?

Une haine et un amour. — Une haine, c'est un meurtre. — Un amour, c'est un rapt. Voici ce que le commun des hommes doit voir dans ma position.

Mais il me faut trouver quelque chose de nouveau ici, car d'abord j'ai affaire à une couronne. Oui, tout moyen usé d'ailleurs me répugne. Voyons, puisque je suis déterminé à risquer ma tête, je veux la mettre au plus haut prix

possible. Que ferai-je dire demain à Venise? Dira-t-on :
« Razetta s'est noyé de désespoir pour Laurette qui l'a
quitté? » Ou : « Razetta a tué le prince d'Eysenach, et
enlevé sa maîtresse? » Tout cela est commun. « Il a été
quitté par Laurette, et il l'a oubliée un quart d'heure
après? » Ceci vaudrait mieux; mais comment? En aurai-je
le courage?

Si l'on disait : « Razetta, au moyen d'un déguisement,
s'est d'abord introduit chez son infidèle; » ensuite : « Au
moyen d'un billet qu'il lui a fait remettre, et par lequel
il l'avertissait qu'à telle heure... » Il me faudrait ici... de
l'opium... Non! point de ces poisons douteux ou timides,
qui donnent au hasard le sommeil ou la mort. Le fer est
plus sûr. Mais une main si faible?... Qu'importe? Le
courage est tout. La fable qui courra la ville demain
matin sera étrange et nouvelle.

> *Des lumières traversent une seconde fois la*
> *maison.*

Réjouis-toi, famille détestée, j'arrive; et celui qui ne
craint rien peut être à craindre.

> *Il met son masque et entre.*

UNE VOIX, *dans la coulisse*. — Où allez-vous?

RAZETTA, *de même*. — Je suis engagé à souper chez le
marquis.

SCÈNE II

Une salle donnant sur un jardin.
Plusieurs masques se promènent.

LE MARQUIS, LE SECRÉTAIRE

LE MARQUIS. — Combien je me trouve honoré, monsieur le secrétaire intime, en vous voyant prendre quelque
plaisir à cette fête qui est la plus médiocre du monde!

LE SECRÉTAIRE. — Tout est pour le mieux et votre
jardin est charmant. Il n'y a qu'en Italie qu'on en trouve
d'aussi délicieux.

LE MARQUIS. — Oui, c'est un jardin anglais. Vous ne
désireriez pas de vous reposer ou de prendre quelques
rafraîchissements?

LE SECRÉTAIRE. — Nullement.

Le Marquis. — Que dites-vous de mes musiciens?

Le Secrétaire. — Ils sont parfaits; il faut avouer que là-dessus, monsieur le marquis, votre pays mérite bien sa réputation

Le Marquis. — Oui, oui, ce sont des Allemands. Ils arrivèrent hier de Leipsick, et personne ne les a encore possédés dans cette ville. Combien je serais ravi si vous aviez trouvé quelque intérêt dans le divertissement du ballet!

Le Secrétaire. — A merveille, et l'on danse très bien à Venise.

Le Marquis. — Ce sont des Français. Chaque Bayadère me coûte deux cents florins; pousseriez-vous jusqu'à cette terrasse?

Le Secrétaire. — Je serai enchanté de la voir.

Le Marquis. — Je ne puis vous exprimer ma reconnaissance. A quelle heure pensez-vous qu'arrive le prince notre maître? Car la nouvelle dignité qu'il m'a...

Le Secrétaire. — Vers dix ou onze heures.

> *Ils s'éloignent en causant. — Laurette entre; madame Balbi se lève et va à sa rencontre. Toutes deux demeurent appuyées sur une balustrade dans le fond de la scène, et paraissent s'entretenir. En ce moment, Razetta, masqué, s'avance vers l'avant-scène.*

Razetta. — Il me semble que j'aperçois Laurette. Oui, c'est elle qui vient d'entrer. Mais comment parviendrai-je à lui parler sans être remarqué? — Depuis que j'ai mis le pied dans ces jardins, tous mes projets se sont évanouis pour faire place à ma colère. Un seul dessein m'est resté; mais il faut qu'il s'exécute, ou que je meure. (*Il s'approche d'une table et écrit quelques mots au crayon.*)

Le Secrétaire, *rentrant, au marquis.* — Ah! voilà un des galants de votre bal qui écrit un billet doux! Est-ce l'usage à Venise?

Le Marquis. — C'est un usage auquel vous devez comprendre, monsieur, que les jeunes filles restent étrangères. Voudriez-vous faire une partie de cartes?

Le Secrétaire. — Volontiers; c'est un moyen de passer le temps fort agréablement.

Le Marquis. — Asseyons-nous donc, s'il vous plaît. Monsieur le secrétaire intime, j'ai l'honneur de vous saluer. Le prince, m'avez-vous dit, doit arriver à dix ou onze heures. Ce sera donc dans un quart d'heure ou dans une heure un quart, car il est précisément neuf heures trois quarts. C'est à vous de jouer.

LE SECRÉTAIRE. — Jouons-nous cinquante florins ?

LE MARQUIS. — Avec plaisir. C'est un récit bien intéressant pour nous, monsieur, que celui que vous avez bien voulu déjà me laisser deviner et entrevoir, de la manière dont Son Excellence était devenue éprise de la chère princesse, ma nièce. J'ai l'honneur de vous demander du pique.

LE SECRÉTAIRE. — C'est comme je vous disais, en voyant son portrait ; cela ressemble un peu à un conte de fée.

LE MARQUIS. — Sans doute ! ah ! ah !... délicieux ! sur un portrait !... Je n'en ai plus, j'ai perdu... Vous disiez donc ?...

LE SECRÉTAIRE. — Ce portrait, qui était, il est vrai, d'une ressemblance frappante, et par conséquent d'une beauté parfaite...

LE MARQUIS. — Vous êtes mille fois trop bon.

LE SECRÉTAIRE. — Voulez-vous votre revanche ?

LE MARQUIS. — Avec plaisir. « D'une beauté parfaite... »

LE SECRÉTAIRE. — Resta longtemps sur la table où il a l'habitude d'écrire. Le prince, à vous dire le vrai..., (j'ai du rouge), est un véritable original.

LE MARQUIS. — Réellement ?... C'est unique ! je ne me sens pas de joie en pensant que d'ici à une heure... Voici encore du rouge.

LE SECRÉTAIRE. — Il abhorrait les femmes, du moins il le disait. C'est le caractère le plus fantasque ! Il n'aime ni le jeu, ni la chasse ni les arts. Vous avez encore perdu.

LE MARQUIS. — Ah ! ah ! c'est du dernier plaisant !... Comment ! il n'aime rien de tout cela ! Ah ! ah ! vous avez parfaitement raison, j'ai perdu. C'est délicieux !

LE SECRÉTAIRE. — Il a beaucoup voyagé, en Europe surtout. Jamais nous n'avons été instruits de ses intentions que le matin même du jour où il partait pour une de ces excursions souvent fort longues. « Qu'on mette les chevaux, disait-il à son lever, nous irons à Paris. »

LE MARQUIS. — J'ai entendu dire la même chose de l'empereur Bonaparte. Singulier rapprochement !

LE SECRÉTAIRE. — Son mariage fut aussi extraordinaire que ses voyages : il m'en donna l'ordre, comme s'il s'agissait de l'action la plus indifférente de sa vie ; car c'est la paresse personnifiée, que le prince. « Quoi ! Monseigneur, lui dis-je, sans l'avoir vue ! — Raison de plus », me dit-il, ce fut toute sa réponse. Je laissai, en partant, toute la cour bouleversée et dans une rumeur épouvantable.

LE MARQUIS. — Cela se conçoit... Eh ! eh ! — Du reste,

monseigneur n'aurait pu se fournir d'un procureur plus
parfaitement convenable que vous-même, monsieur le
secrétaire intime. J'espère que vous voudrez bien m'en
croire persuadé. J'ai encore perdu.

Le Secrétaire. — Vous jouez d'un singulier malheur.

Le Marquis. — Oui, n'est-il pas vrai ? Cela est fort
remarquable. Un de mes amis, homme d'un esprit enjoué,
me disait plaisamment avant-hier, à la table de jeu d'un
des principaux sénateurs de cette ville, que je n'aurais
qu'un moyen de gagner, ce serait de parier contre moi.

Le Secrétaire. — Ah ! ah ! c'est juste !

Le Marquis. — Ce serait, lui répondis-je, ce qu'on
pourrait appeler un bonheur malheureux. Eh ! eh ! *(Il rit.)*

Le Secrétaire. — Absolument.

Le Marquis. — Ce sont deux mots qui, je crois, ne se
trouvent pas souvent rapprochés... Eh ! eh ! — Mais
permettez-moi, de grâce, une seule question : Son Excellence aime-t-elle la musique ?

Le Secrétaire. — Beaucoup. C'est son seul amuse-
ment.

Le Marquis. — Combien je me trouve heureux d'avoir,
depuis l'âge de onze ans, fait apprendre à ma nièce la
harpo-lyre et le forte-piano ! Seriez-vous, par hasard, bien
aise de l'entendre chanter ?

Le Secrétaire. — Certainement.

Le Marquis, *à un valet.* — Veuillez avertir la princesse
que je désire lui parler. *(A Laurette, qui entre.)* Laure,
je vous prie de nous faire entendre votre voix. Monsieur
le secrétaire intime veut bien vous engager à nous donner
ce plaisir.

Laurette. — Volontiers, mon cher oncle ; quel air
préférez-vous ?

Le Marquis. — Di piacer, di piacer. Ma nièce, ne
s'est jamais fait prier.

Laurette. — Aidez-moi à ouvrir le piano.

Razetta, *toujours masqué, s'avance et ouvre le piano.*
(A voix basse). Lisez ceci quand vous serez seule.

Elle reçoit son billet.

Le Secrétaire. — La princesse pâlit.

Le Marquis. — Ma chère fille, qu'avez-vous donc ?

Laurette. — Rien, rien, je suis remise.

Le Marquis, *bas au secrétaire.* — Vous concevez qu'une
jeune fille...

Laurette frappe les premiers accords.

Un Valet, *entrant, bas au marquis.* — Son Excellence vient d'entrer dans le jardin.

Le Marquis. — Son Excell...! Allons à sa rencontre. *(Il se lève.)*

Le Secrétaire. — Au contraire. — Permettez-moi de vous dire deux mots.

> *Pendant ce temps, Laurette joue la ritournelle*
> *pianissimo.*

Vous voyez que le prince ne fait avertir que vous seul de son arrivée. Que le reste de vos conviés s'éloigne; je connais les usages, et je sais que dans toutes les cours il y a une présentation; mais rien de ce qui est fait pour tout le monde ne saurait plaire à notre jeune souverain. Veuillez m'accompagner seul auprès du prince. La jeune mariée restera, s'il vous plaît.

Le Marquis. — Eh! quoi? seule ici?

Le Secrétaire. — J'agis d'après les ordres du prince.

Le Marquis. — Monsieur, je vais donner les miens en conséquence; me conformer en tout aux moindres volontés de Son Excellence est pour moi le premier, le plus sacré des devoirs. Ne dois-je pas pourtant avertir ma nièce?

Le Secrétaire. — Certainement.

Le Marquis. — Laurette!

> *Il lui parle à l'oreille. Un moment après, les*
> *masques se dispersent dans les jardins et laissent*
> *le théâtre libre. Le marquis et le secrétaire*
> *sortent ensemble.*

Laurette, *restée seule, tire le billet de Razetta de son sein et lit.* — « Les serments que j'ai pu te faire ne peuvent me retenir loin de toi. Mon stylet est caché sous le pied de ton clavecin. Prends-le, et frappe mon rival, si tu ne peux réussir avant onze heures sonnantes à t'échapper et à venir me retrouver au pied de ton balcon, où je t'attends. Crois que, si tu me refuses, j'entendrai sonner l'heure, et que ma mort est certaine.   « Razetta. »

(Elle regarde autour d'elle.) Seule ici!... *(Elle va prendre le stylet.)*

Tout est perdu : car je le connais, il est capable de tout. O Dieu! il me semble que j'entends monter à la terrasse. Est-ce déjà le prince? — Non, tout est tranquille.

« A onze heures : si tu ne peux réussir à t'échapper. Crois que, si tu me refuses, ma mort, est certaine!... »

O Razetta, Razetta! insensé! il m'en coûte cher de t'avoir aimé!

Fuirai-je?... La princesse d'Eysenach fuira-t-elle?...
avec qui?... avec un joueur déjà presque ruiné?... avec un
homme plus redoutable seul que tous les malheurs... Si
j'avertissais le prince? — O ciel! on vient.

Mais Razetta! Il se tuera sans doute, sous mes fenêtres.

Le prince ne peut tarder; je vois des pages avec des
flambeaux traverser l'orangerie. La nuit est obscure; le
vent agite ces lumières; écoutons... Quelle singulière
frayeur me saisit!... Quel est l'homme qui va se présenter
à moi?... Inconnus l'un à l'autre..., que va-t-il me dire?...
Oserai-je lever les yeux sur lui... Oh! je sens battre mon
cœur... L'heure va si vite! onze heures seront bientôt
arrivées!...

UNE VOIX, *en dehors.* — Son Excellence veut-elle monter
cet escalier?

LAURETTE. — C'est lui! il vient. *(Elle écoute.)* Je ne me
sens pas la force de me lever, cachons ce stylet. *(Elle
le met dans son sein.)* Eysenach, c'est donc à la mort que
tu marches?... Ah! la mienne aussi est certaine... *(Elle
se penche à la fenêtre.)* Razetta se promène lentement sur
le rivage!... Il ne peut me manquer... Allons!... Prenons
cependant assez de force pour cacher ce que j'éprouve...
Il le faut... Voici l'instant.

(Se regardant.) Dieu, que je suis pâle! mes cheveux en
désordre...

> *Le prince entre par le fond; il a à la main un*
> *portrait; il s'avance lentement, en considérant*
> *tantôt l'original, tantôt la copie.*

LE PRINCE. — Parfait.

> *Laurette se retourne et demeure interdite.*

Et cependant comme en tout l'art est constamment au-
dessous de la nature, surtout lorsqu'il cherche à l'embellir!
La blancheur de cette peau pourrait s'appeler de la pâleur;
ici je trouve que les roses étouffent les lis. — Ces yeux
sont plus vifs, — ces cheveux plus noirs. — Le plus
parfait des tableaux n'est qu'une ombre : tout y est à la
surface; l'immobilité glace; l'âme y manque totalement;
c'est une beauté qui ne passe pas l'épiderme. D'ailleurs
ce trait même à gauche...

> *Laurette fait quelques pas. Le prince ne cesse pas*
> *de la regarder.*

Il n'importe : je suis content de Grimm; je vois qu'il
ne m'a pas trompé. *(Il s'assoit).* Ce petit palais est très
gentil : on m'avait dit que cette pauvre fille n'avait rien.

Comment donc! mais c'est un élégant que mon oncle, monsieur le... le... *(A Laurette.)* Votre oncle est marquis, je crois?

LAURETTE. — Oui..., Monseigneur...

LE PRINCE. — Je me sens la tentation de quitter cette vieille prude d'Allemagne, et de venir m'établir ici. Ah! diable, je fais une réflexion, on est obligé d'aller à pied. — Est-ce que toutes les femmes sont aussi jolies que vous, dans cette ville?

LAURETTE. — Monseigneur...

LE PRINCE. — Vous rougissez... De qui donc avez-vous peur? nous sommes seuls.

LAURETTE. — Oui,... mais...

LE PRINCE, *se levant.* — Est-ce que par hasard mon grand guindé de secrétaire se serait mal acquitté de sa représentation? Les compliments d'usage ont-ils été faits? Aurait-il négligé quelque chose? En ce cas excusez-moi : je pensais que les quatre premiers actes de la comédie étaient joués, et que j'arrivais seulement pour le cinquième.

LAURETTE. — Mon tuteur...

LE PRINCE. — Vous tremblez? *(Il lui prend la main.)* Reposez-vous sur ce sofa. Je vous supplie de répondre à ma question.

LAURETTE. — Votre Excellence me pardonnera : je ne chercherai pas à lui cacher que je souffre... un peu... elle voudra bien ne pas s'étonner...

LE PRINCE. — Voici du vinaigre excellent. *(Il lui donne sa cassolette.)* Vous êtes bien jeune, Madame; et moi aussi. Cependant, comme les romans ne me sont pas défendus, non plus que les comédies, les tragédies, les nouvelles, les histoires et les mémoires, je puis vous apprendre ce qu'ils m'ont appris. Dans tout morceau d'ensemble, il y a une introduction, un thème, deux ou trois variations, un andante et un presto. A l'introduction vous voyez les musiciens encore mal se répondre, chercher à s'unir, se consulter, s'essayer, se mesurer; le thème les met d'accord; tous se taisent ou murmurent faiblement, tandis qu'une voix harmonieuse les domine; je ne crois pas nécessaire de faire l'application de cette parabole. Les variations sont plus ou moins longues, selon ce que la pensée éprouve : mollesse ou fatigue. Ici, sans contredit, commence le chef-d'œuvre; l'andante, les yeux humides de pleurs, s'avance lentement, les mains s'unissent; c'est le roma-nesque, les grands serments, les petites promesses, les attendrissements, la mélancolie. — Peu à peu tout s'arrange; l'amant ne doute plus du cœur de sa maîtresse; la joie renaît, le bonheur par conséquent : la bénédiction apostolique et romaine doit trouver ici sa place; car, sans cela, le presto survenant... Vous souriez?...

LAURETTE. — Je souris d'une pensée...

LE PRINCE. — Je la devine. Mon procureur a sauté l'adagio.

LAURETTE. — Faussé, je crois.

LE PRINCE. — Ce sera à moi de réparer ses maladresses. Cependant ce n'était pas mon plan. Ce que vous me dites me fait réfléchir.

LAURETTE. — Sur quoi?

LE PRINCE. — Sur une théorie du professeur Mayer, à Francfort-sur-l'Oder.

LAURETTE. — Ah!

LE PRINCE. — Oui, il s'est trompé, si vous êtes née à Venise.

LAURETTE. — Dans cette maison même.

LE PRINCE. — Diable! pourtant il prétendait que ce que vos compatriotes estimaient le moins... était précisément ce qui manque...

LAURETTE. — Au secrétaire intime?...

LE PRINCE. — Et, de plus, qu'on juge d'un caractère sur un portrait. Vous pourriez, je le vois, soutenir la controverse. *(Il lui baise la main.)* Vous tremblez encore.

LAURETTE. — Je ne sais... je... non...

LE PRINCE. — Heureusement que je suis entre la fenêtre et la pendule.

LAURETTE, *effrayée.* — Que dit Votre Excellence!

LE PRINCE. — Que ces deux points partagent singulièrement votre attention. Je crois que vous avez peur de moi.

LAURETTE. — Pourquoi?... nullement... je... je ne puis vous dissimuler...

LE PRINCE. — Voici une main qui dit le contraire. Aimez-vous les bijoux? *(Il lui met un bracelet.)*

LAURETTE. — Quels magnifiques diamants!

LE PRINCE. — Ce n'est plus la mode. Mais que vois-je? L'anneau a été oublié.

LAURETTE. — Le secrétaire...

LE PRINCE. — En voici un : j'ai toujours des joujoux de poupée dans mes poches. Décidément vous voulez savoir l'heure.

LAURETTE. — Non... je cherche...

LE PRINCE. — J'avais entendu dire qu'un Français

était quelquefois embarrassé devant une Italienne... Vous vous levez?

LAURETTE. — Je suis souffrante.

LE PRINCE. — Vous voulez vous mettre à la fenêtre?

LAURETTE, *à la fenêtre.* — Ah!

LE PRINCE. — De grâce, qu'avez-vous? Serais-je réellement assez malheureux pour vous inspirer de l'effroi? *(Il la ramène au sofa.)* En ce cas je serais le plus malheureux des hommes; car je vous aime et je ne pourrai vivre sans vous.

LAURETTE. — Encore une raillerie? Prince, celle-ci n'est pas charitable.

LE PRINCE. — De l'orgueil? Veuillez m'écouter.

Je me suis figuré qu'une femme devait faire plus de cas de son âme que de son corps, contre l'usage général qui veut qu'elle permette qu'on l'aime avant d'avouer qu'elle aime, et qu'elle abandonne ainsi le trésor de son cœur avant de consentir à la plus légère prise sur celui de sa beauté. J'ai voulu, oui, voulu absolument tenter de renverser cette marche uniforme; la nouveauté est ma rage. Ma fantaisie et ma paresse, les seuls dieux dont j'aie jamais encensé les autels, m'ont vainement laissé parcourir le monde, poursuivi par ce bizarre dessein; rien ne s'offrait à moi. Peut-être je m'explique mal. J'ai eu la singulière idée d'être l'époux d'une femme avant d'être son amant. J'ai voulu voir si réellement il existait une âme assez orgueilleuse pour demeurer fermée lorsque les bras sont ouverts, et livrer la bouche à des baisers muets; vous concevez que je ne craignais que de trouver cette force la froideur. Dans toutes les contrées qu'aime le soleil, j'ai cherché les traits les plus capables de révéler qu'une âme ardente y était enfermée : j'ai cherché la beauté dans tout son éclat, mais aussi dans toute sa vie : pour moi-même j'ai voulu cet amour qu'un regard fait naître; j'ai désiré un visage assez beau pour me faire oublier qu'il était moins beau que l'être invisible qui l'anime; insensible à tout, j'ai résisté à tout..., excepté à une femme, — à vous, Laurette, qui m'apprenez que je me suis un peu mépris dans mes idées orgueilleuses; à vous, devant qui je ne voulais soulever le masque qui couvre ici-bas les hommes qu'après être devenu votre époux. — Vous me l'avez arraché. Je vous supplie de me pardonner, si j'ai pu vous offenser.

LAURETTE. — Prince, vos discours me confondent... Faut-il que je croie?...

Le Prince. — Il faut que la princesse d'Eysenach me pardonne; il faut qu'elle permette à son époux de redevenir l'amant le plus soumis; il faut qu'elle oublie toutes ses folies...

Laurette. — Et toute sa finesse?

Le Prince. — Elle pâlit devant la vôtre. La beauté et l'esprit...

Laurette. — Ne sont rien. Voyez comme nous nous ressemblons peu.

Le Prince. — Si vous en faites si peu de cas, je vais revenir à mon rêve.

Laurette. — Comment?

Le Prince. — En commençant par la première.

Laurette. — Et en oubliant le second?

Le Prince. — Prenez garde à un homme qui demande un pardon; il peut avoir si aisément la tentation d'en mériter deux!

Laurette. — Ceci est une théorie.

Le Prince. — Non pas. *(Il l'embrasse.)* Cependant, je vous vois encore agitée. Gageons que, toute jeune que vous êtes, vous avez déjà fait un calcul.

Laurette. — Lequel? il y en a tant à faire; et un jour comme celui-ci en voit tant!

Le Prince. — Je ne parle que de celui des qualités d'époux. Peut-être ne trouvez-vous rien en moi qui les annonce. Dites-moi, est-ce bien sérieusement que vous avez pu jamais réfléchir à cet important et grave sujet? De quelle pâte débonnaire, de quels faciles éléments aviez-vous pétri d'avance cet être dont l'apparition change tant de douces nuits en insomnies? Peut-être sortez-vous du couvent?

Laurette. — Non.

Le Prince. — Il faut songer, chère princesse, que si votre gouvernante vous gênait, si votre tuteur vous contrariait, si vous étiez surveillée, tancée quelquefois, vous allez entrer demain (n'est-ce pas demain?) dans une atmosphère de despotisme et de tyrannie; vous allez respirer l'air délicieux de la plus aristocratique des bonbonnières; c'est de ma petite cour que je parle, ou plutôt de la vôtre, car je suis le premier de vos sujets. Une grave duègne vous suivra, c'est l'usage; mais je la payerai pour qu'elle ne dise rien à votre mari. Aimez-vous les chevaux, la chasse, les fêtes, les spectacles, les dragées, les amants, les petits vers, les diamants, les soupers, le galop, les masques, les petits chiens, les folies? — Tout pleuvra autour de vous. Enseveli

au fond de la plus reculée des ailes de votre château, le
prince ne saura et ne verra que ce que vous voudrez.
Avez-vous envie de lui pour une partie de plaisir ? Un
ordre expédié de la part de la reine avertira le roi de prendre
son habit de chasse, de bal ou d'enterrement. Voulez-vous
être seule ? Quand toutes les sérénades de la terre retenti-
raient sous vos fenêtres, le prince, au fond de son donjon
gothique, n'entendra rien au monde ; une seule loi régnera
dans votre cour ; la volonté de la souveraine. Ressembleriez-
vous par hasard à l'une de ces femmes pour qui l'ambition,
les honneurs, le pouvoir, eurent tant de charmes ? Cela
m'étonnerait, et mon vieux docteur aussi ; mais n'importe.
Les hochets que je mettrais alors entre vos mains, pour
amuser vos loisirs, seraient d'autre nature : ils se compose-
raient d'abord de quelques-unes de ces marionnettes qu'on
nomme des ministres, des conseillers, des secrétaires ;
pareil à des châteaux de cartes, tout l'édifice politique de
leur sagesse dépendrait d'un souffle de votre bouche ;
autour de vous s'agiterait en tous sens la foule de ces roseaux,
que plie et relève le vent des cours ; vous serez un despote,
si vous ne voulez être une reine. Ne faites pas surtout un
rêve sans le réaliser ; qu'un caprice, qu'un faible désir
n'échappe pas à ceux qui vous entourent et dont l'existence
entière est consacrée à vous obéir. Vous choisirez entre
vos fantaisies, ce sera tout votre travail, madame ; et si le
pays que je vous décris...

LAURETTE. — C'est le paradis des femmes.

LE PRINCE. — Vous en serez la déesse.

LAURETTE. — Mais le rêve sera-t-il éternel ? Ne cassez-
vous jamais le pot au lait ?

LE PRINCE. — Jamais.

LAURETTE. — Ah ! qui m'en assure ?

LE PRINCE. — Un seul garant, — mon indicible, ma
délicieuse paresse. Voilà bientôt vingt-cinq ans que j'essaye
de vivre, Laurette. J'en suis las ; mon existence me fatigue ;
je rattache à la vôtre ce fil qui s'allait briser ; vous vivrez
pour moi, j'abdique ; vous chargez-vous de cette tâche ? Je
vous remets le soin de mes jours, de mes pensées, de mes
actions ; et pour mon cœur...

LAURETTE. — Est-il compris dans le dépôt ?

LE PRINCE. — Il n'y sera que le jour où vous l'en aurez
jugé digne. Jusque-là, j'ai votre portrait. — Je l'aime, je lui
dois tout ; je lui ai tout promis, pour tout vous tenir. —
Autrefois même, je m'en serais contenté ; mais j'ai voulu
le voir sourire..., rien de plus.

LAURETTE. — Ceci est encore une théorie.

LE PRINCE. — Un rêve, comme tout au monde. *(Il l'embrasse.)* Qu'avez-vous donc là? c'est un bijou vénitien : si nous sommes en paix, il est inutile; si nous sommes en guerre, je désarme l'ennemi. *(Il lui ôte son stylet.)* Quant à ce petit papier parfumé qui se cache sous cette gaze, le mari le respectera. Mais la princesse d'Eysenach rougit.

LAURETTE. — Prince!

LE PRINCE. — Êtes-vous étonnée de me voir sourire? — J'ai retenu un mot de Shakespeare sur les femmes de cette ville.

LAURETTE. — Un mot?

LE PRINCE. — Perfide comme l'onde. Est-il défendu d'aimer à avoir des rivaux?

LAURETTE. — Vous pensez?...

LE PRINCE. — A moins que ce ne soient des rivaux heureux, et celui-ci ne l'est pas.

LAURETTE. — Pourquoi?

LE PRINCE. — Parce qu'il écrit.

LAURETTE. — C'est à mon tour de sourire, quoiqu'il y ait ici un grain de mépris.

LE PRINCE. — Mépris pour les femmes? Il n'y a que les sots qui le croient possible.

LAURETTE. — Qu'en aimez-vous donc?

LE PRINCE. — Tout, et surtout leurs défauts.

LAURETTE. — Ainsi, le mot de Shakespeare...

LE PRINCE. — Je le voudrais pour réponse au billet.

LAURETTE. — Et que dirait-on?

LE PRINCE. — Ceci est une pensée française, et ce n'est pas de vous que j'en attendais.

LAURETTE. — Insultez-vous la France? Vous parliez de beauté et d'esprit. Le premier des biens...

LE PRINCE. — C'est le cœur. L'esprit et la beauté n'en sont que les voiles.

LAURETTE. — Ah! qui sait ce que voit celui qui les soulève? C'est une audace!

LE PRINCE. — Il n'y en a plus après la noce... Vous tremblez encore?

LAURETTE. — J'ai cru entendre du bruit.

LE PRINCE. — Au fait, nous sommes presque dans un jardin; si vous ne teniez pas à ce sofa...

LAURETTE. — Non...

Ils se lèvent ; le prince veut l'entraîner.

LE PRINCE. — Est-ce de l'époux ou de l'amant que vous avez peur?

LAURETTE. — C'est de la nuit.

LE PRINCE. — Elle est perfide aussi, mais elle est discrète. Qu'oserez-vous lui confier?... La réponse au billet?

LAURETTE. — Qu'en dirait-elle?

LE PRINCE. — Elle n'en laissera rien voir à l'époux.

Elle lui donne le billet ; il le déchire.

Ne la craignez pas, Laurette, le secret d'une jeune fiancée est fait pour elle, elle seule renferme les deux grands secrets du bonheur : le plaisir et l'oubli.

LAURETTE. — Mais le chagrin?

LE PRINCE. — C'est la réflexion; et il est si facile de la perdre!

LAURETTE. — Est-ce aussi un secret?

Ils s'éloignent ; onze heures sonnent.

SCÈNE III

*La même décoration qu'à la première scène.
On entend l'heure sonner dans l'éloignement.*

RAZETTA. — Je ne puis me défendre d'une certaine crainte. Serait-il possible que Laurette m'eût manqué de parole! Malheur à elle, s'il était vrai! Non pas que je doive porter la main sur elle... mais, mon rival!... Il me semble que deux horloges ont déjà sonné onze heures... Est-ce le temps d'agir? Il faut que j'entre dans ces jardins. J'aperçois une grille fermée. — O rage; me serait-il impossible de pénétrer? Au risque de ma vie, je suis déterminé à ne pas abandonner mon dessein.

L'heure est passée... Rien ne doit me retenir... Mais par où entrer? — Appellerai-je? Tenterai-je de gravir cette muraille élevée? — Suis-je trahi? réellement trahi?... Laurette... Si j'apercevais un valet, peut-être avec de l'or... — Je ne vois aucune lumière... Le repos semble régner dans cette maison. — Désespoir; ne pourrai-je même jouer ma vie? ne pourrai-je tenter même le plus désespéré de tous les partis?

*On entend une symphonie ; une gondole chargée
de musiciens passe.*

UNE VOIX DE FEMME. — Voilà encore Razetta.

UNE AUTRE. — Je l'avais parié!

Un Jeune Homme. — Eh bien! la noce était-elle jolie?
As-tu fait valser la mariée? Quand ta garde sera-t-elle
relevée? Tu mets sûrement le mot d'ordre en musique.

Razetta. — Allez-vous-en à vos plaisirs, et laissez-moi.

Une voix de femme. — Non; cette fois j'ai gagé que je
t'emmènerais; allons, viens, mauvaise tête, et ne trouble
le plaisir de personne. Chacun son tour; c'était hier le
tien; aujourd'hui tu es passé de mode; celui qui ne sait
pas se conformer à son sort est aussi fou qu'un vieillard
qui fait le jeune homme.

Une autre. — Venez, Razetta, nous sommes vos
véritables amis, et nous ne désespérons pas de vous faire
oublier la belle Laurette. Nous n'aurons pour cela qu'à vous
rappeler ce que vous disiez vous-même, il y a quelques
jours, ce que vous nous avez appris. — Ne perdez pas ce
nom glorieux que vous portiez du premier mauvais sujet
de la ville.

Le Jeune Homme. — De l'Italie! Viens, nous allons
souper chez Camilla; tu y retrouveras ta jeunesse tout
entière, tes anciens amis, tes anciens défauts, ta gaieté.
— Veux-tu tuer ton rival, ou te noyer? Laisse ces idées
communes au vulgaire des amants; souviens-toi de toi-
même, et ne donne pas le mauvais exemple. Demain
matin les femmes seront inabordables, si on apprend cette
nuit que Razetta s'est noyé. Encore une fois, viens souper
avec nous.

Razetta. — C'est dit. Puissent toutes les folies des
amants finir aussi joyeusement que la mienne!

*Il monte dans la barque, qui disparaît au bruit
des instruments.*

FIN DE « LA NUIT VÉNITIENNE »

LA COUPE ET LES LÈVRES

Publié le 25 décembre 1832, *Un spectacle dans un fauteuil*, le second recueil de vers de Musset, comprenait, outre un poème, *Namouna*, un drame, *la Coupe et les Lèvres*, et une comédie, *A quoi rêvent les jeunes filles*, pièces de théâtre destinées par l'auteur non à la scène, mais, comme l'indique le titre du recueil, à la lecture.

Le drame *la Coupe et les Lèvres* est précédé d'une *Dédicace* à Alfred Tattet (M. Alfred T ★★★), qui est une sorte d' « art poétique »; l'épigraphe de cette dédicace éclaire le titre de la pièce : « Entre la coupe et les lèvres, il reste encore de la place pour un malheur ».

Le principal personnage du drame, le chasseur Frank, héros à la Byron, porte, en effet, en lui, ce *malheur* qui le pousse à écarter l'amour d'une douce et pure jeune fille qui l'aime, Déidamia, et à la laisser poignarder par une courtisane, compagne de ses débauches, une femme fatale à l'œil noir, Monna Belcolore.

Musset se souviendra plus tard de Frank pour composer le Lorenzo de son *Lorenzaccio*, comme il se souviendra de l'emploi heureux qu'il a fait du chœur dans cette pièce pour le faire intervenir dans *On ne badine pas avec l'amour*.

Faut-il signaler qu'il a repris à plusieurs endroits de sa pièce quelques vers de deux œuvres inachevées antérieures à elle, *l'Oubli des injures* et *Brandel* ?

Faut-il ajouter qu'il n'eût sans doute pas écrit à la fin de la scène I de l'acte premier les trois vers :

Maintenant, vents du nord, vous n'avez qu'à souffler ;
Depuis assez longtemps, dans les nuits de tempête,
Vous venez ébranler ma porte, et m'appeler,

s'il n'avait connu la célèbre phrase de Chateaubriand : « Levez-vous vite, orages désirés... »

On trouve dans ce drame maintes réminiscences scolaires, comme dans le couplet de seize octosyllabes (acte I, sc. 3), celle de la fable de La Fontaine, *le Berger et le Roi*, sans parler de souvenirs de lectures (Ossian, Schiller, Gœthe et Byron).

L'on n'a pas manqué enfin d'y voir une confession de l'indépendance de Musset à l'égard du Cénacle romantique dont il avait été naguère le champion.

La Coupe et les Lèvres, qui n'a jamais été portée à la scène, mériterait pourtant de l'être.

M. R.

AU LECTEUR
DES DEUX PIÈCES QUI SUIVENT

Figure-toi, lecteur, que ton mauvais génie
T'a fait prendre ce soir un billet d'Opéra.
Te voilà devenu parterre ou galerie,
Et tu ne sais pas trop ce qu'on te chantera.

Il se peut qu'on t'amuse, il se peut qu'on t'ennuie;
Il se peut que l'on pleure, à moins que l'on ne rie;
Et le terme moyen, c'est que l'on bâillera.
Qu'importe? c'est la mode, et le temps passera.

Mon livre, ami lecteur, t'offre une chance égale.
Il te coûte à peu près ce que coûte une stalle;
Ouvre-le sans colère, et lis-le d'un bon œil.

Qu'il te déplaise ou non, ferme-le sans rancune;
Un spectacle ennuyeux est chose assez commune,
Et tu verras le mien sans quitter ton fauteuil.

LA COUPE ET LES LÈVRES

POÈME DRAMATIQUE

> Entre la coupe et les lèvres, il reste encore
> de la place pour un malheur.
>
> *Ancien proverbe.*

DÉDICACE

A M. ALFRED T***

Voici, mon cher ami, ce que je vous dédie :
Quelque chose approchant comme une tragédie,
Un spectacle; en un mot, quatre mains de papier.
J'attendrai là-dessus que le diable m'éveille.
Il est sain de dormir, — ignoble de bâiller.
J'ai fait trois mille vers : allons, c'est à merveille.
Baste! il faut s'en tenir à sa vocation.
Mais quelle singulière et triste impression
Produit un manuscrit! — Tout à l'heure, à ma table,
Tout ce que j'écrivais me semblait admirable.
Maintenant, je ne sais, — je n'ose y regarder.
Au moment du travail, chaque nerf, chaque fibre
Tressaille comme un luth que l'on vient d'accorder.
On n'écrit pas un mot que tout l'être ne vibre.
(Soit dit sans vanité, c'est ce que l'on ressent.)
On ne travaille pas, — on écoute, — on attend.
C'est comme un inconnu qui vous parle à voix basse.
On reste quelquefois une nuit sur la place,
Sans faire un mouvement et sans se retourner.
On est comme un enfant dans ses habits de fête,
Qui craint de se salir et de se profaner;
Et puis, — et puis, — enfin! — on a mal à la tête.
Quel étrange réveil! — comme on se sent boiteux!
Comme on voit que Vulcain vient de tomber des cieux!
C'est l'effet que produit une prostituée,
Quand, le corps assouvi, l'âme s'est réveillée,

Et que, comme un vivant qu'on vient d'ensevelir,
L'esprit lève en pleurant le linceul du plaisir.
Pourtant c'est l'opposé; — c'est le corps, c'est l'argile;
C'est le cercueil humain, un moment entr'ouvert.
Qui, laissant retomber son couvercle débile,
Ne se souvient de rien, sinon qu'il a souffert.

Si tout finissait là! voilà le mot terrible.
C'est Jésus, couronné d'une flamme invisible,
Venant du Pharisien partager le repas.
Le Pharisien parfois voit luire une auréole
Sur son hôte divin, — puis, quand elle s'envole,
Il dit au Fils de Dieu : Si tu ne l'étais pas?
Je suis le Pharisien, et je dis à mon hôte :
Si ton démon céleste était un imposteur?
Il ne s'agit pas là de reprendre une faute,
De retourner un vers comme un commentateur,
Ni de se remâcher comme un bœuf qui rumine.
Il est assez de mains, chercheuses de vermine,
Qui savent éplucher un récit malheureux,
Comme un pâtre espagnol épluche un chien lépreux.
Mais croire que l'on tient les pommes d'Hespérides
Et presser tendrement un navet sur son cœur!
Voilà, mon cher ami, ce qui porte un auteur
A des auto-da-fés, — à des infanticides.
Les rimeurs, vous voyez, sont comme les amants.
Tant qu'on n'a rien écrit, il en est d'une idée
Comme d'une beauté qu'on n'a pas possédée :
On l'adore, on la suit; — ses détours sont charmants.
Pendant que l'on tisonne en regardant la cendre,
On la voit voltiger ainsi qu'un salamandre;
Chaque mot fait pour elle est comme un billet doux;
On lui donne à souper; — qui le sait mieux que vous?
(Vous pourriez au besoin traiter une princesse.)
Mais dès qu'elle se rend, bonsoir, le charme cesse.
On sent dans sa prison l'hirondelle mourir.
Si tout cela, du moins, vous laissait quelque chose!
On garde le parfum en effeuillant la rose;
Il n'est si triste amour qui n'ait son souvenir.

Lorsque la jeune fille, à la source voisine,
A sous les nénuphars lavé ses bras poudreux,
Elle reste au soleil, les mains sur sa poitrine,
A regarder longtemps pleurer ses beaux cheveux.
Elle sort, mais pareille aux rochers de Borghèse,

Couverte de rubis comme un poignard persan, —
Et sur son front luisant sa mère qui la baise
Sent du fond de son cœur la fraîcheur de son sang.
Mais le poète, hélas! s'il puise à la fontaine,
C'est comme un braconnier poursuivi dans la plaine,
Pour boire dans sa main, et courir se cacher, —
Et cette main brûlante est prompte à se sécher.

Je ne fais pas grand cas, pour moi, de la critique.
Toute mouche qu'elle est, c'est rare qu'elle pique.
On m'a dit l'an passé que j'imitais Byron :
Vous qui me connaissez, vous savez bien que non.
Je hais comme la mort l'état de plagiaire;
Mon verre n'est pas grand, mais je bois dans mon verre.
C'est bien peu, je le sais, que d'être homme de bien,
Mais toujours est-il vrai que je n'exhume rien.

Je ne me suis pas fait écrivain politique,
N'étant pas amoureux de la place publique.
D'ailleurs, il n'entre pas dans mes prétentions
D'être l'homme du siècle et de ses passions.
C'est un triste métier que de suivre la foule,
Et de vouloir crier plus fort que les meneurs,
Pendant qu'on se raccroche au manteau des traîneurs.
On est toujours à sec, quand le fleuve s'écoule.
Que de gens aujourd'hui chantent la liberté,
Comme ils chantaient les rois, ou l'homme de brumaire!
Que de gens vont se pendre au levier populaire,
Pour relever le dieu qu'ils avaient souffleté!
On peut traiter cela du beau nom de rouerie,
Dire que c'est le monde et qu'il faut qu'on en rie.
C'est peut-être un métier charmant, mais tel qu'il est,
Si vous le trouvez beau, moi, je le trouve laid.
Je n'ai jamais chanté ni la paix ni la guerre;
Si mon siècle se trompe, il ne m'importe guère :
Tant mieux s'il a raison, et tant pis s'il a tort;
Pourvu qu'on dorme encore au milieu du tapage,
C'est tout ce qu'il me faut, et je ne crains pas l'âge
Où les opinions deviennent un remord.

Vous me demanderez si j'aime ma patrie.
Oui; — j'aime fort aussi l'Espagne et la Turquie.
Je ne hais pas la Perse, et je crois les Indous
De très honnêtes gens qui boivent comme nous.
Mais je hais les cités, les pavés et les bornes,
Tout ce qui porte l'homme à se mettre en troupeau,

Pour vivre entre deux murs et quatre faces mornes,
Le front sous un moellon, les pieds sur un tombeau.

Vous me demanderez si je suis catholique.
Oui ; — j'aime fort aussi les dieux Lath et Nésu.
Tartak et Pimpocau me semblent sans réplique ;
Que dites-vous encor de Parabavastu ?
J'aime Bidi, — Khoda me paraît un bon sire ;
Et quant à Kichatan, je n'ai rien à lui dire.
C'est un bon petit dieu que le dieu Michapous.
Mais je hais les cagots, les robins et les cuistres,
Qu'ils servent Pimpocau, Mahomet ou Vishnou.
Vous pouvez de ma part répondre à leurs ministres
Que je ne sais comment je vais je ne sais où.

Vous me demanderez si j'aime la sagesse.
Oui ; — j'aime fort aussi le tabac à fumer.
J'estime le bordeaux, surtout dans sa vieillesse ;
J'aime tous les vins francs, parce qu'ils font aimer.
Mais je hais les cafards, et la race hypocrite
Des tartufes de mœurs, comédiens insolents,
Qui mettent leurs vertus en mettant leurs gants blancs.
Le diable était bien vieux lorsqu'il se fit ermite.
Je le serai si bien, quand ce jour-là viendra,
Que ce sera le jour où l'on m'enterrera.

Vous me demanderez si j'aime la nature.
Oui ; — j'aime fort aussi les arts et la peinture.
Le corps de la Vénus me paraît merveilleux.
La plus superbe femme est-elle préférable ?
Elle parle, il est vrai, mais l'autre est admirable,
Et je suis quelquefois pour les silencieux.
Mais je hais les pleurards, les rêveurs à nacelles,
Les amants de la nuit, des lacs, des cascatelles,
Cette engeance sans nom, qui ne peut faire un pas
Sans s'inonder de vers, de pleurs et d'agendas.
La nature, sans doute est comme on veut la prendre.
Il se peut, après tout, qu'ils sachent la comprendre ;
Mais eux, certainement, je ne les comprends pas.

Vous me demanderez si j'aime la richesse.
Oui ; — j'aime aussi parfois la médiocrité.
Et surtout, et toujours, j'aime mieux ma maîtresse ;
La fortune, pour moi, n'est que la liberté.
Elle a cela de beau, de remuer le monde,

Que, dès qu'on la possède, il faut qu'on en réponde,
Et que, seule, elle met à l'air la volonté.
Mais je hais les pieds-plats, je hais la convoitise.
J'aime mieux un joueur, qui prend le grand chemin;
Je hais le vent doré qui gonfle la sottise,
Et, dans quelque cent ans, j'ai bien peur qu'on ne dise
Que notre siècle d'or fut un siècle d'airain.

Vous me demanderez si j'aime quelque chose.
Je m'en vais vous répondre à peu près comme Hamlet :
Doutez, Ophélia, de tout ce qui vous plaît,
De la clarté des cieux, du parfum de la rose;
Doutez de la vertu, de la nuit et du jour;
Doutez de tout au monde, et jamais de l'amour.
Tournez-vous là, mon cher, comme l'héliotrope
Qui meurt les yeux fixés sur son astre chéri,
Et préférez à tout, comme le Misanthrope,
La chanson de ma mie, et du Bon roi Henri.
Doutez, si vous voulez, de l'être qui vous aime,
D'une femme ou d'un chien, mais non de l'amour même.
L'amour est tout, — l'amour, et la vie au soleil.
Aimer est le grand point, qu'importe la maîtresse?
Qu'importe le flacon, pourvu qu'on ait l'ivresse?
Faites-vous de ce monde un songe sans réveil.
S'il est vrai que Schiller n'ait aimé qu'Amélie,
Gœthe que Marguerite, et Rousseau que Julie,
Que la terre leur soit légère! — ils ont aimé.

Vous trouverez, mon cher, mes rimes bien mauvaises :
Quant à ces choses-là, je suis un réformé.
Je n'ai plus de système, et j'aime mieux mes aises;
Mais j'ai toujours trouvé honteux de cheviller.
Je vois chez quelques-uns, en ce genre d'escrime,
Des rapports trop exacts avec un menuisier.
Gloire aux auteurs nouveaux, qui veulent à la rime
Une lettre de plus qu'il n'en fallait jadis!
Bravo! c'est un bon clou de plus à la pensée.
La vieille liberté par Voltaire laissée
Était bonne autrefois pour les petits esprits.

Un long cri de douleur traversa l'Italie
Lorsqu'au pied des autels Michel-Ange expira.
Le siècle se fermait, — et la mélancolie,
Comme un pressentiment, des vieillards s'empara.
L'art, qui sous ce grand homme avait quitté la terre

Pour se suspendre au ciel, comme le nourrisson
Se suspend et s'attache aux lèvres de sa mère,
L'art avec lui tomba. — Ce fut le dernier nom
Dont le peuple toscan ait gardé la mémoire.
Aujourd'hui l'art n'est plus, personne n'y veut croire.
Notre littérature a cent mille raisons
Pour parler de noyés, de morts, et de guenilles.
Elle-même est un mort que nous galvanisons.
Elle entend son affaire en nous peignant des filles,
En tirant des égouts les muses de Régnier.
Elle-même en est une, et la plus délabrée
Qui de fard et d'onguents se soit jamais plâtrée.
Nous l'avons tous usée, — et moi tout le premier.
Est-ce à moi, maintenant, au point où nous en sommes,
De vous parler de l'art et de le regretter ?
Un mot pourtant encore avant de vous quitter.
Un artiste est un homme, — il écrit pour des hommes.
Pour prêtresse du temple, il a la liberté ;
Pour trépied, l'univers ; pour éléments, la vie ;
Pour encens, la douleur, l'amour et l'harmonie ;
Pour victime, son cœur ; — pour dieu, la vérité.
L'artiste est un soldat, qui des rangs d'une armée
Sort, et marche en avant, — ou chef, — ou déserteur.
Par deux chemins divers il peut sortir vainqueur.
L'un, comme Calderon et comme Mérimée,
Incruste un plomb brûlant sur la réalité,
Découpe à son flambeau la silhouette humaine,
En emporte le moule, et jette sur la scène
Le plâtre de la vie avec sa nudité.
Pas un coup de ciseau sur la sombre effigie,
Rien qu'un masque d'airain, tel que Dieu l'a fondu.
Cherchez-vous la morale et la philosophie ?
Rêvez, si vous voulez, — voilà ce qu'il a vu.
L'autre, comme Racine et le divin Shakspeare,
Monte sur le théâtre, une lampe à la main,
Et de sa plume d'or ouvre le cœur humain.
C'est pour vous qu'il y fouille, afin de vous redire
Ce qu'il aura senti, ce qu'il aura trouvé,
Surtout, en le trouvant, ce qu'il aura rêvé.
L'action n'est pour lui qu'un moule à sa pensée.
Hamlet tuera Clodius, — Joad tuera Mathan ;
Qu'importe le combat, si l'éclair de l'épée
Peut nous servir dans l'ombre à voir les combattants ?
Le premier sous les yeux vous étale un squelette.
Songez, si vous voulez, de quels muscles d'athlète,

De quelle chair superbe, et de quels vêtements
Pourraient être couverts de si beaux ossements.
Le second vous déploie une robe éclatante,
Des muscles invaincus, une chair palpitante,
Et vous laisse à penser quels sublimes ressorts
Impriment l'existence à de pareils dehors.
Celui-là voit l'effet, — et celui-ci la cause.
Sur cette double loi le monde entier repose.
Dieu seul (qui se connaît) peut tout voir à la fois.
Quant à moi, Petit-Jean, quand je vois, quand je vois,
Je vous préviens, mon cher, que ce n'est pas grand'chose;
Car, pour y voir longtemps, j'aime trop à voir clair :
Man delights not me, sir, nor woman neither.
Mais s'il m'était permis de choisir une route,
Je prendrais la dernière, — et m'y noierais sans doute.
Je suis passablement en humeur de rêver.
Et je m'arrête ici, pour ne pas le prouver.

Je ne sais trop à quoi tend tout ce bavardage.
Je voulais mettre un mot sur la première page :
A mon très honoré, très honorable ami,
Monsieur — et cætera — comme on met aujourd'hui,
Quand on veut proprement faire une dédicace.
Je l'ai faite un peu longue, et je m'en aperçois.
On va s'imaginer que c'est une préface.
Moi qui n'en lis jamais! — ni vous non plus, je crois.

INVOCATION

Aimer, boire et chasser, voilà la vie humaine
Chez les fils du Tyrol, — peuple héroïque et fier !
Montagnard comme l'aigle, et libre comme l'air !
Beau ciel, où le soleil a dédaigné la plaine,
Ce paisible océan dont les monts sont les flots !
Beau ciel tout sympathique, et tout peuplé d'échos !
Là, siffle autour des puits l'écumeur des montagnes,
Qui jette au vent son cœur, sa flèche et sa chanson.
Venise vient au loin dorer son horizon.
La robuste Helvétie abrite ses campagnes.
Ainsi les vents du sud t'apportent la beauté,
Mon Tyrol, et les vents du nord la liberté.

Salut, terre de glace, amante des nuages,
Terre d'hommes errants et de daims en voyages,
Terre sans oliviers, sans vigne et sans moissons.
Ils sucent un sein dur, mère, tes nourrissons ;
Mais ils t'aiment ainsi, — sous la neige bleuâtre
De leurs lacs vaporeux, sous ce pâle soleil
Qui respecte les bras de leurs femmes d'albâtre,
Sous la ronce des champs qui mord leur pied vermeil.
Noble terre, salut ! Terre simple et naïve
Tu n'aimes pas les arts, toi qui n'es pas oisive.
D'efféminés rêveurs tu n'es pas le séjour ;
On ne fait sous ton ciel que la guerre et l'amour.
On ne se vieillit pas dans tes longues veillées.
Si parfois tes enfants, dans l'écho des vallées,
Mêlent un doux refrain aux soupirs des roseaux,
C'est qu'ils sont nés chanteurs, comme de gais oiseaux.
Tu n'as rien, toi, Tyrol, ni temples, ni richesse,
Ni poètes, ni dieux ; — tu n'as rien, chasseresse !
Mais l'amour de ton cœur s'appelle d'un beau nom :

La liberté! — Qu'importe au fils de la montagne
Pour quel despote obscur envoyé d'Allemagne
L'homme de la prairie écorche le sillon ?
Ce n'est pas son métier de traîner la charrue;
Il couche sur la neige, il soupe quand il tue;
Il vit dans l'air du ciel, qui n'appartient qu'à Dieu.
— L'air du ciel! l'air de tous! vierge comme le feu!
Oui, la liberté meurt sur le fumier des villes.
Oui, vous qui la plantez sur vos guerres civiles,
Vous la semez en vain, même sur vos tombeaux;
Il ne croît pas si bas, cet arbre aux verts rameaux.
Il meurt dans l'air humain, plein de râles immondes,
Il respire celui que respirent les mondes.
Montez, voilà l'échelle, et Dieu qui tend les bras.
Montez à lui, rêveurs, il ne descendra pas!
Prenez-moi la sandale, et la pique ferrée :
Elle est là sur les monts, la liberté sacrée.
C'est là qu'à chaque pas l'homme la voit venir,
Ou, s'il l'a dans le cœur, qu'il l'y sent tressaillir.
Tyrol, nul barde encor n'a chanté tes contrées.
Il faut des citronniers à nos muses dorées,
Et tu n'es pas banal, toi dont la pauvreté
Tend une maigre main à l'hospitalité.
— Pauvre hôtesse, ouvre-moi! tu vaux bien l'Italie,
Messaline en haillons, sous les baisers pâlie,
Que tout père à son fils paye à sa puberté.
Moi, je te trouve vierge, et c'est une beauté;
C'est la mienne; — il me faut, pour que ma soif s'étanche,
Que le flot soit sans tache, et clair comme un miroir.
Ce sont les chiens errants qui vont à l'abreuvoir.
Je t'aime. — Ils ne t'ont pas levé ta robe blanche.
Tu n'as pas, comme Naple, un tas de visiteurs,
Et des ciceroni pour tes entremetteurs.
La neige tombe en paix sur tes épaules nues. —
Je t'aime, sois à moi. Quand la virginité
Disparaîtra du ciel, j'aimerai des statues.
Le marbre me va mieux que l'impure Phryné
Chez qui les affamés vont chercher leur pâture,
Qui fait passer la rue au travers de son lit,
Et qui n'a pas le temps de nouer sa ceinture
Entre l'amant du jour et celui de la nuit.

PERSONNAGES

LE CHASSEUR FRANK.
LE PALATIN STRANIO.
LE CHEVALIER GUNTHER.
UN LIEUTENANT DE FRANK.
MONTAGNARDS.
CHEVALIERS.
MOINES.
PEUPLE.
MONNA BELCOLORE.
DÉIDAMIA.

ACTE PREMIER

SCÈNE I

Une place publique.
Un grand feu allumé au milieu.

Les chasseurs, FRANK.

Le Chœur

Pâle comme l'amour, et de pleurs arrosée,
La nuit aux pieds d'argent descend dans la rosée.
Le brouillard monte au ciel, et le soleil s'enfuit.
Éveillons le plaisir, son aurore est la nuit!
Diane a protégé notre course lointaine.
Chargés d'un lourd butin, nous marchons avec peine;
Ainsi, reposons-nous; — déjà, le verre en main,
Nos frères sous ce toit commencent leur festin.

Frank

Moi, je n'ai rien tué : — la ronce et la bruyère
Ont déchiré mes mains; — mon chien, sur la poussière
A léché dans mon sang la trace de mes pas.

Le Chœur

Ami, les jours entre eux ne se ressemblent pas.
Approche, et viens grossir notre joyeuse troupe.
L'amitié, camarade, est semblable à la coupe
Qui passe, au coin du feu, de la main à la main.
L'un y boit son bonheur, et l'autre sa misère;
Le ciel a mis l'oubli pour tous au fond du verre;
Je suis heureux ce soir, tu le seras demain.

Frank

Mes malheurs sont à moi, je ne prends pas les vôtres.
Je ne sais pas encor vivre aux dépens des autres;
J'attendrai pour cela qu'on m'ait coupé les mains.
Je ne ferai jamais qu'un maigre parasite,
Car ce n'est qu'un long jeûne et qu'une faim maudite
Qui me feront courir à l'odeur des festins.
Je tire mieux que vous, et j'ai meilleure vue.

Pourquoi ne vois-je rien? voilà la question.
Suis-je un épouvantail? — ou bien l'occasion,
Cette prostituée, est-elle devenue
Si boiteuse et si chauve, à force de courir,
Qu'on ne puisse à la nuque une fois la saisir?
J'ai cherché comme vous le chevreuil dans la plaine, —
Mon voisin l'a tué, mais je ne l'ai pas vu.

LE CHŒUR

Et si c'est ton voisin, pourquoi le maudis-tu?
C'est la communauté qui fait la force humaine.
Frank, n'irrite pas Dieu — le roseau doit plier.
L'homme sans patience est la lampe sans huile,
Et l'orgueil en colère est mauvais conseiller.

FRANK

Votre communauté me soulève la bile.
Je n'en suis pas encore à mendier mon pain.
Mordieu, voilà de l'or, messieurs, j'ai de quoi vivre.
S'il plaît à l'ennemi des hommes de me suivre,
Il peut s'attendre encore à faire du chemin.
Il faut être bâtard pour coudre sa misère
Aux misères d'autrui. — Suis-je un esclave ou non?
Le pacte social n'est pas de ma façon :
Je ne l'ai pas signé dans le sein de ma mère.
Si les autres ont peu, pourquoi n'aurais-je rien?
Vous qui parlez de Dieu, vous blasphémez le mien.
Tout nous vient de l'orgueil, même la patience.
L'orgueil, c'est la pudeur des femmes, la constance
Du soldat dans le rang, du martyr sur la croix.
L'orgueil, c'est la vertu, l'honneur et le génie;
C'est ce qui reste encor d'un peu beau dans la vie,
La probité du pauvre et la grandeur des rois.
Je voudrais bien savoir, nous tous tant que nous sommes,
Et moi tout le premier, à quoi nous sommes bons.
Voyez-vous ce ciel pâle, au-delà de ces monts?
Là, du soir au matin, fument autour des hommes
Ces vastes alambics qu'on nomme les cités.
Intrigues, passions, périls et voluptés,
Toute la vie est là, — tout en sort, tout y rentre.
Tout se disperse ailleurs, et là tout se concentre.
L'homme y presse ses jours pour en boire le vin,
Comme le vigneron presse et tord son raisin.

LE CHŒUR

Frank, une ambition terrible te dévore.
Ta pauvreté superbe elle-même s'abhorre;

Tu te hais, vagabond, dans ton orgueil de roi,
Et tu hais ton voisin d'être semblable à toi.
Parle, aimes-tu ton père ? aimes-tu ta patrie ?
Au souffle du matin sens-tu ton cœur frémir,
Et t'agenouilles-tu lorsque tu vas dormir ?
De quel sang es-tu fait, pour marcher dans la vie
Comme un homme de bronze, et pour que l'amitié,
L'amour, la confiance et la douce pitié
Viennent toujours glisser sur ton être insensible,
Comme des gouttes d'eau sur un marbre poli ?
Ah ! celui-là vit mal qui ne vit que pour lui.
L'âme, rayon du ciel, prisonnière invisible,
Souffre dans son cachot de sanglantes douleurs.
Du fond de son exil elle cherche ses sœurs ;
Et les pleurs et les chants sont les voix éternelles
De ces filles de Dieu qui s'appellent entre elles.

FRANK

Chantez donc, et pleurez, si c'est votre souci.
Ma malédiction n'est pas bien redoutable ;
Telle qu'elle est pourtant, je vous la donne ici.
Nous allons boire un toast en nous mettant à table,
Et je vais le porter :

Prenant un verre.

Malheur aux nouveau-nés !
Maudit soit le travail ! maudite l'espérance !
Malheur au coin de terre où germe la semence,
Où tombe la sueur de deux bras décharnés !
Maudits soient les liens du sang et de la vie !
Maudite la famille et la société !
Malheur à la maison, malheur à la cité,
Et malédiction sur la mère patrie !

UN AUTRE CHŒUR, *sortant d'une maison.*

Qui parle ainsi ? qui vient jeter sur notre toit,
A cette heure de nuit, ces clameurs monstrueuses,
Et nous sonner ainsi les trompettes hideuses
Des malédictions ! — Frank, réponds, est-ce toi ?
Ce n'est pas d'aujourd'hui que je connais ta vie.
Tu n'es qu'un paresseux plein d'orgueil et d'envie.
Mais de quel droit viens-tu troubler des gens de bien ?
Tu hais notre métier, Judas ! et nous, le tien,
Que ne vas-tu courir et tenter la fortune,
Si le toit de ton père est trop bas pour ton front ?
Ton orgueil est scellé comme un cercueil de plomb.

Tu crois punir le Ciel en lui gardant rancune;
Et tout ce que tu peux, c'est de roidir tes bras
Pour blasphémer un Dieu qui ne t'aperçoit pas.
Travailles-tu pour vivre, et pour t'aider toi-même?
Ne te souviens-tu pas que l'ange du blasphème
Est de tous les déchus le plus audacieux,
Et qu'avant de maudire il est tombé des cieux?

TOUS LES CHASSEURS

Pourquoi refuses-tu ta place à notre table?

FRANK, *à l'un d'eux*

Hélas! noble seigneur, soyez-moi charitable!
Un denier, s'il vous plaît, j'ai bien soif et bien faim.
Rien qu'un pauvre denier pour m'acheter du pain.

LE CHŒUR

Te fais-tu le bouffon de ta propre détresse?

FRANK

Seigneur, si vous avez une belle maîtresse,
Je puis la célébrer, et chanter tour à tour
La médiocrité, l'innocence et l'amour.
C'est bien le moins qu'un pauvre égaie un peu son hôte;
S'il est pauvre, après tout, s'il a faim, c'est sa faute.
Mais croyez-vous qu'il soit prudent et généreux
De jeter des pavés sur l'homme qui se noie?
Il ne faut pas pousser à bout les malheureux.

LE CHŒUR

A quel sombre démon ton âme est-elle en proie?
Tu railles tristement et misérablement.

FRANK

Car si ces malheureux ont quelque orgueil dans l'âme,
S'ils ne sont pas pétris d'une argile de femme,
S'ils ont un cœur, s'ils ont des bras, ou seulement
S'ils portent par hasard une arme à la ceinture...

LE CHŒUR

Que veut dire ceci? Veux-tu nous provoquer?

FRANK

Un poignard peut se tordre, et le coup peut manquer.
Mais si, las de lui-même et de sa vie obscure,

Le pauvre qu'on insulte allait prendre un tison,
Et le porter en feu dans sa propre maison!

*Il prend une bûche embrasée dans le feu allumé
sur la place, et la jette dans sa chaumière.*

Sa maison est à lui, — c'est le toit de son père,
C'est son toit, — c'est son bien, — c'est le tombeau solitaire
Des rêves de ses jours, des larmes de ses nuits;
Le feu doit y rester, si c'est lui qui l'a mis.

LE CHŒUR

Agis-tu dans la fièvre? Arrête, incendiaire!
Veux-tu du même coup brûler la ville entière?
Arrête! — nos enfants dormiront-ils demain?

FRANK

Me voici sur le seuil, mon épée à la main.
Approchez maintenant, fussiez-vous une armée.
Quand l'univers devrait s'en aller en fumée,
Tonnerre et sang! je fais un spectre du premier
Qui jette un verre d'eau sur un brin de fumier.
Ah! vous croyez, messieurs, si je vous importune,
Qu'on peut impunément me chasser comme un chien?
Ne m'avez-vous pas dit d'aller chercher fortune?
J'y vais. — Vous l'avez dit, vous qui n'en feriez rien;
Moi je le fais, — je pars. — J'illumine la ville.
J'en aurai le plaisir, en m'en allant ce soir,
De la voir de plus loin, s'il me plaît de la voir.
Je ne fais pas ici de folie inutile :
Ceux qui m'ont accusé de paresse et d'orgueil
Ont dit la vérité. — Tant que cette chaumière
Demeurera debout, ce sera mon cercueil.
Ce petit toit, messieurs, ces quatre murs de pierre,
C'était mon patrimoine, et c'est assez longtemps
Pour aimer son fumier, que d'y dormir vingt ans.
Je le brûle, et je pars; — c'est moi, c'est mon fantôme
Que je disperse au vent avec ce toit de chaume.
— Maintenant, vents du nord, vous n'avez qu'à souffler;
Depuis assez longtemps, dans les nuits de tempête,
Vous venez ébranler ma porte, et m'appeler.
Frères, je viens à vous, — je vous livre ma tête.
Je pars, — et désormais que Dieu montre à mes pas
Leur route, — ou le hasard, si Dieu n'existe pas!

Il sort en courant.

SCÈNE II

Une plaine.

FRANK *rencontre une jeune fille.*

La Jeune Fille

Bonsoir, Frank, où vas-tu ? la plaine est solitaire.
Qu'as-tu fait de tes chiens, imprudent montagnard ?

Frank

Bonsoir, Déidamia, qu'as-tu fait de ta mère ?
Prudente jeune fille, où t'en vas-tu si tard ?

La Jeune Fille

J'ai cueilli sur ma route un bouquet d'églantine ;
Mais la neige et les vents l'ont fané sur mon cœur.
Le voilà, si tu veux, pour te porter bonheur.

Elle lui jette son bouquet.

Frank, *seul, ramassant le bouquet*

Comme elle court gaîment ! Sa mère est ma voisine ;
J'ai vu cette enfant-là grandir et se former.
Pauvre, innocente fille ! elle aurait pu m'aimer.

Exit.

SCÈNE III

Un chemin creux dans une forêt.
Le point du jour.

Frank, *assis sur l'herbe*

Et quand tout sera dit, — quand la triste demeure
De ce malheureux Frank, de ce vil mendiant,
Sera tombée en poudre et dispersée au vent,
Lui, que deviendra-t-il ? — Il sera temps qu'il meure !
Et s'il est jeune encor, s'il ne veut pas mourir ?
Ah ! massacre et malheur ! que vais-je devenir ?

Il s'endort.

Une Voix, *dans un songe*

Il est deux routes dans la vie :
L'une solitaire et fleurie,

Qui descend sa pente chérie
Sans se plaindre et sans soupirer.
Le passant la remarque à peine,
Comme le ruisseau de la plaine,
Que le sable de la fontaine
Ne fait pas même murmurer.
L'autre, comme un torrent sans digue,
Dans une éternelle fatigue,
Sous les pieds de l'enfant prodigue
Roule la pierre d'Ixion.
L'une est bornée, et l'autre immense :
L'une meurt où l'autre commence;
La première est la patience,
La seconde est l'ambition.

FRANK, *rêvant*

Esprits! si vous venez m'annoncer ma ruine,
            Pourquoi le Dieu qui me créa
Fit-il, en m'animant, tomber sur ma poitrine
            L'étincelle divine
            Qui me consumera?
Pourquoi suis-je le feu qu'un salamandre habite?
Pourquoi sens-je mon cœur se plaindre et s'étonner,
Ne pouvant contenir ce rayon qui s'agite,
Et qui, venu du ciel, y voudrait retourner!

LA VOIX

Ceux dont l'ambition a dévoré la vie,
Et qui sur cette terre ont cherché la grandeur,
Ceux-là, dans leur orgueil, se sont fait un honneur
De mépriser l'amour et sa douce folie.
Ceux qui, loin des regards, sans plainte et sans désirs,
Sont morts silencieux sur le corps d'une femme,
O jeune montagnard, ceux-là, du fond de l'âme,
Ont méprisé la gloire et ses tristes plaisirs.

FRANK

Vous parlez de grandeur, et vous parlez de gloire.
Aurai-je des trésors? l'homme dans sa mémoire
            Gardera-t-il mon souvenir?
Répondez, répondez, avant que je m'éveille.
            Déroulez-moi ce qui sommeille
            Dans l'océan de l'avenir!

LA VOIX

Voici l'heure où, le cœur libre d'inquiétude,
Tu te levais jadis pour reprendre l'étude,

Tes pensers de la veille et les travaux du jour.
Seul, poursuivant tout bas tes chimères d'amour,
Tu gagnais lentement la maison solitaire
Où ta Déidamia veillait près de sa mère.
Frank, tu venais t'asseoir au paisible foyer,
Raconter tes chagrins, sinon les oublier.
Tous deux sans espérance, et dans la solitude,
Enfants, vous vous aimiez, et bientôt l'habitude
Tous les jours, malgré toi, t'enseigna ce chemin :
Car l'habitude est tout au pauvre cœur humain.

FRANK

Esprits, il est trop tard, j'ai brûlé ma chaumière !

LA VOIX

Repens-toi ! repens-toi !

FRANK

Non ! non ! j'ai tout perdu.

LA VOIX

Repens-toi ! repens-toi !

FRANK

Non ! j'ai maudit mon père.

LA VOIX

Alors, lève-toi donc, car ton jour est venu.

Le soleil paraît ; Frank s'éveille ; Stranio, jeune
palatin, et sa maîtresse, Monna Belcolore, passent
à cheval.

STRANIO

Holà ! dérange-toi, manant, pour que je passe.

FRANK

Attends que je me lève, et prends garde à tes pas.

STRANIO

Chien, lève-toi plus vite, ou reste sur la place.

FRANK

Tout beau, l'homme à cheval, tu ne passeras pas.
Dégaine-moi ton sabre, ou c'est fait de ta vie,
Allons, pare ceci.

Ils se battent, Stranio tombe.

BELCOLORE

Comment t'appelles-tu ?

FRANK

Charles Frank.

BELCOLORE

Tu me plais, et tu t'es bien battu !

Ton pays ?

FRANK

Le Tyrol.

BELCOLORE

Me trouves-tu jolie ?

FRANK

Belle comme un soleil.

BELCOLORE

J'ai dix-huit ans, — et toi ?

FRANK

Vingt ans.

BELCOLORE

Monte à cheval, et viens souper chez moi.

Exeunt.

ACTE II

SCÈNE I

Un salon.

FRANK, *devant une table chargée d'or.*

De tous les fils secrets qui font mouvoir la vie,
O toi, le plus subtil et le plus merveilleux,
Or! principe de tout, larme au soleil ravie!
Seul dieu toujours vivant, parmi tant de faux dieux!
Méduse, dont l'aspect change le cœur en pierre,
Et fait tomber en poudre aux pieds de la rosière
La robe d'innocence et de virginité! —
Sublime corrupteur! — clef de la volonté! —
Laisse-moi t'admirer! — parle-moi, — viens me dire
Que l'honneur n'est qu'un mot, que la vertu n'est rien : —
Que, dès qu'on te possède, on est homme de bien; —
Que rien n'est vrai que toi! — Qu'un esprit en délire
Ne saurait inventer de rêves si hardis,
Si monstrueusement en dehors du possible,
Que tu ne puisse encor sur ton levier terrible
Soulever l'univers, pour qu'ils soient accomplis!
— Que de gens cependant n'ont jamais vu qu'en songe
Ce que j'ai devant moi! — Comme le cœur se plonge
Avec ravissement dans un monceau pareil! —
Tout cela, c'est à moi; — les sphères et les mondes
Danseront un millier de valses et de rondes,
Avant qu'un coup semblable ait lieu sous le soleil.
Ah! mon cœur est noyé! — Je commence à comprendre
Ce qui fait qu'un mourant que le frisson va prendre
A regarder son or trouve encor des douceurs.
Et pourquoi les vieillards se font enfouisseurs.

Comptant.

Quinze mille en argent, — le reste en signature.
C'est un coup du destin. — Quelle étrange aventure!
Que ferais-je aujourd'hui, qu'aurais-je fait demain,

Si je n'avais trouvé Stranio sur mon chemin?
Je tue un grand seigneur, et lui prends sa maîtresse;
Je m'enivre chez elle, et l'on me mène au jeu.
A jeun j'aurais perdu, — je gagne dans l'ivresse;
Je gagne, et je me lève. — Ah! c'est un coup de Dieu.

Il ouvre la fenêtre.

Je voudrais bien me voir passer sous ma fenêtre
Tel que j'étais hier. — Moi, Frank, seigneur et maître
De ce vaste logis, possesseur d'un trésor,
Voir passer là-dessous Frank le coureur de lièvres,
Frank le pauvre, l'œil morne et la faim sur les lèvres,
Le voir tendre la main et lui jeter cet or.
Tiens, Frank, tiens, mendiant, prends cela, pauvre hère,

Il prend une poignée d'or.

Il me semble, en honneur, que le ciel et la terre
Ne sauraient plus m'offrir que ce qui me convient,
Et que depuis hier le monde m'appartient.

Exit.

SCÈNE II

Une route.

MONTAGNARDS, *passant.*

CHANSON DE CHASSE DANS LE LOINTAIN

Chasseur, hardi chasseur, que vois-tu dans l'espace?
Mes chiens grattent la terre et cherchent une trace.
Debout, mes cavaliers! c'est le pied du chamois. —
Le chamois s'est levé. — Que ma maîtresse est belle! —
Le chamois tremble et fuit. — Que Dieu veille sur elle! —
Le chamois rompt la meute et s'enfuit dans le bois. —
Je voudrais par la main tenir ma belle amie. —
La meute et le chamois traversent la prairie :
Hallali, compagnons, la victoire est à nous! —
Que ma maîtresse est belle, et que ses yeux sont doux!

LE CHŒUR

Amis, dans ce palais, sur la place où nous sommes,
Respire le premier et le dernier des hommes,
Frank, qui vécut vingt ans comme un hardi chasseur.
Aujourd'hui dans les fers d'une prostituée,
Que fait-il? — Nuit et jour cette enceinte est fermée.

La solitude y règne, image de la mort.
Quelquefois seulement, quand la nuit est venue,
On voit à la fenêtre une femme inconnue
Livrer ses cheveux noirs aux vents affreux du nord.
— Frank n'est plus! sur les monts nul ne l'a vu paraître.
Puisse-t-il s'éveiller! puisse-t-il reconnaître
La voix des temps passés! — Frères, pleurons sur lui.
Charles ne viendra plus, au joyeux hallali,
Entouré de ses chiens sur les herbes sanglantes,
Découdre, les bras nus, les biches expirantes,
S'asseoir au rendez-vous, et boire dans ses mains
La neige des glaciers, vierge de pas humains.

Exeunt.

SCÈNE III

La nuit. Une terrasse au bord d'un chemin.

MONNA BELCOLORE, FRANK, *assis dans un kiosque.*

BELCOLORE

Dors, ô pâle jeune homme, épargne ta faiblesse.
Pose jusqu'à demain ton cœur sur ta maîtresse;
La force t'abandonne, et le jour va venir.
Carlo, tes beaux yeux bleus sont las, — tu vas dormir.

FRANK

Non, le jour ne vient pas, — non, je veille et je brûle!
O Belcolor, le feu dans mes veines circule.
Mon cœur languit d'amour, et, si le temps s'enfuit,
Que m'importe ce ciel, et son jour et sa nuit?

BELCOLORE

Ah! Carlo, mon Carlo, ta tête chancelante
Va tomber dans mes mains, sur ta coupe brûlante.
Tu t'endors, tu te meurs, tu t'enfuis loin de moi.
Ah! lâche efféminé, tu t'endors malgré toi.

FRANK

Oui, le jour va venir. — O ma belle maîtresse,
Je me meurs; oui, je suis sans force et sans jeunesse,
Une ombre de moi-même, un reste, un vain reflet,
Et quelquefois la nuit mon spectre m'apparaît.
Mon Dieu! si jeune hier, aujourd'hui je succombe.
C'est toi qui m'as tué, ton beau corps est ma tombe.

Mes baisers sur ta lèvre en ont usé le seuil.
De tes longs cheveux noirs tu m'as fait un linceul.
Éloigne ces flambeaux, entr'ouvre la fenêtre.
Laisse entrer le soleil, c'est mon dernier peut-être,
Laisse-le-moi chercher, laisse-moi dire adieu
A ce beau ciel si pur qu'il a fait croire en Dieu.

BELCOLORE

Pourquoi me gardes-tu, si c'est moi qui te tue,
Et si tu te crois mort pour deux nuits de plaisir?

FRANK

Tous les amants heureux ont parlé de mourir.
Toi, me tuer, mon Dieu! Du jour où je t'ai vue,
Ma vie a commencé; le reste n'était rien;
Et mon cœur n'a jamais battu que sur le tien.
Tu m'as fait riche, heureux, tu m'as ouvert le monde.
Regarde, ô mon amour, quelle superbe nuit!
Devant de tels témoins qu'importe ce qu'on dit,
Pourvu que l'âme parle et que l'âme réponde?
L'ange des nuits d'amour est un ange muet.

BELCOLORE

Combien as-tu gagné ce soir au lansquenet?

FRANK

Qu'importe? Je ne sais. — Je n'ai plus de mémoire.
Voyons, — viens dans mes bras, — laisse-moi t'admirer. —
Parle, — réveille-moi, — conte-moi ton histoire. —
Quelle superbe nuit! Je suis prêt à pleurer.

BELCOLORE

Si tu veux t'éveiller, dis-moi plutôt la tienne.

FRANK

Nous sommes trop heureux pour que je m'en souvienne.
Que dirais-je, d'ailleurs! Ce qui fait les récits,
Ce sont des actions, des périls, dont l'empire
Est vivace, et résiste à l'heure des oublis.
Mais moi qui n'ai rien vu, rien fait, qu'ai-je à te dire?
L'histoire de ma vie est celle de mon cœur;
C'est un pays étrange où je fus voyageur.
Ah! soutiens-moi le front, la force m'abandonne!
Parle, parle, je veux t'entendre jusqu'au bout.
Allons, un beau baiser, et c'est moi qui le donne,
Un baiser pour ta vie, et qu'on me dise tout.

BELCOLORE, *soupirant*

Ah! je n'ai pas toujours vécu comme l'on pense.
Ma famille était noble et puissante à Florence.
On nous a ruinés; — ce n'est que le malheur
Qui m'a forcée à vivre aux dépens de l'honneur....
Mon cœur n'était pas fait....

FRANK, *se détournant*

Toujours la même histoire!
Voici peut-être ici la vingtième catin
A qui je la demande; et toujours ce refrain!
Qui donc ont-elles vu d'assez sot pour y croire?
Mon Dieu! dans quel bourbier me suis-je donc jeté?
J'avais cru celle-ci plus forte, en vérité!

BELCOLORE

Quand mon père mourut....

FRANK

Assez, je t'en supplie.
Je me ferai conter le reste par Julie
Au premier carrefour où je la trouverai.

Tous deux restent en silence quelque temps.

Dis-moi, ce fameux jour que tu m'as rencontré,
Pourquoi, par quel hasard, — par quelle sympathie,
T'es-tu de m'emmener senti la fantaisie?
J'étais couvert de sang, poudreux, et mal vêtu.

BELCOLORE

Je te l'ai déjà dit, tu t'étais bien battu.

FRANK

Parlons sincèrement, — je t'ai semblé robuste.
Tes yeux, ma chère enfant, n'ont pas deviné juste.
Je comprends qu'une femme aime les portefaix;
C'est un goût comme un autre, il est dans la nature,
Mais moi, si j'étais femme, et si je les aimais,
Je n'irais pas chercher mes gens à l'aventure;
J'irais tout simplement les prendre aux cabarets,
J'en ferais lutter six, et puis je choisirais.
Encore un mot : cet homme à qui je t'ai volée
T'entretenait sans doute, — il était ton amant?

BELCOLORE

Oui.

FRANK

— Cette affreuse mort ne t'a pas désolée ?
Cet homme, il m'en souvient, râlait horriblement.
L'œil gauche était crevé, — le pommeau de l'épée
Avait ouvert le front, — la gorge était coupée.
Sous les pieds des chevaux l'homme était étendu.
Comme un lierre arraché qui rampe et qui se traîne
Pour se suspendre encore à l'écorce d'un chêne,
Ainsi ce malheureux se traînait suspendu
Aux restes de sa vie. — Et toi, ce meurtre infâme
Ne t'a pas de dégoût levé le cœur et l'âme ?
Tu n'as pas dit un mot, tu n'as pas fait un pas !

BELCOLORE

Prétends-tu me prouver que j'aie un cœur de pierre ?

FRANK

Et ce que je te dis ne te le lève pas ?

BELCOLORE

Je hais les mots grossiers, — ce n'est pas ma manière.
Mais quand il n'en faut qu'un, je n'en dis jamais deux.
Frank, tu ne m'aimes plus.

FRANK

                        Qui ? moi ? Je vous adore.
J'ai lu, je ne sais où, ma chère Belcolore,
Que les plus doux instants pour deux amants heureux,
Ce sont les entretiens d'une nuit d'insomnie,
Pendant l'enivrement qui succède au plaisir,
Quand les sens apaisés sont morts pour le désir ;
Quand la main à la main, et l'âme à l'âme unie,
On ne fait plus qu'un être, et qu'on sent s'élever
Ce parfum du bonheur qui fait longtemps rêver ;

Quand l'amie, en prenant la place de l'amante,
Laisse son bien-aimé regarder dans son cœur,
Comme une fraîche source, où l'onde est confiante,
Laisse sa pureté trahir sa profondeur :
C'est alors qu'on connaît le prix de ce qu'on aime,
Que du choix qu'on a fait on s'estime soi-même,
Et que dans un doux songe on peut fermer les yeux !
N'est-ce pas, Belcolor ? n'est-ce pas, mon amie ?

BELCOLORE

Laisse-moi.

FRANK

N'est-ce pas que nous sommes heureux ? —
Mais j'y pense ! — il est temps de régler notre vie.
Comme on ne peut compter sur les jeux de hasard,
Nous piperons d'abord quelque honnête vieillard,
Qui fournira le vin, les meubles et la table.
Il gardera la nuit, et moi j'aurai le jour.
Tu pourras bien parfois lui jouer quelque tour.
J'entends quelque bon tour, adroit et profitable.
Il aura des amis que nous pourrons griser ;
Tu seras le chasseur, et moi, le lévrier ;
Avant tout, pour la chambre, une fille discrète,
Capable de graisser une porte secrète,
Mais nous la paierons bien ; aujourd'hui tout se vend.
Quant à moi, je serai le cavalier servant.
Nous ferons à nous deux la perle des ménages.

BELCOLORE

Ou tu vas en finir avec tes persiflages,
Ou je vais tout à l'heure en finir avec toi.
Veux-tu faire la paix ? Je ne suis pas boudeuse,
Voyons, viens m'embrasser.

FRANK

Cette fille est hideuse....
Mon Dieu, deux jours plus tard, c'en était fait de moi !

*Il va s'appuyer sur la terrasse ; un soldat passe
à cheval sur la route.*

LE SOLDAT, *chantant*

Un soldat qui va son chemin
Se raille du tonnerre ;
Il tient son sabre d'une main
Et de l'autre son verre.
Quand il meurt, on le porte en terre
Comme un seigneur.
Son cœur est à son amie,
Son bras est à sa patrie,
Et sa tête à l'empereur.

FRANK, *l'appelant.*

Holà, l'ami ! deux mots. — Vous semblez un compère
De bonne contenance et de joyeuse humeur.
Vos braves compagnons vont-ils entrer en guerre ?
Dans quelle place forte est donc votre empereur ?

LE SOLDAT

A Glurens. — Dans deux jours nous serons en campagne.
Je rejoins de ce pas ma corporation.

FRANK

Venez-vous de la plaine, ou bien de la montagne?
Connaissez-vous mon père, et savez-vous mon nom?

LE SOLDAT

Oh! je vous connais bien. — Vous êtes du village
Vis-à-vis le moulin. — Que faites-vous donc là?
Venez-vous avec nous?

FRANK

Oui, certe, et me voilà.

Il descend dans le chemin.

Je ne me suis pas mis en habit de voyage;
Vous me prêterez bien un vieux sabre là-bas?

A Belcolore.

Adieu, ma belle enfant, je ne souperai pas.

LE SOLDAT

On vous équipera. — Montez toujours en croupe.
Parbleu! compagnon Frank, vous manquiez à la troupe.
Ah çà! dites-moi donc, tout en nous allant,
S'il est vrai qu'un beau soir...

Ils partent au galop.

BELCOLORE, *sur le balcon.*

Je l'aime, cependant.

ACTE III

SCÈNE I

Devant un palais. Glurens.

CHŒUR DES SOLDATS

Telles par l'ouragan les neiges flagellées
Bondissent en sifflant des glaciers aux vallées,
Tels se sont élancés, au signal du combat,
Les enfants du Tyrol et du Palatinat.
Maintenant l'empereur a terminé la guerre.
Les cantons sur leur porte ont plié leur bannière.
Écoutez, écoutez : c'est l'adieu des clairons ;
C'est la vieille Allemagne appelant ses barons.
Remonte maintenant, chasseur du cerf timide ;
Remonte, fils du Rhin, compagnon intrépide :
Tes enfants sur ton cœur vont venir se presser,
Sors de la lourde armure, et va les embrasser.
Soldats, arrêtons-nous. — C'est ici la demeure
Du capitaine Frank, du plus grand des soldats.
Notre vieil empereur l'a serré dans ses bras.
Couronné par le peuple, il viendra tout à l'heure
Souper dans ce palais avec ses compagnons.
Jamais preux chevalier n'a mieux conquis sa gloire.
Il a seul, près d'Inspruck, emporté l'aigle noire,
Du cœur de la mêlée aux bouches des canons.
Vingt fois ses cuirassiers l'ont cru, dans la bataille,
Coupé par les boulets, brisé par la mitraille,
Il avançait toujours, — toujours en éclaireur.
On le voyait du feu sortir comme un plongeur.
Trois balles l'ont frappé ; sa trace était suivie !
Mais le dieu des hasards n'a voulu de sa vie
Que ce qu'il en fallait pour gagner ses chevrons,
Et pouvoir de son sang dorer ses éperons.
Mais que nous veut ici cette fille italienne,
Les cheveux en désordre, et marchant à grands pas ?
Où courez-vous si fort, femme ? On ne passe pas.

Entre Belcolore.

BELCOLORE

Est-ce ici la maison de votre capitaine?

LES SOLDATS

Oui. — Que lui voulez-vous? — Parlez au lieutenant.

LE LIEUTENANT

On ne peut ni passer ni monter, ma princesse.

BELCOLORE

Il faut bien que je passe et que j'entre pourtant.
Mon nom est Belcolore, et je suis sa maîtresse.

LE LIEUTENANT

Parbleu! ma chère enfant, je vous reconnais bien.
J'en suis au désespoir, mais je suis ma consigne.
Si Frank est votre amant, tant mieux : je n'en crois rien.
Ce serait un honneur dont vous n'êtes pas digne.

BELCOLORE

S'il n'est pas mon amant, il le sera ce soir.
Je l'aime; comprends-tu? Je l'aime. — Il m'a quittée,
Et je viens le chercher, si tu veux le savoir.

LES SOLDATS

Quelle tête de fer a donc cette effrontée
Qui court après les gens, un stylet à la main?

BELCOLORE

Il me sert de flambeau pour m'ouvrir le chemin.
Allons, écartez-vous et montrez-moi la porte.

LE LIEUTENANT

Puisque vous le voulez, ma belle, la voilà.
Qu'elle entre, et qu'on lui donne un homme pour escorte.
C'est un diable incarné que cette femme-là.

> *Belcolore entre dans le palais. — Entre Frank*
> *couronné, à cheval.*

CHŒUR DU PEUPLE

Couvert de ces lauriers, il te sied, ô grand homme!
De marcher parmi nous comme un triomphateur.
La guerre est terminée, et l'empereur se nomme
    Ton royal débiteur.
Descends, repose-toi. — Reste dans l'hippodrome,
Lave tes pieds sanglants, victorieux lutteur.

> *Frank descend de cheval.*

CHŒUR DES CHEVALIERS

Homme heureux, jeune encor, tu récoltes la gloire,
Cette plante tardive, amante des tombeaux.
La terre qui t'a vu chasse de sa mémoire
          L'ombre de ses héros.
Pareil à Béatrix, au seuil du purgatoire,
Tes ailes vont s'ouvrir vers des chemins nouveaux.

LE PEUPLE

Allons, que ce beau jour, levé sur une fête,
Dans un joyeux banquet finisse dignement.
Tes convives de fleurs ont couronné leur tête :
          Ton vieux père t'attend.
Que tardons-nous encore ? Allons, la table est prête.
Entrons dans ton palais ; déjà la nuit descend.

Ils entrent dans le palais.

SCÈNE II

FRANK, GUNTHER, *restés seuls.*

GUNTHER

Ne les suivez-vous pas, seigneur, sous ce portique ?
O mon maître ! au milieu d'une fête publique,
Qui d'un si juste coup frappe nos ennemis,
Avez-vous distingué le cœur de vos amis ?
Hélas ! les vrais amis se taisent dans la foule,
Il leur faut, pour s'ouvrir, que ce vain flot s'écoule.
O mon frère, ô mon maître ! ils t'ont proclamé roi !
Dieu merci, quoique vieux, je puis encor te suivre,
Jeune soleil levant, si le Ciel me fait vivre.
Je ne suis qu'un soldat, seigneur, excusez-moi.
Mon amitié vous blesse et vous est importune.
Ne partagez-vous point l'allégresse commune ?
Qui vous arrête ici ? Vous devez être las.
La peine et le danger font les joyeux repas.

LE CHŒUR, *dans la maison.*

Chantons, et faisons vacarme,
Comme il convient à de dignes buveurs.
      Vivent ceux que le vin désarme !
      Les jours de combat ont leur charme :
Mais la paix a bien ses douceurs.

GUNTHER

Seigneur, mon cher seigneur, pourquoi ces regards
[sombres ?
Le vin coule et circule. — Entendez-vous ces chants ?
Des convives joyeux je vois flotter les ombres
Derrière ces vitraux de feux resplendissants.

LE CHŒUR, *à la fenêtre.*

Frank, pourquoi tardes-tu ? — Gunther, si notre troupe,
Ne fait pas, sous ce toit, peur à vos cheveux blancs,
Soyez le bienvenu pour vider une coupe.
Nous sommes assez vieux pour oublier les ans.

GUNTHER

La pâleur de la mort est sur votre visage,
Seigneur. — D'un noir souci votre esprit occupé
Méconnaît-il ma voix ? — De quel sombre nuage
Les rêves de la nuit l'ont-ils enveloppé ?

FRANK

Fatigué de la route et du bruit de la guerre,
Ce matin de mon camp je me suis écarté :
J'avais soif ; mon cheval marchait dans la poussière,
Et sur le bord d'un puits je me suis arrêté.
J'ai trouvé sur un banc une femme endormie,
Une pauvre laitière, un enfant de quinze ans,
Que je connais, Gunther. — Sa mère est mon amie.
J'ai passé de beaux jours chez ces bons paysans.
Le cher ange dormait les lèvres demi-closes. —
(Les lèvres des enfants s'ouvrent, comme les roses,
Au souffle de la nuit.) — Ses petits bras lassés
Avaient dans son panier roulé les mains ouvertes.
D'herbes et d'églantine elles étaient couvertes.
De quel rêve enfantin ses sens étaient bercés,
Je l'ignore. — On eût dit qu'en tombant sur sa couche
Elle avait à moitié laissé quelque chanson,
Qui revenait encor voltiger sur sa bouche,
Comme un oiseau léger sur la fleur d'un buisson.
Nous étions seuls. — J'ai pris ses deux mains dans les
[miennes,
Je me suis incliné, — sans l'éveiller pourtant. —
O Gunther ! j'ai posé mes lèvres sur les siennes,
Et puis je suis parti, pleurant comme un enfant.

ACTE IV

SCÈNE I

Devant le palais de Frank. La porte est tendue en noir.
On dresse un catafalque.

FRANK, *vêtu en moine et masqué ;* DEUX SERVITEURS.

FRANK

Que l'on apporte ici les cierges et la bière.
Souvenez-vous surtout que c'est moi qu'on enterre.
Moi, capitaine Frank, mort hier dans un duel.
Pas un mot, — ni regard, ni haussement d'épaules ;
Pas un seul mouvement qui sorte de vos rôles.
Songez-y. Je le veux.

Les serviteurs s'en vont.

                                   Eh bien ! juge éternel,
Je viens t'interroger. Les transports de la fièvre
N'agitent pas mon sein. Je ne viens ni railler
Ni profaner la mort. — J'agis sans conseiller.
Regarde, et réponds-moi. Je fais comme l'orfèvre
Qui frappe sur le marbre une pièce d'argent.
Il reconnaît au son la pure fonderie ;
Et moi, je viens savoir quel son rendra ma vie,
Quand je la frapperai sur ce froid monument.
Déjà le jour paraît ; — le soldat sort des tentes.
Maintenant le bois vert chante dans le foyer ;
Les rames du pêcheur et du contrebandier
Se lèvent, de terreur et d'espoir palpitantes.
Quelle agitation, quel bruit dans la cité !
Quel monstre remuant que cette humanité !
Sous ces dix mille toits, que de corps, que d'entrailles !
Que de sueurs sans but, que de sang, que de fiel !
Sais-tu pourquoi tu dors et pourquoi tu travailles,
Vieux monstre aux mille pieds, qui te crois éternel ?
Cet honnête cercueil a quelques pieds, je pense,
De plus que mon berceau. — Voilà leur différence.
Ah ! pourquoi mon esprit va-t-il toujours devant,
Lorsque mon corps agit ? Pourquoi dans ma poitrine

Ai-je un ver travailleur, qui toujours creuse et mine
Si bien que sous mes pieds tout manque en arrivant ?

Entre le chœur des soldats et du peuple.

LE CHŒUR

On dit que Frank est mort. — Quand donc ? Comment
[s'appelle
Celui qui l'a tué ? — Quelle était la querelle ?
On parle d'un combat. — Quand se sont-ils battus ?

FRANK, *masqué.*

A qui parlez-vous donc ? Il ne vous entend plus.

Il leur montre la bière.

LE CHŒUR, *s'inclinant.*

S'il est un meilleur monde au-dessus de nos têtes,
O Frank ! si du séjour des vents et des tempêtes
Ton âme sur ces monts plane et voltige encor ;
Si ces rideaux de pourpre et ces ardents nuages,
Que chasse dans l'éther le souffle des orages,
Sont des guerriers couchés dans leurs armures d'or,
Penche-toi, noble cœur, sur ces vertes collines,
Et vois tes compagnons briser leurs javelines
Sur cette froide terre où ton corps est resté !

GUNTHER, *accourant.*

Quoi ! si brave et si jeune, et sitôt emporté !
Mon Frank ! est-ce bien vrai, messieurs ? Ah ! mort funeste !
Moi qui ne demandais qu'à vivre assez longtemps
Pour te voir accomplir ta mission céleste !
Me voilà seul au monde avec mes cheveux blancs !
Moi qui n'avais de jeune encor que ta jeunesse !
Moi qui n'aimais que toi ! Misérable vieillesse !
Je ne te verrai plus, mon Frank ! On t'a tué.

FRANK, *à part.*

Ce pauvre vieux Gunther, je l'avais oublié.

LE CHŒUR

Qu'on voile les tambours, que le prêtre s'avance.
A genoux, compagnons, tête nue, et silence.
Qu'on dise devant nous la prière des morts.
Nous voulons au tombeau porter le capitaine.
Il est mort en soldat sur la terre chrétienne.
L'âme appartient à Dieu ; l'armée aura le corps.

TROIS MOINES, *s'avançant.*

CHANT

Le Seigneur sur l'ombre éternelle
Suspend son ardente prunelle,
Et, glorieuse sentinelle,
Attend les bons et les damnés.
Il sait qui tombe dans sa voie;
Lorsqu'il jette au néant sa proie,
Il dit aux maux qu'il nous envoie :
« Comptez les morts que vous prenez. »

LE CHŒUR, *à genoux.*

Seigneur, j'ai plus péché que vous ne pardonnez.

LES MOINES

Il dit aux épaisses batailles :
« Comptez vos chefs sans funérailles,
Qui pour cercueil ont les entrailles
De la panthère et du lion;
Que le juste triomphe ou fuie,
Comptez, quand le glaive s'essuie,
Les morts tombés comme la pluie
Sur la montagne et le sillon. »

LE CHŒUR

Seigneur, préservez-moi de la tentation.

LES MOINES

« Car un jour de pitié profonde,
Ma parole, en terreur féconde,
Sur le pôle arrêtant le monde,
Les trépassés se lèveront;
Et des mains vides de l'abîme
Tombera la frêle victime,
Qui criera : Grâce! — et de son crime
Trouvera la tache à son front.

LE CHŒUR

Et mes dents grinceront! mes os se sécheront!

LES MOINES

Qu'il vienne d'en bas ou du faîte,
Selon le dire du prophète,
Justice à chacun sera faite,
Ainsi qu'il aura mérité.

Or donc, gloire à Dieu notre Père.
Si l'impie a vécu prospère,
Que le juste en son âme espère!
Gloire à la sainte Trinité!

FRANK, *à part.*

C'est une jonglerie atroce, en vérité!
O toi qui les entends, suprême Intelligence,
Quelle pagode ils font de leur Dieu de vengeance!
Quel bourreau rancunier, brûlant à petit feu!
Toujours la peur du feu. — C'est bien l'esprit de Rome.
Ils vous diront après que leur Dieu s'est fait homme.
J'y reconnais plutôt l'homme qui s'est fait Dieu.

LE CHŒUR

Notre tâche, messieurs, n'est pas encor remplie.
Nous avons pour son âme imploré le pardon.
Si l'un de nous connaît l'histoire de sa vie,
Qu'il s'avance et qu'il parle.

FRANK, *à part.*

             Ah! nous y voilà donc.

UN OFFICIER, *sortant des rangs.*

Soldats et chevaliers, braves compagnons d'armes,
Si jamais homme au monde a mérité vos larmes,
C'est celui qui n'est plus. — Charle était mon ami.
J'ai le droit d'être fier dès qu'il s'agit de lui.
— Né dans un bourg obscur, au fond d'une chaumière,
Frank chez des montagnards vécut longtemps en frère,
En fils, chéri de tous et de tous bienvenu.

FRANK, *s'avançant.*

Vous vous trompez, monsieur, vous l'avez mal connu.
Frank était détesté de tout le voisinage.
Est-il ici quelqu'un qui soit de son village?
Demandez si c'est vrai. — Moi, j'en étais aussi.

LE PEUPLE

Moine, n'interromps pas. — Cet homme est son ami.

LES SOLDATS

C'est vrai que le cher homme avait l'âme un peu fière;
S'il aimait ses voisins, il n'y paraissait guère,
Un certain jour surtout qu'il brûla sa maison.
Je n'en ai jamais su, quant à moi, la raison.

L'OFFICIER

Si Charle eut des défauts, ne troublons pas sa cendre.
Sont-ce de tels témoins qu'il nous convient d'entendre ?
Soldats, Frank se sentait une autre mission.
Qui jamais s'est montré plus vif dans l'action,
Plus fort dans le conseil ? — Qui jamais mieux que Charle
Prouva son éloquence à l'heure où le bras parle ?
Vous le savez, soldats, j'ai combattu sous lui ;
Je puis dire à mon tour : Moi, j'en étais aussi.
Une ardeur sans égale, un courage indomptable,
Un homme encor meilleur qu'il n'était redoutable,
Une âme de héros, — voilà ce que j'ai vu.

FRANK

Vous vous trompez, monsieur, vous l'avez mal connu.
Frank n'a jamais été qu'un coureur d'aventure,
Qu'un fou, risquant sa vie et celle des soldats,
Pour briguer des honneurs qu'il ne méritait pas.
Né sans titres, sans bien, parti d'une masure,
Il faisait au combat ce qu'on fait aux brelans,
Il jouait tout ou rien, — la mort ou la fortune.
Ces gens-là bravent tout, l'espèce en est commune,
Ils inondent les ports, l'armée et les couvents.
Croyez-vous que ce Frank valût sa renommée ?
Qu'il respectât les lois ? qu'il aimât l'empereur ?
Il a vécu huit jours, avant d'être à l'armée,
Avec la Belcolor, comme un entremetteur.
Est-il ici quelqu'un qui dise le contraire ?

LES SOLDATS

Ma foi, depuis le jour qu'il a quitté son père,
C'est vrai que ledit Frank a fait plus d'un métier.
Nous la connaissons bien, nous, Monna Belcolore,
Elle couchait chez lui, — nous l'avons vue hier.

LE PEUPLE

Laissez parler le moine !

FRANK

                                    Il a fait pis encore :
Il a réduit son père à la mendicité.
Il avait besoin d'or pour cette courtisane ;
Le peu qu'il possédait, c'est là qu'il l'a porté.
Soldats, que faites-vous à celui qui profane
La cendre d'un bon fils et d'un homme de bien ?
J'ai mérité la mort, si ce crime est le mien.

LE PEUPLE

Dis-nous la vérité, moine, et parle sans crainte.

FRANK

Mais si les Tyroliens qui sont dans cette enceinte
Trouvent que j'ai raison, s'ils sont prêts au besoin
A faire comme moi, qui prends Dieu pour témoin...

LES TYROLIENS

Oui, oui, nous l'attestons, Frank est un misérable.

FRANK

Le jour qu'il refusa sa place à votre table,
Vous en souvenez-vous ?

LES TYROLIENS

Oui, oui, qu'il soit maudit !

FRANK

Le jour qu'il a brûlé la maison de son père ?

LES SOLDATS

Oui ! Le moine sait tout.

FRANK

Et si, comme on le dit,
Il a tué Stranio sur le bord de la route...

LE PEUPLE

Stranio, ce palatin que Brandel a trouvé
Au fond de la forêt, couché sur le pavé ?

FRANK

C'est lui qui l'a tué !

LES SOLDATS

Pour le piller, sans doute !
Misérable assassin ! meurtrier sans pitié !

FRANK

Et son orgueil de fer, l'avez-vous oublié ?

TOUS

Jetons sa cendre au vent !

FRANK

Au vent le parricide !
Le coupeur de jarrets, l'incendiaire au vent !
Allons, brisons ceci.

Il ouvre la bière.

LE PEUPLE ET LES SOLDATS
Moine, la bière est vide.

FRANK, *se démasquant.*
La bière est vide? alors c'est que Frank est vivant.

LES SOLDATS
Capitaine, c'est vous!

FRANK, *à l'officier.*
Lieutenant, votre épée.
Vous avez laissé faire une étrange équipée.
Si j'avais été mort, où serais-je à présent?
Vous ne savez donc pas qu'il y va de la tête?
Au nom de l'empereur, monsieur, je vous arrête;
Ramenez vos soldats, et rendez-vous au camp.

Tout le monde sort en silence.

FRANK, *seul.*
C'en est fait, une soif ardente, inextinguible,
Dévorera mes os tant que j'existerai.
O mon Dieu! tant d'efforts, un combat si terrible,
Un dévouement sans borne, un corps tout balafré...
Allons, un peu de calme, il n'est pas temps encore.
Qui vient de ce côté? n'est-ce pas Belcolore?
Ah! ah! nous allons voir; — tout n'est pas fini là.

*Il remet son masque et recouvre la bière. — Entre
Belcolore en grand deuil; elle va s'agenouiller
sur les marches du catafalque.*

C'est bien elle; elle approche, elle vient, — la voilà.
Voilà bien ce beau corps, cette épaule charnue,
Cette gorge superbe et toujours demi-nue,
Sous ces cheveux plaqués ce front stupide et fier,
Avec ces deux grands yeux qui sont d'un noir d'enfer.
Voilà bien la sirène et la prostituée; —
Le type de l'égout; — la machine inventée
Pour désopiler l'homme et pour boire son sang;
La meule de pressoir de l'abrutissement.
Quelle atmosphère étrange on respire autour d'elle!
Elle épuise, elle tue, et n'en est que plus belle.
Deux anges destructeurs marchent à son côté;
Doux et cruels tous deux, — la mort, — la volupté.
Je me souviens encor de ces spasmes terribles,
De ces baisers muets, de ces muscles ardents,
De cet être absorbé, blême et serrant les dents.

S'ils ne sont pas divins, ces moments sont horribles.
Quel magnétisme impur peut-il donc en sortir?
Toujours en l'embrassant j'ai désiré mourir.
Ah! malheur à celui qui laisse la débauche
Planter le premier clou sous sa mamelle gauche!
Le cœur d'un homme vierge est un vase profond;
Lorsque la première eau qu'on y verse est impure,
La mer y passerait sans laver la souillure
Car l'abîme est immense, et la tache est au fond.

Il s'approche du tombeau.

Qui donc pleurez-vous là, madame? êtes-vous veuve?

BELCOLORE

Veuve, vous l'avez dit, — de mes seules amours.

FRANK

D'hier, apparemment, — car cette robe est neuve.
Comme le noir vous sied!

BELCOLORE

D'hier, et pour toujours.

FRANK

Toujours, avez-vous dit? — Ah! Monna Belcolore,
Toujours, c'est bien longtemps.

BELCOLORE

D'où me connaissez-vous ?

FRANK

De Naple, où cet hiver je te cherchais encore.
Naple est si beau, ma chère, et son ciel est si doux!
Tu devrais bien venir m'aider à m'y distraire.

BELCOLORE

Je ne vous remets pas.

FRANK

Bon! tu m'as oublié!
Je suis masqué d'ailleurs, et que veux-tu, ma chère?
Ton cœur est si peuplé, je m'y serai noyé.

BELCOLORE

Passez votre chemin, moine, et laissez-moi seule.

FRANK

Bon! Si tu pleures tant, tu deviendras bégueule.

Voyons, ma belle amie, à parler franchement,
Tu vas te trouver seule, et tu n'as plus d'amant.
Ton capitaine Frank n'avait ni sou ni maille.
C'était un bon soldat, charmant à la bataille;
Mais quel pauvre écolier en matière d'amour!
Sentimental la nuit, et persifleur le jour.

BELCOLORE

Tais-toi, moine insolent, si tu tiens à ton âme :
Il n'est pas toujours bon de me parler ainsi.

FRANK

Ma foi, les morts sont morts; — si vous voulez, madame,
Cette bourse est à vous, cette autre, et celle-ci;
Et voilà le papier pour faire l'enveloppe.

Il couvre la bière d'or et de billets.

BELCOLORE

Si je te disais oui, tu serais mal tombé.

FRANK, *à part.*

Ah! voilà Jupiter qui tente Danaé.

Haut.

Je vous en avertis, je suis très misanthrope :
Je vous enfermerai dans le fond d'un palais.
J'ai l'humeur bilieuse, et je bats mes valets.
Quand je digère mal, j'entends qu'on m'obéisse.
J'aime qu'on soit joyeux lorsque j'ai la jaunisse,
Et, quand je ne dors pas, tout le monde est debout.
Je suis capricieux, — êtes-vous de mon goût?

BELCOLORE

Non, par la sainte croix!

FRANK

Si vous aimez les roubles,
Il m'en reste encor là, mais je n'ai que des doubles.

Il jette une autre bourse sur la bière.

BELCOLORE

Tu me donnes cela?

FRANK, *à part.*

Voyez l'attraction!
Comme la chair est faible à la tentation!

Haut.

J'ai de plus un ulcère à côté de la bouche,
Qui m'a défiguré; — je suis maigre et je louche :
Mais ces misères-là ne te dégoûtent pas.

BELCOLORE

Vous me faites frémir.

FRANK

                    J'ai là, Dieu me pardonne!
Certain bracelet d'or qu'il faut que je vous donne :
Il ira bien, je pense, avec ce joli bras.

Il jette un bracelet sur la bière.

Cet ulcère est horrible, il m'a rongé la joue,
Il m'a brisé les dents. — J'étais laid, je l'avoue;
Mais, depuis que je l'ai, je suis vraiment hideux;
J'ai perdu mes sourcils, ma barbe et mes cheveux.

BELCOLORE

Dieu du ciel, quelle horreur!

FRANK

                    J'ai là, sous ma simarre,
Un collier de rubis d'une espèce assez rare.

Il jette un collier sur la bière.

BELCOLORE

Il est fait à Paris?

FRANK, *à part.*

          Voyez-vous le poisson,
Comme il vient à fleur d'eau reprendre l'hameçon!

Haut.

Si c'était tout, du moins! Mais cette affreuse plaie
Me donne l'air d'un mort traîné sur une claie;
Elle pompe mon sang, mes os sont cariés
De la nuque du crâne à la plante des pieds...

BELCOLORE

Assez, au nom du Ciel! je vous demande grâce!

FRANK

Si tu t'en vas, rends-moi ce que je t'ai donné.

BELCOLORE

Vous mentez à plaisir.

FRANK

              Veux-tu que je t'embrasse?

BELCOLORE

Eh bien! oui, je le veux.

FRANK, *à part.*

Tu pâlis, Danaé.

Il lui prend la main.
Haut.

Regarde, mon enfant; cette rue est déserte.
Dessous ce catafalque est un profond caveau.
Descendons-y tous deux; — la porte en est ouverte.

BELCOLORE

Sous la maison de Frank!

FRANK, *à part.*

— Pourquoi pas mon tombeau.

Haut.

— Au fait, nous sommes seuls; cette bière est solide.
Asseyons-nous dessus. — Nous serons en plein vent.
Qu'en dites-vous, mon cœur?

Il écarte le drap mortuaire ; la bière s'ouvre.

BELCOLORE

Moine, la bière est vide.

FRANK, *se démasquant.*

La bière est vide? Alors c'est que Frank est vivant.
— Va-t'en, prostituée, ou ton heure est venue!
Va-t'en, ne parle pas! ne te retourne pas!

Il la chasse, son poignard à la main.

FRANK, *seul.*

Ta lame, ô mon stylet, est belle toute nue
Comme une belle vierge. — O mon cœur et mon bras,
Pourquoi donc tremblez-vous, et pourquoi l'un de l'autre
Vous approchez-vous donc, comme pour vous unir?
Oui, c'était ma pensée : — était-ce aussi la vôtre,
Providence de Dieu, que tout allait finir?
Et toi, morne tombeau, tu m'ouvres ta mâchoire.
Tu ris, spectre affamé. Je n'ai pas peur de toi.
Je renierai l'amour, la fortune et la gloire;
Mais je crois au néant, comme je crois en moi.
Le soleil le sait bien, qu'il n'est sous la lumière
Qu'une immortalité, celle de la matière.

La poussière est à Dieu, — le reste est au hasard.
Qu'a fait le vent du nord des cendres de César?
Une herbe, un grain de blé, mon Dieu, voilà la vie.
Mais moi, fils du hasard, moi Frank, avoir été
Un petit monde, un tout, une forme pétrie,
Une lampe où brûlait l'ardente volonté,
Et que rien, après moi, ne reste sur le sable,
Où l'ombre de mon corps se promène ici-bas?
Rien! pas même un enfant, un être périssable!
Rien qui puisse y clouer la trace de mes pas!
Rien qui puisse crier d'une voix éternelle
A ceux qui téteront la commune mamelle :
Moi, votre frère aîné, je m'y suis suspendu!
Je l'ai tétée aussi, la vivace marâtre;
Elle m'a, comme à vous, livré son sein d'albâtre...
— Et pourtant, jour de Dieu, si je l'avais mordu?
Si je l'avais mordu, le sein de la nourrice;
Si je l'avais meurtri d'une telle façon
Qu'elle en puisse à jamais garder la cicatrice,
Et montrer sur son cœur les dents du nourrisson?
Qu'importe le moyen, pourvu qu'on s'en souvienne?
Le bien a pour tombeau l'ingratitude humaine.
Le mal est plus solide : Érostrate a raison.
Empédocle a vaincu les héros de l'histoire,
Le jour qu'en se lançant dans le cœur de l'Etna,
Du plat de sa sandale il souffleta la gloire,
Et la fit trébucher si bien qu'elle y tomba.
Que lui faisait le reste? Il a prouvé sa force.
Les siècles maintenant peuvent se remplacer;
Il a si bien gravé son chiffre sur l'écorce,
Que l'arbre peut changer de peau sans l'effacer.
Les parchemins sacrés pourriront dans les livres,
Les marbres tomberont comme des hommes ivres,
Et la langue d'un peuple avec lui s'éteindra;
Mais le nom de cet homme est comme une momie,
Sous les baumes puissants pour toujours endormie,
Sur laquelle jamais l'herbe ne poussera.
— Je ne veux pas mourir. Regarde-moi, Nature.
Ce sont deux bras nerveux que j'agite dans l'air.
C'est dans tous tes néants que j'ai trempé l'armure
Qui me protégera de ton glaive de fer.
J'ai faim. — Je ne veux pas quitter l'hôtellerie.
Allons, qu'on se remue, et qu'on me rassasie,
Ou sinon, je me fais l'intendant de ma faim.
Prends-y garde; je pars. — N'importe le chemin. —

Je marcherai, — j'irai, — partout où l'âme humaine
Est en spectacle, et souffre. — Ah! la haine, la haine!
La seule passion qui survive à l'espoir!
Tu m'as déjà hanté, boiteuse au manteau noir.
Nous nous sommes connus dans la maison de chaume;
Mais je ne croyais pas que ton pâle fantôme,
De tous ceux qui dans l'air voltigeaient avec toi,
Dût être le dernier qui restât près de moi.
— Eh bien! baise-moi donc, triste et fidèle amie.
Tu vois, j'ai soulevé les voiles de ma vie. —
Nous partirons ensemble; — et toi qui me suivras,
Comme une sœur pieuse, aux plus lointains climats,
Tu seras mon asile et mon expérience.
Si le doute, ce fruit tardif et sans saveur,
Est le dernier qu'on cueille à l'arbre de science,
Qu'ai-je à faire de plus, moi qui le porte au cœur?
Le doute! il est partout, et le courant l'entraîne,
Ce linceul transparent, que l'incrédulité
Sur le bord de la tombe a laissé par pitié
Au cadavre flétri de l'espérance humaine!
O siècles à venir! quel est donc votre sort?
La gloire comme une ombre au ciel est remontée,
L'amour n'existe plus; — la vie est dévastée, —
Et l'homme, resté seul, ne croit plus qu'à la mort.
Tels que dans un pillage, en un jour de colère,
On voit, à la lueur d'un flambeau funéraire,
Des meurtriers, courbés dans un silence affreux,
Égorger une vierge, et dans ses longs cheveux
Plonger leurs mains de sang; la frêle créature
Tombe comme un roseau sur ses bras mutilés : —
Tels les analyseurs égorgent la nature
Silencieusement, sous les cieux dépeuplés.
Que vous restera-t-il, enfants de nos entrailles,
Le jour où vous viendrez suivre les funérailles
De cette moribonde et vieille humanité?
Ah! tu nous maudiras, pâle postérité!
Nos femmes ne mettront que des vieillards au monde.
Ils frapperont la terre avant de s'y coucher;
Puis ils crieront à Dieu : Père, elle était féconde.
A qui donc as-tu dit de nous la dessécher?
Mais vous, analyseurs, persévérants sophistes,
Quand vous aurez tari tous les puits des déserts,
Quand vous aurez prouvé que ce large univers
N'est qu'un mort étendu sous les anatomistes;
Quand vous nous aurez fait de la création

Un cimetière en ordre, où tout aura sa place,
Où vous aurez sculpté, de votre main de glace,
Sur tous les monuments la même inscription;
Vous, que ferez-vous donc, dans les sombres allées
De ce jardin muet? — Les plantes désolées
Ne voudront plus aimer, nourrir, ni concevoir; —
Les feuilles des forêts tomberont une à une, —
Et vous, noirs fossoyeurs, sur la bière commune
Pour ergoter encor vous viendrez vous asseoir;
Vous vous entretiendrez de l'homme perfectible; —
Vous galvaniserez ce cadavre insensible,
Habiles vermisseaux, quand vous l'aurez rongé;
Vous lui commanderez de marcher sur sa tombe,
A cette ombre d'un jour, — jusqu'à ce qu'elle y tombe
Comme une masse inerte, et que Dieu soit vengé.
Ah! vous avez voulu faire les Prométhées;
Et vous êtes venus, les mains ensanglantées,
Refondre et repétrir l'œuvre du Créateur!
Il valait mieux que vous, ce hardi tentateur,
Lorsque ayant fait son homme, et le voyant sans âme,
Il releva la tête et demanda le feu.
Vous, votre homme était fait! vous, vous aviez la flamme!
Et vous avez soufflé sur le souffle de Dieu.
Le mépris, Dieu puissant, voilà donc la science!
L'éternelle sagesse est l'éternel silence;
Et nous aurons réduit, quand tout sera compté,
Le balancier de l'âme à l'immobilité.
Quel hideux océan est-ce donc que la vie,
Pour qu'il faille y marcher à la superficie,
Et glisser au soleil en effleurant les eaux,
Comme ce Fils de Dieu qui marchait sur les flots?
Quels monstres effrayants, quels difformes reptiles
Labourent donc les mers sous les pieds des nageurs,
Pour qu'on trouve toujours les vagues si tranquilles,
Et la pâleur des morts sur le front des plongeurs?
A-t-elle assez traîné, cette éternelle histoire
Du néant de l'amour, du néant de la gloire,
Et de l'enfant prodigue auprès de ses pourceaux!
Ah! sur combien de lits, sur combien de berceaux,
Elle est venue errer, d'une voix lamentable,
Cette complainte usée et toujours véritable,
De tous les insensés que l'espoir a conduit!
Pareil à ce Gygès, qui fuyait dans la nuit
Le fantôme royal de la pâle baigneuse
Livrée un seul instant à son ardent regard,

Le jeune ambitieux porte une plaie affreuse,
Tendre encor, mais profonde, et qui saigne à l'écart.
Ce qu'il fait, ce qu'il voit des choses de la vie,
Tout le porte, l'entraîne à son but idéal,
Clarté fuyant toujours, et toujours poursuivie,
Étrange idole, à qui tout sert de piédestal.
Mais si, tout en courant, la force l'abandonne,
S'il se retourne et songe aux êtres d'ici-bas,
Il trouve tout à coup que ce qui l'environne
Est demeuré si loin qu'il n'y reviendra pas.
C'est alors qu'il comprend l'effet de son vertige,
Et que, s'il ne regarde au ciel, il va tomber.
Il marche; — son génie à poursuivre l'oblige; —
Il marche, et le terrain commence à surplomber. —
Enfin, — mais n'est-il pas une heure dans la vie
Où le génie humain rencontre la folie?
Ils luttent corps à corps sur un rocher glissant.
Tous deux y sont montés; mais un seul redescend.
O mondes, ô Saturne, immobiles étoiles,
Magnifique univers, en est-ce ainsi partout?
O Nuit, profonde Nuit, spectre toujours debout,
Large création, quand tu lèves tes voiles
Pour te considérer dans ton immensité,
Vois-tu du haut en bas la même nudité?
— Dis-moi donc, en ce cas, dis-moi, mère imprudente,
Pourquoi m'obsèdes-tu de cette soif ardente,
Si tu ne connais pas de source où l'étancher?
Il fallait la créer, marâtre, ou la chercher.
L'arbuste a sa rosée, et l'aigle a sa pâture.
Et moi, que t'ai-je fait pour m'oublier ainsi?
Pourquoi les arbrisseaux n'ont-ils pas soif aussi?
Pourquoi forger la flèche, éternelle Nature,
Si tu savais toi-même, avant de la lancer,
Que tu la dirigeais vers un but impossible,
Et que le dard parti de ta corde terrible,
Sans rencontrer l'oiseau, pouvait te traverser?
— Mais cela te plaisait. — C'était réglé d'avance.
Ah! le vent du matin! le souffle du printemps!
C'est le cri des vieillards. — Moi, mon Dieu, j'ai vingt ans!
Oh! si tu vas mourir, ange de l'espérance,
Sur mon cœur, en partant, viens encor te poser;
Donne-moi tes adieux et ton dernier baiser.
Viens à moi. — Je suis jeune, et j'aime encor la vie.
Intercède pour moi; — demande si les cieux
Ont une goutte d'eau pour une fleur flétrie. —

Bel ange, en la buvant, nous mourrons tous les deux.

Il se jette à genoux; un bouquet tombe de son
sein.

Qui me jette à mes pieds mon bouquet d'églantine ?
As-tu donc si longtemps vécu sur ma poitrine,
Pauvre herbe ! — C'est ainsi que ma Déidamia
Sur le bord de la route à mes pieds te jeta.

ACTE V

SCÈNE I

Une place.

DÉIDAMIA, LES VIERGES ET LES FEMMES.

DÉIDAMIA

Tressez-moi ma guirlande, ô mes belles chéries!
Couronnez de vos fleurs mes pauvres rêveries.
Posez sur ma langueur votre voile embaumé;
Au coucher du soleil j'attends mon bien-aimé.

LES VIERGES

Adieu, nous te perdrons, ô fille des montagnes!
Le bonheur nous oublie en venant te chercher.
Arrose ton bouquet des pleurs de tes compagnes;
Fleur de notre couronne, on va t'en arracher.

LES FEMMES

Vierge, à ton beau guerrier nous allons te conduire.
Nous te dépouillerons du manteau virginal.
Bientôt les doux secrets qu'il nous reste à te dire
Feront trembler ta main sous l'anneau nuptial.

LES VIERGES

L'écho n'entendra plus ta chanson dans la plaine;
Tu ne jetteras plus la toison des béliers
Sous les lions d'airain, pères de la fontaine,
Et la neige oubliera la forme de tes pieds.

LES FEMMES

Que ton visage est beau! comme on y voit, ma chère,
Le premier des attraits, la beauté du bonheur!
Comme Frank va t'aimer! comme tu vas lui plaire,
O ma belle Diane, à ton hardi chasseur!

DÉIDAMIA

Je souffre cependant. — Si vous me trouvez belle,
Dites-le-lui, mes sœurs, il m'en aimera mieux.

Mon Dieu, je voudrais l'être, afin qu'il fût heureux.
Ne me comparez pas à la jeune immortelle :
Hélas! de ta beauté je n'ai que la pâleur,
O Diane, et mon front la doit à ma douleur.

Ah! comme j'ai pleuré! comme tout sur la terre
Pleurait autour de moi quand mon Charle avait fui!
Comme je m'asseyais à côté de ma mère,
Le cœur gros de soupirs! — Mes sœurs, dites-le-lui.

SCÈNE II

LES MONTAGNARDS

Ainsi Frank n'est pas mort : — c'est la fable éternelle
Des chasseurs à l'affût d'une fausse nouvelle,
Et ceux qui vendaient l'ours ne l'avaient pas tué.
Comme il leur a fait peur quand il s'est réveillé!
Mais aujourd'hui qu'il parle, il faut bien qu'on se taise.
— On avait fait jadis, quand l'Hercule Farnèse
Fut jeté dans le Tibre, un Hercule nouveau.
On le trouvait pareil, on le disait plus beau :
Le modèle était mort, et le peuple crédule
Ne sait que ce qu'il voit. — Pourtant le vieil Hercule
Sortit un jour des eaux; — l'athlète colossal
Fut élevé dans l'air à côté de son ombre,
Et le marbre insensé tomba du piédestal.
Frank renaît; ce n'est plus cet homme au regard sombre,
Au front blême, au cœur dur, et dont l'oisiveté
Laissait sur ses talons traîner sa pauvreté.
C'est un gai compagnon, un brave homme de guerre,
Qui frappe sur l'épaule aux honnêtes fermiers.
Aussi, Dieu soit loué, ses torts sont oubliés,
Et nous voilà tous prêts à boire dans son verre.
C'est aujourd'hui sa noce avec Déidamia.
Quel bon cœur de quinze ans! et quelle ménagère!
S'il fut jamais aimé, c'est bien de celle-là.
— Un soldat m'a conté l'histoire de la bière.
Il paraît que d'abord Frank s'était mis dedans.
Deux de ses serviteurs, ses deux seuls confidents,
Fermèrent le couvercle, et, dès la nuit venue,
Le prêtre et les flambeaux traversèrent la rue.
Après que sur leur dos les porteurs l'eurent pris :

« Vous laisserez, dit-il, un trou pour que l'air passe.
Puisque je dois un jour voir la mort face à face,
Nous ferons connaissance, et serons vieux amis. »
Il se fit emporter dans une sacristie;
Regardant par son trou le ciel de la patrie,
Il s'en fut au saint lieu dont les chiens sont chassés,
Sifflant dans son cercueil l'hymne des trépassés.
Le lendemain matin, il voulut prendre un masque,
Pour assister lui-même à son enterrement.
— Eh! quel homme ici-bas n'a son déguisement?
Le froc du pèlerin, la visière du casque,
Sont autant de cachots pour voir sans être vu.
Et n'en est-ce pas un souvent que la vertu?
Vrai masque de bouffon, que l'humble hypocrisie
Promène sur le vain théâtre de la vie.
Mais qui, mal fixé, tremble, et que la passion
Peut faire à chaque instant tomber dans l'action.

Exeunt.

SCÈNE III

Une petite chambre.

FRANK, DÉIDAMIA.

FRANK

Et tu m'as attendu, ma petite Mamette!
Tu comptais jour par jour dans ton cœur et ta tête.
Tu restais là, debout, sur ton seuil entrouvert.

DÉIDAMIA

Mon ami, mon ami, Mamette a bien souffert!

FRANK

Les heures s'envolaient, — et l'aurore et la brune
Te retrouvaient toujours sur ce chemin perdu.
Ton Charle était bien loin. — Toi, comme la fortune,
Tu restais à sa porte, et tu m'as attendu!

DÉIDAMIA

Comme vous voilà pâle et la voix altérée!
Mon Dieu! qu'avez-vous fait si loin et si longtemps?
Ma mère, savez-vous, était désespérée.
Mais vous pensiez à nous quand vous aviez le temps?

FRANK

J'ai connu dans ma vie un pauvre misérable
Que l'on appelait Frank, — un être insociable,
Qui de tous ses voisins était l'aversion.
La famine et la peur, sœurs de l'oppression,
Vivaient dans ses yeux creux; — la maigreur dévorante
L'avait horriblement décharné jusqu'aux os.
Le mépris le courbait, et la honte souffrante
Qui suit le pauvre était attachée à son dos.
L'univers et ses lois le remplissaient de haine.
Toujours triste, toujours marchant de ce pas lent
Dont un vieux pâtre suit son troupeau nonchalant,
Il errait dans les bois, par les monts et la plaine.
Et braconnant partout, et partout rejeté,
Il allait gémissant sur la fatalité;
Le col toujours courbé comme sous une hache :
On eût dit un larron qui rôde et qui se cache,
Si ce n'est pis encore, — un mendiant honteux
Qui n'ose faire un coup, crainte d'être victime,
Et, pour toute vertu, garde la peur du crime,
Ce chétif et dernier lien des malheureux.
Oui, ma chère Mamette, oui, j'ai connu cet être.

DÉIDAMIA

Qui donc est là, debout, derrière la fenêtre,
Avec ces deux grands yeux, et cet air étonné?

FRANK

Où donc? Je ne vois rien.

DÉIDAMIA

              Si. — Quelqu'un nous écoute
Qui vient de s'en aller quand tu t'es retourné.

FRANK

C'est quelque mendiant qui passe sur la route.
Allons, Déidamia, cela t'a fait pâlir.

DÉIDAMIA

Eh bien! et ton histoire, où veut-elle en venir?

FRANK

Une autre fois, — c'était au milieu des orgies;
Je vis dans un miroir, aux clartés des bougies,
Un joueur pris de vin, couché sur un sofa.

Une femme, ou du moins la forme d'une femme,
Le tenait embrassé, comme je te tiens là.
Il se tordait en vain sous le spectre sans âme;
Il semblait qu'un noyé l'eût pris entre ses bras.
Cet homme infortuné... Tu ne m'écoutes pas?
Voyons, viens m'embrasser.

DÉIDAMIA

                    Oh! non, je vous en prie.

Il l'embrasse de force.

Frank, mon cher petit Charle, attends qu'on nous marie;
Attends jusqu'à ce soir. — Ma mère va venir.
Je ne veux pas, monsieur. — Ah! tu me fais mourir!

FRANK

Lumière du soleil, quelle admirable fille!

DÉIDAMIA

Il faudra, mon ami, nous faire une famille;
Nous aurons nos voisins, ton père, tes parents,
Et ma mère surtout. — Nous aurons nos enfants.
Toi, tu travailleras à notre métairie;
Moi, j'aurai soin du reste et de la laiterie;
Et, tant que nous vivrons, nous serons tous les deux,
Tous les deux pour toujours, et nous mourrons bien vieux.
Vous riez? Pourquoi donc?

FRANK

                    Oui, je ris du tonnerre.
Oui, le diable m'emporte, il peut tomber sur moi.

DÉIDAMIA

Qu'est-ce que c'est, monsieur? voulez-vous bien vous taire!

FRANK

Va toujours, mon enfant, je ne ris pas de toi.

DÉIDAMIA

Qui donc est encor là? Je te dis qu'on nous guette.
Tu ne vois pas là-bas remuer une tête?
Là, — dans l'ombre du mur?

FRANK

                    Où donc? de quel côté?
Vous avez des terreurs, ma chère, en vérité.

Il la prend dans ses bras.

Il me serait cruel de penser qu'une femme,
O Mamette, moins belle et moins pure que toi,
Dans des lieux étrangers, par un autre que moi,
Pût être autant aimée. — Ah! j'ai senti mon âme
Qui redevenait vierge à ton doux souvenir.
Comme l'onde où tu viens mirer ton beau visage
Se fait vierge, ma chère, et dans ta chaste image
Sous son cristal profond semble se recueillir!
C'est bien toi! — je te tiens, — toujours fraîche et jolie,
Toujours comme un oiseau, prête à tout oublier.
Voilà ton petit lit, ton rouet, ton métier,
Œuvre de patience et de mélancolie.
O toi, qui tant de fois as reçu dans ton sein
Mes chagrins et mes pleurs, et qui m'as en échange
Rendu le doux repos d'un front toujours serein;
Comment as-tu donc fait, dis-moi, mon petit ange,
Pour n'avoir rien gardé de mes maux, quand mon cœur
A tant et si souvent gardé de ton bonheur?

DÉIDAMIA

Ah! vous savez toujours, vous autres hypocrites,
De beaux discours flatteurs bien souvent répétés.
Je les aime, mon Dieu! quand c'est vous qui les dites;
Mais ce n'est pas pour moi qu'ils étaient inventés.

FRANK

Dis-moi, tu ne veux pas venir en Italie?
En Espagne? à Paris? nous mènerions grand train.
Avec si peu de frais tu serais si jolie!

DÉIDAMIA

Est-ce que vous trouvez ce bonnet-là vilain?
Vous verrez tout à l'heure, avec ma belle robe
Et mon tablier vert. — Vous riez, vous riez?

FRANK

Dans une heure d'ici nous serons mariés.
Ce baiser que tu fuis, et que je te dérobe,
Tu me le céderas, Mamette, de bon cœur.
Dans une heure, ô mon Dieu! tu viendras me le rendre.
Mamette, je me meurs.

DÉIDAMIA

               Ah! moi, je sais attendre!
Voyons, laissez-moi donc être un peu votre sœur.

Une heure, une heure encore, et je serai ta femme.
Oui, je vais te le rendre, et de toute mon âme,
Ton baiser dévorant, mon Frank, ton beau baiser!
Et ton tonnerre alors pourra nous écraser.

FRANK

Oh! que cette heure est longue! oh! que vous êtes belle!
De quelle volupté déchirante et cruelle
Vous me noyez le cœur, froide Déidamia!

DÉIDAMIA

Regardez, regardez, la tête est toujours là.
Qui donc nous guette ainsi?

FRANK

                    Mamette, ô mon amante,
Ne me détourne pas cette lèvre charmante.
Non! quand l'éternité devrait m'ensevelir!

DÉIDAMIA

Mon ami, mon amant, respectez votre femme.

FRANK

Non! non! quand ton baiser devrait brûler mon âme!
Non! quand ton Dieu jaloux devrait nous en punir!

DÉIDAMIA

Eh bien! oui, ta maîtresse, — eh bien! oui, ton amante,
Ta Mamette, ton bien, ta femme et ta servante.
Et la mort peut venir, et je t'aime, et je veux
T'avoir là dans mes bras et dans mes longs cheveux,
Sur ma robe de lin ton haleine embaumée.
Je sais que je suis belle, et plusieurs m'ont aimée;
Mais je t'appartenais, j'ai gardé ton trésor.

Elle tombe dans ses bras.

FRANK, *se levant brusquement.*

Quelqu'un est là, c'est vrai.

DÉIDAMIA

                    Qu'importe? Charle! Charle!

FRANK

Ah! massacre et tison d'enfer! — C'est Belcolor!
Restez ici, Mamette, il faut que je lui parle.

Il saute par la fenêtre.

DÉIDAMIA

Mon Dieu! que va-t-il faire, et qu'est-il arrivé?
Le voilà qui revient. — Eh bien! l'as-tu trouvé?

FRANK, *à la fenêtre, en dehors.*

Non, mais par le tonnerre il faudra qu'il y vienne.
Je crois que c'est un spectre, et vous aviez raison.
Attendez-moi. — Je fais le tour de la maison.

DÉIDAMIA, *courant à la fenêtre.*

Charles, ne t'en va pas! S'il s'enfuit dans la plaine,
Laisse-le s'envoler, ce spectre de malheur.

> *Belcolore paraît de l'autre côté de la fenêtre et*
> *s'enfuit aussitôt.*

Au secours! au secours! on m'a frappée au cœur.

> *Déidamia tombe et sort en se traînant.*

LES MONTAGNARDS, *accourant au-dehors.*

Frank, que se passe-t-il? On nous appelle, on crie.
Qui donc est là par terre étendu dans son sang?
Juste Dieu! c'est Mamette! Ah! son âme est partie,
Un stylet italien est entré dans son flanc.
Au meurtre! Frank, au meurtre!

FRANK, *rentrant dans la cabane, avec Déidamia*
morte dans ses bras.

O toi, ma bien-aimée!
Sur mon premier baiser ton âme s'est fermée.
Pendant plus de quinze ans tu l'avais attendu,
Mamette, et tu t'en vas sans me l'avoir rendu.

FIN DE « LA COUPE ET LES LÈVRES »

A QUOI RÊVENT LES JEUNES FILLES
COMÉDIE

Dans un décor de fantaisie, un décor à la Marivaux, Musset évoque la figure des deux filles très pures du duc Laërte, Ninon et Ninette, qui rêvent ingénument d'amour, et d'amour romanesque. Le bon Duc, complaisamment paternel, crée autour de ses enfants chéries un climat d'aventure combiné pour leur plaire : sérénades, mascarades, enlèvements, etc. Ninon finalement épousera un adolescent naïf et tendre, Silvio, dont Musset se souviendra lorsqu'il créera plus tard les personnages de Fortunio ou de Cœlio. Un hurluberlu fantoche, le comte Irus, neveu du duc Laërte, et deux valets, Spadille et Quinola, mettent dans cette comédie une note extravagante et pittoresque, un peu folle, qui supprime toute fadeur.

L'action se passe-t-elle sous Louis XIII ou au temps de la Régence et du Bien-Aimé, voire sous le Directoire, qui peut le dire ? Musset n'a nul souci de précision.

Paul de Musset a voulu voir dans Ninon et Ninette deux jeunes filles que Musset aimait à faire danser dans le salon de Deveria, ne pouvant découvrir « laquelle il aimait le mieux ». Alfred se souvient aussi, sans nul doute, des deux sœurs Le Douairin, qu'il avait connues au Mans. Il a métamorphosé en jeunes filles nobles ces petites bourgeoises et les a placées dans le décor d'un magnifique château dont les fenêtres donnent sur les terrasses d'un parc : décor à la Watteau.

Comme dans *la Coupe et les Lèvres*, Musset procède par allusions livresques rapides, et l'on peut relever dans cette comédie des souvenirs de Casanova et de l'*Amadis des Gaules*, du *Roland furieux* de l'Arioste, du *Dom Juan* de Molière et de la Comédie-Italienne, une citation de l'*Hespérus* de Jean-Paul Richter ou des comparaisons tirées du vieil Homère.

Deux conceptions de l'amour s'y heurtent : l'une, cavalière et « très XVIIIe siècle », est celle du vieux Laërte, qui enseigne à Silvio qu'il faut savoir oser en amour pour vaincre; l'autre, romantique et déjà « doloriste », assez gauchement exprimée, est celle de Silvio :

Laissez-moi me repaître et m'ouvrir ma blessure,

que Musset reprendra plus tard dans *la Nuit de Mai* :

Laisse-la s'élargir cette sainte blessure
Que les noirs séraphins t'ont faite au fond du cœur.

L'accueil glacial fait aux deux pièces du *Spectacle dans un fauteuil* par les amis de Musset lorsqu'il leur en donna lecture avant la publication de l'ouvrage aurait pu le décourager. Mérimée seul lui fit de vifs compliments : « Vous avez fait d'énormes progrès, lui dit-il; la petite comédie surtout me plaît extrêmement. » Le jugement de Mérimée devance celui de la postérité, qui a fait un sort à cette œuvre d'un poète de vingt et un ans déjà maître en partie de son art.

A quoi rêvent les jeunes filles a été joué 201 fois sur la scène du Théâtre-Français.

M. R.

PERSONNAGES

LE DUC LAERTE.
LE COMTE IRUS, son neveu.
SILVIO
NINON
NINETTE, } jumelles, filles du duc Laërte.
FLORA, servante.
SPADILLE, } domestiques.
QUINOLA

La scène est où l'on voudra.

ACTE PREMIER

SCÈNE I

Une chambre à coucher.

NINON, NINETTE.

NINETTE

Onze heures vont sonner. — Bonsoir, ma chère sœur.
Je m'en vais me coucher.

NINON

Bonsoir. Tu n'as pas peur
De traverser le parc pour aller à ta chambre?
Il est si tard! Veux-tu que j'appelle Flora?

NINETTE

Pas du tout. — Mais vois donc quel beau ciel de septembre!
D'ailleurs, j'ai Bacchanal qui m'accompagnera.
Bacchanal! Bacchanal!

Elle sort en appelant son chien.

NINON, *s'agenouillant à son prie-Dieu*

> O Christe! dum fixus cruci
> Expandis orbi brachia,
> Amare da crucem, tuo
> Da nos in amplexu mori.

Elle se déshabille.

NINETTE *rentre épouvantée, et se jette dans un fauteuil.*

Ma chère, je suis morte!

NINON

Qu'as-tu? qu'arrive-t-il?

NINETTE

Je ne peux plus parler.

NINON

Pourquoi? Mon Dieu! je tremble en te voyant trembler.

NINETTE

Je n'étais pas, ma chère, à trois pas de ta porte;
Un homme vient à moi, m'enlève dans ses bras,
M'embrasse tant qu'il peut, me repose par terre,
Et se sauve en courant.

NINON

Ah! mon Dieu! comment faire?
C'est peut-être un voleur.

NINETTE

Oh! non, je ne crois pas.
Il avait sur l'épaule une chaîne superbe,
Un manteau d'Espagnol, doublé de velours noir,
Et de grands éperons qui reluisaient dans l'herbe.

NINON

C'est pourtant une chose étrange à concevoir,
Qu'un homme comme il faut tente une horreur semblable.
Un homme en manteau noir, c'est peut-être le diable.
Oui, ma chère. Qui sait? Peut-être un revenant.

NINETTE

Je ne crois pas, ma chère; il avait des moustaches.

NINON

J'y pense, dis-moi donc, si c'était un amant!

NINETTE

S'il allait revenir! Il faut que tu me caches.

NINON

C'est peut-être papa qui veut te faire peur.
Dans tous les cas, Ninette, il faut qu'on te ramène.
Holà! Flora, Flora! reconduisez ma sœur.

Flora paraît sur la porte.

Adieu, va, ferme bien ta porte.

NINETTE

Et toi la tienne.

Elles s'embrassent. Ninette sort avec Flora.

NINON, *seule, mettant son verrou.*

Des éperons d'argent, un manteau de velours!
Une chaîne! un baiser! — C'est extraordinaire.

Elle se décoiffe.

Je suis mal en bandeaux; mes cheveux sont trop courts.
Bah! j'avais deviné! — C'est sans doute mon père.
Ninette est si poltronne! — Il l'aura vu passer.
C'est tout simple, sa fille, il peut bien l'embrasser.
Mes bracelets vont bien.

Elle les détache.

       Ah! demain, quand j'y pense,
Ce jeune homme étranger qui va venir dîner!
C'est un mari, je crois, que l'on veut nous donner.
Quelle drôle de chose! ah! j'en ai peur d'avance.
Quelle robe mettrai-je?

Elle se couche.

       Une robe d'été?
Non, d'hiver; cela donne un air plus convenable.
Non, d'été; c'est plus jeune et c'est moins apprêté.
On le mettra sans doute entre nous deux à table.
Ma sœur lui plaira mieux. — Bah! nous verrons toujours.
— Des éperons d'argent! — un manteau de velours!
Mon Dieu! comme il fait chaud pour une nuit d'automne.
Il faut dormir, pourtant. — N'entends-je pas du bruit?
C'est Flora qui revient; — non, non, ce n'est personne.
Tra la, tra deri da. — Qu'on est bien dans son lit.
Ma tante était bien laide avec ses vieux panaches
Hier soir à souper. — Comme mon bras est blanc!
Traderida. — Mes yeux se ferment. — Des moustaches...
Il la prend, il l'embrasse, et se sauve en courant.

*Elle s'assoupit. — On entend par la fenêtre le
bruit d'une guitare et une voix.*

  — Ninon, Ninon, que fais-tu de la vie?
L'heure s'enfuit, le jour succède au jour.
    Rose ce soir, demain flétrie.
Comment vis-tu, toi qui n'as pas d'amour?

NINON, *s'éveillant*

Est-ce un rêve? J'ai cru qu'on chantait dans la cour?

LA VOIX, *au-dehors*

    Regarde-toi, la jeune fille.
      Ton cœur bat et ton œil pétille.
Aujourd'hui le printemps, Ninon, demain l'hiver.
Quoi! tu n'as pas d'étoile et tu vas sur la mer!
Au combat sans musique, en voyage sans livre!
Quoi! tu n'as pas d'amour, et tu parles de vivre!
Moi, pour un peu d'amour je donnerais mes jours;
Et je les donnerais pour rien·sans les amours.

NINON

Je ne me trompe pas; — singulière romance!
Comment ce chanteur-là peut-il savoir mon nom?
Peut-être sa beauté s'appelle aussi Ninon.

LA VOIX

Qu'importe que le jour finisse et recommence,
      Quand d'une autre existence
      Le cœur est animé?
Ouvrez-vous! jeunes fleurs. Si la mort vous enlève,
La vie est un sommeil, l'amour en est le rêve,
Et vous aurez vécu, si vous avez aimé.

NINON, *soulevant sa jalousie.*

Ses éperons d'argent brillent dans la rosée;
Une chaîne à glands d'or retient son manteau noir.
Il relève en marchant sa moustache frisée. —
Quel est ce personnage, et comment le savoir?

SCÈNE II

IRUS, *à sa toilette*, SPADILLE, QUINOLA.

IRUS

Lequel de vous, marauds, m'a posé ma perruque?
Outre que les rubans me font mal à la nuque,
Je suis couvert de poudre, et j'en ai plein les yeux.

QUINOLA

Ce n'est pas moi.

SPADILLE

    Ni moi.

QUINOLA

      Moi, je tenais la queue.

SPADILLE

Moi, monsieur, je peignais.

IRUS

      Vous mentez tous les deux.
Allons, mon habit rose et ma culotte bleue.
Hum! Brum! Diable de poudre! — Hatsch! je suis aveuglé.

          Il éternue.

QUINOLA, *ouvrant une armoire.*

Monsieur, vous ne sauriez mettre cette culotte,
La lampe était auprès; toute l'huile a coulé.

SPADILLE, *ouvrant une autre armoire.*

Monsieur, votre habit rose est tout rempli de crotte;
Quand je l'ai déployé, le chat était dessus.

IRUS

Ciel! de cette façon voir tous mes plans déçus!
Écoutez, mes amis; — il me vient une idée :
Quelle heure est-il?

SPADILLE

Monsieur, l'horloge est arrêtée.

IRUS

A-t-on sonné déjà deux coups pour le dîné?

QUINOLA

Non, l'on n'a pas sonné.

SPADILLE

Si, si, l'on a sonné.

IRUS

Je tremble à chaque instant que le nouveau convive
Qui doit venir dîner ne paraisse et n'arrive.

SPADILLE

Il faut vous mettre en vert.

QUINOLA

Il faut vous mettre en gris.

IRUS

Dans quel mois sommes-nous?

SPADILLE

Nous sommes en novembre.

QUINOLA

En août! en août!

IRUS

Mettez ces deux habits.
Vous vous promènerez ensuite par la chambre

Pour que je voie un peu l'effet que je ferai.

Les valets obéissent.

SPADILLE

Moi, j'ai l'air d'un marquis.

QUINOLA

Moi, j'ai l'air d'un ministre.

IRUS, *les regardant.*

Spadille a l'air d'une oie, et Quinola d'un cuistre.
Je ne sais pas à quoi je me déciderai.

LAERTE, *entrant.*

Et vous, vous avez l'air, mon neveu, d'une bête.
N'êtes-vous pas honteux de vous poudrer la tête,
Et de perdre, à courir dans votre cabinet,
Plus de temps qu'il n'en faut pour écrire un sonnet ?
Allons, venez dîner ; — votre assiette s'ennuie.

IRUS

Vous ne voudriez pas, au prix de votre vie,
Me traîner au salon, sans rouge et demi-nu ?
Quel habit faut-il mettre ?

LAERTE

Eh ! le premier venu.
Allons, écoutez-moi. Vous trouverez à table
Le nouvel arrivé ; — c'est un jeune homme aimable,
Qui vient pour épouser un de mes chers enfants.
Jetez, au nom de Dieu, vos regards triomphants
Sur un autre que lui ; ne cherchez pas à plaire,
Et n'avalez pas tout comme à votre ordinaire.
Il est simple et timide, et de bonne façon ;
Enfin c'est ce qu'on nomme un honnête garçon.
Tâchez, si vous trouvez ses manières communes,
De ne point décocher, en prenant du tabac,
Votre charmant sourire et vos mots d'almanach.
Tarissez, s'il se peut, sur vos bonnes fortunes.
Ne vous inondez pas de vos flacons damnés ;
Qu'on puisse vous parler sans se bouchez le nez.
Vos gants blancs sont de trop : on dîne les mains nues.

IRUS

Je suis presque tenté, pour cadrer à vos vues,
D'ôter mon habit vert et de me mettre en noir.

LAERTE

Non, de par tous les saints, non, je vous remercie.
La peste soit de vous! — Qui diantre se soucie,
Si votre habit est vert, de s'en apercevoir?

IRUS

Puis-je savoir, du moins, le nom de ce jeune homme?

LAERTE

Qu'est-ce que ça vous fait? C'est Silvio qu'il se nomme.

IRUS

Silvio! ce n'est pas mal. — Silvio! — le nom est bien.
Irus, — Irus, — Silvio; — mais j'aime mieux le mien.

LAERTE

Son père est mon ami, — celui de votre mère.
Nous avons le projet, depuis plus de vingt ans,
De mourir en famille, et d'unir nos enfants.
Plût au Ciel, pour tous deux, que son fils eût un frère!

IRUS

Vrai Dieu! monsieur le duc, qu'entendez-vous par là!
Ne dois-je pas aussi devenir votre gendre?

LAERTE

C'est bon, je le sais bien; vous pouvez vous attendre
A trouver votre tour; — mais Silvio choisira.

Exeunt.

SCÈNE III

NINON, NINETTE, *dans deux bosquets séparés.*

NINON

Cette voix retentit encore à mon oreille.

NINETTE

Ce baiser singulier me fait encor frémir.

NINON

Nous verrons cette nuit; il faudra que je veille.

NINETTE

Cette nuit, cette nuit, je ne veux pas dormir.

NINON

Toi dont la voix est douce, et douce la parole,
Chanteur mystérieux, reviendras-tu me voir?
Ou, comme en soupirant l'hirondelle s'envole,
Mon bonheur fuira-t-il, n'ayant duré qu'un soir?

NINETTE

Audacieux fantôme à la forme voilée,
Les ombrages ce soir seront-ils sans danger?
Te reverrai-je encor dans cette sombre allée,
Ou disparaîtras-tu comme un chamois léger?

NINON

L'eau, la terre et les vents, tout s'emplit d'harmonies.
Un jeune rossignol chante au fond de mon cœur.
J'entends sous les roseaux murmurer des génies....
Ai-je de nouveaux sens inconnus à ma sœur?

NINETTE

Pourquoi ne puis-je voir sans plaisir et sans peine
Les baisers du zéphir trembler sur la fontaine,
Et l'ombre des tilleuls passer sur mes bras nus?
Ma sœur est une enfant, — et je ne le suis plus.

NINON

O fleurs des nuits d'été, magnifique nature!
O plantes! ô rameaux, l'un dans l'autre enlacés!

NINETTE

O feuilles des palmiers, reines de la verdure,
Qui versez vos amours dans les vents embrasés!

SILVIO, *entrant.*

Mon cœur hésite encor; — toutes les deux si belles!
Si conformes en tout, si saintement jumelles!
Deux corps si transparents attachés par le cœur!
On dirait que l'aînée est l'étui de sa sœur.
Pâles toutes les deux, toutes les deux craintives,
Frêles comme un roseau, blondes comme les blés;
Prêtes à tressaillir, comme deux sensitives,
Au toucher de la main. — Tous mes sens sont troublés.
Je n'ai pu leur parler, — j'agissais dans la fièvre;
Mon âme à chaque mot arrivait sur ma lèvre.
Mais elles, quel bon goût! quelle simplicité!
Hélas! je sors d'hier de l'université.

Entrent Laërte et Irus un cigare à la bouche.

LAERTE

Eh bien! notre convive, où ces dames sont-elles?

IRUS

Quoi! vous sortez de table, et vous ne fumez pas?

SILVIO, *embrassant Laërte.*

O mon père! ô mon duc! Je ne puis faire un pas.
Tout mon être est brisé.

Ninon et Ninette paraissent.

IRUS

Voilà ces demoiselles.

Ninon, ma barbe est fraîche, et je vais t'embrasser.

Ninon se sauve. — Irus court après elle.

LAERTE

Ne sauriez-vous, Irus, dîner sans vous griser?

Ils sortent en se promenant.

SCÈNE IV

NINETTE, *restée seule*, FLORA.

NINETTE

Où cours-tu donc, Flora? Mon Dieu! la belle chaîne!
Voyez donc! — les beaux glands! Qui t'a donné cela?

NINON, *accourant*

Voyons! laisse-moi voir. — Ah! je suis hors d'haleine.
Quel sot que cet Irus! — Tu l'as trouvé, Flora?
Le beau collier, ma foi! Vraiment, comme elle est fière!

FLORA, *à Ninon.*

Je voudrais vous parler.

Elle l'entraîne dans un coin.

NINETTE

Quoi donc? c'est un mystère?

FLORA, *à Ninon.*

Rentrez dans votre chambre, et lisez ce billet.

NINON

Un billet? d'où vient-il?

FLORA

Mettez-le, s'il vous plaît,
Dans ce petit coin-là, sur votre cœur, ma belle.

Elle le lui met dans son sein.

NINON

Tu sais donc ce que c'est?

FLORA

Moi, non je n'en sais rien.

Ninon sort en courant.

NINETTE

Qu'as-tu dit à ma sœur, et pourquoi s'en va-t-elle?

FLORA, *tirant un autre billet.*

Tenez, lisez ceci.

NINETTE

Pourquoi? Je le veux bien.
Mais qu'est-ce que c'est donc?

FLORA

Lisez toujours, ma chère.
Mais prenez garde à vous. — J'aperçois votre père;
Allez vous enfermer dans votre appartement.

NINETTE

Pourquoi?

FLORA

Vous lirez mieux, et plus commodément.

Elles sortent. Entrent Laërte et Silvio.

SILVIO

Je crois que notre abord met ces dames en fuite.
Ah! monseigneur, j'ai peur de leur avoir déplu.

LAËRTE

Bon, bon, laissez-les fuir; vous leur plairez bien vite.
Dites-moi, mon ami, dans votre temps perdu
N'avez-vous jamais fait la cour à quelques belles?
Quel moyen preniez-vous pour dompter les cruelles?

SILVIO

Père, ne raillez pas, je me défendrais mal.
Bien que je sois sorti d'un sang méridional,

Jamais les imbroglios, ni les galanteries,
Ni l'art mystérieux des douces flatteries,
Ce bel art d'être aimé, ne m'ont appartenu.
Je vivrai sous le ciel comme j'y suis venu.
Un serrement de main, un regard de clémence,
Une larme, un soupir, voilà pour moi l'amour;
Et j'aimerai dix ans comme le premier jour.
J'ai de la passion, et n'ait point d'éloquence.
Mes rivaux, sous mes yeux, sauront plaire et charmer.
Je resterai muet; — moi, je ne sais qu'aimer.

LAERTE

Les femmes cependant demandent autre chose.
Bien plus, sans les aimer, du moment que l'on ose,
On leur plaît. La faiblesse est si chère à leur cœur,
Qu'il leur faut un combat pour avoir un vainqueur.
Croyez-moi, j'ai connu ces êtres variables.
Il n'existe, dit-on, ni deux feuilles semblables,
Ni deux cœurs faits de même, et moi, je vous promets
Qu'en en séduisant une on séduit tout un monde.
L'une aura les pieds plats, l'autre la jambe ronde,
Mais la communauté ne changera jamais.
Avez-vous jamais vu les courses d'Angleterre?
On prend quatre coureurs, — quatre chevaux sellés;
On leur montre un clocher, puis on leur dit : Allez!
Il s'agit d'arriver, — n'importe la manière.
L'un choisit un ravin, — l'autre un chemin battu.
Celui-ci gagnera, s'il ne rencontre un fleuve;
Celui-là fera mieux, s'il n'a le cou rompu.
Tel est l'amour, Silvio; — l'amour est une épreuve;
Il faut aller au but, — la femme est le clocher.
Prenez garde au torrent, prenez garde au rocher;
Faites ce qui vous plaît, le but est immobile.
Mais croyez que c'est prendre une peine inutile
Que de rester en place et de crier bien fort :
Clocher! clocher! je t'aime, arrive ou je suis mort.

SILVIO

Je sens la vérité de votre parabole.
Mais si je ne puis rien trouver, même en parole,
Que pourrai-je valoir, seigneur, en action?
Tout le réel pour moi n'est qu'une fiction;
Je suis dans un salon comme une mandoline
Oubliée en passant sur le bord d'un coussin.
Elle renferme en elle une langue divine;
Mais si son maître dort, tout reste dans son sein.

LAERTE

Écoutez donc alors ce qu'il vous faudra faire.
Recevoir un mari de la main de son père
Pour une jeune fille est un pauvre régal.
C'est un serpent doré qu'un anneau conjugal.
C'est dans les nuits d'été, sur une mince échelle,
Une épée à la main, un manteau sur les yeux,
Qu'une enfant de quinze ans rêve ses amoureux.
Avant de se montrer, il leur faut apparaître.
Le père ouvre la porte au matériel époux,
Mais toujours l'idéal entre par la fenêtre.
Voilà, mon cher Silvio, ce que j'attends de vous.
Connaissez-vous l'escrime ?

SILVIO

Oui, je tire l'épée.

LAERTE

Et pour le pistolet, vous tuez la poupée,
N'est-ce pas ? C'est très bien ; vous tuerez mes valets.
Mes filles tout à l'heure ont reçu deux billets ;
Ne cherchez pas, c'est moi qui les ai fait remettre.
Ah ! si vous compreniez ce que c'est qu'une lettre !
Une lettre d'amour lorsque l'on a quinze ans !
Quelle charmante place elle occupe longtemps !
D'abord auprès du cœur, ensuite à la ceinture.
La poche vient après, le tiroir vient enfin.
Mais comme on la promène, en traîneaux, en voiture !
Comme on la mène au bal ! que de fois en chemin
Dans le fond de la poche on la presse, on la serre !
Et comme on rit tout bas du bonhomme de père
Qui ne voit jamais rien, de temps immémorial !
Quel travail il se fait dans ces petites têtes !
Voulez-vous, mon ami, savoir ce que vous êtes,
Vous, à l'heure qu'il est ? — Vous êtes l'idéal,
Le prince Galaor, le berger d'Arcadie ;
Vous êtes un Lara ; — j'ai signé votre nom.
Le vieux duc vous prenait pour son gendre, — mais non,
Non ! Vous tombez du ciel comme une tragédie ;
Vous rossez mes valets ; vous forcez mes verrous ;
Vous caressez le chien ; vous séduisez la fille ;
Vous faites le malheur de toute la famille.
Voilà ce que l'on veut trouver dans un époux.

SILVIO

Quelle mélancolique et déchirante idée !
Elle est juste pourtant ; — qu'elle me fait de mal !

LAERTE

Ah! jeune homme, avez-vous aussi votre idéal?

SILVIO

Pourquoi pas comme tous? Leur étoile est guidée
Vers un astre inconnu qu'ils ont toujours rêvé :
Et la plupart de nous meurt sans l'avoir trouvé.

LAERTE

Attachez-vous du prix à des enfantillages?
Cela n'empêche pas les femmes d'être sages,
Bonnes, franches de cœur; c'est un goût seulement;
Cela leur va, leur plaît, — tout cela, c'est charmant.
Écoutez-moi, Silvio : — ce soir, à la veillée,
Vous vous cuirasserez d'un large manteau noir.
Flora dormira bien, c'est moi qui l'ai payée.
Ces dames, pour leur part, descendront en peignoir.
Or, vous vous doutez bien, par cette double lettre,
Que ce que vous vouliez c'était un rendez-vous.
Car, excepté cela, que veut un billet doux?
Vous pénétrerez donc par la chère fenêtre.
On vous introduira comme un conspirateur.
Que ferez-vous alors, vous, double séducteur?
Vous entendrez des cris. — C'est alors que le père,
Semblable au commandeur dans *Le Festin de Pierre*,
Dans sa robe de chambre apparaîtra soudain.
Il vous provoquera, sa chandelle à la main.
Vous la lui soufflerez du vent de votre épée.
S'il ne reste par terre une tête coupée,
Il y pourra du moins rester un grand seau d'eau,
Que Flora lestement nous versera d'en haut.
Ce sera tout le sang que nous devrons répandre.
Les valets aussitôt le couvriront de cendre;
On ne saura jamais où vous serez passé,
Et mes filles crieront : — O Ciel! il est blessé!

SILVIO

Je n'achèverai pas cette plaisanterie.
Calculez, mon cher duc, où cela mènera.
Savez-vous, puisqu'il faut enfin qu'on nous marie,
Si je me fais aimer, laquelle m'aimera?

LAERTE

Peut-être toutes deux, n'est-il pas vrai, mon gendre?
Si je le trouve bon, qu'avez-vous à reprendre?
O mon fils bien-aimé! laissons parler les sots.

SILVIO

On a bouleversé la terre avec des mots.

LAERTE

Eh! que m'importe à moi? — Je n'ai que vous au monde
Après mes deux enfants. Que me fait un brocard?
Vous êtes assez mûr sous votre tête blonde
Pour porter du respect à l'honneur d'un vieillard.

SILVIO

Ah! je mourrais plutôt. Ce n'est pas ma pensée.

LAERTE

Supposons que des deux vous vous fassiez aimer.
Celle qui restera voudra vous pardonner.
Votre image, Silvio, sera bientôt chassée
Par un rêve nouveau, par le premier venu.
Croyez-moi, les enfants n'aiment que l'inconnu.
Dès que vous deviendrez le bourgeois respectable
Qui viendra tous les jours s'asseoir à déjeuner,
Qu'on verra se lever, aller et retourner,
Mettre après le café ses coudes sur la table,
On ne cherchera plus l'être mystérieux.
On aimera le frère, et c'est ce que je veux.
Si mon sot de neveu parle de mariage,
On l'en détestera quatre fois davantage.
C'est encor mon souhait. Mes enfants ont du cœur;
L'une soit votre femme, et l'autre votre sœur.
Je me confie à vous, — à vous, fils de mon frère,
Qui serez le mari d'une de mes enfants,
Qui ne souillerez pas la maison de leur père,
Et qui ne jouerez pas avec ses cheveux blancs.
Qui sait? peut-être un jour ma pauvre délaissée
Trouvera quelque part le mari qu'il lui faut.
Mais l'importante affaire est d'éviter ce sot.

Irus entre.

IRUS

A souper! à souper! messieurs, l'heure est passée.

LAERTE

Vous avez, Dieu me damne, encor changé d'habit.

IRUS

Oui, celui-là va mieux; l'autre était trop petit.

Exeunt.

ACTE II

SCÈNE I

Le jardin. — Il est nuit.

LE DUC LAERTE, *en robe de chambre ;*
SILVIO, *enveloppé d'un manteau.*

LAERTE

Lorsque cette lueur, que vous voyez là-bas,
Après avoir erré de fenêtre en fenêtre,
Tournera vers ce coin pour ne plus reparaître,
Il sera temps d'agir. — Elle y marche à grands pas.

SILVIO

Je vous l'ai dit, seigneur, cela ne me plaît pas.

LAERTE

Eh bien ! moi, tout cela m'amuse à la folie.
Je ne fais pas la guerre à la mélancolie.
Après l'oisiveté, c'est le meilleur des maux.
En général d'ailleurs, c'est ma pierre de touche ;
Elle ne pousse pas, cette plante farouche,
Sur la majestueuse obésité des sots.
Mais la gaîté, Silvio, sied mieux à la vieillesse ;
Nous voulons la beauté pour aimer la tristesse.
Il faut bien mettre un peu de rouge à soixante ans ;
C'est le métier des vieux de dérider le temps.
On fait de la vieillesse une chose honteuse ;
C'est tout simple : ici-bas, chez les trois quarts des gens,
Quand elle n'est pas prude, elle est entremetteuse.
Cassandre est la terreur des vieillards indulgents.
Croyez-vous cependant, mon cher, que la nature
Laisse ainsi par oubli vivre sa créature ?
Qu'elle nous ait donné trente ans pour exister,
Et le reste pour geindre ou bien pour tricoter ?
Figurez-vous, Silvio, que j'ai, la nuit dernière,
Chanté fort joliment pendant une heure entière.
C'était pour intriguer mes filles ; mais, ma foi,
Je crois, en vérité, que j'ai chanté pour moi.

SILVIO

Aussi, dans tout cela, cher duc, c'est vous que j'aime.
Il faudra bien pourtant redevenir moi-même.
Songez donc, mon ami, qu'il ne restera rien
Du héros de roman.

LAERTE

Mon Dieu! je le sais bien.
Un roman dans un lit, on n'en saurait que faire.
On réalise là tous ceux qu'on a rêvés.
Après la bagatelle il faut le nécessaire;
Et j'espère pour vous, mon cher, que vous l'avez.
Très ordinairement, dans ces sortes de choses,
Ceux qui parlent beaucoup savent prouver très peu.
C'est ce qui montre en tout la sagesse de Dieu.
Tous ces galants musqués, fleuris comme des roses,
Qu'on voit soir et matin courir les rendez-vous,
S'assouplir comme un gant autour des jeunes filles,
Escalader les murs et danser sur les grilles,
Savent au bout du doigt ce qui vous manque, à vous.
Vous avez dans le cœur, Silvio, ce qui leur manque.
Je me moque d'avoir pour gendre un saltimbanque,
Capable de passer par le trou d'une clef.
Si vous étiez comme eux, j'en serais désolé.
Mais la méthode existe : — Il faut songer à plaire.
Une fois marié, parbleu! c'est votre affaire.
Permettez-moi, de grâce, une autre question.
Avez-vous jusqu'ici vécu sans passion?
En un mot... franchement, mon cher, êtes-vous vierge?

SILVIO

Vierge du cœur à l'âme, et de la tête aux pieds.

LAERTE

Bon! je ne hais rien tant que les jeunes roués.
Le cœur d'un libertin est fait comme une auberge;
On y trouve à toute heure un grand feu bien nourri,
Un bon gîte, un bon lit, — et la clef sur la porte.
Mais on entre aujourd'hui : demain il faut qu'on sorte.
Ce n'est pas ce bois-là dont on fait un mari.
Que tout vous soit nouveau, quand la femme est nouvelle.
Ce n'est jamais un bien que l'on soit plus vieux qu'elle,
Ni du corps ni du cœur. — Tâchez de deviner.
Quel bonheur, en amour, de pouvoir s'étonner!
Elle aura ses secrets, et vous aurez les vôtres.

Restez longtemps enfants : vous nous en ferez d'autres.
Ce secret-là surtout est si vite oublié!

SILVIO

Si ma femme pourtant croit trouver un roué,
Quel misérable effet fera mon ignorance!
N'appréhendez-vous rien de ses étonnements?

LAERTE

Ceci pourrait sonner comme une impertinence.
Mes filles n'ont, monsieur, que de très bons romans.
Ah! Silvio, je vous livre une fleur précieuse.
Effeuillez lentement cette ignorance heureuse.
Si vous saviez quel tort se font bien des maris,
En se livrant, dans l'ombre, à des secrets infâmes,
Pour le fatal plaisir d'assimiler leurs femmes
Aux femmes sans pudeur dont ils les ont appris!
Ils ne leur laissent plus de neuf que l'adultère.
Si vous étiez ainsi, j'aimerais mieux Irus.
Rappelez-vous ces mots, qui sont dans l'Hespérus :
« Respectez votre femme, amassez de la terre
Autour de cette fleur prête à s'épanouir;
Mais n'en laissez jamais tomber dans son calice. »

SILVIO

Mon père, embrassez-moi. — Je vois le ciel s'ouvrir.

LAERTE

Vous êtes, mon enfant, plus blanc qu'une génisse;
Votre bon petit cœur est plus pur que son lait;
Vous vous en défiez, et c'est ce qui me plaît.
Croyez-en un vieillard qui vous donne sa fille.
Puisque je vous ai pris pour remplir ma famille,
Fiez-vous à mon choix. — Je ne me trompe pas.

SILVIO

La lumière s'en va de fenêtre en fenêtre.

LAERTE

L'heure va donc sonner. — Mon fils, viens dans mes bras.

SILVIO

Elle se perd dans l'ombre, elle va disparaître.

LAERTE

Ton rôle est bien appris? Tu n'as rien oublié?

SILVIO

La lumière s'éteint.

LAERTE

   Bravo! l'heure est venue.
Suivons tout doucement le mur de l'avenue.
Allons, mon cavalier, sur la pointe du pied.

Exeunt.

SCÈNE II

Une terrasse.

NINON, NINETTE, *en déshabillé.*

NINON

Que fais-tu là si tard, ma petite Ninette?
Il est temps de dormir. — Tu prendras le serein.

NINETTE

Je regardais la lune en mettant ma cornette.
Que d'étoiles au ciel! — Il fera beau demain.

NINON

Traderi.

NINETTE

  Que dis-tu?

NINON

   C'est une contredanse.
Traderi. — Sans amour... Ah! ma chère romance!

NINETTE

Va te coucher, Ninon; je ne saurais dormir.

NINON

Ma foi, ni moi non plus.

A part.

  Il n'aurait qu'à venir!

NINETTE, *chantant.*

Léonore avait un amant
Qui lui disait : « Ma chère enfant... »

NINON

Je crains vraiment pour toi que le froid ne te prenne.

NINETTE

J'étouffe de chaleur.

A part.

Je tremble qu'il ne vienne.

NINON, *continuant la chanson.*

Qui lui disait : « Ma chère enfant... »

NINETTE

Je crois que son dessein est de coucher ici.

NINON

On monte l'escalier; mon Dieu si c'était lui!

NINETTE, *reprenant.*

Léonore avait un amant...

NINON

Elle ne songe pas à me céder la place.
S'il allait arriver!

NINETTE

Ma chère sœur, de grâce,
Va-t'en te mettre au lit.

NINON

Pourquoi? je suis très bien.
Écoute : promets-moi que tu n'en diras rien;
Je vais te confier...

NINETTE

Il faut que je t'avoue...

NINON

Jure-moi sur l'honneur...

NINETTE

Garde-moi le secret.

NINON

Tiens, ouvre cette lettre.

NINETTE

Et toi, lis ce billet.

NINON, *lisant.*

« Si l'amour peut faire excuser la folie, au nom du Ciel,
ma belle demoiselle, accordez-moi... »

NINETTE, *lisant.*

« Si l'amour peut faire excuser la folie, au nom du Ciel,
ma chère demoiselle... »

TOUTES DEUX, *à la fois.*

Grand Dieu! le même nom!

NINETTE

Ma chère, l'on nous joue!

NINON

Quelle horreur!

NINETTE

J'en mourrai.

NINON

Faut-il être effronté!

NINETTE

Flora me paiera cher pour l'avoir apporté!

NINON

Ce beau collier sans doute était sa récompense.
Hélas!

NINETTE

Hélas!

NINON

Ma chère, à présent que j'y pense,
C'est lui qui t'a suivie, hier, au parc anglais.

NINETTE

C'était lui qui chantait.

NINON

Tu le sais?

NINETTE

J'écoutais.

NINON

Je le trouvais si beau!

NINETTE

Je l'avais cru si tendre!

NINON

Nous lui dirons son fait, ma chère, il faut l'attendre.

NINETTE

Je veux bien; restons là.

NINON

Comment crois-tu qu'il soit?

NINETTE

Brun, avec de grands yeux. Il n'a pas ce qu'il croit;
Nous allons nous venger de la belle manière.

NINON

Brun, mais pâle. Je crois que c'est un mousquetaire.
Nous allons joliment lui faire la leçon.

NINETTE

Bien tourné, la main blanche, et de bonne façon.
C'est un monstre, ma chère, un être abominable!

NINON

Les dents belles, l'œil vif. — Un monstre véritable.
Quant à moi, je voudrais déjà qu'il fût ici.

NINETTE

Et le parler si doux! Je le voudrais aussi.

NINON

Pour lui dire en deux mots....

NINETTE

Pour lui pouvoir apprendre....

NINON

Et l'air si langoureux qu'on pourrait s'y méprendre!

NINETTE

Ah! mon Dieu, quelqu'un vient; j'ai cru que c'était lui.

NINON

C'est lui, c'est lui, ma chère.

> *Silvio entre le visage couvert de son manteau et
> l'épée à la main.*

NINETTE, *voyant qu'il hésite.*

Entrez donc par ici!

> *Irus entre, l'épée à la main, d'un côté; le
> duc Laërte, de l'autre.*

IRUS

Holà! quel est ce bruit?

LAERTE

Holà! quel est cet homme?

Laërte et Silvio croisent l'épée.

IRUS, *s'interposant.*

Monsieur, demandez-lui s'il est bon gentilhomme.

LAERTE, *donnant dans l'obscurité un coup de plat d'épée à Irus.*

Non, non, c'est un voleur!

IRUS, *tombant.*

Aïe! aïe! il m'a tué.

*Flora jette par la fenêtre un seau d'eau sur la
tête d'Irus.*

Au secours! on m'inonde. Ah! je suis tout mouillé!

Laërte et Silvio se retirent.

NINON

Qu'est devenu Silvio?

NINETTE

Je ne vois pas mon père.

Elles cherchent et rencontrent Irus.

TOUTES LES DEUX

A l'assassin! au meurtre! un homme est là par terre.

IRUS, *seul, couché.*

Oui, oui, n'attendez pas que j'aille me lever;
Si je disais un mot, ils viendraient m'achever.

*Flora entre dans l'obscurité ; elle rencontre Irus,
qu'elle prend pour Silvio.*

FLORA

Êtes-vous là, seigneur Silvio?

IRUS, *à part.*

Laissons-la croire.

C'est moi! je suis Silvio.

FLORA, *reconnaissant Irus.*

Vous avez donc reçu

Quelque coup de rapière? Entrez dans cette armoire.

Elle le pousse dans une fenêtre ouverte.

NINETTE, *rencontrant Silvio au fond du balcon.*

Entrez dans cette chambre, ou vous êtes perdu.

Elle l'enferme dans sa chambre.

SCÈNE III

Une chambre. — Le point du jour.

IRUS, *sortant d'une armoire ;* SILVIO, *d'un cabinet.*

IRUS

Je n'entends plus de bruit.

SILVIO

Je ne vois plus personne.

IRUS

Par la mort-Dieu, monsieur, que faites-vous ici ?

SILVIO

C'est une question qui m'appartient aussi.

IRUS

Ah ! tant que vous voudrez, mais la mienne est la bonne.

SILVIO

Je vous la laisse donc en n'y répondant pas.

IRUS

Eh bien ! moi, j'y réponds. — Si j'y suis, c'est ma place.
Ce n'est pas par-dessus le mur de la terrasse
Que j'y suis arrivé, comme un larron d'honneur,
J'y suis venu, cordieu ! comme un homme de cœur.
Je ne m'en cache pas.

SILVIO

Vous sortez d'une armoire.

IRUS

S'il faut vous le prouver pour vous y faire croire,
Je suis votre homme, au moins, mon petit hobereau.

SILVIO

Je ne suis pas le vôtre, et vous criez trop haut.

Il veut s'en aller.

IRUS

Par le sang! par la mort! mon petit gentilhomme,
Il faut donc vous apprendre à respecter les gens!
Voilà votre façon de relever les gants!

SILVIO

Écoutez-moi, monsieur, votre scène m'assomme.
Je ne sais ni pourquoi, ni de quoi vous criez.

IRUS

C'est qu'il ne fait pas bon me marcher sur les pieds.
Vive Dieu! savez-vous que je n'en crains pas quatre?
Palsambleu! ventrebleu! je vous avalerais!

SILVIO

Tenez, mon cher monsieur, allons plutôt nous battre.
Si vous continuiez, je vous souffletterais.

IRUS

Mort-Dieu! ne croyez pas, au moins, que je balance.

LAERTE, *dans la coulisse.*

Ninette! holà! Ninon!

IRUS

            C'est le père. — Silence!
Esquivons-nous, monsieur, nous nous retrouverons.

> *Il rentre dans son armoire, et Silvio*
> *dans le cabinet.*

LAERTE

Ninon! Ninon!

NINON, *entrant.*

            Mon père, après l'histoire affreuse
Qui s'est passée ici, j'attends tous vos pardons,
Je n'aime plus Silvio. — Je vivrai malheureuse,
Et mon intention est d'épouser Irus.

> *Elle se jette à genoux.*

LAERTE

Je suis vraiment ravi que vous ne l'aimiez plus.
Quel roman lisiez-vous, Ninon, cette semaine?

NINETTE, *entre et se jette à genoux de l'autre côté.*

O mon père! ô mon maître! après l'horrible scène
Dont cette nuit nos murs ont été les témoins,

A supporter mon sort je mettrai tous mes soins.
Je hais mon séducteur, et je me hais moi-même.
Si vous y consentez, Irus peut m'épouser.

LAERTE

Je n'ai, mes chers enfants, rien à vous refuser.
Vous m'avez offensé. — Cependant je vous aime,
Et je ne prétends pas m'opposer à vos vœux.
Enfermez-vous chez vous. Ce soir, à la veillée,
Vous trouverez en bas la famille assemblée.
Comme vous ne pouvez l'épouser toutes deux,
Irus fera son choix. Tâchons donc d'être belles;
Il n'est point ici-bas de douleurs éternelles.
Allez, retirez-vous.

Il sort. Ninon et Ninette le suivent.

SCÈNE IV

IRUS, *ouvrant l'armoire;* SILVIO.

IRUS

Vous avez entendu?

SILVIO

A merveille, monsieur, et je suis confondu.
Laquelle prendrez-vous?

IRUS

Je ne rends point de compte.

SILVIO

Vous daignerez me dire, au moins, monsieur le comte,
Laquelle des deux sœurs il me reste à fléchir.

IRUS

Je n'en sais rien, monsieur, laissez-moi réfléchir.

SILVIO

Ninette vous plaisait davantage, il me semble.

IRUS

Vous l'avez dit. Je crois que je la préférais.

SILVIO

Fort bien. Maintenant donc allons nous battre ensemble.

IRUS

Je vous ai dit, monsieur, que je réfléchirais.

Ils sortent.

SCÈNE V

Le jardin.

LAERTE, *seul.*

Mon Dieu! tu m'as béni. — Tu m'as donné deux filles.
Autour de mon trésor, je n'ai jamais veillé.
Tu me l'avais donné, je te l'ai confié.
Je ne suis point venu sur les barreaux des grilles
Briser les ailes d'or de leur virginité.
J'ai laissé dans leur sein fleurir ta volonté.
La vigilance humaine est une triste affaire.
C'est la tienne, ô mon Dieu! qui n'a jamais dormi.
Mes enfants sont à toi; je leur savais un père,
J'ai voulu seulement leur donner un ami.
— Tu les as vu grandir, — tu les as faites belles.
De leurs bras enfantins, comme deux sœurs fidèles,
Elles ont entouré leur frère à cheveux blancs.
Aux forces du vieillard leur sève s'est unie;
Ces deux fardeaux si doux suspendus à sa vie
Le font vers son tombeau marcher à pas plus lents.
— La nature aujourd'hui leur ouvre son mystère.
Ces beaux fruits en tombant vont perdre la poussière
Qui dorait au soleil leur contour velouté.
L'amour va déflorer leurs tiges chancelantes.
Je te livre, ô mon Dieu! ces deux herbes tremblantes.
Donne-leur le bonheur, si je l'ai mérité.

On entend deux coups de pistolet.

Qui se bat par ici? Quel est donc ce tapage?

*Irus entre, la tête enveloppée de son mouchoir,
Spadille portant son chapeau, et Quinola sa
perruque.*

Que diantre faites-vous dans ce sot équipage,
Mon neveu?

IRUS

Je suis mort. Il vient de me viser.

LAERTE

Il était bien matin, Irus, pour vous griser.

IRUS

Regardez mon chapeau, vous y verrez sa balle.

LAERTE

Alors votre chapeau se meurt, mais non pas vous.

*Entre Ninon et Ninette, toutes deux vêtues en
religieuses.*

Que nous veut à présent cet habit de vestale ?
Sommes-nous par hasard à l'hôpital des fous ?

NINON

Mon père, permettez à deux infortunées
D'aller finir leurs jours dans le fond d'un couvent.

LAERTE

Ah ! voilà ce matin par où souffle le vent.

NINETTE

Mon père et mon seigneur, vos filles sont damnées,
Elles n'auront jamais que leur Dieu pour époux.

LAERTE

Voyez, mon cher Irus, jusqu'où va votre empire.
On prend toujours le mal pour éviter le pire.
Mes filles aiment mieux épouser Dieu que vous.
Levez-vous, mes enfants ; — je suis ravi, du reste,
De voir que vous aimez Silvio toutes les deux.
Rentrez chez moi. — Ce jour doit être un jour heureux.
Et vous, mon cher garçon, allez changer de veste.

IRUS

Ai-je du sang sur moi ? mon oreille me cuit.

SPADILLE

Oui, monsieur.

QUINOLA

Non, monsieur.

IRUS

Je me suis bien conduit.

Exeunt.

SCÈNE VI

La terrasse.

NINON, SILVIO, *sur un banc.*

SILVIO

Écoutez-moi, Ninon, je ne suis point coupable.
Oubliez un roman où rien n'est véritable
Que l'amour de mon cœur, dont je me sens pâmer.

NINON

Taisez-vous, j'ai promis de ne pas vous aimer.

SILVIO

Flora seule a tout fait par une maladresse.
Les billets d'hier soir portaient la même adresse.
C'est en les envoyant que je me suis trompé;
Le nom de votre sœur sous ma plume est tombé.
Le vôtre de si près, comme vous, lui ressemble!
La main n'est pas bien sûre, hélas! quand le cœur tremble.
Et je tremblais; — je suis un enfant comme vous.

NINON

De quoi pouvaient servir ces deux lettres pareilles?
Je vous écouterais de toutes mes oreilles,
Si vous ne mentiez pas avec ces mots si doux.

SILVIO

Je vous aime, Ninon, je vous aime à genoux.

NINON

On relit un billet, monsieur, quand on l'envoie.
Quand on le recopie, on jette le brouillon.
Ce n'est pas malaisé de bien écrire un nom.
Mais comment voulez-vous, Silvio, que je vous croie?
Vous ne répondez rien.

SILVIO

Je vous aime, Ninon.

NINON

Lorsqu'on n'est pas coupable, on sait bien se défendre.
Quand vous chantiez hier de cette voix si tendre,

Vous saviez bien mon nom, je l'ai bien entendu.
Et ce baiser du parc que ma sœur a reçu,
Aviez-vous oublié d'y mettre aussi l'adresse ?
Regardez donc, monsieur, quelle scélératesse !
Chanter sous mon balcon en embrassant ma sœur !

SILVIO

Je vous aime, Ninon, comme voilà mon cœur.
Vos yeux sont de cristal, — vos lèvres sont vermeilles
Comme ce ciel de pourpre autour de l'occident.
Je vous trompais hier, vous m'aimiez cependant.

NINON

Que voulez-vous qu'on dise à des raisons pareilles ?

SILVIO

Votre taille flexible est comme un palmier vert,
Vos cheveux sont légers comme la cendre fine
Qui voltige au soleil autour d'un feu d'hiver.
Ils frémissent au vent comme la balsamine ;
Sur votre front d'ivoire ils courent en glissant,
Comme une huile craintive au bord d'un lac d'argent.
Vos yeux sont transparents comme l'ambre fluide
Au bord du Niémen ; — leur regard est limpide
Comme une goutte d'eau sur la grenade en fleurs.

NINON

Les vôtres, mon ami, sont inondés de pleurs.

SILVIO

Le son de votre voix est comme un bon génie
Qui porte dans ses mains un vase plein de miel.
Toute votre nature est comme une harmonie ;
Le bonheur vient de vous, comme il vous vient du ciel.
Laissez-moi seulement baiser votre chaussure ;
Laissez-moi me repaître et m'ouvrir ma blessure.
Ne vous détournez pas ; laissez-moi vos beaux yeux.
N'épousez pas Irus, je serai bien heureux.
Laissez-moi rester là, près de vous, en silence,
La main dans votre main, — passer mon existence
A sentir jour par jour mon cœur se consumer...

NINON

Taisez-vous — j'ai promis de ne pas vous aimer.

SCÈNE VII

Un salon.

LE DUC LAERTE, *assis sur une estrade ;*
IRUS, *à sa droite, en habit cramoisi et l'épée à la main;*
SILVIO, *à sa gauche ;* SPADILLE, QUINOLA, *debout.*

LAERTE

Me voici sur mon trône assis comme un grand juge.
L'innocence à mes pieds peut chercher un refuge.
Irus est le bourreau, Silvio le confesseur.
Nous sommes justiciers de l'honneur des familles.
Chambellan Quinola, faites venir mes filles.

> *Ninon et Ninette entrent habillées en bergères.*

NINON

C'est en mon nom, grand duc, comme au nom de ma sœur,
Que je viens déclarer à votre seigneurie
L'immuable dessein que nous avons formé.

LAERTE

Voilà l'habit claustral galamment transformé.

NINETTE

Nous vivrons loin du monde, au fond d'une prairie,
A garder nos moutons sur le bord des ruisseaux.
Nous filerons la laine ainsi que nos vassaux.
Nous renonçons au monde, au bien de notre mère.
Il nous suffit, seigneur, qu'une juste colère
Vous ait donné le droit d'oublier vos enfants.

LAERTE

Vous viendrez, n'est-ce pas, dîner de temps en temps ?

NINETTE

Nous vous demanderons un éternel silence.
Si notre séducteur vous brave et vous offense,
Notre avis, monseigneur, est d'en écrire au roi.

LAERTE

Le roi, si j'écrivais, me répondrait, je crois,
Que nous sommes bien loin, et qu'il est en affaire.

Tout ce que je puis donc, c'est d'en écrire au maire;
Et c'est ce que j'ai fait, car il soupe avec nous.

Il entre un maire et un notaire. A Ninon.

Allons, mon Angélique, embrassez votre époux.

A Ninette.

Il ne s'en ira point, ne pleurez pas, Ninette.
Embrassez votre frère, il est aussi le mien.

A Irus

Et vous, mon cher Irus, ne baissez point la tête;
Soyez heureux aussi; votre habit vous va bien.

FIN DE « A QUOI RÊVENT LES JEUNES FILLES »

ANDRÉ DEL SARTO

Les pièces d'*Un spectacle dans un fauteuil* étaient en vers. Avec *André del Sarto* Musset revient au théâtre en prose.

Publié dans *la Revue des Deux Mondes* le 1er avril 1833, ce drame en trois actes évoque Florence en la personne d'un de ses peintres, André del Sarto (1486-1531), sur qui les notices accompagnant les reproductions de ses toiles dans l'album du *Musée Filhol* avaient fait rêver Musset.

A son habitude, il en use librement avec les faits et les dates, fait mourir Michel-Ange avant André del Sarto, invente de toutes pièces une visite d'envoyés de François 1er auprès du peintre, et le fait succomber à l'amour, non, comme il est véridique, à la peste. Mais qu'importe ! Dans ce drame shakespearien un peu bref, et bâclé, Musset prête à Cordiani et à André del Sarto ses propres passions, la passion fatale qui annihile la voix de la conscience, chez Cordiani, le disciple aimant la femme de son maître, Lucretia, et qui pousse d'autre part André à hésiter, inquiet, entre l'art et l'amour.

Si l'on songe qu'*André del Sarto* a été écrit avant les douloureuses amours de Venise, on y peut voir comme un pressentiment de l'aventure du palais Daniéli ; l'œuvre détermine parfois la vie même, et ceux-là seuls peuvent s'en étonner qui ignoreraient que les sentiments de l'âme profonde influent souvent sur les circonstances.

Adapté pour la scène par Musset en 1848, le drame, joué au Théâtre-Français le 21 novembre 1848, remporta peu de succès. Musset le remania, supprimant des scènes et fondant en un seul le deuxième et le troisième acte, pour une reprise à l'Odéon (21 octobre 1850). Cette seconde version édulcorée fut mieux accueillie d'un public qu'avaient heurté deux ans plus tôt un excès de poésie et un style trop hardi.

La pièce n'a eu au Théâtre-Français que 15 représentations.

M. R.

PERSONNAGES

ANDRÉ DEL SARTO, peintre.

CORDIANI,
DAMIEN,
LIONEL,   } peintres et élèves d'André.
CÉSARIO,

GRÉMIO, concierge.

MONTJOIE, gentilhomme français.

MATHURIN,
JEAN,   } domestiques.
PAOLO,

LUCRETIA DEL FEDE, femme d'André.

SPINETTE, suivante.

Peintres, valets, etc.

Un médecin.

Florence.

ACTE PREMIER

SCÈNE I

La maison d'André. Une cour, un jardin au fond.

GRÉMIO, *sortant de la maison du concierge.* — Il me semble, en vérité, que j'entends marcher dans la cour : à quatre heures du matin, c'est singulier! Hum! Hum! que veut dire cela?

Il avance ; un homme enveloppé d'un manteau descend d'une fenêtre du rez-de-chaussée.

GRÉMIO. — De la fenêtre de madame Lucrèce? Arrête, qui que tu sois.

L'HOMME. — Laisse-moi passer, ou je te tue!

Il le frappe et s'enfuit dans le jardin.

GRÉMIO, *seul.* — Au meurtre! au voleur! Jean, au secours!

DAMIEN, *sortant en robe de chambre.* — Qu'est-ce? qu'as-tu à crier, Grémio?

GRÉMIO. — Il y a un voleur dans le jardin.

DAMIEN. — Vieux fou! tu te seras grisé.

GRÉMIO. — De la fenêtre de madame Lucrèce, de sa propre fenêtre, je l'ai vu descendre. Ah! je suis blessé! Il m'a frappé au bras de son stylet.

DAMIEN. — Tu veux rire! ton manteau est à peine déchiré. Quel conte viens-tu faire, Grémio? Qui diable veux-tu avoir vu descendre de la fenêtre de Lucrèce, à cette heure-ci? Sais-tu, sot que tu es, qu'il ne ferait pas bon l'aller redire à son mari?

GRÉMIO. — Je l'ai vu comme je vous vois.

DAMIEN. — Tu as bu, Grémio; tu vois double.

GRÉMIO. — Double! je n'en ai vu qu'un.

DAMIEN. — Pourquoi réveilles-tu une maison entière avant le lever du soleil? et une maison comme celle-ci, pleine de jeunes gens, de valets! T'a-t-on payé pour imaginer ce mauvais roman sur le compte de la femme de mon meilleur ami? Tu cries au voleur, et tu prétends

qu'on a sauté par sa fenêtre ? Es-tu fou ou es-tu payé ?
Dis, réponds ; que je t'entende.

GRÉMIO. — Mon Dieu ! mon Seigneur Jésus ! je l'ai vu ;
en vérité de Dieu, je l'ai vu. Que vous ai-je fait ? je l'ai vu.

DAMIEN. — Écoute, Grémio. Prends cette bourse, elle
peut être moins lourde que celle qu'on t'a donnée pour
inventer cette histoire-là. Va-t'en la boire à ma santé. Tu
sais que je suis l'ami de ton maître, n'est-ce pas ? Je ne
suis pas un voleur, moi ; je ne suis pas de moitié dans le
vol qu'on lui ferait ? Tu me connais depuis dix ans comme
je connais André. Eh bien, Grémio, pas un mot là-dessus.
Bois à ma santé ; pas un mot, entends-tu ? ou je te fais
chasser de la maison. Va, Grémio, rentre chez toi, mon
vieux camarade. Que tout cela soit oublié !

GRÉMIO. — Je l'ai vu, mon Dieu ; sur ma tête, sur celle
de mon père, je l'ai vu ; vu, bien vu.

Il rentre.

DAMIEN, *seul, s'avance vers le jardin et appelle.* — Cordiani ! Cordiani !

Cordiani paraît.

DAMIEN. — Insensé ! en es-tu venu là ? André, ton ami,
le mien, le bon, le pauvre André !

CORDIANI. — Elle m'aime, ô Damien, elle m'aime !
Que vas-tu me dire ? Je suis heureux. Regarde-moi ;
elle m'aime. Je cours dans ce jardin depuis hier, je me
suis jeté dans les herbes humides ; j'ai frappé les statues
et les arbres, et j'ai couvert de baisers terribles les gazons
qu'elle avait foulés.

DAMIEN. — Et cet homme qui te surprend ! A quoi
penses-tu ! Et André ! André ! Cordiani.

CORDIANI. — Que sais-je ; je puis être coupable, tu
peux avoir raison, nous en parlerons demain, un jour,
plus tard ; laisse-moi être heureux. Je me trompe peut-être,
elle ne m'aime peut-être pas ; un caprice, oui, un caprice
seulement, et rien de plus ; mais laisse-moi être heureux.

DAMIEN. — Rien de plus ? et tu brises comme une
paille un lien de vingt-cinq années ? et tu sors de cette
chambre ? Tu peux être coupable ? et les rideaux qui se
sont refermés sur toi sont encore agités autour d'elle ? et
l'homme qui te voit sortir crie au meurtre ?

CORDIANI. — Ah ! mon ami, que cette femme-là est
belle !

DAMIEN. — Insensé ! insensé !

CORDIANI. — Si tu savais quelle région j'habite ! comme

le son de sa voix seulement fait bouillonner en moi une
vie nouvelle! comme les larmes lui viennent aux yeux
au-devant de tout ce qui est beau, tendre et pur comme elle!
O mon Dieu! c'est un autel sublime que le bonheur.
Puisse la joie de mon âme monter à toi comme un doux
encens! Damien, les poètes se sont trompés : est-ce l'esprit
du mal qui est l'ange déchu? C'est celui de l'amour qui
après le grand œuvre, ne voulut pas quitter la terre, et
tandis que ses frères remontaient au ciel, laissa tomber ses
ailes d'or en poudre aux pieds de la beauté qu'il avait
créée.

DAMIEN. — Je te parlerai dans un autre moment. Le
soleil se lève; dans une heure, quelqu'un viendra s'asseoir
aussi sur ce banc; il posera comme toi ses mains sur son
visage, et ce ne sont pas des larmes de joie qu'il cachera.
A quoi penses-tu?

CORDIANI. — Je pense au coin obscur d'une certaine
taverne, où je me suis assis tant de fois, regrettant ma
journée. Je pense à Florence qui s'éveille, aux promenades,
aux passants qui se croisent; au monde, où j'ai erré
vingt ans comme un spectre sans sépulture; à ces rues
désertes où je me plongeais au sein des nuits, poussé par
quelque dessein sinistre; je pense à mes travaux, à mes
jours de découragement; j'ouvre les bras, et je vois passer
les fantômes des femmes que j'ai possédées; mes plaisirs,
mes peines, mes espérances! Ah! mon ami! comme tout
est foudroyé, comme tout ce qui fermentait en moi s'est
réuni en une seule pensée : l'aimer! C'est ainsi que
mille insectes épars dans la poussière viennent se réunir
dans un rayon du soleil.

DAMIEN. — Que veux-tu que je te dise? et de quoi
servent les paroles quand elles viennent après l'action?
Un amour comme le tien n'a pas d'ami.

CORDIANI. — Qu'ai-je eu dans le cœur jusqu'à présent?
Dieu merci, je n'ai jamais cherché la science; je n'ai
voulu d'aucun état; je n'ai jamais donné un centre aux
cercles gigantesques de la pensée; je n'y ai laissé entrer
que l'amour des arts, qui est l'encens de l'autel, mais qui
n'en est pas le dieu. J'ai vécu de mon pinceau, de mon
travail; mais mon travail n'a nourri que mon corps;
mon âme a gardé sa faim céleste. J'ai posé sur le seuil
de mon cœur le fouet dont Jésus-Christ flagella les ven-
deurs du temple. Dieu merci, je n'ai jamais aimé; mon
cœur n'était à rien jusqu'à ce qu'il fût à elle.

DAMIEN. — Comment exprimer tout ce qui se passe

dans mon âme ? Je te vois heureux. Ne m'es-tu pas aussi
cher que lui ?

CORDIANI. — Et maintenant qu'elle est à moi ; maintenant qu'assis à ma table je laisse couler comme de douces
larmes les vers insensés qui lui parlent de mon amour,
et que je crois sentir derrière moi son fantôme charmant
s'incliner sur mon épaule pour les lire ; maintenant que
j'ai un nom sur les lèvres, ô mon ami ! quel est l'homme
ici-bas qui n'a pas vu apparaître cent fois, mille fois,
dans ses rêves, un être adoré, fait pour lui, devant vivre
pour lui ? Eh bien ! quand un seul jour au monde on
devrait rencontrer cet être, le serrer dans ses bras et
mourir !

DAMIEN. — Tout ce que je puis te répondre, Cordiani,
c'est que ton bonheur m'épouvante. Qu'André l'ignore,
voilà l'important !

CORDIANI. — Que veut dire cela ? Crois-tu que je l'aie
séduite ? qu'elle ait réfléchi et que j'aie réfléchi ! Depuis
un an je la vois tous les jours, je lui parle, et elle me répond ;
je fais un geste, et elle me comprend. Elle se met au clavecin, elle chante, et moi, les lèvres entr'ouvertes, je regarde
une longue larme tomber en silence sur ses bras nus. Et
de quel droit ne serait-elle pas à moi ?

DAMIEN. — De quel droit ?

CORDIANI. — Silence ! J'aime et je suis aimé. Je ne
veux rien analyser, rien savoir : il n'y a d'heureux que les
enfants qui cueillent un fruit et le portent à leurs lèvres
sans penser à autre chose, sinon qu'ils l'aiment et qu'il
est à portée de leurs mains.

DAMIEN. — Ah ! si tu étais là, à cette place où je suis, et
si tu le jugeais toi-même ! Que dira demain l'homme à
l'enfant ?

CORDIANI. — Non ! non ! Est-ce d'une orgie que je sors,
pour que l'air du matin me frappe au visage ? L'ivresse de
l'amour est-elle une débauche, pour s'évanouir avec la nuit ?
Toi, que voilà, Damien, depuis combien de temps m'as-tu
vu l'aimer ? Qu'as-tu à dire à présent, toi qui es resté muet,
toi qui as vu pendant une année chaque battement de
mon cœur, chaque minute de ma vie se détacher de moi,
pour s'unir à elle ? Et je suis coupable aujourd'hui ? Alors
pourquoi suis-je heureux ? Et que me diras-tu d'ailleurs
que je ne me sois dit cent fois à moi-même ? Suis-je un
libertin sans cœur ? suis-je un athée ? Ai-je jamais parlé
avec mépris de tous ces mots sacrés, qui, depuis que le
monde existe, errent vainement sur les lèvres des hommes ?

Tous les reproches imaginables, je me les suis adressés, et cependant je suis heureux. Le remords, la vengeance hideuse, la triste et muette douleur, tous ces spectres terribles sont venus se présenter au seuil de ma porte; aucun n'a pu rester debout devant l'amour de Lucrèce. Silence! on ouvre les portes; viens avec moi dans mon atelier. Là, dans une chambre fermée à tous les yeux, j'ai taillé dans le marbre le plus pur l'image adorée de ma maîtresse. Je veux te répondre devant elle; viens, sortons; la cour s'emplit de monde et l'académie va s'ouvrir.

> *Ils sortent. — Les peintres traversent la cour en*
> *tous sens. — Lionel et Césario s'avancent.*

LIONEL. — Le maître est-il levé?

CÉSARIO, *chantant.*

Il se levait de bon matin,
Pour se mettre à l'ouvrage;
Tin taine, tin, tin.
Le bon gros père Célestin,
Il se levait de bon matin,
Comme un coq de village.

LIONEL. — Que d'écoliers autrefois dans cette académie! comme on se disputait pour l'un, pour l'autre; quel événement que l'apparition d'un nouveau tableau! Sous Michel-Ange, les écoles étaient de vrais champs de bataille; aujourd'hui elles se remplissent à peine, lentement, de jeunes gens silencieux. On travaille pour vivre, et les arts deviennent des métiers.

CÉSARIO. — C'est ainsi que tout passe sous le soleil. Moi, Michel-Ange m'ennuyait; je suis bien aise qu'il soit mort.

LIONEL. — Quel génie que le sien!

CÉSARIO. — Eh bien! oui, c'est un homme de génie; qu'il nous laisse tranquilles. As-tu vu le tableau du Pontormo?

LIONEL. — Et j'y ai vu le siècle tout entier : un homme incertain entre mille chemins divers, la caricature des grands maîtres; se noyant dans son propre enthousiasme, capable de se retenir, pour s'en tirer, au manteau gothique d'Albert Dürer.

CÉSARIO. — Vive le gothique! Si les arts se meurent, l'antiquité ne rajeunira rien. *Tra deri da!* Il nous faut du nouveau.

ANDRÉ DEL SARTO, *entrant et parlant à un valet.* —
Dites à Grémio de seller deux chevaux, un pour lui et
un pour moi. Nous allons à la ferme.

CÉSARIO, *continuant.* — Du nouveau à tout prix, du
nouveau! Eh bien! maître, quoi de nouveau ce matin?

ANDRÉ. — Toujours gai, Césario? Tout est nouveau
aujourd'hui, mon enfant; la verdure, le soleil et les fleurs,
tout sera encore nouveau demain. Il n'y a que l'homme
qui se fasse plus vieux, tout se fait plus jeune autour de
lui chaque jour. Bonjour, Lionel; levé de si bonne heure,
mon vieil ami?

CÉSARIO. — Alors, les jeunes peintres ont donc raison
de demander du neuf, puisque la nature elle-même en
veut pour elle et en donne à tous.

LIONEL. — Songes-tu à qui tu parles?

ANDRÉ. — Ah! ah! déjà en train de discuter? La discussion, mes bons amis, est une terre stérile, croyez-moi;
c'est elle qui tue tout. Moins de préfaces et plus de livres.
Vous êtes peintres, mes enfants; que votre bouche soit
muette, et que votre main droite parle pour vous. Écoute-
moi cependant, Césario. La nature veut toujours être
nouvelle, c'est vrai; mais elle reste toujours la même.
Es-tu de ceux qui souhaiteraient qu'elle changeât la couleur de sa robe, et que les bois se colorassent en bleu ou en
rouge? Ce n'est pas ainsi qu'elle l'entend? à côté d'une
fleur fanée naît une fleur toute semblable, et des milliers
de familles se reconnaissent sous la rosée aux premiers
rayons du soleil. Chaque matin l'ange de la vie et de la
mort apporte à la mère commune une nouvelle parure,
mais toutes ses parures se ressemblent. Que les arts
tâchent de faire comme elle, puisqu'ils ne sont rien qu'en
l'imitant. Que chaque siècle voie de nouvelles mœurs,
de nouveaux costumes, de nouvelles pensées. Mais que
le génie soit invariable comme la beauté. Que de jeunes
mains, pleines de force et de vie, reçoivent avec respect
le flambeau sacré des mains tremblantes des vieillards;
qu'ils la protègent du souffle des vents, cette flamme
divine qui traversera les siècles futurs, comme elle a fait
des siècles passés. Retiendras-tu cela, Césario? Et maintenant, va travailler; à l'ouvrage! à l'ouvrage! la vie est si
courte! *(Il le pousse dans l'atelier. A Lionel.)* Nous vieillis-
sons, mon pauvre ami. La jeunesse ne veut plus guère
de nous. Je ne sais si c'est que le siècle est un nouveau-
né, ou un vieillard tombé en enfance.

LIONEL. — Mort de Dieu! il ne faut pas que vos

nouveaux venus m'échauffent par trop les oreilles! Je
finirai par garder mon épée pour travailler.

André. — Te voilà bien avec tes coups de rapière,
brave Lionel! On ne tue aujourd'hui que les moribonds;
le temps des épées est passé en Italie. Allons, allons, mon
vieux, laisse dire les bavards, et tâchons d'être de notre
temps, jusqu'à ce qu'on nous enterre. *(Damien entre.)*
Eh bien! mon cher Damien, Cordiani vient-il aujour-
d'hui?

Damien. — Je ne crois pas qu'il vienne, il est malade.

André. — Malade, lui! Je l'ai vu hier soir. Il ne l'était
point. Sérieusement malade? Allons chez lui, Damien.
Que peut-il avoir?

Damien. — N'allez pas chez lui, il ne saurait vous
recevoir. Il s'est enfermé pour la journée.

André. — Oh! non pas pour moi. Allons, Damien.

Damien. — Sérieusement, il veut être seul.

André. — Seul! et malade! tu m'effrayes. Lui est-il
arrivé quelque chose? une dispute? un duel? violent
comme il est! Ah! mon Dieu! mais qu'est-ce donc? il ne
m'a rien fait dire; il est blessé, n'est-ce pas? Pardonnez-
moi, mes amis... *(Aux peintres qui sont restés et qui
l'attendent)*, mais vous le savez, c'est mon ami d'enfance,
c'est mon meilleur, mon plus fidèle compagnon.

Damien. — Rassurez-vous; il ne lui est rien arrivé.
Une fièvre légère; demain vous le verrez bien portant.

André. — Dieu le veuille! Dieu le veuille! Ah! que de
prières j'ai adressées au ciel pour la conservation d'une
vie aussi chère! Vous le dirai-je, ô mes amis! dans ces
temps de décadence où la mort de Michel-Ange nous a
laissés, c'est en lui que j'ai mis mon espoir; c'est un cœur
chaud, mais un bon cœur. La Providence ne laisse pas
s'égarer de telles facultés! Que de fois, assis derrière lui,
tandis qu'il parcourait du haut en bas son échelle, une
palette à la main, j'ai senti se gonfler ma poitrine, j'ai
étendu les bras, prêt à le serrer sur mon cœur, à baiser
ce front si jeune et si ouvert, d'où le génie rayonnait de
toutes parts! Quelle facilité! quel enthousiasme! mais quel
sévère et cordial amour de la vérité! Que de fois j'ai pensé
avec délices qu'il était plus jeune que moi! Je regardais
tristement mes pauvres ouvrages, et je m'adressais en
moi-même aux siècles futurs; voilà tout ce que j'ai pu
faire, leur disais-je, mais je vous lègue mon ami.

Lionel. — Maître, un homme est là qui vous appelle.

André. — Qu'est-ce? qu'y a-t-il?

Un Domestique. — Les chevaux sont sellés; Grémio est prêt, Monseigneur.

André. — Allons, je vous dis adieu; je serai à l'atelier dans deux heures. Mais il n'a rien? *(à Damien)* Rien de grave, n'est-ce pas? Et nous le verrons demain? Viens donc souper avec nous; et si tu vois Lucrèce, dis-lui que je vais à la ferme, et que je reviens. *(Il sort.)*

SCÈNE II

Un petit bois. André dans l'éloignement.

Grémio, *assis sur l'herbe.* — Hum! hum! je l'ai bien vu pourtant. Quel intérêt pouvait-il avoir à me dire le contraire? Il faut cependant qu'il en ait un, puisqu'il m'a donné *(Il compte dans sa main)* quatre, cinq, six...; diable! il y a quelque chose là-dessous; non, certainement, pour un voleur, ce n'en était pas un. J'avais bien eu une autre idée; mais..., oh! mais, c'est là qu'il faut s'arrêter. Tais-toi, me suis-je dit, Grémio, holà, mon vieux, point de ceci. Cela serait drôle à penser! penser n'est rien; qu'est-ce qu'on en voit? on pense ce qu'on veut. *(Il chante.)*

> Le berger dit au ruisseau :
> Tu vas bien vite au moulin.
> As-tu vu, as-tu vu la meunière
> Se mirer dans tes eaux ?

André, *revenant.* — Grémio, va remettre les brides à ces pauvres bêtes; il faut reprendre notre voyage; le soleil commence à baisser, nous aurons moins chaud pour revenir.

Grémio sort.

André, *seul, s'asseyant.* — Point d'argent chez ce juif! des supplications sans fin, et point d'argent! Que dirai-je quand les envoyés du roi de France... Ah! André, pauvre André, comment peux-tu prononcer ce mot-là? Des monceaux d'or entre tes mains; la plus belle mission qu'un roi ait jamais confiée à un homme; cent chefs-d'œuvre à rapporter, cent artistes pauvres et souffrants à guérir, à enrichir! le rôle d'un bon ange à jouer! les bénédictions de la patrie à recevoir, et après tout cela, avoir peuplé un palais d'ouvrages magnifiques, et rallumé le feu sacré des arts, prêt à s'éteindre à Florence! André! comme tu te serais mis à genoux de bon cœur au chevet de ton lit le jour où tu aurais rendu fidèlement tes comptes! Et c'est François Ier qui te les demande! lui, le chevalier sans reproche, l'honnête homme, aussi bien que l'homme généreux! lui, le protecteur des arts! le père d'un siècle aussi beau que l'antiquité! Il s'est fié à toi, et tu l'as trompé! Tu l'as volé, André! car cela s'appelle ainsi, ne t'abuse pas là-dessus. Où est passé cet argent? Des bijoux pour ta femme, des fêtes, des plaisirs plus tristes que l'ennui! *(Il se lève.)* Songes-tu à cela, André? tu es déshonoré? Aujourd'hui te voilà respecté, chéri de tes élèves, aimé d'un ange. O Lucrèce! Lucrèce! Demain la fable de Florence; car enfin il faut bien que tôt ou tard ces comptes terribles... Enfer! et ma femme elle-même n'en sait rien! Ah! voilà ce que c'est que de manquer de caractère! Que faisait-elle de mal en me demandant ce qui lui plaisait? Et moi je le lui donnais, parce qu'elle le demandait, rien de plus : faiblesse maudite! pas une réflexion. A quoi tient donc l'honneur? et Cordiani? pourquoi ne l'ai-je pas consulté? lui, mon meilleur, mon unique ami, que dira-t-il? L'honneur?... ne suis-je pas un honnête homme? J'ai fait un vol cependant. Ah! s'il s'agissait d'entrer la nuit chez un grand seigneur, de briser un coffre-fort et de s'enfuir : cela est horrible à penser, impossible. Mais quand l'argent est là, entre vos mains, qu'on n'a qu'à y puiser, que la pauvreté vous talonne, non pas pour vous, mais pour Lucrèce! mon seul bien ici-bas, ma seule joie! un amour de dix ans! et quand on se dit qu'après tout, avec un peu de travail, on pourra remplacer... Oui, remplacer! le portique de l'Annonciade m'a valu un sac de blé!

GRÉMIO, *revenant*. — Voilà qui est fait. Nous partirons quand vous voudrez.

ANDRÉ. — Qu'as-tu donc, Grémio? je te regardais arranger ces brides; tu te sers aujourd'hui de ta main gauche.

GRÉMIO. — De ma main?... Ah! ah! je sais ce que c'est. Plaise à Votre Excellence, j'ai le bras droit un peu blessé. Oh! pas grand-chose; mais je me fais vieux, et, dame! dans mon temps... j'aurais dit...

ANDRÉ. — Tu es blessé, dis-tu? Qui t'a blessé?

GRÉMIO. — Ah! voilà le difficile. Qui? personne; et cependant je suis blessé. Oh! ce n'est pas à dire qu'on puisse se plaindre, en conscience...

ANDRÉ. — Personne! toi-même, apparemment.

GRÉMIO. — Non pas, non pas : où serait le fin sans cela ?
Personne, et moi moins que tout autre.

ANDRÉ. — Si tu veux rire, tu prends mal ton temps.
Remontons à cheval, et partons.

GRÉMIO. — Ainsi soit-il. Ce que j'en disais n'était point
pour vous fâcher, encore moins pour rire. Aussi bien
riait-il fort peu ce matin, quand il me l'a donné en courant.

ANDRÉ. — Qui ? que veut dire cela ? qui te l'a donné ?
Tu as un air de mystère singulier, Grémio.

GRÉMIO. — Ma foi, au fait, écoutez. Vous êtes mon
maître ; on aura beau dire, cela doit se savoir ; et qui le
saurait, si ce n'est vous ? Voilà l'histoire : j'avais entendu
marcher ce matin dans la cour, vers quatre heures ; je me
suis levé, et j'ai vu descendre tout doucement, de la fenêtre,
un homme en manteau.

ANDRÉ. — De quelle fenêtre ?

GRÉMIO. — Un homme en manteau, à qui j'ai crié
d'arrêter ; j'ai cru naturellement que c'était un voleur, et
donc, au lieu de s'arrêter, vous voyez à mon bras ; c'est
son stylet qui m'a effleuré.

ANDRÉ. — De quelle fenêtre, Grémio ?

GRÉMIO. — Ah ! voilà encore : dame ! écoutez, puisque
j'ai commencé ; c'était de la fenêtre de madame Lucrèce.

ANDRÉ. — De Lucrèce ?

GRÉMIO. — Oui, Monsieur.

ANDRÉ. — Cela est singulier !

GRÉMIO. — Bref, il s'est enfui dans le parc. J'ai bien
appelé et crié au voleur ! mais là-dessus voilà le fin :
M. Damien est arrivé, qui m'a dit que je me trompais,
que lui le savait mieux que moi ; enfin il m'a donné une
bourse, pour me taire.

ANDRÉ. — Damien ?

GRÉMIO. — Oui, Monsieur, la voilà. A telle enseigne...

ANDRÉ. — De la fenêtre de Lucrèce ? Damien l'avait
donc vu, cet homme ?

GRÉMIO. — Non, Monsieur ; il est sorti comme j'appelais.

ANDRÉ. — Comment était-il ?

GRÉMIO. — Qui ? monsieur Damien ?

ANDRÉ. — Non, l'autre.

GRÉMIO. — Oh ! ma foi, je ne l'ai guère vu.

ANDRÉ. — Grand, ou petit ?

GRÉMIO. — Ni l'un ni l'autre. Et puis, le matin, ma foi...

ANDRÉ. — Cela est étrange. Et Damien t'a défendu
d'en parler ?

GRÉMIO. — Sous peine d'être chassé par vous.

ANDRÉ. — Par moi ? Écoute, Grémio : ce soir, à l'heure
où je me retire, tu te mettras sous cette fenêtre; mais
caché, tu entends ? Prends ton épée, et si par hasard
quelqu'un essayait... tu me comprends ? Appelle à haute
voix, ne te laisse pas intimider, je serai là.

GRÉMIO. — Oui, Monsieur.

ANDRÉ. — J'en chargerais bien un autre que toi; mais
vois-tu, Grémio, je crois savoir ce que c'est; c'est de peu
d'importance, vois-tu; une bagatelle, quelque plaisanterie
de jeune homme. As-tu vu la couleur du manteau ?

GRÉMIO. — Noir, noir; oui, je crois, du moins.

ANDRÉ. — J'en parlerai à Cordiani. Ainsi donc, c'est
convenu; ce soir vers onze heures, minuit; n'aie aucune
peur, je te le dis, c'est une pure plaisanterie. Tu as très
bien fait de me le dire, et je ne voudrais pas qu'un autre
que toi le sût; c'est pour cela que je te charge... — Et
tu n'as pas vu son visage ?

GRÉMIO. — Si; mais il s'est sauvé si vite! et puis le
coup de stylet...

ANDRÉ. — Il n'a pas parlé ?

GRÉMIO. — Quelques mots, quelques mots.

ANDRÉ. — Tu ne connais pas la voix ?

GRÉMIO. — Peut-être; je ne sais pas. Tout cela a été
l'affaire d'un instant.

ANDRÉ. — C'est incroyable! Allons, viens; partons vite.
Vers onze heures. Il faudra que j'en parle à Cordiani. Tu
es sûr de la fenêtre ?

GRÉMIO. — Oh! très sûr.

ANDRÉ. — Partons! partons!

Ils sortent.

SCÈNE III

LUCRÈCE, SPINETTE.

LUCRÈCE. — As-tu entr'ouvert la porte, Spinette ? as-tu
posé la lampe dans l'escalier ?

SPINETTE. — J'ai fait tout ce que vous m'aviez ordonné.

LUCRÈCE. — Tu mettras sur cette chaise mes vêtements
de nuit, et tu me laisseras seule, ma chère enfant.

SPINETTE. — Oui, Madame.

LUCRÈCE, *à son prie-Dieu.* — Pourquoi m'as-tu chargée
du bonheur d'un autre, ô mon Dieu ? S'il ne s'était agi
que du mien, je ne l'aurais pas défendu, je ne t'aurais
pas disputé ma vie. Pourquoi m'as-tu confié la sienne ?

SPINETTE. — Ne cesserez-vous pas, ma chère maîtresse, de prier et de pleurer ainsi? Vos yeux sont gonflés de larmes, et depuis deux jours vous n'avez pas pris un moment de repos.

LUCRÈCE, *priant*. — L'ai-je accomplie ta fatale mission? ai-je sauvé son âme en me perdant pour lui? Si tes bras sanglants n'étaient pas cloués sur ce crucifix, ô Christ, me les ouvrirais-tu?

SPINETTE. — Je ne puis me retirer. Comment vous laisser seule dans l'état ou je vous vois?

LUCRÈCE. — Le puniras-tu de ma faute? Ce n'est pas lui qui est coupable; il n'a prononcé aucun serment sur la terre; il n'a pas trahi son épouse; il n'a point de devoirs, point de famille; il n'a rien fait qu'aimer et qu'être aimé.

SPINETTE. — Onze heures vont sonner.

LUCRÈCE. — Ah! Spinette, ne m'abandonne pas! mes larmes t'affligent, mon enfant? Il faut pourtant bien qu'elles coulent. Crois-tu qu'on perde sans souffrir tout son repos et son bonheur? Toi qui lis dans mon cœur comme dans le tien, toi pour qui ma vie est un livre ouvert, dont tu connais toutes les pages, crois-tu qu'on puisse voir s'envoler sans regret dix ans d'innocence et de tranquillité?

SPINETTE. — Que je vous plains!

LUCRÈCE. — Détache ma robe; onze heures sonnent. De l'eau, que je m'essuie les yeux; il va venir, Spinette! Mes cheveux sont-ils en désordre? Ne suis-je point pâle? Insensée que je suis d'avoir pleuré! Ma guitare! place devant moi cette romance; elle est de lui. Il vient, il vient, ma chère! Suis-je belle, ce soir? lui plairai-je ainsi?

UNE SERVANTE, *entrant*. — Monseigneur André vient de passer dans l'appartement; il demande si l'on peut entrer chez vous.

ANDRÉ, *entrant*. — Bonsoir, Lucrèce; vous ne m'attendiez pas à cette heure, n'est-il pas vrai? Que je ne vous importune pas, c'est tout ce que je désire. De grâce, dites-moi, alliez-vous renvoyer vos femmes? j'attendrai pour vous voir le moment du souper.

LUCRÈCE. — Non, pas encore; non, en vérité!

ANDRÉ. — Les moments que nous passons ensemble sont si rares! et ils me sont si chers! Vous seule au monde, Lucrèce, me consolez de tous les chagrins qui m'obsèdent. Ah! si je vous perdais! Tout mon courage, toute ma philosophie est dans vos yeux. *(Il s'approche de la fenêtre et soulève le rideau. — A part.)* Grémio est en bas, je l'aperçois.

LUCRÈCE. — Avez-vous quelque sujet de tristesse, mon ami ? Vous étiez gai à dîner, il m'a semblé.

ANDRÉ. — La gaieté est quelquefois triste, et la mélancolie a le sourire sur les lèvres.

LUCRÈCE. — Vous êtes allé à la ferme ? A propos, il y a une lettre pour vous ; les envoyés du roi de France doivent venir demain.

ANDRÉ. — Demain ? Ils viennent demain ?

LUCRÈCE. — L'apprenez-vous comme une fâcheuse nouvelle ? Alors on pourrait vous dire éloigné de Florence, malade ; en tout cas, ils ne vous verraient pas.

ANDRÉ. — Pourquoi ? je les recevrai avec plaisir ; ne suis-je pas prêt à rendre mes comptes ? Dites-moi, Lucrèce, cette maison vous plaît-elle ? Êtes-vous invitée ? L'hiver vous paraît-il agréable cette année ? Que ferons-nous ? Vos nouvelles parures vont-elles bien ?

On entend un cri étouffé dans le jardin, et des pas précipités.

Que veut dire ce bruit ? qu'y a-t-il ?

Cordiani, dans le plus grand désordre, entre dans la chambre.

Qu'as-tu, Cordiani ? qui t'amène ? Que signifie ce désordre ? Que t'est-il arrivé ? tu es pâle comme la mort !

LUCRÈCE. — Ah ! je suis morte.

ANDRÉ. — Réponds-moi ; qui t'amène à cette heure ? As-tu une querelle ? faut-il te servir de second ? As-tu perdu au jeu ? veux-tu ma bourse ? *(Il lui prend la main.)* Au nom du ciel, parle ; tu es comme une statue.

CORDIANI. — Non..., non..., je venais te parler..., te dire..., en vérité, je venais..., je ne sais...

ANDRÉ. — Qu'as-tu donc fait de ton épée ? Par le ciel ! il se passe en toi quelque chose d'étrange. Veux-tu que nous allions dans ce salon ? ne peux-tu parler devant ces femmes ? A quoi puis-je t'être bon ? réponds, il n'y a rien que je ne fasse. Mon ami, mon cher ami, doutes-tu de moi ?

CORDIANI. — Tu l'as deviné. J'ai une querelle. Je ne puis parler ici. Je te cherchais. Je suis entré sans savoir pourquoi. On m'a dit que... que tu étais ici ; et je venais... Je ne puis parler ici.

LIONEL, *entrant.* — Maître, Grémio est assassiné !

ANDRÉ. — Qui dit cela ?

Plusieurs domestiques entrent dans la chambre.

UN DOMESTIQUE. — Maître, on vient de tuer Grémio ;

le meurtrier est dans la maison. On l'a vu entrer par la poterne.

Cordiani se retire dans la foule.

ANDRÉ. — Des armes! des armes! prenez ces flambeaux, parcourez toutes les chambres; qu'on ferme la porte en dedans.

LIONEL. — Il ne peut être loin. Le coup vient d'être fait à l'instant même.

ANDRÉ. — Il est mort? mort? Où donc est mon épée? Ah! en voilà une à cette muraille.

Il va prendre une épée. Regardant sa main.

Tiens! c'est singulier; ma main est pleine de sang. D'où me vient ce sang?

LIONEL. — Viens avec nous, maître; je te réponds de le trouver.

ANDRÉ. — D'où me vient ce sang? ma main en est couverte. Qui donc ai-je touché? je n'ai pourtant touché que... tout à l'heure... Éloignez-vous! sortez d'ici!

LIONEL. — Qu'as-tu, maître? pourquoi nous éloigner?

ANDRÉ. — Sortez! sortez! laissez-moi seul. C'est bon; qu'on ne fasse aucune recherche, aucune, cela est inutile; je le défends. Sortez d'ici, tous! tous! obéissez quand je vous parle!

Tous se retirent en silence.

ANDRÉ, *regardant sa main.* — Pleine de sang! je n'ai touché que la main de Cordiani.

ACTE II

SCÈNE I

Le jardin. Il est nuit. Clair de lune.

CORDIANI, UN VALET.

CORDIANI. — Il veut me parler ?

LE VALET. — Oui, Monsieur, sans témoin ; cet endroit est celui qu'il m'a désigné.

CORDIANI. — Dis-lui donc que je l'attends.

Le valet sort ; Cordiani s'assoit sur une pierre.

DAMIEN, *dans la coulisse.* — Cordiani ? où est Cordiani ?

CORDIANI. — Eh bien ! que me veux-tu ?

DAMIEN. — Je quitte André, il ne sait rien, ou du moins rien qui te regarde. Il connaît parfaitement, dit-il, le motif de la mort de Grémio, et n'en accuse personne, toi moins que tout autre.

CORDIANI. — Est-ce là ce que tu as à me dire ?

DAMIEN. — Oui, c'est à toi de te régler là-dessus.

CORDIANI. — En ce cas, laisse-moi seul. (*Il va se rasseoir.*)

Lionel et Césario passent.

LIONEL. — Conçoit-on rien à cela ? nous renvoyer, ne rien vouloir entendre, laisser sans vengeance un coup pareil ! Ce pauvre vieillard qui le sert depuis son enfance, que j'ai vu le bercer sur ses genoux ! Ah ! mort-Dieu ! si c'était moi, il y aurait eu d'autre sang de versé que celui-là !

DAMIEN. — Ce n'est pourtant pas un homme comme André qu'on peut accuser de lâcheté.

LIONEL. — Lâcheté ou faiblesse, qu'importe le nom ? Quand j'étais jeune, cela ne se passait pas ainsi. Il n'était, certes, pas bien difficile de trouver l'assassin et si l'on ne veut pas se compromettre soi-même, par mon patron, on a des amis.

CÉSARIO. — Quant à moi, je quitte la maison ; je suis venu ce matin à l'académie pour la dernière fois : y viendra qui voudra, je vais chez Pontormo.

LIONEL. — Mauvais cœur que tu es! pour tout l'or du monde je ne voudrais pas changer de maître.

CÉSARIO. — Bah! je ne suis pas le seul; l'atelier est d'une tristesse! Julietta n'y veut plus poser. Et comme on rit chez Pontormo! toute la journée on fait des armes; on boit, on danse. Adieu, Lionel, au revoir.

DAMIEN. — Dans quel temps vivons-nous! Ah! Monsieur, notre pauvre ami est bien à plaindre. Soupez-vous avec nous?

Ils sortent.

CORDIANI, *seul.* — N'est-ce pas André que j'aperçois là-bas entre ces arbres? Il cherche; le voilà qui approche. Holà, André, par ici.

ANDRÉ, *entrant.* — Sommes-nous seuls?

CORDIANI. — Seuls.

ANDRÉ. — Vois-tu ce stylet, Cordiani? Si maintenant je t'étendais à terre d'un revers de ma main, et si je t'enterrais au pied de cet arbre, là, dans ce sable où voilà ton ombre, le monde n'aurait rien à me dire, j'en ai le droit, et ta vie m'appartient.

CORDIANI. — Tu peux le faire, ami, tu peux le faire.

ANDRÉ. — Crois-tu que ma main tremblerait? Pas plus que la tienne, il y a une heure, sur la poitrine de mon vieux Grémio. Tu le vois, je le sais, tu me l'as tué. A quoi t'attends-tu à présent? Penses-tu que je sois un lâche, et que je ne sache pas tenir une épée? Es-tu prêt à te battre? n'est-ce pas là ton devoir et le mien?

CORDIANI. — Je ferai ce que tu voudras.

ANDRÉ. — Assieds-toi, et écoute. Je suis né pauvre. Le luxe qui m'environne vient de mauvaise source : c'est un dépôt, dont j'ai abusé. Seul, parmi tant de peintres illustres, je survis jeune encore au siècle de Michel-Ange, et je vois de jour en jour tout s'écrouler autour de moi. Rome et Venise sont encore florissantes. Notre patrie n'est plus rien. Je lutte en vain contre les ténèbres; le flambeau sacré s'éteint dans ma main. Crois-tu que ce soit peu de chose pour un homme qui a vécu de son art vingt ans, que de le voir tomber? Mes ateliers sont déserts, ma réputation est perdue. Je n'ai point d'enfants, point d'espérance qui me rattache à la vie. Ma santé est faible, et le vent de la peste qui souffle de l'Orient me fait trembler comme une feuille. Dis-moi, que me restait-il au monde? Suppose qu'il m'arrive dans mes nuits d'insomnie de me poser un stylet sur le cœur. Dis-moi, qui a pu me retenir jusqu'à ce jour?

CORDIANI. — N'achève pas, André.

ANDRÉ. — Je l'aimais d'un amour indéfinissable. Pour elle, j'aurais lutté contre une armée; j'aurais bêché la terre et traîné la charrue pour ajouter une perle à ses cheveux. Ce vol que j'ai commis, ce dépôt du roi de France qu'on vient me redemander demain, et que je n'ai plus c'est pour elle, c'est pour lui donner une année de richesse et de bonheur, pour la voir, une fois dans ma vie, entourée de plaisirs et de fêtes, que j'ai tout dissipé. La vie m'était moins chère que l'honneur, et l'honneur que l'amour de Lucrèce; que dis-je? qu'un sourire de ses lèvres, qu'un rayon de joie dans ses yeux. Ce que tu vois là, Cordiani, cet être souffrant et misérable qui est devant toi, que tu as vu depuis dix ans errer dans ces sombres portiques, ce n'est pas là André del Sarto; c'est un être insensé, exposé au mépris, aux soucis dévorants. Aux pieds de ma belle Lucrèce était un autre André, jeune et heureux, insouciant comme le vent, libre et joyeux comme un oiseau du ciel, l'ange d'André, l'âme de ce corps sans vie qui s'agite au milieu des hommes. Sais-tu maintenant ce que tu as fait?

CORDIANI. — Oui, maintenant.

ANDRÉ. — Celui-là, Cordiani, tu l'as tué; celui-là ira demain au cimetière avec la dépouille du vieux Grémio; l'autre reste, et c'est lui qui te parle ici.

CORDIANI, *pleurant.* — André! André!

ANDRÉ. — Est-ce sur moi ou sur toi que tu pleures? J'ai une faveur à te demander. Grâce à Dieu, il n'y a point eu d'éclat cette nuit. Grâce à Dieu, j'ai vu la foudre tomber sur mon édifice de vingt ans, sans proférer une plainte, et sans pousser un cri. Si le déshonneur était public, ou je t'aurais tué, ou nous irions nous battre demain. Pour prix du bonheur, le monde accorde la vengeance, et le droit de se servir de cela *(jetant son stylet)* doit tout remplacer pour celui qui a tout perdu. Voilà la justice des hommes; encore n'est-il pas sûr, si tu mourais de ma main, que ce ne fût pas toi que l'on plaindrait.

CORDIANI. — Que veux-tu de moi?

ANDRÉ. — Si tu as compris ma pensée, tu sens que je n'ai vu ici, ni un crime odieux, ni une sainte amitié foulée aux pieds; je n'y ai vu qu'un coup de ciseau donné au seul lien qui m'unisse à la vie. Je ne veux pas songer à la main dont il est venu. L'homme à qui je parle n'a pas de nom pour moi. Je parle au meurtrier de mon honneur, de mon amour et de mon repos. La blessure qu'il m'a faite peut-elle être guérie? Une séparation éternelle, un silence de

mort (car il doit songer que sa mort a dépendu de moi),
de nouveaux efforts de ma part, une nouvelle tentative
enfin de ressaisir la vie, peuvent-ils encore me réussir?
En un mot, qu'il parte, qu'il soit rayé pour moi du livre de
vie; qu'une liaison coupable, et qui n'a pu exister sans
remords, soit rompue à jamais; que le souvenir s'en efface
lentement, dans un an, dans deux, peut-être, et qu'alors
moi, André, je revienne, comme un laboureur ruiné par
le tonnerre, rebâtir ma cabane de chaume sur mon champ
dévasté.

CORDIANI. — O mon Dieu!

ANDRÉ. — Je suis fait à la patience. Pour me faire aimer
de cette femme, j'ai suivi durant des années son ombre
sur la terre. La poussière où elle marche est habituée à la
sueur de mon front. Arrivé au temps de la carrière, je
recommencerai mon ouvrage. Qui sait ce qui peut advenir
de la fragilité des femmes? Qui sait jusqu'où peut aller
l'inconstance de ce sable mouvant, et si vingt autres années
d'amour et de dévouement sans bornes n'en pourront
pas faire autant qu'une nuit de débauche? Car c'est
d'aujourd'hui que Lucrèce est coupable, puisque c'est
aujourd'hui pour la première fois depuis que tu es à
Florence, que j'ai trouvé ta porte fermée.

CORDIANI. — C'est vrai.

ANDRÉ. — Cela t'étonne, n'est-ce pas, que j'aie un tel
courage? Cela étonnerait aussi le monde, si le monde
l'apprenait un jour. Je suis de son avis. Un coup d'épée est
plus tôt donné. Mais j'ai un grand malheur, moi : je ne crois
pas à l'autre vie, et je te donne ma parole que si je ne réussis
pas, le jour où j'aurai l'entière certitude que mon bonheur
est à jamais détruit, je mourrai, n'importe comment.
Jusque-là, j'accomplirai ma tâche.

CORDIANI. — Quand dois-je partir?

ANDRÉ. — Un cheval est à la grille. Je te donne une
heure. Adieu.

CORDIANI. — Ta main, André, ta main!

ANDRÉ, revenant sur ses pas. — Ma main? A qui ma
main? T'ai-je dit une injure? T'ai-je appelé faux ami?
traître aux serments les plus sacrés? T'ai-je dit que toi,
qui me tues, je t'aurais choisi pour me défendre, si ce que
tu as fait tout autre l'avait fait? T'ai-je dit que cette nuit
j'eusse perdu autre chose que l'amour de Lucrèce? T'ai-je
parlé de quelque autre chagrin? Tu le vois bien, ce n'est
pas à Cordiani que j'ai parlé. A qui veux-tu donc que je
donne ma main?

CORDIANI. — Ta main, André! Un éternel adieu, mais un adieu.

ANDRÉ. — Je ne le puis. Il y a du sang après la tienne.

Il sort.

CORDIANI, *seul, frappe à la porte.* — Holà, Mathurin!

MATHURIN. — Plaît-il, Excellence?

CORDIANI. — Prends mon manteau; rassemble tout ce que tu trouveras sur ma table et dans mes armoires. Tu en feras un paquet à la hâte, et tu le porteras à la grille du jardin. *(Il s'assoit.)*

MATHURIN. — Vous partez, Monsieur?

CORDIANI. — Fais ce que je te dis.

DAMIEN, *entrant.* — André, que je rencontre, m'apprend que tu pars, Cordiani. Combien je m'applaudis d'une pareille détermination! Est-ce pour quelque temps?

CORDIANI. — Je ne sais. Tiens, Damien, rends-moi le service d'aider Mathurin à choisir ce que je dois emporter.

MATHURIN, *sur le seuil de la porte.* — Oh! ce ne sera pas long.

DAMIEN. — Il suffit de prendre le plus pressant. On t'enverra le reste à l'endroit où tu comptes t'arrêter. A propos, où vas-tu?

CORDIANI. — Je ne sais. Dépêche-toi, Mathurin, dépêche-toi.

MATHURIN. — Cela est fait dans l'instant. *(Il emporte un paquet.)*

DAMIEN. — Maintenant, mon ami, adieu.

CORDIANI. — Adieu! adieu! Si tu vois ce soir — je veux dire — si demain, ou un autre jour...

DAMIEN. — Qui? que veux-tu?

CORDIANI. — Rien, rien. Adieu, Damien, au revoir.

DAMIEN. — Un bon voyage! *(Il l'embrasse et sort.)*

MATHURIN. — Monsieur, tout est prêt.

CORDIANI. — Merci, mon brave. Tiens, voilà pour tes bons services durant mon séjour dans cette maison.

MATHURIN. — Oh! Excellence!

CORDIANI, *toujours assis.* — Tout est prêt, n'est-ce pas?

MATHURIN. — Oui, Monsieur. Vous accompagnerai-je?

CORDIANI. — Certainement. — Mathurin!

MATHURIN. — Excellence!

CORDIANI. — Je ne puis partir, Mathurin.

MATHURIN. — Vous ne partez pas?

CORDIANI. — Non. C'est impossible, vois-tu.

MATHURIN. — Avez-vous besoin d'autre chose?

CORDIANI. — Non, je n'ai besoin de rien.

Un silence.

CORDIANI, *se levant.* — Pâles statues, promenades chéries, sombres allées, comment voulez-vous que je parte ? Ne sais-tu pas, toi, nuit profonde, que je ne puis partir ? O murs que j'ai franchis! terre que j'ai ensanglantée! *(Il retombe sur le banc.)*

MATHURIN. — Au nom du ciel, hélas! il se meurt. Au secours! au secours!

CORDIANI, *se levant précipitamment.* — N'appelle pas! viens avec moi.

MATHURIN. — Ce n'est pas là notre chemin.

CORDIANI. — Silence! viens avec moi, te dis-je. Tu es mort si tu n'obéis pas. *(Il l'entraîne du côté de la maison.)*

MATHURIN. — Où allez-vous, Monsieur ?

CORDIANI. — Ne t'effraye pas; je suis en délire. Cela n'est rien; écoute; je ne veux qu'une chose bien simple. N'est-ce pas à présent l'heure du souper ? Maintenant ton maître est assis à sa table, entouré de ses amis, et en face de lui... En un mot, mon ami, je ne veux pas entrer; je veux seulement poser mon front sur la fenêtre, les voir un moment. Une seule minute, et nous partons.

Ils sortent.

SCÈNE II

Une chambre. Une table dressée.

ANDRÉ, LUCRÈCE, *assise.*

ANDRÉ. — Nos amis viennent bien tard. Vous êtes pâle, Lucrèce. Cette scène vous a effrayée.

LUCRÈCE. — Lionel et Damien sont cependant ici. Je ne sais qui peut les retenir.

ANDRÉ. — Vous ne portez plus de bagues ? Les vôtres vous déplaisent ? Ah! je me trompe, en voici une que je ne connaissais pas encore.

LUCRÈCE. — Cette scène, en vérité, m'a effrayée. Je ne puis vous cacher que je suis souffrante.

ANDRÉ. — Montrez-moi cette bague, Lucrèce; est-ce un cadeau ? est-il permis de l'admirer ?

LUCRÈCE, *donne la bague.* — C'est un cadeau de Marguerite, mon amie d'enfance.

ANDRÉ. — C'est singulier, ce n'est pas son chiffre!

pourquoi donc? c'est un bijou charmant, mais bien fragile. Ah! mon Dieu, qu'allez-vous me dire? je l'ai brisé en le prenant.

LUCRÈCE. — Il est brisé? mon anneau brisé?

ANDRÉ. — Que je m'en veux de cette maladresse! Mais, en vérité, le mal est sans ressource.

LUCRÈCE. — N'importe! rendez-le-moi tel qu'il est.

ANDRÉ. — Qu'en voudriez-vous faire? l'orfèvre le plus habile n'y pourrait trouver remède. *(Il le jette à terre et l'écrase.)*

LUCRÈCE. — Ne l'écrasez pas! j'y tenais beaucoup.

ANDRÉ. — Bon, Marguerite vient ici tous les jours. Vous lui direz que je l'ai brisé, et elle vous en donnera un autre. Avons-nous beaucoup de monde ce soir? notre souper sera-t-il joyeux?

LUCRÈCE. — Je tenais beaucoup à cet anneau.

ANDRÉ. — Et moi aussi, j'ai perdu cette nuit un joyau précieux; j'y tenais beaucoup aussi... Vous ne répondez pas à ma demande?

LUCRÈCE. — Mais nous aurons notre compagnie habituelle, je suppose : Lionel, Damien et Cordiani.

ANDRÉ. — Cordiani aussi!... Je suis désolé de la mort de Grémio.

LUCRÈCE. — C'était votre père nourricier.

ANDRÉ. — Qu'importe? qu'importe? Tous les jours on perd un ami. N'est-ce pas chose ordinaire que d'entendre dire : Celui-là est mort, celui-là est ruiné? On danse, on boit par là-dessus. Tout n'est qu'heur et malheur.

LUCRÈCE. — Voici nos convives, je pense.

Lionel et Damien entrent.

ANDRÉ. — Allons, mes bons amis, à table! Avez-vous quelque souci, quelque peine de cœur? il s'agit de tout oublier. Hélas! oui, vous en avez sans doute : tout homme en a sous le soleil.

Ils s'assoient.

LUCRÈCE. — Pourquoi reste-t-il une place vide?

ANDRÉ. — Cordiani est parti pour l'Allemagne.

LUCRÈCE. — Parti? Cordiani?

ANDRÉ. — Oui, pour l'Allemagne. Que Dieu le conduise! Allons, mon vieux Lionel, notre jeunesse est là-dedans. *(Montrant les flacons.)*

LIONEL. — Parlez pour moi seul, maître. Puisse la vôtre durer longtemps encore, pour vos amis et pour le pays!

ANDRÉ. — Jeune ou vieux, que veut dire ce mot? Les

cheveux blancs ne font pas la vieillesse, et le cœur de
l'homme n'a pas d'âge.

LUCRÈCE, *à voix basse*. — Est-ce vrai, Damien, qu'il est
parti?

DAMIEN, *de même*. — Très vrai.

LIONEL. — Le ciel est à l'orage; il fait mauvais temps
pour voyager.

ANDRÉ. — Décidément, mes bons amis, je quitte cette
maison; la vie de Florence plaît moins de jour en jour à ma
chère Lucrèce; et, quant à moi, je ne l'ai jamais aimée.
Dès le mois prochain, je compte avoir sur les bords de
l'Arno une maison de campagne, un pampre vert et
quelques pieds de jardin. C'est là que je veux achever ma
vie, comme je l'ai commencée. Mes élèves ne m'y suivront
pas. Qu'ai-je à leur apprendre qu'ils ne puissent oublier?
Moi-même j'oublie chaque jour, et moins encore que je ne
le voudrais. J'ai besoin cependant de vivre du passé; qu'en
dites-vous, Lucrèce?

LIONEL. — Renoncez-vous à vos espérances?

ANDRÉ. — Ce sont elles, je crois, qui renoncent à
moi. O mon vieil ami, l'espérance est semblable à la fanfare
guerrière : elle mène au combat et divinise le danger. Tout
est si beau, si facile, tant qu'elle retentit au fond du cœur;
mais le jour où sa voix expire, le soldat s'arrête et brise son
épée.

DAMIEN. — Qu'avez-vous, Madame? vous paraissez
souffrir.

LIONEL. — Mais en effet, quelle pâleur! nous devrions
nous retirer.

LUCRÈCE. — Spinette! entre dans ma chambre, ma chère,
et prends mon flacon sur ma toilette. Tu me l'apporteras.

Spinette sort.

ANDRÉ. — Qu'avez-vous donc, Lucrèce? O ciel! seriez-
vous réellement malade?

DAMIEN. — Ouvrez cette fenêtre, le grand air vous fera
du bien.

Spinette rentre épouvantée.

SPINETTE. — Monseigneur! Monseigneur! un homme
est là caché.

ANDRÉ. — Où?

SPINETTE. — Là, dans l'appartement de ma maîtresse.

LIONEL. — Mort et furie! voilà la suite de votre faiblesse,
maître; c'est le meurtrier de Grémio. Laissez-moi lui
parler.

SPINETTE. — J'étais entrée sans lumière. Il m'a saisi la main comme je passais entre les deux portes.

ANDRÉ. — Lionel, n'entre pas, c'est moi que cela regarde.

LIONEL. — Quand vous devriez me bannir de chez vous, pour cette fois je ne vous quitte pas. Entrons, Damien.

Il entre.

ANDRÉ, *courant à sa femme.* — Est-ce lui, malheureuse ? est-ce lui ?

LUCRÈCE. — O mon Dieu ! prends pitié de moi ! (*Elle s'évanouit.*)

DAMIEN. — Suivez Lionel, André, empêchez-le de voir Cordiani.

ANDRÉ. — Cordiani ! Cordiani ! Mon déshonneur est-il si public, si bien connu de tout ce qui m'entoure, que je n'aie qu'un mot à dire pour qu'on me réponde par celui-ci : Cordiani ! Cordiani ! (*Criant.*) Sors donc, misérable, puisque voilà Damien qui t'appelle !

Lionel entre avec Cordiani.

ANDRÉ, *à tout le monde.* — Je vous ai fait sortir tantôt. A présent, je vous prie de rester. Emportez cette femme, messieurs ; cet homme est l'assassin de Grémio.

On emporte Lucrèce.

C'est pour entrer chez ma femme qu'il l'a tué. Un cheval !... Dans quelque état qu'elle se trouve, vous, Damien, vous la conduirez à sa mère... ce soir, à l'instant même. Maintenant, Lionel, tu vas me servir de témoin. Cordiani prendra celui qu'il voudra ; car tu vois ce qui se passe, mon ami ?

LIONEL. — Mes épées sont dans ma chambre. Nous allons les prendre en passant.

ANDRÉ, *à Cordiani.* — Ah ! vous voulez que le déshonneur soit public ! Il le sera, Monsieur, il le sera. Mais la réparation va l'être de même, et malheur à celui qui la rend nécessaire !

Ils sortent.

SCÈNE III

Une plate-forme à l'extrémité du jardin.
Un réverbère est allumé.

MATHURIN, *seul, puis* JEAN.

MATHURIN. — Où peut être allé ce jeune homme? Il me dit de l'attendre, et voilà bientôt une demi-heure qu'il m'a quitté. Comme il tremblait en approchant de la maison! Ah! s'il fallait croire ce qu'on en dit!

JEAN, *passant*. — Eh bien, Mathurin, que fais-tu là à cette heure?

MATHURIN. — J'attends le seigneur Cordiani.

JEAN. — Tu ne viens pas à l'enterrement de ce pauvre Grémio? On va partir tout à l'heure.

MATHURIN. — Vraiment! J'en suis fâché; mais je ne puis quitter la place.

JEAN. — J'y vais, moi, de ce pas.

MATHURIN. — Jean, ne vois-tu pas des hommes qui arrivent du côté de la maison? On dirait que c'est notre maître et ses amis.

JEAN. — Oui, ma foi, ce sont eux: que diable cherchent-ils? Ils viennent droit à nous.

MATHURIN. — N'ont-ils pas leurs épées à la main?

JEAN. — Non pas, je crois. Si fait, tu as raison. Cela ressemble à une querelle.

MATHURIN. — Tenons-nous à l'écart, et si je ne m'entends pas appeler, j'irai avec toi.

Ils se retirent. — Lionel et Cordiani entrent.

LIONEL. — Cette lumière nous suffira. Placez-vous ici, Monsieur; n'aurez-vous pas de second?

CORDIANI. — Non, Monsieur.

LIONEL. — Ce n'est pas l'usage, et je vous avoue que pour moi, j'en suis fâché. Du temps de ma jeunesse, il n'y avait guère d'affaires de cette sorte sans quatre épées tirées.

CORDIANI. — Ceci n'est pas un duel. Monsieur; André n'aura rien à parer, et le combat ne sera pas long.

LIONEL. — Qu'entends-je? voulez-vous faire de lui un assassin?

CORDIANI. — Je m'étonne qu'il n'arrive pas.

ANDRÉ, *entrant*. — Me voilà.

LIONEL. — Otez vos manteaux; je vais marquer les lignes. Messieurs, c'est jusqu'ici que vous pouvez rompre.

ANDRÉ. — En garde!

DAMIEN, *entrant*. — Je n'ai pu remplir la mission dont tu m'avais chargé. Lucrèce refuse mon escorte; elle est partie seule, à pied, accompagnée de sa suivante.

ANDRÉ. — Dieu du ciel! quel orage se prépare!

Il tonne.

DAMIEN. — Lionel, je me présente ici comme second de Cordiani. André ne verra dans cette démarche qu'un devoir qui m'est sacré; je ne tirerai l'épée que si la nécessité m'y oblige.

CORDIANI. — Merci, Damien, merci.

LIONEL. — Êtes-vous prêts?

ANDRÉ. — Je le suis.

CORDIANI. — Je le suis.

Ils se battent. Cordiani est blessé.

DAMIEN. — Cordiani est blessé!

ANDRÉ, *se jetant sur lui*. — Tu es blessé, mon ami?

LIONEL, *le retenant*. — Retirez-vous; nous nous chargeons du reste.

CORDIANI. — Ma blessure est légère. Je puis encore tenir mon épée.

LIONEL. — Non, Monsieur, vous allez souffrir beaucoup plus dans un instant; l'épée a pénétré. Si vous pouvez marcher, venez avec nous.

CORDIANI. — Vous avez raison. Viens-tu, Damien? Donne-moi ton bras, je me sens bien faible. Vous me laisserez chez Manfredi.

ANDRÉ, *bas à Lionel*. — La crois-tu mortelle?

LIONEL. — Je ne réponds de rien.

Ils sortent.

ANDRÉ, *seul*. — Pourquoi me laissent-ils? Il faut que j'aille avec eux. Où veulent-ils que j'aille? *(Il fait quelques pas vers la maison.)* Ah! cette maison déserte! Non, par le ciel je n'y retournerai pas ce soir. Si ces deux chambres-là doivent être vides cette nuit, la mienne le sera aussi. Il ne s'est pas défendu. Je n'ai pas senti son épée. Il a reçu le coup, cela est clair. Il va mourir chez Manfredi.

C'est singulier. Je me suis pourtant déjà battu. Lucrèce partie; seule! par cette horrible nuit! Est-ce que je n'entends pas marcher là-dedans? *(Il va du côté des arbres.)* Non, personne. Il va mourir. Lucrèce seule! avec une femme! Eh bien! quoi? je suis trompé par cette femme.

Je me bats avec son amant. Je le blesse. Me voilà vengé.
Tout est dit. Qu'ai-je à faire à présent?

Ah! cette maison déserte! cela est affreux. Quand je
pense à ce qu'elle était hier au soir! à ce que j'avais, à
ce que j'ai perdu! Qu'est-ce donc pour moi que la vengeance? Quoi! voilà tout? Et rester seul ainsi? A qui cela
rend-il la vie, de faire mourir un meurtrier? Quoi! répondez? Qu'avais-je affaire de chasser ma femme? d'égorger
cet homme? Il n'y a point d'offensé, il n'y a qu'un
malheureux. Je me soucie bien de vos lois d'honneur!
Cela me console bien que vous ayez inventé cela pour
ceux qui se trouvent dans ma position! que vous l'ayez
réglé comme une cérémonie! Où sont mes vingt années
de bonheur? ma femme? mon ami? le soleil de mes
jours? le repos de mes nuits? Voilà ce qui me reste. *(Il
regarde son épée.)* Que me veux-tu, toi? On t'appelle
l'amie des offensés. Il n'y a point ici d'homme offensé.
Que la rosée essuie ton sang! *(Il la jette.)* Ah! cette
affreuse maison! Mon Dieu! mon Dieu! *(Il pleure à
chaudes larmes.)*

                                        L'enterrement passe.

Qui enterrez-vous là?

Les Porteurs. — Nicolas Grémio.

André. — Et toi aussi, mon pauvre vieux, et toi aussi
tu m'abandonnes!

ACTE III

SCÈNE I

Une rue. Il est toujours nuit.

LIONEL, DAMIEN ET CORDIANI *entrent.*

CORDIANI. — Je ne puis marcher. Le sang m'étouffe. Arrêtez-moi sur ce banc.

Ils le posent sur un banc.

LIONEL. — Que sentez-vous ?

CORDIANI. — Je me meurs, je me meurs. Au nom du ciel, un verre d'eau !

DAMIEN. — Restez ici, Lionel. Un médecin de ma connaissance demeure au bout de cette rue. Je cours le chercher.

CORDIANI. — Il est trop tard, Damien.

LIONEL. — Prenez patience. Je vais frapper à cette maison. *(Il frappe.)* Peut-être pourrons-nous y trouver quelque secours en attendant l'arrivée du médecin. Personne ! *(Il frappe de nouveau.)*

UNE VOIX, *en dedans.* — Qui est là ?

LIONEL. — Ouvrez ! ouvrez, qui que vous soyez vous-même. Au nom de l'hospitalité, ouvrez.

LE PORTIER, *ouvrant.* — Que voulez-vous ?

LIONEL. — Voilà un gentilhomme blessé à mort. Apportez-nous un verre d'eau et de quoi panser la plaie.

Le portier sort.

CORDIANI. — Laissez-moi, Lionel. Allez retrouver André. C'est lui qui est blessé, et non pas moi. C'est lui que toute la science humaine ne guérira pas cette nuit. Pauvre André ! pauvre André !

LE PORTIER, *rentre.* — Buvez cela, mon cher seigneur, et puisse le ciel venir à votre aide !

LIONEL. — A qui appartient cette maison ?

LE PORTIER. — A Monna Flora del Fede.

CORDIANI. — La mère de Lucrèce ! O Lionel, Lionel, sortons d'ici. *(Il se soulève.)* Je ne puis bouger. Mes forces m'abandonnent.

LIONEL. — Sa fille Lucrèce n'est-elle pas venue ce soir ici ?

LE PORTIER. — Non, Monsieur.

LIONEL. — Non! pas encore! cela est singulier!

LE PORTIER. — Pourquoi viendrait-elle à cette heure ?

Lucrèce et Spinette arrivent.

LUCRÈCE. — Frappe à la porte, Spinette, je ne m'en sens pas le courage.

SPINETTE. — Qui est là sur ce banc, couvert de sang et prêt à mourir ?

CORDIANI. — Ah! malheureux!

LUCRÈCE. — Tu demandes qui ? C'est Cordiani. *(Elle se jette sur le banc.)* Est-ce toi ? est-ce toi ? Qui t'a amené ici ? qui t'a abandonné sur cette pierre ? Où est André, Lionel ? Ah! il se meurt! Comment, Paolo, tu ne l'as pas fait porter chez ma mère ?

LE PORTIER. — Ma maîtresse n'est pas à Florence, Madame.

LUCRÈCE. — Où est-elle donc ? N'y a-t-il pas un médecin à Florence ? Allons, Monsieur, aidez-moi, et portons-le dans la maison.

SPINETTE. — Songez à cela, Madame.

LUCRÈCE. — Songer à quoi ? es-tu folle ? et que m'importe ? Ne vois-tu pas qu'il est mourant ? Ce ne serait pas lui que je le ferais.

Damien et un médecin arrivent.

DAMIEN. — Par ici, Monsieur. Dieu veuille qu'il soit temps encore!

LUCRÈCE, *au médecin.* — Venez, Monsieur, aidez-nous. Ouvre-nous les portes, Paolo. Ce n'est pas mortel, n'est-ce pas ?

DAMIEN. — Ne vaudrait-il pas mieux tâcher de le transporter jusque chez Manfredi ?

LUCRÈCE. — Qui est-ce, Manfredi ? Me voilà, moi, qui suis sa maîtresse. Voilà ma maison. C'est pour moi qu'il meurt, n'est-il pas vrai ? Eh bien! donc, qu'avez-vous à dire ? Oui, cela est certain, je suis la femme d'André del Sarto. Et que m'importe ce qu'on en dira ? ne suis-je pas chassée par mon mari ? ne serai-je pas la fable de la ville dans deux heures d'ici ? Manfredi ? Et que dira-t-on ? On dira que Lucretia del Fede a trouvé Cordiani mourant à sa porte, et qu'elle l'a fait porter chez elle. Entrez! entrez!

Ils entrent dans la maison, emportant Cordiani.

LIONEL, *resté seul*. — Mon devoir est rempli; maintenant, à André! il doit être bien triste, le pauvre homme!

André entre pensif et se dirige vers la maison.

LIONEL. — Qui êtes-vous? où allez-vous?

André ne répond pas.

C'est vous, André? Que venez-vous faire ici?

ANDRÉ. — Je vais voir la mère de ma femme.

LIONEL. — Elle n'est pas à Florence.

ANDRÉ. — Ah! où est donc Lucrèce, en ce cas?

LIONEL. — Je ne sais; mais ce dont je suis certain, c'est que Monna Flora est absente : retournez chez vous, mon ami.

ANDRÉ. — Comment le savez-vous, et par quel hasard êtes-vous là?

LIONEL. — Je revenais de chez Manfredi, où j'ai laissé Cordiani, et en passant, j'ai voulu savoir...

ANDRÉ. — Cordiani se meurt, n'est-il pas vrai?

LIONEL. — Non; ses amis espèrent qu'on le sauvera.

ANDRÉ. — Tu te trompes, il y a du monde dans la maison; vois donc ces lumières qui vont et viennent. *(Il va regarder à la fenêtre.)* Ah!

LIONEL. — Que voyez-vous?

ANDRÉ. — Suis-je fou, Lionel? J'ai cru voir passer dans la chambre basse Cordiani, tout couvert de sang, appuyé sur le bras de Lucrèce!

LIONEL. — Vous avez vu Cordiani appuyé sur le bras de Lucrèce?

ANDRÉ. — Tout couvert de son sang.

LIONEL. — Retournons chez vous, mon ami.

ANDRÉ. — Silence! Il faut que je frappe à la porte.

LIONEL. — Pour quoi faire? Je vous dis que Monna Flora est absente. Je viens d'y frapper moi-même.

ANDRÉ. — Je l'ai vu! laisse-moi.

LIONEL. — Qu'allez-vous faire, mon ami? êtes-vous un homme? Si votre femme se respecte assez peu pour recevoir chez sa mère l'auteur d'un crime que vous avez puni, est-ce à vous d'oublier qu'il meurt de votre main, et de troubler peut-être ses derniers instants?

ANDRÉ. — Que veux-tu que je fasse? oui, oui, je les tuerais tous deux! Ah! ma raison est égarée. Je vois ce qui n'est pas. Cette nuit tout entière, j'ai couru dans ces rues désertes au milieu de spectres affreux. Tiens, vois, j'ai acheté du poison.

LIONEL. — Prenez mon bras et sortons.

ANDRÉ, *retourne à la fenêtre.* — Plus rien! ils sont là, n'est-ce pas?

LIONEL. — Au nom du ciel, soyez maître de vous. Que voulez-vous faire? Il est impossible que vous assistiez à un tel spectacle et toute violence en cette occasion serait de la cruauté. Votre ennemi expire; que voulez-vous de plus?

ANDRÉ. — Mon ennemi! lui, mon ennemi! le plus cher, le meilleur de mes amis? Qu'a-t-il donc fait? il l'a aimée. Sortons, Lionel, je les tuerais tous deux de ma main.

LIONEL. — Nous verrons demain ce qui vous reste à faire. Confiez-vous à moi; votre honneur m'est aussi sacré que le mien, et mes cheveux gris vous en répondent.

ANDRÉ. — Ce qui me reste à faire? Et que veux-tu que je devienne? Il faut que je parle à Lucrèce. *(Il s'avance vers la porte.)*

LIONEL. — André, André, je vous en supplie, n'approchez pas de cette porte. Avez-vous perdu toute espèce de courage? La position où vous êtes est affreuse, personne n'y compatit plus vivement, plus sincèrement que moi. J'ai une femme aussi, j'ai des enfants; mais la fermeté d'un homme ne doit-elle pas lui servir de bouclier? Demain, vous pourrez entendre des conseils qu'il m'est impossible de vous adresser en ce moment.

ANDRÉ. — C'est vrai, c'est vrai! qu'il meure en paix! dans ses bras, Lionel! Elle veille et pleure sur lui! A travers les ombres de la mort, il voit errer autour de lui cette tête adorée! elle lui sourit et l'encourage! Elle lui présente la coupe salutaire; elle est pour lui l'image de la vie. Ah! tout cela m'appartenait; c'était ainsi que je voulais mourir. Viens, partons, Lionel. *(Il frappe à la porte.)* Holà! Paolo! Paolo!

LIONEL. — Que faites-vous, malheureux?

ANDRÉ. — Je n'entrerai pas.

Paolo paraît.

Pose ta lumière sur ce banc; il faut que j'écrive à Lucrèce.

LIONEL. — Et que voulez-vous lui dire?

ANDRÉ. — Tiens, tu lui remettras ce billet; tu lui diras que j'attends sa réponse chez moi; oui, chez moi : je ne saurais rester ici. Viens, Lionel. Chez moi, entends-tu?

Ils sortent.

SCÈNE II

La maison d'André. — Il est jour.

JEAN, MONTJOIE.

JEAN. — Je crois qu'on frappe à la grille. *(Il ouvre.)* Que demandez-vous, Excellence ?

Entrent Montjoie et sa suite.

MONTJOIE. — Le peintre André del Sarto ?

JEAN. — Il n'est pas au logis, Monseigneur.

MONTJOIE. — Si sa porte est fermée, dis-lui que c'est l'envoyé du roi de France qui le fait demander.

JEAN. — Si Votre Excellence veut entrer dans l'académie, mon maître peut revenir d'un instant à l'autre.

MONTJOIE. — Entrons, Messieurs. Je ne suis pas fâché de visiter les ateliers et de voir ses élèves.

JEAN. — Hélas ! Monseigneur, l'académie est déserte aujourd'hui. Mon maître a reçu très peu d'écoliers cette année, et à compter de ce jour personne ne vient plus ici.

MONTJOIE. — Vraiment ? On m'avait dit tout le contraire... Est-ce que ton maître n'est plus professeur à l'école ?

JEAN. — Le voilà lui-même, accompagné d'un de ses amis.

MONTJOIE. — Qui ? cet homme qui détourne la rue ? Le vieux ou le jeune ?

JEAN. — Le plus jeune des deux.

MONTJOIE. — Quel visage pâle et abattu ! quelle tristesse profonde sur tous ses traits ! et ses vêtements en désordre ! Est-ce là le peintre André del Sarto ?

André et Lionel entrent.

LIONEL. — Seigneur, je vous salue. Qui êtes-vous ?

MONTJOIE. — C'est à André del Sarto que nous avons affaire. Je suis le comte de Montjoie, envoyé du roi de France.

ANDRÉ. — Du roi de France ? J'ai volé votre maître, Monsieur. L'argent qu'il m'a confié est dissipé, et je n'ai pas acheté un seul tableau pour lui. *(A un valet.)* Paolo est-il venu ?

MONTJOIE. — Parlez-vous sérieusement ?

LIONEL. — Ne le croyez pas, Messieurs. Mon ami André est aujourd'hui..., pour certaines raisons..., une affaire malheureuse..., hors d'état de vous répondre et d'avoir l'honneur de vous recevoir.

MONTJOIE. — S'il en est ainsi, nous reviendrons un autre jour.

ANDRÉ. — Pourquoi? Je vous dis que je l'ai volé. Cela est très sérieux. Tu ne sais pas que je l'ai volé, Lionel? Vous reviendriez cent fois que ce serait de même.

MONTJOIE. — Cela est incroyable.

ANDRÉ. — Pas du tout; cela est tout simple. J'avais une femme... Non, non! Je veux dire seulement que j'ai usé de l'argent du roi de France, comme s'il m'appartenait.

MONTJOIE. — Est-ce ainsi que vous exécutez votre promesse? Où sont les tableaux que François Ier vous avait chargé d'acheter pour lui?

ANDRÉ. — Les miens sont là-dedans; prenez-les, si vous voulez; ils ne valent rien. J'ai eu du génie autrefois, ou quelque chose qui ressemblait à du génie; mais j'ai toujours fait mes tableaux trop vite, pour avoir de l'argent comptant. Prenez-les, cependant. Jean, apporte les deux tableaux que tu trouveras sur le chevalet. Ma femme aimait le plaisir, Messieurs. Vous direz au roi de France qu'il obtienne l'extradition, et il me fera juger par ses tribunaux. Ah! le Corrège, voilà un peintre! Il était plus pauvre que moi; mais jamais un tableau n'est sorti de son atelier un quart d'heure trop tôt. L'honnêteté! l'honnêteté! voilà la grande parole. Le cœur des femmes est un abîme.

MONTJOIE, à Lionel. — Ses paroles annoncent le délire. Qu'en devons-nous penser? Est-ce là l'homme qui vivait en prince à la cour de France? dont tout le monde écoutait les conseils, comme un oracle en fait d'architecture et de beaux-arts?

LIONEL. — Je ne puis vous dire le motif de l'état où vous le voyez. Si vous en êtes touché, ménagez-le.

On apporte les deux tableaux.

ANDRÉ. — Ah! les voilà. Tenez. Messieurs, faites-les emporter. Non pas que je leur donne aucun prix. Une somme si forte, d'ailleurs! de quoi payer des Raphaël! Ah! Raphaël! il est mort heureux, dans les bras de sa maîtresse.

MONTJOIE, *regardant*. — C'est une magnifique peinture.

ANDRÉ. — Trop vite! trop vite! Emportez-les; que tout soit fini. Ah! un instant. *(Il arrête les porteurs.)* Tu me regardes, toi, pauvre fille! *(A la figure de la Charité que représente le tableau.)* Tu veux me dire adieu! C'était la

Charité, Messieurs. C'était la plus belle, la plus douce des vertus humaines. Tu n'avais pas eu de modèle, toi! Tu m'étais apparue dans un songe, par une triste nuit! pâle comme te voilà, entourée de tes chers enfants qui pressent ta mamelle. Celui-là vient de glisser à terre, et regarde sa belle nourrice en cueillant quelques fleurs des champs. Donnez cela à votre maître, Messieurs. Mon nom est au bas. Cela vaut quelque argent. Paolo n'est pas venu me demander?

UN VALET. — Non, Monsieur.

ANDRÉ. — Que fait-il donc? ma vie est dans ses mains.

LIONEL, *à Montjoie*. — Au nom du ciel! Messieurs, retirez-vous. Je vous le mènerai demain, si je puis. Vous le voyez vous-même; un malheur imprévu lui a troublé l'esprit.

MONTJOIE. — Nous obéissons, Monsieur; excusez-nous et tenez votre promesse.

Ils sortent.

ANDRÉ. — J'étais né pour vivre tranquille, vois-tu! je ne sais point être malheureux. Qui peut retenir Paolo?

LIONEL. — Et que demandez-vous donc dans cette fatale lettre, dont vous attendez si impatiemment la réponse?

ANDRÉ. — Tu as raison; allons-y nous-mêmes. Il vaut toujours mieux s'expliquer de vive voix.

LIONEL. — Ne vous éloignez pas dans ce moment, puisque Paolo doit vous retrouver ici : ce ne serait que du temps perdu.

ANDRÉ. — Elle ne répondra pas. Oh! comble de misère! Je supplie, Lionel, lorsque je devrais punir. Ne me juge pas, mon ami, comme tu pourrais faire un autre homme. Je suis un homme sans caractère, vois-tu? j'étais né pour vivre tranquille.

LIONEL. — Sa douleur me confond malgré moi.

ANDRÉ. — O honte! ô humiliation! elle ne répondra pas. Comment en suis-je venu là? Sais-tu ce que je lui demande? Ah! la lâcheté elle-même en rougirait, Lionel; je lui demande de revenir à moi.

LIONEL. — Est-ce possible?

ANDRÉ. — Oui, oui, je sais tout cela. J'ai fait un éclat : eh bien! dis-moi, qu'y ai-je gagné? Je me suis conduit comme tu l'as voulu; eh bien! je suis le plus malheureux des hommes. Apprends-le donc, je l'aime, je l'aime plus que jamais.

LIONEL. — Insensé!

ANDRÉ. — Crois-tu qu'elle y consente ? Il faut me pardonner d'être un lâche. Mon père était un pauvre ouvrier. Ce Paolo ne viendra pas. Je ne suis point un gentilhomme ; le sang qui coule dans mes veines n'est pas un noble sang.

LIONEL. — Plus noble que tu ne crois.

ANDRÉ. — Mon père était un pauvre ouvrier... Penses-tu que Cordiani en meure ? Le peu de talent qu'on remarqua en moi fit croire au pauvre homme que j'étais protégé par une fée. Et moi, je regardais dans mes promenades les bois et les ruisseaux, espérant toujours voir ma divine protectrice sortir d'un antre mystérieux. C'est ainsi que la toute-puissante nature m'attirait à elle. Je me fis peintre, et, lambeau par lambeau, le voile des illusions tomba en poussière à mes pieds.

LIONEL. — Pauvre André !

ANDRÉ. — Elle seule ! Oui, quand elle parut, je crus que mon rêve se réalisait, et que ma Galatée s'animait sous mes mains. Insensé ! mon génie mourut dans mon amour ; tout fut perdu pour moi... Cordiani se meurt, et Lucrèce voudra le suivre... Oh ! massacre et furie ! cet homme ne vient point.

LIONEL. — Envoie quelqu'un chez Monna Flora.

ANDRÉ. — C'est vrai. Mathurin, va chez Monna Flora. Écoute. (A part.) Observe tout ; tâche de rôder dans la maison ; demande la réponse à ma lettre ; va, et sois revenu tout à l'heure... Mais pourquoi pas nous-mêmes, Lionel ? O solitude ! solitude ! que ferai-je de ces mains-là ?

LIONEL. — Calmez-vous, de grâce.

ANDRÉ. — Je la tenais embrassée durant les longues nuits d'été, sur mon balcon gothique. Je voyais tomber en silence les étoiles des mondes détruits. Qu'est-ce que la gloire ? m'écriais-je ; qu'est-ce que l'ambition ? Hélas ! l'homme tend à la nature une coupe aussi large et aussi vide qu'elle. Elle n'y laisse tomber qu'une goutte de sa rosée ; mais cette goutte est l'amour, c'est une larme de ses yeux, la seule qu'elle ait versée sur cette terre pour la consoler d'être sortie de ses mains. Lionel, Lionel, mon heure est venue.

LIONEL. — Prends courage.

ANDRÉ. — C'est singulier, je n'ai jamais éprouvé cela. Il m'a semblé qu'un coup me frappait. Tout se détache de moi. Il m'a semblé que Lucrèce partait.

LIONEL. — Que Lucrèce partait !

ANDRÉ. — Oui, je suis sûr que Lucrèce part sans me répondre.

LIONEL. — Comment cela?

ANDRÉ. — J'en suis sûr; je viens de la voir.

LIONEL. — De la voir! Où? comment?

ANDRÉ. — J'en suis sûr; elle est partie.

LIONEL. — Cela est étrange!

ANDRÉ. — Tiens, voilà Mathurin.

MATHURIN, *entrant*. — Mon maître est-il ici?

ANDRÉ. — Oui, me voilà.

MATHURIN. — J'ai tout appris.

ANDRÉ. — Eh bien?

MATHURIN, *le tirant à part*. — Dois-je vous dire tout, maître?

ANDRÉ. — Oui, oui.

MATHURIN. — J'ai rôdé autour de la maison, comme vous me l'aviez ordonné.

ANDRÉ. — Eh bien?

MATHURIN. — J'ai fait parler le vieux concierge, et je sais tout au mieux.

ANDRÉ. — Parle donc.

MATHURIN. — Cordiani est guéri; la blessure était peu de chose. Au premier coup de lancette il s'est trouvé soulagé.

ANDRÉ. — Et Lucrèce?

MATHURIN. — Partie avec lui.

ANDRÉ. — Qui, lui?

MATHURIN. — Cordiani.

ANDRÉ. — Tu es fou. Un homme que j'ai vu prêt à rendre l'âme, il y a a... c'est cette nuit même.

MATHURIN. — Il a voulu partir dès qu'il s'est senti la force de marcher. Il disait qu'un soldat en ferait autant à sa place, et qu'il fallait être mort ou vivant.

ANDRÉ. — Cela est incroyable! où vont-ils?

MATHURIN. — Ils ont pris la route du Piémont.

ANDRÉ. — Tous deux à cheval!

MATHURIN. — Oui, Monsieur.

ANDRÉ. — Cela n'est pas possible; il ne pouvait marcher cette nuit.

MATHURIN. — Cela est vrai, pourtant; c'est Paolo, le concierge, qui m'a tout avoué.

ANDRÉ. — Lionel! entends-tu, Lionel? Ils partent ensemble pour le Piémont.

LIONEL. — Que dis-tu, André?

ANDRÉ. — Rien! rien! Qu'on me selle un cheval! Allons, vite, il faut que je parte à l'instant. Aussi bien j'y vais moi-même. Par quelle porte sont-ils sortis?

MATHURIN. — Du côté du fleuve.

ANDRÉ. — Bien, bien! mon manteau! Adieu, Lionel.

LIONEL. — Où vas-tu?

ANDRÉ. — Je ne sais, je ne sais! Ah! des armes! du sang!

LIONEL. — Où vas-tu? réponds!

ANDRÉ. — Quant au roi de France, je l'ai volé. J'irais demain les voir que ce serait toujours la même chose. Ainsi...

Il va sortir et rencontre Damien.

DAMIEN. — Où vas-tu, André?

ANDRÉ. — Ah! tu as raison. La terre se dérobe. O Damien! Damien!

Il tombe évanoui.

LIONEL. — Cette nuit l'a tué. Il n'a pu supporter son malheur.

DAMIEN. — Laissez-moi lui mouiller les tempes. *(Il trempe son mouchoir dans une fontaine.)* Pauvre ami! comme une nuit l'a changé! Le voilà qui rouvre les yeux.

ANDRÉ. — Ils sont partis, Damien?

DAMIEN. — Que lui dirais-je? Il a donc tout appris?

ANDRÉ. — Ne me mens pas. Je ne les poursuivrai point. Mes forces m'ont abandonné. Qu'ai-je voulu faire? J'ai voulu avoir du courage, et je n'en ai point. Maintenant vous le voyez, je ne puis partir. Laissez-moi parler à cet homme.

MATHURIN *s'approche d'André.* — Plaît-il, maître?

ANDRÉ. — Aussi bien ne suis-je pas déshonoré? Qu'ai-je à faire en ce monde? O lumière du soleil! O belle nature! Ils s'aiment, ils sont heureux. Comme ils courent joyeux dans la plaine! Leurs chevaux s'animent, et le vent qui passe emporte leurs baisers. La patrie? la patrie? ils n'en ont point ceux qui partent ensemble.

DAMIEN. — Sa main est froide comme le marbre.

ANDRÉ, *bas à Mathurin.* — Écoute-moi, Mathurin, écoute-moi, et rappelle-toi mes paroles. Tu vas prendre un cheval; tu vas aller chez Monna Flora t'informer au juste de la route. Tu lanceras ton cheval au galop. Retiens ce que je te dis. Ne me le fais pas répéter deux fois, je ne le pourrais pas. Tu les rejoindras dans la plaine; tu les aborderas, Mathurin, et tu leur diras : Pourquoi fuyez-vous si vite? La veuve d'André del Sarto peut épouser Cordiani.

MATHURIN. — Faut-il dire cela, Monseigneur?

ANDRÉ. — Va, va, ne me fais pas répéter.

Mathurin sort.

LIONEL. — Qu'as-tu dit à cet homme?

ANDRÉ. — Ne l'arrête pas. Il va chez la mère de ma femme. Maintenant qu'on m'apporte ma coupe pleine d'un vin généreux.

LIONEL. — A peine peut-il se soulever.

ANDRÉ. — Menez-moi jusqu'à cette porte, mes amis. *(Prenant la coupe.)* C'était celle des joyeux repas.

DAMIEN. — Que cherches-tu sur ta poitrine?

ANDRÉ. — Rien! rien! je croyais l'avoir perdu. *(Il boit.)* A la mort des arts en Italie!

LIONEL. — Arrête; quel est ce flacon dont tu t'es versé quelques gouttes, et qui s'échappe de ta main?

ANDRÉ. — C'est un cordial puissant. Approche-le de tes lèvres, et tu seras guéri, quel que soit le mal dont tu souffres.

Il meurt.

SCÈNE III

Bois et montagnes.

LUCRÈCE et CORDIANI *sur une colline,*
les chevaux dans le fond.

CORDIANI. — Allons! le soleil baisse; il est temps de remonter.

LUCRÈCE. — Comme mon cheval s'est cabré en quittant la ville! En vérité, tous ces pressentiments funestes sont singuliers.

CORDIANI. — Je ne veux avoir ni le temps de penser, ni le temps de souffrir. Je porte un double appareil sur ma double plaie. Marchons, marchons! n'attendons pas la nuit.

LUCRÈCE. — Quel est ce cavalier qui accourt à toute bride? Depuis longtemps je le vois derrière nous.

CORDIANI. — Montons à cheval, Lucrèce, et ne retournons pas la tête.

LUCRÈCE. — Il approche! Il descend à moi.

CORDIANI. — Partons! lève-toi et ne l'écoute pas. *(Ils se dirigent vers leurs chevaux.)*

MATHURIN, *descendant de cheval.* — Pourquoi fuyez-vous si vite? La veuve d'André del Sarto peut épouser Cordiani.

FIN D' « ANDRÉ DEL SARTO »

LES CAPRICES DE MARIANNE

« Comédie » en prose, publiée pour la première fois dans *la Revue des Deux Mondes* le 15 mai 1833, puis reprise en 1834 au premier tome d'*Un spectacle dans un fauteuil*, plus tard dans les *Comédies et Proverbes*, la pièce fut remaniée par Musset en vue de la représentation du 14 juin 1851 à la Comédie-Française, où le rôle de Marianne avait été confié à une jeune actrice de dix-huit ans, Madeleine Brohan, qui contribua pour beaucoup à son considérable succès.

Marianne représente la femme, telle que Musset la voyait alors, dans son orgueil et dans ses caprices. Aimée de Cœlio, elle le dédaigne, mais finit par offrir son amour au débauché Octave qui s'était chargé de plaider auprès d'elle la cause de son ami Cœlio et qui, à son tour, la repousse.

La comédie se passe à Naples, une Naples de fantaisie, et selon la version remaniée pour la scène, les personnages sont vêtus en costumes italiens du temps de François Ier. Les noms des personnages secondaires : Claudio, juge, Hermia, mère de Cœlio, Malvolio, intendant d'Hermia, sont tirés chacun de Shakespeare; mais si l'on en croit Paul de Musset, « pour créer la noble et tendre figure d'Hermia, l'auteur n'eut pas à chercher loin; il en avait le modèle sous les yeux dans la personne de sa mère, toujours occupée de lui épargner un souci ou d'ajouter quelque chose à son bien-être ».

Du 14 juin 1851 au 31 décembre 1963, cette comédie a été jouée 424 fois au Théâtre-Français.

M. R.

PERSONNAGES

CLAUDIO, juge.
MARIANNE, femme de Claudio.
CŒLIO.
OCTAVE.
TIBIA, valet de Claudio.
CIUTA, vieille femme.
HERMIA, mère de Cœlio.
DOMESTIQUES.
MALVOLIO, intendant d'Hermia.

Naples.

ACTE PREMIER

SCÈNE I

Une rue devant la maison de Claudio.

MARIANNE, *sortant de chez elle un livre de messe à la main.*
CIUTA, *l'aborde.*

CIUTA. — Ma belle dame, puis-je vous dire un mot?

MARIANNE. — Que me voulez-vous?

CIUTA. — Un jeune homme de cette ville est éperdument amoureux de vous; depuis un mois entier il cherche vainement l'occasion de vous l'apprendre. Son nom est Cœlio; il est d'une noble famille et d'une figure distinguée.

MARIANNE. — En voilà assez. Dites à celui qui vous envoie qu'il perd son temps et sa peine, et que s'il a l'audace de me faire entendre une seconde fois un pareil langage, j'en instruirai mon mari.

Elle sort.

CŒLIO, *entrant.* — Eh bien! Ciuta, qu'a-t-elle dit?

CIUTA. — Plus dévote et plus orgueilleuse que jamais. Elle instruira son mari, dit-elle, si on la poursuit plus longtemps.

CŒLIO. — Ah! malheureux que je suis, je n'ai plus qu'à mourir. Ah! la plus cruelle de toutes les femmes! Et que me conseilles-tu, Ciuta? quelle ressource puis-je encore trouver?

CIUTA. — Je vous conseille d'abord de sortir d'ici, car voici son mari qui la suit.

Ils sortent. — Entrent Claudio et Tibia.

CLAUDIO. — Es-tu mon fidèle serviteur? mon valet de chambre dévoué? Apprends que j'ai à me venger d'un outrage.

TIBIA. — Vous, Monsieur!

CLAUDIO. — Moi-même, puisque ces impudentes guitares ne cessent de murmurer sous les fenêtres de ma femme. Mais, patience! tout n'est pas fini. — Écoute un peu de ce côté-ci : voilà du monde qui pourrait nous entendre. Tu m'iras chercher ce soir le spadassin que je t'ai dit.

TIBIA. — Pour quoi faire?

CLAUDIO. — Je crois que Marianne a des amants.

TIBIA. — Vous croyez, Monsieur?

CLAUDIO. — Oui; il y a autour de ma maison une odeur d'amants; personne ne passe naturellement devant ma porte; il y pleut des guitares et des entremetteuses.

TIBIA. — Est-ce que vous pouvez empêcher qu'on donne des sérénades à votre femme?

CLAUDIO. — Non; mais je puis poster un homme derrière la poterne, et me débarrasser du premier qui entrera.

TIBIA. — Fi! votre femme n'a pas d'amants. — C'est comme si vous disiez que j'ai des maîtresses.

CLAUDIO. — Pourquoi n'en aurais-tu pas, Tibia? Tu es fort laid, mais tu as beaucoup d'esprit.

TIBIA. — J'en conviens, j'en conviens.

CLAUDIO. — Regarde, Tibia, tu en conviens toi-même; il n'en faut plus douter, et mon déshonneur est public.

TIBIA. — Pourquoi public?

CLAUDIO. — Je te dis qu'il est public.

TIBIA. — Mais, Monsieur, votre femme passe pour un dragon de vertu dans toute la ville; elle ne voit personne, elle ne sort de chez elle que pour aller à la messe.

CLAUDIO. — Laisse-moi faire. — Je ne me sens pas de colère, après tous les cadeaux qu'elle a reçus de moi. — Oui, Tibia, je machine en ce moment une épouvantable trame, et me sens prêt à mourir de douleur.

TIBIA. — Oh! que non.

CLAUDIO. — Quand je te dis quelque chose, tu me ferais plaisir de le croire.

Ils sortent.

CŒLIO, *rentrant.* — Malheur à celui qui, au milieu de la jeunesse, s'abandonne à un amour sans espoir! Malheur à celui qui se livre à une douce rêverie, avant de savoir où sa chimère le mène, et s'il peut être payé de retour! Mollement couché dans une barque, il s'éloigne peu à peu de la rive; il aperçoit au loin des plaines enchantées, de vertes prairies et le mirage léger de son Eldorado. Les vents l'entraînent en silence, et quand la réalité le réveille, il est aussi loin du but où il aspire que du rivage qu'il a quitté; il ne peut plus ni poursuivre sa route ni revenir sur ses pas.

On entend un bruit d'instruments.

Quelle est cette mascarade? N'est-ce pas Octave que j'aperçois?

Entre Octave.

OCTAVE. — Comment se porte, mon bon monsieur, cette gracieuse mélancolie ?

CŒLIO. — Octave ! ô fou que tu es ! tu as un pied de rouge sur les joues ! — D'où te vient cet accoutrement ! N'as-tu pas de honte en plein jour ?

OCTAVE. — O Cœlio ! fou que tu es ! tu as un pied de blanc sur les joues ! — D'où te vient ce large habit noir ? N'as-tu pas de honte en plein carnaval ?

CŒLIO. — Quelle vie que la tienne ! Ou tu es gris, ou je le suis moi-même.

OCTAVE. — Ou tu es amoureux, ou je le suis moi-même.

CŒLIO. — Plus que jamais de la belle Marianne.

OCTAVE. — Plus que jamais de vin de Chypre.

CŒLIO. — J'allais chez toi quand je t'ai rencontré.

OCTAVE. — Et moi aussi j'allais chez toi. Comment se porte ma maison ? Il y a huit jours que je ne l'ai vue.

CŒLIO. — J'ai un service à te demander.

OCTAVE. — Parle, Cœlio, mon cher enfant. Veux-tu de l'argent ? Je n'en ai plus. Veux-tu des conseils ? Je suis ivre. Veux-tu mon épée, voilà une batte d'arlequin. Parle, parle, dispose de moi.

CŒLIO. — Combien de temps cela durera-t-il ? Huit jours hors de chez toi ! Tu te tueras, Octave.

OCTAVE. — Jamais de ma propre main, mon ami, jamais ; j'aimerais mieux mourir que d'attenter à mes jours.

CŒLIO. — Et n'est-ce pas un suicide comme un autre, que la vie que tu mènes !

OCTAVE. — Figure-toi un danseur de corde, en brodequins d'argent, le balancier au poing, suspendu entre le ciel et la terre ; à droite et à gauche, de vieilles petites figures racornies, de maigres et pâles fantômes, des créanciers agiles, des parents et des courtisans, toute une légion de monstres, se suspendent à son manteau et le tiraillent de tous côtés pour lui faire perdre l'équilibre ; des phrases redondantes, de grands mots enchâssés cavalcadent autour de lui ; une nuée de prédictions sinistres l'aveugle de ses ailes noires. Il continue sa course légère de l'orient à l'occident. S'il regarde en bas, la tête lui tourne ; s'il regarde en haut, le pied lui manque. Il va plus vite que le vent, et toutes les mains tendues autour de lui ne lui feront pas renverser une goutte de la coupe joyeuse qu'il porte à la sienne. Voilà ma vie, mon cher ami ; c'est ma fidèle image que tu vois.

CŒLIO. — Que tu es heureux d'être fou !

OCTAVE. — Que tu es fou de ne pas être heureux! Dis-moi un peu, toi, qu'est-ce qui te manque?

CŒLIO. — Il me manque le repos, la douce insouciance qui fait de la vie un miroir où tous les objets se peignent un instant et sur lequel tout glisse. Une dette pour moi est un remords. L'amour, dont vous autres vous faites un passe-temps, trouble ma vie entière. O mon ami, tu ignoreras toujours ce que c'est qu'aimer comme moi! Mon cabinet d'étude est désert; depuis un mois j'erre autour de cette maison la nuit et le jour. Quel charme j'éprouve, au lever de la lune, à conduire sous ces petits arbres, au fond de cette place, mon chœur modeste de musiciens, à marquer moi-même la mesure, à les entendre chanter la beauté de Marianne! Jamais elle n'a paru à sa fenêtre; jamais elle n'est venue appuyer son front charmant sur sa jalousie.

OCTAVE. — Qui est cette Marianne? Est-ce que c'est ma cousine?

CŒLIO. — C'est elle-même, la femme du vieux Claudio.

OCTAVE. — Je ne l'ai jamais vue. Mais à coup sûr, elle est ma cousine. Claudio est fait exprès. Conte-moi tes intérêts, Cœlio.

CŒLIO. — Tous les moyens que j'ai tentés pour lui faire connaître mon amour ont été inutiles. Elle sort du couvent; elle aime son mari, et respecte ses devoirs. Sa porte est fermée à tous les jeunes gens de la ville, et personne ne peut l'approcher.

OCTAVE. — Ouais! est-elle jolie? — Sot que je suis! tu l'aimes, cela n'importe guère. Que pourrions-nous imaginer?

CŒLIO. — Faut-il te parler franchement? ne te riras-tu pas de moi?

OCTAVE. — Laisse-moi rire de toi, et parle franchement.

CŒLIO. — En ta qualité de parent, tu dois être reçu dans la maison.

OCTAVE. — Suis-je reçu? Je n'en sais rien. Admettons que je suis reçu. A te dire vrai, il y a une grande différence entre mon auguste famille et une botte d'asperges. Nous ne formons pas un faisceau bien serré, et nous ne tenons guère les uns aux autres que par écrit. Cependant Marianne connaît mon nom. Faut-il lui parler en ta faveur?

CŒLIO. — Vingt fois j'ai tenté de l'aborder; vingt fois j'ai senti mes genoux fléchir en approchant d'elle. J'ai été forcé de lui envoyer la vieille Ciuta. Quand je la vois, ma gorge se serre et j'étouffe, comme si mon cœur se soulevait jusqu'à mes lèvres.

OCTAVE. — J'ai éprouvé cela. C'est ainsi qu'au fond des forêts, lorsqu'une biche avance à petits pas sur les feuilles sèches, et que le chasseur entend les bruyères glisser sur ses flancs inquiets, comme le frôlement d'une robe légère, les battements de cœur le prennent malgré lui; il soulève son arme en silence, sans faire un pas et sans respirer.

CŒLIO. — Pourquoi donc suis-je ainsi? n'est-ce pas une vieille maxime parmi les libertins, que toutes les femmes se ressemblent? Pourquoi donc y a-t-il si peu d'amours qui se ressemblent? En vérité, je ne saurais aimer cette femme comme toi, Octave, tu l'aimerais, ou comme j'en aimerais une autre. Qu'est-ce donc pourtant que tout cela? Deux yeux bleus, deux lèvres vermeilles, une robe blanche et deux blanches mains. Pourquoi ce qui te rendrait joyeux et empressé, ce qui t'attirerait, toi, comme l'aiguille aimantée attire le fer, me rend-il triste et immobile? Qui pourrait dire : ceci est gai ou triste? La réalité n'est qu'une ombre. Appelle imagination ou folie ce qui la divinise. — Alors la folie est la beauté elle-même. Chaque homme marche enveloppé d'un réseau transparent qui le couvre de la tête aux pieds : il croit voir des bois et des fleuves, des visages divins, et l'universelle nature se teint sous ses regards des nuances infinies du tissu magique. Octave! Octave! viens à mon secours.

OCTAVE. — J'aime ton amour, Cœlio; il divague dans ta cervelle comme un flacon syracusain. Donne-moi la main; je viens à ton secours, attends un peu. L'air me frappe au visage et les idées me reviennent. Je connais cette Marianne; elle me déteste fort sans m'avoir jamais vu. C'est une mince poupée qui marmotte des *Ave* sans fin.

CŒLIO. — Fais ce que tu voudras, mais ne me trompe pas, je t'en conjure; il est aisé de me tromper; je ne sais pas me défier d'une action que je ne voudrais pas faire moi-même.

OCTAVE. — Si tu escaladais les murs?

CŒLIO. — Entre elle et moi est une muraille imaginaire que je n'ai pu escalader.

OCTAVE. — Si tu lui écrivais?

CŒLIO. — Elle déchire mes lettres ou me les renvoie.

OCTAVE. — Si tu en aimais une autre? Viens avec moi chez Rosalinde.

CŒLIO. — Le souffle de ma vie est à Marianne; elle peut d'un mot de ses lèvres l'anéantir ou l'embraser. Vivre pour une autre me serait plus difficile que de mourir pour elle; ou je réussirai, ou je me tuerai. Silence! la voici qui rentre; elle détourne la rue.

OCTAVE. — Retire-toi, je vais l'aborder.

CŒLIO. — Y penses-tu? dans l'équipage où te voilà! Essuie-toi le visage : tu as l'air d'un fou.

OCTAVE. — Voilà qui est fait. L'ivresse et moi, mon cher Cœlio, nous nous sommes trop chers l'un à l'autre pour nous jamais disputer; elle fait mes volontés comme je fais les siennes. N'aie aucune crainte là-dessus; c'est le fait d'un étudiant en vacance qui se grise un jour de grand dîner, de perdre la tête et de lutter avec le vin; moi, mon caractère est d'être ivre; ma façon de penser est de me laisser faire, et je parlerais au roi en ce moment, comme je vais parler à ta belle.

CŒLIO. — Je ne sais ce que j'éprouve. — Non, ne lui parle pas.

OCTAVE. — Pourquoi?

CŒLIO. — Je ne puis dire pourquoi; il me semble que tu vas me tromper.

OCTAVE. — Touche là. Je te jure sur mon honneur que Marianne sera à toi, ou à personne au monde, tant que j'y pourrai quelque chose.

Cœlio sort. — Entre Marianne. Octave l'aborde.

OCTAVE. — Ne vous détournez pas, princesse de beauté! laissez tomber vos regards sur le plus indigne de vos serviteurs.

MARIANNE. — Qui êtes-vous?

OCTAVE. — Mon nom est Octave; je suis cousin de votre mari.

MARIANNE. — Venez-vous pour le voir? entrez au logis, il va revenir.

OCTAVE. — Je ne viens pas pour le voir, et n'entrerai point au logis, de peur que vous ne m'en chassiez tout à l'heure, quand je vous aurai dit ce qui m'amène.

MARIANNE. — Dispensez-vous donc de le dire et de m'arrêter plus longtemps.

OCTAVE. — Je ne saurais m'en dispenser, et vous supplie de vous arrêter pour l'entendre. Cruelle Marianne! vos yeux ont causé bien du mal, et vos paroles ne sont pas faites pour le guérir. Que vous avait fait Cœlio?

MARIANNE. — De qui parlez-vous, et quel mal ai-je causé?

OCTAVE. — Un mal le plus cruel de tous, car c'est un

mal sans espérance; le plus terrible, car c'est un mal qui se chérit lui-même, et repousse la coupe salutaire jusque dans la main de l'amitié; un mal qui fait pâlir les lèvres sous des poisons plus doux que l'ambroisie, et qui fond en une pluie de larmes le cœur le plus dur, comme la perle de Cléopâtre; un mal que tous les aromates, toute la science humaine ne sauraient soulager, et qui se nourrit du vent qui passe, du parfum d'une rose fanée, du refrain d'une chanson, et qui suce l'éternel aliment de ses souffrances dans tout ce qui l'entoure, comme une abeille son miel dans tous les buissons d'un jardin.

MARIANNE. — Me direz-vous le nom de ce mal?

OCTAVE. — Que celui qui est digne de le prononcer vous le dise; que les rêves de vos nuits, que ces orangers verts, cette fraîche cascade vous l'apprennent, que vous puissiez le chercher un beau soir, vous le trouverez sur vos lèvres; son nom n'existe pas sans lui.

MARIANNE. — Est-il si dangereux à dire, si terrible dans sa contagion, qu'il effraye une langue qui plaide en sa faveur?

OCTAVE. — Est-il si doux à entendre, cousine, que vous le demandiez? Vous l'avez appris à Cœlio.

MARIANNE. — C'est donc sans le vouloir, je ne connais ni l'un ni l'autre.

OCTAVE. — Que vous les connaissiez ensemble, et que vous ne les sépariez jamais, voilà le souhait de mon cœur.

MARIANNE. — En vérité?

OCTAVE. — Cœlio est le meilleur de mes amis; si je voulais vous faire envie, je vous dirais qu'il est beau comme le jour, jeune, noble, et je ne mentirais pas; mais je ne veux que vous faire pitié, et je vous dirais qu'il est triste comme la mort, depuis le jour où il vous a vue.

MARIANNE. — Est-ce ma faute s'il est triste?

OCTAVE. — Est-ce sa faute si vous êtes belle? il ne pense qu'à vous; à toute heure il rôde autour de cette maison. N'avez-vous jamais entendu chanter sous vos fenêtres? N'avez-vous jamais soulevé, à minuit, cette jalousie et ce rideau?

MARIANNE. — Tout le monde peut chanter le soir, et cette place appartient à tout le monde.

OCTAVE. — Tout le monde aussi peut vous aimer; mais personne ne peut vous le dire. Quel âge avez-vous, Marianne?

MARIANNE. — Voilà une jolie question! et si je n'avais que dix-neuf ans, que voudriez-vous que j'en pense?

Octave. — Vous avez donc encore cinq ou six ans pour
être aimée, huit ou dix pour aimer vous-même et le reste
pour prier Dieu.

Marianne. — Vraiment? Eh bien! pour mettre le temps
à profit, j'aime Claudio, votre cousin et mon mari.

Octave. — Mon cousin et votre mari ne feront jamais
à eux deux qu'un pédant de village; vous n'aimez point
Claudio.

Marianne. — Ni Cœlio; vous pouvez le lui dire.

Octave. — Pourquoi?

Marianne. — Pourquoi n'aimerais-je pas Claudio?
C'est mon mari.

Octave. — Pourquoi n'aimeriez-vous pas Cœlio? C'est
votre amant.

Marianne. — Me direz-vous aussi pourquoi je vous
écoute? Adieu, seigneur Octave; voilà une plaisanterie
qui a duré assez longtemps.

Elle sort.

Octave. — Ma foi, ma foi! elle a de beaux yeux.

Il sort.

SCÈNE II

La maison de Cœlio.

HERMIA; plusieurs domestiques; MALVOLIO.

Hermia. — Disposez ces fleurs comme je vous l'ai
ordonné; a-t-on dit aux musiciens de venir?

Un Domestique. — Oui, madame; ils seront ici à l'heure
du souper.

Hermia. — Ces jalousies fermées sont trop sombres;
qu'on laisse entrer le jour sans laisser entrer le soleil. —
Plus de fleurs autour de ce lit; le souper est-il bon? Aurons-
nous notre belle voisine, la comtesse Pergoli? A quelle
heure est sorti mon fils?

Malvolio. — Pour être sorti, il faudrait d'abord qu'il
fût rentré. Il a passé la nuit dehors.

Hermia. — Vous ne savez ce que vous dites. — Il a
soupé hier avec moi, et m'a ramenée ici. A-t-on fait
porter dans le cabinet d'étude le tableau que j'ai acheté
ce matin?

Malvolio. — Du vivant de son père, il n'en aurait pas

été ainsi. Ne dirait-on pas que notre maîtresse a dix-huit
ans, et qu'elle attend son Sigisbé ?

HERMIA. — Mais du vivant de sa mère, il en est ainsi,
Malvolio. Qui vous a chargé de veiller sur sa conduite ?
Songez-y : que Cœlio ne rencontre pas sur son passage un
visage de mauvais augure ; qu'il ne vous entende pas
grommeler entre vos dents, comme un chien de basse-cour
à qui l'on dispute l'os qu'il veut ronger, ou, par le ciel,
pas un de vous ne passera la nuit sous ce toit.

MALVOLIO. — Je ne grommelle rien, ma figure n'est
pas un mauvais présage : vous me demandez à quelle
heure est sorti mon maître, et je vous réponds qu'il n'est
pas rentré. Depuis qu'il a l'amour en tête, on ne le voit pas
quatre fois la semaine.

HERMIA. — Pourquoi ces livres sont-ils couverts de
poussière ? Pourquoi ces meubles sont-ils en désordre ?
Pourquoi faut-il que je mette ici la main à tout, si je veux
obtenir quelque chose ? Il vous appartient bien de lever
les yeux sur ce qui ne vous regarde pas, lorsque votre
ouvrage est à moitié fait, et que les soins dont on vous
charge retombent sur les autres. Allez, et retenez votre
langue.

Entre Cœlio.

Eh bien, mon cher enfant, quels seront vos plaisirs
aujourd'hui ?

Les domestiques se retirent.

CŒLIO. — Les vôtres, ma mère. *(Il s'assoit.)*

HERMIA. — Eh quoi ! les plaisirs communs, et non les
peines communes ? C'est un partage injuste, Cœlio. Ayez
des secrets pour moi, mon enfant, mais non pas de ceux
qui vous rongent le cœur, et vous rendent insensible à
tout ce qui vous entoure.

CŒLIO. — Je n'ai point de secret, et plût à Dieu, si
j'en avais, qu'ils fussent de nature à faire de moi une
statue !

HERMIA. — Quand vous aviez dix ou douze ans, toutes
vos peines, tous vos petits chagrins se rattachaient à moi ;
d'un regard sévère ou indulgent de ces yeux que voilà,
dépendait la tristesse ou la joie des vôtres, et votre petite
tête blonde tenait par un fil bien délié au cœur de votre
mère. Maintenant, mon enfant, je ne suis plus que votre
vieille sœur, incapable peut-être de soulager vos ennuis
mais non pas de les partager.

CŒLIO. — Et vous aussi, vous avez été belle ! Sous ces
cheveux argentés qui ombragent votre noble front, sous ce

long manteau qui vous couvre, l'œil reconnaît encore le
port majestueux d'une reine, et les formes gracieuses d'une
Diane chasseresse. O ma mère! vous avez inspiré l'amour!
Sous vos fenêtres entr'ouvertes a murmuré le son de la
guitare; sur ces places bruyantes, dans le tourbillon de ces
fêtes, vous avez promené une insouciante et superbe
jeunesse; vous n'avez point aimé; un parent de mon père
est mort d'amour pour vous.

HERMIA. — Quel souvenir me rappelles-tu?

CŒLIO. — Ah! si votre cœur peut en supporter la
tristesse, si ce n'est pas vous demander des larmes, racon-
tez-moi cette aventure, ma mère, faites-m'en connaître les
détails.

HERMIA. — Votre père ne m'avait jamais vue alors. Il se
chargea, comme allié de ma famille, de faire agréer la
demande du jeune Orsini, qui voulait m'épouser. Il fut
reçu comme le méritait son rang, par votre grand-père, et
admis dans notre intimité. Orsini était un excellent parti,
et cependant je le refusai. Votre père, en plaidant pour lui,
avait tué dans mon cœur le peu d'amour qu'il m'avait
inspiré pendant deux mois d'assiduités constantes. Je
n'avais pas soupçonné la force de sa passion pour moi.
Lorsqu'on lui apporta ma réponse, il tomba, privé de
connaissance, dans les bras de votre père. Cependant une
longue absence, un voyage qu'il entreprit alors, et dans
lequel il augmenta sa fortune, devaient avoir dissipé ses
chagrins. Votre père changea de rôle, et demanda pour lui
ce qu'il n'avait pu obtenir pour Orsini. Je l'aimais d'un
amour sincère, et l'estime qu'il avait inspirée à mes parents
ne me permit pas d'hésiter. Le mariage fut décidé le jour
même, et l'église s'ouvrit pour nous quelques semaines
après. Orsini revint à cette époque. Il fut trouver votre
père, l'accabla de reproches, l'accusa d'avoir trahi sa
confiance, et d'avoir causé le refus qu'il avait essuyé.
Du reste, ajouta-t-il, si vous avez désiré ma perte, vous
serez satisfait. Épouvanté de ces paroles, votre père vint
trouver le mien, et lui demander son témoignage pour
désabuser Orsini. — Hélas! il n'était plus temps; on
trouva dans sa chambre le pauvre jeune homme traversé
de part en part de plusieurs coups d'épée.

SCÈNE III

Le jardin de Claudio.

CLAUDIO ET TIBIA, *entrant.*

CLAUDIO. — Tu as raison, et ma femme est un trésor de pureté. Que te dirai-je de plus ? c'est une vertu solide.

TIBIA. — Vous croyez, Monsieur ?

CLAUDIO. — Peut-elle empêcher qu'on ne chante sous ses croisées ? Les signes d'impatience qu'elle peut donner dans son intérieur sont les suites de son caractère. As-tu remarqué que sa mère, lorsque j'ai touché cette corde, a été tout d'un coup du même avis que moi ?

TIBIA. — Relativement à quoi ?

CLAUDIO. — Relativement à ce qu'on chante sous ses croisées.

TIBIA. — Chanter n'est pas un mal, je fredonne moi-même à tout moment.

CLAUDIO. — Mais bien chanter est difficile.

TIBIA. — Difficile pour vous et pour moi, qui, n'ayant pas reçu de voix de la nature, ne l'avons jamais cultivée. Mais voyez comme ces acteurs de théâtre s'en tirent habilement.

CLAUDIO. — Ces gens-là passent leur vie sur les planches.

TIBIA. — Combien croyez-vous qu'on puisse donner par an ?

CLAUDIO. — A qui ? à un juge de paix ?

TIBIA. — Non, à un chanteur.

CLAUDIO. — Je n'en sais rien. — On donne à un juge de paix le tiers de ce que vaut ma charge. Les conseillers de justice ont moitié.

TIBIA. — Si j'étais juge en cour royale, et que ma femme eût des amants, je les condamnerais moi-même.

CLAUDIO. — A combien d'années de galère ?

TIBIA. — A la peine de mort. Un arrêt de mort est une chose superbe à lire à haute voix.

CLAUDIO. — Ce n'est pas le juge qui le lit, c'est le greffier.

TIBIA. — Le greffier de votre tribunal a une jolie femme.

CLAUDIO. — Non, c'est le président qui a une jolie femme ; j'ai soupé hier avec eux.

TIBIA. — Le greffier aussi ! Le spadassin qui va venir ce soir est l'amant de la femme du greffier.

CLAUDIO. — Quel spadassin?

TIBIA. — Celui que vous avez demandé.

CLAUDIO. — Il est inutile qu'il vienne après ce que je
t'ai dit tout à l'heure.

TIBIA. — A quel sujet?

CLAUDIO. — Au sujet de ma femme.

TIBIA. — La voici qui vient elle-même.

Entre Marianne.

MARIANNE. — Savez-vous ce qui m'arrive pendant que
vous courez les champs? J'ai reçu la visite de votre cousin.

CLAUDIO. — Qui cela peut-il être? Nommez-le par son
nom.

MARIANNE. — Octave, qui m'a fait une déclaration
d'amour de la part de son ami Cœlio. Qui est ce Cœlio?
Connaissez-vous cet homme? Trouvez bon que ni lui ni
Octave ne mettent les pieds dans cette maison.

CLAUDIO. — Je le connais; c'est le fils d'Hermia, notre
voisine. Qu'avez-vous répondu à cela?

MARIANNE. — Il ne s'agit pas de ce que j'ai répondu.
Comprenez-vous ce que je dis? Donnez ordre à vos gens
qu'ils ne laissent entrer ni cet homme ni son ami. Je
m'attends à quelque importunité de leur part, et je suis
bien aise de l'éviter.

Elle sort.

CLAUDIO. — Que penses-tu de cette aventure, Tibia?
Il y a quelque ruse là-dessous.

TIBIA. — Vous croyez, Monsieur?

CLAUDIO. — Pourquoi n'a-t-elle pas voulu dire ce
qu'elle a répondu? La déclaration est impertinente, il
est vrai; mais la réponse mérite d'être connue. J'ai le
soupçon que ce Cœlio est l'ordonnateur de toutes ces
guitares?

TIBIA. — Défendre votre porte à ces deux hommes est
un moyen excellent de les éloigner.

CLAUDIO. — Rapporte-t'en à moi. — Il faut que je
fasse part de cette découverte à ma belle-mère. J'imagine
que ma femme me trompe, et que toute cette fable est une
pure invention pour me faire prendre le change, et troubler
entièrement mes idées.

Ils sortent.

ACTE II

SCÈNE I

Une rue.

Entrent OCTAVE ET CIUTA.

OCTAVE. — Il y renonce, dites-vous?

CIUTA. — Hélas! pauvre jeune homme! Il aime plus que jamais, et sa mélancolie se trompe elle-même sur les désirs qui la nourrissent. Je croirais presque qu'il se défie de vous, de moi, de tout ce qui l'entoure.

OCTAVE. — Non, par le ciel! je n'y renoncerai pas; je me sens moi-même une autre Marianne, et il y a du plaisir à être entêté. Ou Cœlio réussira ou j'y perdrai ma langue.

CIUTA. — Agirez-vous contre sa volonté?

OCTAVE. — Oui, pour agir d'après la mienne, qui est sa sœur et aînée, pour envoyer aux enfers messer Claudio le juge, que je déteste, méprise et abhorre depuis les pieds jusqu'à la tête.

CIUTA. — Je lui porterai donc votre réponse, et, quant à moi, je cesse de m'en mêler.

OCTAVE. — Je suis comme un homme qui tient la banque d'un pharaon pour le compte d'un autre, et qui a la veine contre lui; il noierait plutôt son meilleur ami que de céder, et la colère de perdre avec l'argent d'autrui l'enflamme cent fois plus que ne le ferait sa propre ruine.

Entre Cœlio.

Comment, Cœlio, tu abandonnes la partie!

CŒLIO. — Que veux-tu que je fasse?

OCTAVE. — Te défies-tu de moi? Qu'as-tu? te voilà pâle comme la neige. — Que se passe-t-il en toi?

CŒLIO. — Pardonne-moi, pardonne-moi! Fais ce que tu voudras; va trouver Marianne. — Dis-lui que me tromper, c'est me donner la mort, et que ma vie est dans ses yeux.

Il sort.

OCTAVE. — Par le ciel, voilà qui est étrange!

CIUTA. — Silence! vêpres sonnent; la grille du jardin vient de s'ouvrir; Marianne sort. — Elle approche lentement.

Ciuta se retire. — Entre Marianne.

OCTAVE. — Belle Marianne, vous dormirez tranquillement. — Le cœur de Cœlio est à une autre, et ce n'est plus sous vos fenêtres qu'il donnera ses sérénades.

MARIANNE. — Quel dommage! et quel grand malheur, de n'avoir pu partager un amour comme celui-là! Voyez! comme le hasard me contrarie! Moi qui allais l'aimer.

OCTAVE. — En vérité?

MARIANNE. — Oui, sur mon âme, ce soir ou demain matin, dimanche au plus tard, je lui appartenais. Qui pourrait ne pas réussir avec un ambassadeur tel que vous? Il faut croire que sa passion pour moi était quelque chose comme du chinois ou de l'arabe, puisqu'il lui fallait un interprète, et qu'elle ne pouvait s'expliquer toute seule.

OCTAVE. — Raillez, raillez! nous ne vous craignons plus.

MARIANNE. — Ou peut-être que cet amour n'était encore qu'un pauvre enfant à la mamelle, et vous, comme une sage nourrice, en le menant à la lisière, vous l'aurez laissé tomber la tête la première en le promenant par la ville.

OCTAVE. — La sage nourrice s'est contentée de lui faire boire d'un certain lait que la vôtre vous a versé sans doute, et généreusement; vous en avez encore sur les lèvres une goutte qui se mêle à toutes vos paroles.

MARIANNE. — Comment s'appelle ce lait merveilleux?

OCTAVE. — L'indifférence. Vous ne pouvez ni aimer ni haïr, et vous êtes comme les roses du Bengale, Marianne, sans épines et sans parfum.

MARIANNE. — Bien dit. Aviez-vous préparé d'avance cette comparaison? Si vous ne brûlez pas le brouillon de vos harangues, donnez-le-moi de grâce que je les apprenne à ma perruche.

OCTAVE. — Qu'y trouvez-vous qui puisse vous blesser? Une fleur sans parfum n'en est pas moins belle; bien au contraire, ce sont les plus belles que Dieu a faites ainsi; et le jour où, comme une Galatée d'une nouvelle espèce, vous deviendrez de marbre au fond de quelque église, ce sera une charmante statue que vous ferez, et qui ne laissera pas que de trouver quelque niche respectable dans un confessionnal.

MARIANNE. — Mon cher cousin, est-ce que vous ne

plaignez pas le sort des femmes ? Voyez un peu ce qui m'arrive. Il est décrété par le sort que Cœlio m'aime, ou qu'il croit m'aimer, lequel Cœlio le dit à ses amis, lesquels amis décrètent à leur tour que, sous peine de mort, je serai sa maîtresse. La jeunesse napolitaine daigne m'envoyer en votre personne un digne représentant, chargé de me faire savoir que j'aie à aimer ledit seigneur Cœlio d'ici à une huitaine de jours. Pesez cela, je vous en prie. Si je me rends, que dira-t-on de moi ? N'est-ce pas une femme bien abjecte que celle qui obéit à point nommé, à l'heure convenue, à une pareille proposition ? Ne va-t-on pas la déchirer à belles dents, la montrer au doigt, et faire de son nom le refrain d'une chanson à boire ? Si elle refuse, au contraire, est-il un monstre qui lui soit comparable ? Est-il une statue plus froide qu'elle, et l'homme qui lui parle, qui ose l'arrêter en place publique son livre de messe à la main, n'a-t-il pas le droit de lui dire : Vous êtes une rose du Bengale sans épines et sans parfum !

OCTAVE. — Cousine, cousine, ne vous fâchez pas.

MARIANNE. — N'est-ce pas une chose bien ridicule que l'honnêteté et la foi jurée ? que l'éducation d'une fille, la fierté d'un cœur qui s'est figuré qu'il vaut quelque chose, et qu'avant de jeter au vent la poussière de sa fleur chérie, il faut que le calice en soit baigné de larmes, épanoui par quelques rayons de soleil, entr'ouvert par une main délicate ? Tout cela n'est-il pas un rêve, une bulle de savon que le premier soupir d'un cavalier à la mode doit évaporer dans les airs ?

OCTAVE. — Vous vous méprenez sur mon compte et sur celui de Cœlio.

MARIANNE. — Qu'est-ce après tout qu'une femme ? L'occupation d'un moment, une coupe fragile qui renferme une goutte de rosée, qu'on porte à ses lèvres et qu'on jette par-dessus son épaule. Une femme ; c'est une partie de plaisir ! Ne pourrait-on pas dire quand on en rencontre une : Voilà une belle nuit qui passe ? Et ne serait-ce pas un grand écolier en de telles matières, que celui qui baisserait les yeux devant elle, qui se dirait tout bas : « Voilà peut-être le bonheur d'une vie entière », et qui la laisserait passer ?

Elle sort.

OCTAVE, *seul.* — Tra, tra, poum ! poum ! tra deri la la. Quelle drôle de petite femme ! hai ! hola ! *(Il frappe à une auberge.)* Apportez-moi ici, sous cette tonnelle, une bouteille de quelque chose.

Le Garçon. — Ce qui vous plaira, Excellence. Voulez-vous du lacryma-christi ?

Octave. — Soit, soit. Allez-vous-en un peu chercher dans les rues d'alentour le seigneur Cœlio, qui porte un manteau noir et des culottes plus noires encore. Vous lui direz qu'un de ses amis est là qui boit tout seul du lacryma-christi. Après quoi, vous irez à la grande place, et vous m'apporterez une certaine Rosalinde qui est rousse et qui est toujours à sa fenêtre.

Le garçon sort.

Je ne sais ce que j'ai dans la gorge ; je suis triste comme une procession. *(Buvant.)* Je ferais aussi bien de dîner ici ; voilà le jour qui baisse. Drig! drig! quel ennui que ces vêpres! est-ce que j'ai envie de dormir ? je me sens tout pétrifié.

Entrent Claudio et Tibia.

Cousin Claudio, vous êtes un beau juge ; où allez-vous si couramment ?

Claudio. — Qu'entendez-vous par là, seigneur Octave ?

Octave. — J'entends que vous êtes un magistrat qui a de belles formes.

Claudio. — De langage, ou de complexion ?

Octave. — De langage, de langage. Votre perruque est pleine d'éloquence, et vos jambes sont deux charmantes parenthèses.

Claudio. — Soit dit en passant, seigneur Octave, le marteau de ma porte m'a tout l'air de vous avoir brûlé les doigts.

Octave. — En quelle façon, juge plein de science ?

Claudio. — En y voulant frapper, cousin plein de finesse.

Octave. — Ajoute hardiment plein de respect, juge, pour le marteau de ta porte ; mais tu peux le faire peindre à neuf, sans que je craigne de m'y salir les doigts.

Claudio. — En quelle façon, cousin plein de facéties ?

Octave. — En n'y frappant jamais, juge plein de causticité.

Claudio. — Cela vous est pourtant arrivé, puisque ma femme a enjoint à ses gens de vous fermer la porte au nez à la première occasion.

Octave. — Tes lunettes sont myopes, juge plein de grâce : tu te trompes d'adresse dans ton compliment.

Claudio. — Mes lunettes sont excellentes, cousin plein de riposte : n'as-tu pas fait à ma femme une déclaration amoureuse ?

Octave. — A quelle occasion, subtil magistrat ?

CLAUDIO. — A l'occasion de ton ami Cœlio, cousin;
malheureusement j'ai tout entendu.

OCTAVE. — Par quelle oreille, sénateur incorruptible?

CLAUDIO. — Par celle de ma femme, qui m'a tout raconté,
godelureau chéri.

OCTAVE. — Tout absolument, juge idolâtré? Rien n'est
resté dans cette charmante oreille?

CLAUDIO. — Il y est resté sa réponse, charmant pilier
de cabaret, que je suis chargé de te faire.

OCTAVE. — Je ne suis pas chargé de l'entendre, cher
procès-verbal.

CLAUDIO. — Ce sera donc ma porte en personne qui te
la fera, aimable croupier de roulette, si tu t'avises de la
consulter.

OCTAVE. — C'est ce dont je ne me soucie guère, chère
sentence de mort; je vivrai heureux sans cela.

CLAUDIO. — Puisses-tu le faire en repos, cher cornet
de passe-dix! je te souhaite mille prospérités.

OCTAVE. — Rassure-toi sur ce sujet, cher verrou de
prison! je dors tranquille comme une audience.

Sortent Claudio et Tibia.

OCTAVE, *seul.* — Il me semble que voilà Cœlio qui
s'avance de ce côté. Cœlio! Cœlio! A qui diable en a-t-il?

Entre Cœlio.

Sais-tu, mon cher ami, le beau tour que nous joue ta
princesse! Elle a tout dit à son mari!

CŒLIO. — Comment le sais-tu?

OCTAVE. — Par la meilleure de toutes les voies possibles.
Je quitte à l'instant Claudio. Marianne nous fera fermer
la porte au nez, si nous nous avisons de l'importuner
davantage.

CŒLIO. — Tu l'as vue tout à l'heure; que t'avait-elle
dit?

OCTAVE. — Rien qui pût me faire pressentir cette
douce nouvelle; rien d'agréable cependant. Tiens, Cœlio,
renonce à cette femme. Holà! un second verre!

CŒLIO. — Pour qui?

OCTAVE. — Pour toi. Marianne est une bégueule; je ne
sais trop ce qu'elle m'a dit ce matin, je suis resté comme
une brute sans pouvoir lui répondre. Allons! n'y pense
plus; voilà qui est convenu; et que le ciel m'écrase si je
lui adresse jamais la parole. Du courage, Cœlio, n'y pense
plus.

CŒLIO. — Adieu, mon cher ami.

OCTAVE. — Où vas-tu?

CŒLIO. — J'ai affaire en ville ce soir.

OCTAVE. — Tu as l'air d'aller te noyer. Voyons, Cœlio, à quoi penses-tu! Il y a d'autres Mariannes sous le ciel. Soupons ensemble, et moquons-nous de cette Marianne-là.

CŒLIO. — Adieu, adieu, je ne puis m'arrêter plus longtemps. Je te verrai demain, mon ami.

Il sort.

OCTAVE. — Cœlio! Écoute donc! nous te trouverons une Marianne bien gentille, douce comme un agneau, et n'allant point à vêpres surtout! Ah! les maudites cloches! quand auront-elles fini de me mener en terre?

LE GARÇON, *rentrant.* — Monsieur, la demoiselle rousse n'est point à sa fenêtre; elle ne peut se rendre à votre invitation.

OCTAVE. — La peste soit de tout l'univers! Est-il donc décidé que je souperai seul aujourd'hui? La nuit arrive en poste; que diable vais-je devenir? Bon! bon! ceci me convient. *(Il boit.)* Je suis capable d'ensevelir ma tristesse dans ce vin, ou du moins ce vin dans ma tristesse. Ah! ah! les vêpres sont finies; voici Marianne qui revient.

Entre Marianne.

MARIANNE. — Encore ici, seigneur Octave? et déjà à table? C'est un peu triste de s'enivrer tout seul.

OCTAVE. — Le monde entier m'a abandonné; je tâche d'y voir double, afin de me servir à moi-même de compagnie.

MARIANNE. — Comment! pas un de vos amis, pas une de vos maîtresses, qui vous soulage de ce fardeau terrible, la solitude?

OCTAVE. — Faut-il vous dire ma pensée? J'avais envoyé chercher une certaine Rosalinde, qui me sert de maîtresse, elle soupe en ville comme une personne de qualité.

MARIANNE. — C'est une fâcheuse affaire sans doute, et votre cœur en doit ressentir un vide effroyable.

OCTAVE. — Un vide que je ne saurais exprimer, et que je communique en vain à cette large coupe. Le carillon des vêpres m'a fendu le crâne pour toute l'après-dînée.

MARIANNE. — Dites-moi, cousin, est-ce du vin à quinze sous sous la bouteille que vous buvez?

OCTAVE. — N'en riez pas; ce sont les larmes du Christ en personne.

MARIANNE. — Cela m'étonne que vous ne buviez pas du vin à quinze sous; buvez-en, je vous en supplie.

OCTAVE. — Pourquoi en boirais-je, s'il vous plaît?

MARIANNE. — Goûtez-en; je suis sûre qu'il n'y a aucune différence avec celui-là.

OCTAVE. — Il y en a une aussi grande qu'entre le soleil et une lanterne.

MARIANNE. — Non, vous dis-je, c'est la même chose.

OCTAVE. — Dieu m'en préserve! Vous moquez-vous de moi?

MARIANNE. — Vous trouvez qu'il y a une grande différence?

OCTAVE. — Assurément.

MARIANNE. — Je croyais qu'il en était du vin comme des femmes. Une femme n'est-elle pas aussi un vase précieux, scellé comme ce flacon de cristal? Ne renferme-t-elle pas une ivresse grossière ou divine, selon sa force et sa valeur? Et n'y a-t-il pas parmi elles le vin du peuple et les larmes du Christ? Quel misérable cœur est-ce donc que le vôtre, pour que vos lèvres lui fassent la leçon? Vous ne boiriez pas le vin que boit le peuple; vous aimez les femmes qu'il aime; l'esprit généreux et poétique de ce flacon doré, ces sucs merveilleux que la lave du Vésuve a cuvés sous son ardent soleil, vous conduiront chancelant et sans force dans les bras d'une fille de joie; vous rougiriez de boire un vin grossier; votre gorge se soulèverait. Ah! vos lèvres sont délicates, mais votre cœur s'enivre à bon marché. Bonsoir, cousin; puisse Rosalinde rentrer ce soir chez elle.

OCTAVE. — Deux mots, de grâce, belle Marianne, et ma réponse sera courte. Combien de temps pensez-vous qu'il faille faire la cour à la bouteille que vous voyez pour obtenir ses faveurs? Elle est, comme vous dites, toute pleine d'un esprit céleste, et le vin du peuple lui ressemble aussi peu qu'un paysan à son seigneur. Cependant, regardez comme elle se laisse faire! — Elle n'a reçu, j'imagine, aucune éducation, elle n'a aucun principe; voyez comme elle est bonne fille! Un mot a suffi pour la faire sortir du couvent; toute poudreuse encore, elle s'en est échappée pour me donner un quart d'heure d'oubli, et mourir. Sa couronne virginale, empourprée de cire odorante, est aussitôt tombée en poussière, et, je ne puis vous le cacher, elle a failli passer tout entière sur mes lèvres dans la chaleur de son premier baiser.

MARIANNE. — Êtes-vous sûr qu'elle en vaut davantage? Et si vous êtes un de ses vrais amants, n'iriez-vous pas, si la recette en était perdue, en chercher la dernière goutte jusque dans la bouche du volcan?

OCTAVE. — Elle n'en vaut ni plus ni moins. Elle sait qu'elle est bonne à boire et qu'elle est faite pour être bue. Dieu n'en a pas caché la source au sommet d'un pic inabordable, au fond d'une caverne profonde : il l'a suspendue en grappes dorées au bord de nos chemins; elle y fait le métier des courtisanes; elle y effleure la main du passant; elle y étale aux rayons du soleil sa gorge rebondie, et toute une cour d'abeilles et de frelons murmure autour d'elle matin et soir. Le voyageur dévoré de soif peut se coucher sous ses rameaux verts : jamais elle ne l'a laissé languir, jamais elle ne lui a refusé les douces larmes dont son cœur est plein. Ah! Marianne, c'est un don fatal que la beauté! — La sagesse dont elle se vante est sœur de l'avarice, et il y a plus de miséricorde dans le ciel pour ses faiblesses que pour sa cruauté. Bonsoir, cousine; puisse Cœlio vous oublier!

Il rentre dans l'auberge et Marianne dans sa
maison.

SCÈNE II

Une autre rue.

CŒLIO, CIUTA.

CIUTA. — Seigneur Cœlio, défiez-vous d'Octave. Ne vous a-t-il pas dit que la belle Marianne lui avait fermé sa porte?

CŒLIO. — Assurément. — Pourquoi m'en défierais-je?

CIUTA. — Tout à l'heure, en passant dans sa rue, je l'ai vu en conversation avec elle sous une tonnelle couverte.

CŒLIO. — Qu'y a-t-il d'étonnant à cela? Il aura épié ses démarches et saisi un moment favorable pour lui parler de moi.

CIUTA. — J'entends qu'ils se parlaient amicalement et comme gens qui sont de bon accord ensemble.

CŒLIO. — En es-tu sûre, Ciuta? Alors je suis le plus heureux des hommes; il aura plaidé ma cause avec chaleur.

CIUTA. — Puisse le ciel vous favoriser!

Elle sort.

CŒLIO. — Ah! que je fusse né dans le temps des tournois et des batailles! Qu'il m'eût été permis de porter

les couleurs de Marianne et de les teindre de mon sang!
Qu'on m'eût donné un rival à combattre, une armée entière
à défier! Que le sacrifice de ma vie eût pu lui être utile!
Je sais agir, mais je ne puis parler. Ma langue ne sert point
mon cœur, et je mourrai sans m'être fait comprendre,
comme un muet dans une prison.

Il sort.

SCÈNE III

Chez Claudio.

CLAUDIO, MARIANNE.

CLAUDIO. — Pensez-vous que je sois un mannequin,
et que je me promène sur la terre pour servir d'épouvantail aux oiseaux?

MARIANNE. — D'où vous vient cette gracieuse idée?

CLAUDIO. — Pensez-vous qu'un juge criminel ignore la
valeur des mots, et qu'on puisse se jouer de sa crédulité
comme de celle d'un danseur ambulant?

MARIANNE. — A qui en avez-vous ce soir?

CLAUDIO. — Pensez-vous que je n'ai pas entendu vos
propres paroles : si cet homme ou son ami se présente à
ma porte, qu'on la lui fasse fermer? et croyez-vous que je
trouve convenable de vous voir converser librement avec
lui sous une tonnelle, lorsque le soleil est couché?

MARIANNE. — Vous m'avez vue sous une tonnelle?

CLAUDIO. — Oui, oui, de ces yeux que voilà, sous la
tonnelle d'un cabaret! La tonnelle d'un cabaret n'est point
un lieu de conversation pour la femme d'un magistrat, et
il est inutile de faire fermer sa porte quand on se renvoie
le dé en plein air avec si peu de retenue.

MARIANNE. — Depuis quand m'est-il défendu de causer
avec un de vos parents?

CLAUDIO. — Quand un de mes parents est un de vos
amants, il est fort bien fait de s'en abstenir.

MARIANNE. — Octave! Un de mes amants? Perdez-vous
la tête? Il n'a de sa vie fait la cour à personne.

CLAUDIO. — Son caractère est vicieux. — C'est un
coureur de tabagies.

MARIANNE. — Raison de plus pour qu'il ne soit pas,
comme vous dites fort agréablement, *un de mes amants*.
Il me plaît de parler à Octave sous la tonnelle d'un cabaret.

CLAUDIO. — Ne me poussez pas à quelque fâcheuse

extrémité par vos extravagances, et réfléchissez à ce que
vous faites.

MARIANNE. — A quelle extrémité voulez-vous que je
vous pousse? Je suis curieuse de savoir ce que vous
feriez.

CLAUDIO. — Je vous défendrais de le voir, et d'échanger
avec lui aucune parole, soit dans ma maison, soit dans une
maison tierce, soit en plein air.

MARIANNE. — Ah! ah! vraiment! voilà qui est nouveau!
Octave est mon parent tout autant que le vôtre; je prétends
lui parler quand bon me semblera, en plein air ou ailleurs,
et dans cette maison, s'il lui plaît d'y venir.

CLAUDIO. — Souvenez-vous de cette dernière phrase
que vous venez de prononcer. Je vous ménage un châtiment exemplaire, si vous allez contre ma volonté.

MARIANNE. — Trouvez bon que j'aille d'après la mienne,
et ménagez-moi ce qui vous plaît. Je m'en soucie comme
de cela.

CLAUDIO. — Marianne, brisons cet entretien. Ou vous
sentirez l'inconvenance de s'arrêter sous une tonnelle, ou
vous me réduirez à une violence qui répugne à mon
habit.

Il sort.

MARIANNE, *seule.* — Holà! quelqu'un!

Un domestique entre.

Voyez-vous là-bas dans cette rue ce jeune homme assis
devant une table, sous cette tonnelle? Allez lui dire que
j'ai à lui parler, et qu'il prenne la peine d'entrer dans ce
jardin.

Le domestique sort.

Voilà qui est nouveau! Pour qui me prend-on? Quel
mal y a-t-il donc? Comment suis-je donc faite aujour-
d'hui? Voilà une robe affreuse. Qu'est-ce que cela signifie? — Vous me réduirez à la violence! Quelle violence?
Je voudrais que ma mère fût là. Ah, bah! elle est de son
avis, dès qu'il dit un mot. J'ai une envie de battre quelqu'un! *(Elle renverse les chaises.)* Je suis bien sotte en
vérité! Voilà Octave qui vient. — Je voudrais qu'il le
rencontrât. — Ah! c'est donc là le commencement? On
me l'avait prédit. — Je le savais. — Je m'y attendais!
Patience, patience, il me ménage un châtiment! et lequel,
par hasard? Je voudrais bien savoir ce qu'il veut dire!

Entre Octave.

Asseyez-vous, Octave, j'ai à vous parler.

OCTAVE. — Où voulez-vous que je m'assoie? Toutes les
chaises sont les quatre fers en l'air. — Que vient-il donc
de se passer ici?

MARIANNE. — Rien du tout.

OCTAVE. — En vérité, cousine, vos yeux disent le
contraire.

MARIANNE. — J'ai réfléchi à ce que vous m'avez dit
sur le compte de votre ami Cœlio. Dites-moi, pourquoi
ne s'explique-t-il pas lui-même?

OCTAVE. — Par une raison assez simple. — Il vous a
écrit, et vous avez déchiré ses lettres. Il vous a envoyé
quelqu'un, et vous lui avez fermé la bouche. Il vous a
donné des concerts, vous l'avez laissé dans la rue. Ma foi,
il s'est donné au diable, et on s'y donnerait à moins.

MARIANNE. — Cela veut dire qu'il a songé à vous?

OCTAVE. — Oui.

MARIANNE. — Eh bien! parlez-moi de lui.

OCTAVE. — Sérieusement?

MARIANNE. — Oui, oui, sérieusement. Me voilà. J'écoute.

OCTAVE. — Vous voulez rire?

MARIANNE. — Quel pitoyable avocat êtes-vous donc?
Parlez, que je veuille rire ou non.

OCTAVE. — Que regardez-vous à droite et à gauche?
En vérité, vous êtes en colère.

MARIANNE. — Je veux prendre un amant, Octave...,
sinon un amant, du moins un cavalier. Que me conseillez-
vous? Je m'en rapporte à votre choix. — Cœlio ou tout
autre, peu m'importe; — dès demain, — dès ce soir, —
celui qui aura la fantaisie de chanter sous mes fenêtres
trouvera ma porte entr'ouverte. Eh bien! Vous ne parlez
pas? Je vous dis que je prends un amant. Tenez, voilà
mon écharpe en gage : — qui vous voudrez, la rappor-
tera.

OCTAVE. — Marianne! quelle que soit la raison qui a
pu vous inspirer une minute de complaisance, puisque
vous m'avez appelé, puisque vous consentez à m'entendre,
au nom du ciel, restez la même une minute encore, permettez-moi de vous parler! (Il se jette à genoux.)

MARIANNE. — Que voulez-vous me dire?

OCTAVE. — Si jamais homme au monde a été digne de
vous comprendre, digne de vivre et de mourir pour vous,
cet homme est Cœlio. Je n'ai jamais valu grand-chose,
et je me rends cette justice, que la passion dont je fais
l'éloge trouve un misérable interprète. Ah! si vous saviez
sur quel autel sacré vous êtes adorée comme un Dieu!

Vous, si belle, si jeune, si pure encore, livrée à un vieillard qui n'a plus de sens, et qui n'a jamais eu de cœur! Si vous saviez quel trésor de bonheur, quelle mine féconde repose en vous! en lui! dans cette fraîche aurore de jeunesse, dans cette rosée céleste de la vie, dans ce premier accord de deux âmes jumelles! Je ne vous parle pas de sa souffrance, de cette douce et triste mélancolie qui ne s'est jamais lassée de vos rigueurs, et qui en mourrait sans se plaindre. Oui, Marianne, il en mourra. Que puis-je vous dire? Qu'inventerais-je pour donner à mes paroles la force qui leur manque? Je ne sais pas le langage de l'amour. Regardez dans votre âme; c'est elle qui peut vous parler de la sienne. Y a-t-il un pouvoir capable de vous toucher? Vous qui savez supplier Dieu, existe-t-il une prière qui puisse rendre ce dont mon cœur est plein?

MARIANNE. — Relevez-vous, Octave. En vérité, si quelqu'un entrait ici, ne croirait-on pas, à vous entendre, que c'est pour vous que vous plaidez?

OCTAVE. — Marianne! Marianne! au nom du ciel, ne souriez pas! ne fermez pas votre cœur au premier éclair qui l'ait peut-être traversé! Ce caprice de bonté, ce moment précieux va s'évanouir. — Vous avez prononcé le nom de Cœlio; vous avez pensé à lui, dites-vous. Ah! si c'est une fantaisie, ne me la gâtez pas. — Le bonheur d'un homme en dépend.

MARIANNE. — Êtes-vous sûr qu'il ne me soit pas permis de sourire?

OCTAVE. — Oui, vous avez raison; je sais tout le tort que mon amitié peut faire. Je sais qui je suis, je le sens; un pareil langage dans ma bouche a l'air d'une raillerie. Vous doutez de la sincérité de mes paroles; jamais peut-être je n'ai senti avec plus d'amertume qu'en ce moment le peu de confiance que je puis inspirer.

MARIANNE. — Pourquoi cela? Vous voyez que j'écoute. Cœlio me déplaît; je ne veux pas de lui. Parlez-moi de quelque autre, de qui vous voudrez. Choisissez-moi dans vos amis un cavalier digne de moi; envoyez-le-moi, Octave. Vous voyez que je m'en rapporte à vous.

OCTAVE. — O femme trois fois femme! Cœlio vous déplaît, — mais le premier venu vous plaira. L'homme qui vous aime depuis un mois, qui s'attache à vos pas, qui mourrait de bon cœur sur un mot de votre bouche, celui-là vous déplaît! Il est jeune, beau, riche et digne en tout point de vous; mais il vous déplaît! et le premier venu vous plaira!

MARIANNE. — Faites ce que je vous dis, ou ne me revoyez pas.

Elle sort.

OCTAVE, *seul.* — Ton écharpe est bien jolie, Marianne, et ton petit caprice de colère est un charmant traité de paix. — Il ne me faudrait pas beaucoup d'orgueil pour le comprendre : un peu de perfidie suffirait. Ce sera pourtant Cœlio qui en profitera.

Il sort.

SCÈNE IV

Chez Cœlio.

CŒLIO, UN DOMESTIQUE.

CŒLIO. — Il est en bas, dites-vous? Qu'il monte. Pourquoi ne le faites-vous pas monter sur-le-champ?

Entre Octave.

Eh bien! mon ami, quelle nouvelle?

OCTAVE. — Attache ce chiffon à ton bras droit, Cœlio; prends ta guitare et ton épée. — Tu es l'amant de Marianne.

CŒLIO. — Au nom du ciel, ne te ris pas de moi.

OCTAVE. — La nuit est belle; — la lune va paraître à l'horizon. Marianne est seule, et sa porte est entr'ouverte. Tu es un heureux garçon, Cœlio.

CŒLIO. — Est-ce vrai? — est-ce vrai? Ou tu es ma vie, Octave, ou tu es sans pitié.

OCTAVE. — Tu n'es pas encore parti? Je te dis que tout est convenu. Une chanson sous sa fenêtre; cache-toi un peu le nez dans ton manteau, afin que les espions du mari ne te reconnaissent pas. Sois sans crainte, afin qu'on te craigne; et si elle résiste, prouve-lui qu'il est un peu tard.

CŒLIO. — Ah! mon Dieu, le cœur me manque.

OCTAVE. — Et à moi aussi, car je n'ai dîné qu'à moitié. — Pour récompense de mes peines, dis en sortant qu'on me monte à souper. (*Il s'assoit.*) As-tu du tabac turc? Tu me trouveras probablement ici demain matin. Allons, mon ami, en route! tu m'embrasseras en revenant. En route! en route! la nuit s'avance.

Cœlio sort.

OCTAVE, *seul.* — Écris sur tes tablettes, Dieu juste, que cette nuit doit m'être comptée dans ton paradis. Est-ce bien vrai que tu as un paradis? En vérité cette femme était

belle et sa petite colère lui allait bien. D'où venait-elle ?
C'est ce que j'ignore. Qu'importe comment la bille d'ivoire
tombe sur le numéro que nous avons appelé ? Souffler une
maîtresse à son ami, c'est une rouerie trop commune pour
moi. Marianne ou toute autre, qu'est-ce que cela me fait ?
La véritable affaire est de souper ; il est clair que Cœlio est
à jeun. Comme tu m'aurais détesté, Marianne, si je t'avais
aimée ! comme tu m'aurais fermé ta porte ! comme ton
belître de mari t'aurait paru un Adonis, un Sylvain, en
comparaison de moi ! Où est donc la raison de tout cela ?
pourquoi la fumée de cette pipe va-t-elle à droite plutôt
qu'à gauche ? Voilà la raison de tout. — Fou ! trois fois
fou à lier, celui qui calcule ses chances, qui met la raison de
son côté ! La justice céleste tient une balance dans ses
mains. La balance est parfaitement juste, mais tous les
poids sont creux. Dans l'un il y a une pistole, dans l'autre
un soupir amoureux, dans celui-là une migraine, dans
celui-ci il y a le temps qu'il fait, et toutes les actions humaines s'en vont de haut en bas, selon ces poids capricieux.

Un Domestique, *entrant.* — Monsieur, voilà une lettre
à votre adresse ; elle est si pressée, que vos gens l'ont
apportée ici ; on a recommandé de vous la remettre, en
quelque lieu que vous fussiez ce soir.

Octave. — Voyons un peu cela. (*Il lit.*)

« Ne venez pas ce soir. Mon mari a entouré la maison
d'assassins, et vous êtes perdu s'ils vous trouvent.

« Marianne. »

Malheureux que je suis ! qu'ai-je fait ? Mon manteau !
mon chapeau ! Dieu veuille qu'il soit encore temps !
Suivez-moi, vous, et tous les domestiques qui sont debout
à cette heure. Il s'agit de la vie de votre maître.

Il sort en courant.

SCÈNE V

Le jardin de Claudio. Il est nuit.

CLAUDIO, DEUX SPADASSINS, TIBIA.

Claudio. — Laissez-le entrer, et jetez-vous sur lui dès
qu'il sera parvenu à ce bosquet.

Tibia. — Et s'il entre par l'autre côté ?

Claudio. — Alors, attendez-le au coin du mur.

Un Spadassin. — Oui, monsieur.

TIBIA. — Le voilà qui arrive. Tenez, monsieur. Voyez comme son ombre est grande! c'est un homme d'une belle stature.

CLAUDIO. — Retirons-nous à l'écart, et frappons quand il en sera temps.

Entre Cœlio.

CŒLIO, *frappant à la jalousie.* — Marianne, Marianne, êtes-vous là?

MARIANNE, *paraissant à la fenêtre.* — Fuyez, Octave; vous n'avez donc pas reçu ma lettre?

CŒLIO. — Seigneur mon Dieu! Quel nom ai-je entendu?

MARIANNE. — La maison est entourée d'assassins; mon mari vous a vu entrer ce soir; il a écouté notre conversation, et votre mort est certaine, si vous restez une minute encore.

CŒLIO. — Est-ce un rêve? suis-je Cœlio?

MARIANNE. — Octave, Octave, au nom du ciel ne vous arrêtez pas! Puisse-t-il être encore temps de vous échapper! Demain, trouvez-vous, à midi dans un confessionnal de l'église, j'y serai.

La jalousie se referme.

CŒLIO. — O mort! puisque tu es là, viens donc à mon secours. Octave, traître Octave, puisse mon sang retomber sur toi! Puisque tu savais quel sort m'attendait ici, et que tu m'y as envoyé à ta place, tu seras satisfait dans ton désir. O mort! je t'ouvre les bras; voici le terme de mes maux.

*Il sort. On entend des cris étouffés et un bruit
éloigné dans le jardin.*

OCTAVE, *en dehors.* — Ouvrez, ou j'enfonce les portes!

CLAUDIO, *ouvrant, son épée sous le bras.* — Que voulez-vous?

OCTAVE. — Où est Cœlio?

CLAUDIO. — Je ne pense pas que son habitude soit de coucher dans cette maison.

OCTAVE. — Si tu l'as assassiné, Claudio, prends garde à toi; je te tordrai le cou de ces mains que voilà.

CLAUDIO. — Êtes-vous fou ou somnambule?

OCTAVE. — Ne l'es-tu pas toi-même, pour te promener à cette heure, ton épée sous le bras!

CLAUDIO. — Cherchez dans ce jardin, si bon vous semble; je n'y ai vu entrer personne; et si quelqu'un l'a voulu faire, il me semble que j'avais le droit de ne pas lui ouvrir.

OCTAVE, *à ses gens.* — Venez, et cherchez partout!

CLAUDIO, *bas à Tibia*. — Tout est-il fini, comme je l'ai ordonné?

TIBIA. — Oui, monsieur; soyez en repos, ils peuvent chercher tant qu'ils voudront.

Tous sortent.

SCÈNE VI

Un cimetière.

OCTAVE ET MARIANNE, *auprès d'un tombeau.*

OCTAVE. — Moi seul au monde je l'ai connu. Cette urne d'albâtre, couverte de ce long voile de deuil, est sa parfaite image. C'est ainsi qu'une douce mélancolie voilait les perfections de cette âme tendre et délicate. Pour moi seul, cette vie silencieuse n'a point été un mystère. Les longues soirées que nous avons passées ensemble sont comme de fraîches oasis dans un désert aride; elles ont versé sur mon cœur les seules gouttes de rosée qui y soient jamais tombées. Cœlio était la bonne partie de moi-même; elle est remontée au ciel avec lui. C'était un homme d'un autre temps; il connaissait les plaisirs, et leur préférait la solitude; il savait combien les illusions sont trompeuses, et il préférait ses illusions à la réalité. Elle eût été heureuse, la femme qui l'eût aimée.

MARIANNE. — Ne serait-elle point heureuse, Octave, la femme qui t'aimerait?

OCTAVE. — Je ne sais point aimer; Cœlio seul le savait. La cendre que renferme cette tombe est tout ce que j'ai aimé sur la terre, tout ce que j'aimerai. Lui seul savait verser dans une autre âme toutes les sources de bonheur qui reposaient dans la sienne. Lui seul était capable d'un dévouement sans bornes; lui seul eût consacré sa vie entière à la femme qu'il aimait, aussi facilement qu'il aurait bravé la mort pour elle. Je ne suis qu'un débauché sans cœur; je n'estime point les femmes; l'amour que j'inspire est comme celui que je ressens, l'ivresse passagère d'un songe. Je ne sais pas les secrets qu'il savait. Ma gaieté est comme le masque d'un histrion; mon cœur est plus vieux qu'elle, mes sens blasés n'en veulent plus. Je ne suis qu'un lâche; sa mort n'est point vengée.

MARIANNE. — Comment aurait-elle pu l'être, à moins de risquer votre vie? Claudio est trop vieux pour accepter un duel, et trop puissant dans cette ville pour rien craindre de vous.

OCTAVE. — Cœlio m'aurait vengé si j'étais mort pour lui, comme il est mort pour moi. Ce tombeau m'appartient : c'est moi qu'ils ont étendu sous cette froide pierre; c'est pour moi qu'ils avaient aiguisé leurs épées; c'est moi qu'ils ont tué. Adieu la gaieté de ma jeunesse, l'insouciante folie, la vie libre et joyeuse au pied du Vésuve! Adieu les bruyants repas, les causeries du soir, les sérénades sous les balcons dorés! Adieu Naples et ses femmes, les mascarades à la lueur des torches, les longs soupers à l'ombre des forêts! Adieu l'amour et l'amitié! ma place est vide sur la terre.

MARIANNE. — Mais non pas dans mon cœur, Octave. Pourquoi dis-tu : Adieu l'amour ?

OCTAVE. — Je ne vous aime pas, Marianne; c'était Cœlio qui vous aimait.

FIN DES « CAPRICES DE MARIANNE »

FANTASIO

Le 9 août 1832, la princesse Louise, fille du roi des
Français Louis-Philippe, avait épousé, à Compiègne, le
roi des Belges Léopold Ier : mariage de pure politique
auquel s'était résignée la jeune princesse, avec un veuf qui
aurait pu être son père, étant de vingt et un ans son aîné.
« Dire qu'elle a été forcée, a écrit Mme de Boigne, serait
absurde pour qui connaît l'intérieur de ces princes si
tendrement unis. Mais il est bien sûr que tout ce qui
l'entourait s'est relayé pendant trois mois pour obtenir
son consentement à force de raisonnements et de caresses ».
Il est très probable que ce mariage d'Etat a inspiré à Musset
l'idée d'écrire *Fantasio*, où le tendre intérêt du héros pour
Elsbeth répond sans doute à la sympathie qu'il ressentait
lui-même pour la princesse Louise.

En tout cas il a mêlé ce fait divers aux souvenirs très
précis qu'il gardait de la *Biographie de Jean Kreisler*
d'Hoffmann, dont la première traduction française avait
paru en 1830, et dont il s'était déjà inspiré pour écrire *la
Nuit vénitienne*. De même que la princesse allemande,
promise à un prince italien qu'elle déteste, en est délivrée
par un subterfuge du bon maître de chapelle Kreisler, qui
fait fuir le prétendant en lui mettant sous les yeux une
boîte qui renferme un portrait mystérieux, de même
Fantasio, par un moyen analogue, une gaminerie de page,
empêche le mariage d'Elsbeth et du prince de Mantoue.

On a relevé d'ailleurs, dans *Fantasio*, des souvenirs de
ce Jean-Paul Richter dont Musset écrivait en 1831 qu' « il
écrivait comme il sentait » et que « sa plume et son cœur
allaient ensemble »; on y a relevé aussi des allusions à
l'*Amadis*, à La Fontaine, à Pope et au *Lutrin* de Boileau;
on y a retrouvé des reflets de Shakespeare et de Marivaux;
et le décor de féerie, ce chimérique royaume de Bavière
où dans un cadre changeant la comédie se déroule, tient,
comme l'a dit Lemaitre, « du plus rêvé des rêves ».

On y retrouve, enfin et surtout, Musset lui-même, — Musset qui a su tracer une figure d'émouvante douceur dans sa résignation de cette Elsbeth entourée du bon roi son père, d'une gouvernante romanesque et d'un prince de Mantoue imbécile et gourmé, mais qui dans Fantasio s'est dessiné lui-même, « le mois de mai sur les joues, le mois de janvier dans le cœur », libertin blasé ayant pourtant le culte de l'amour, tel qu'il était en cette année 1833, où il rencontra George Sand pour son heur et pour son malheur, — « Fantasio qui, écrit Jules Lemaître, s'ennuie parce qu'il a trop aimé » et désespère parce qu'il « n'aime plus et qui a, comme Musset, l'amour de l'amour et après chaque expérience, le dégoût invincible, et après chaque dégoût l'invincible besoin de recommencer l'expérience ».

Fantasio fut publiée par Buloz dans *la Revue des Deux Mondes* le 1er janvier 1834.

A en croire Paul de Musset, Alfred aurait, en 1851, songé pour la faire jouer à remanier sa pièce, « en donnant à entendre au spectateur que l'esprit et la gaieté de Fantasio produisaient une douce impression sur le cœur de la princesse. La scène de la prison devenait un troisième acte, où la princesse mettait un peu d'insistance et de coquetterie à exiger de Fantasio la promesse qu'il reviendrait à la cour. On voyait ensuite arriver Spark, Hartman et Facio, résolus à prendre part comme volontaires à la guerre contre le prince de Mantoue. Fantasio refusait de les accompagner et, après leur départ, il reprenait sa perruque et ses insignes de bouffon, pour aller se cacher dans le parterre où il avait rencontré la princesse ».

Sur ces indications, plus ou moins authentiques, Paul de Musset recomposa un *Fantasio* de trois actes, et non plus de deux, qui fut joué à la Comédie-Française le 18 août 1866. Est-il utile de dire que le second *Fantasio* est très loin de valoir le premier ? Comme l'a très bien vu et dit Albert Soubies, « Fantasio transformé en soupirant attitré, Fantasio rivé à la cour de la princesse par la perspective d'une sorte d'union morganatique, est un héros quelconque de Scribe, *mais n'est plus Fantasio* ». Bien que le rôle de Fantasio eût été confié à l'excellent Delaunay, la comédie n'eut que trente représentations.

Mis en musique par Offenbach, *Fantasio* fut joué à l'Opéra-Comique le 18 janvier 1872.

Cette comédie a été jouée aujourd'hui 113 fois à la Comédie-Française.

M. R.

PERSONNAGES

LE ROI DE BAVIÈRE.
LE PRINCE DE MANTOUE.
MARINONI, son aide de camp.
RUTTEN, secrétaire du roi.
FANTASIO,
SPARK,
HARTMAN, } jeunes gens de la ville.
FACIO,
OFFICIERS, PAGES, etc.
ELSBETH, fille du roi de Bavière.
LA GOUVERNANTE D'ELSBETH.

Munich.

ACTE PREMIER

SCÈNE I

A la cour.

LE ROI, *entouré de ses courtisans ;* RUTTEN.

LE ROI. — Mes amis, je vous ai annoncé, il y a déjà longtemps, les fiançailles de ma chère Elsbeth avec le prince de Mantoue. Je vous annonce aujourd'hui l'arrivée de ce prince ; ce soir peut-être, demain au plus tard, il sera dans ce palais. Que ce soit un jour de fête pour tout le monde ; que les prisons s'ouvrent, et que le peuple passe la nuit dans les divertissements. Rutten, où est ma fille ?

Les courtisans se retirent.

RUTTEN. — Sire, elle est dans le parc, avec sa gouvernante.

LE ROI. — Pourquoi ne l'ai-je pas encore vue aujourd'hui ? Est-elle triste ou gaie de ce mariage qui s'apprête ?

RUTTEN. — Il m'a paru que le visage de la princesse était voilé de quelque mélancolie. Quelle est la jeune fille qui ne rêve pas la veille de ses noces ? La mort de Saint-Jean l'a contrariée.

LE ROI. — Y penses-tu ? La mort de mon bouffon ? d'un plaisant de cour bossu et presque aveugle ?

RUTTEN. — La princesse l'aimait.

LE ROI. — Dis-moi, Rutten, tu as vu le prince ; quel homme est-ce ? Hélas ! je lui donne ce que j'ai de plus précieux au monde, et je ne le connais point.

RUTTEN. — Je suis demeuré fort peu de temps à Mantoue.

LE ROI. — Parle franchement. Par quels yeux puis-je voir la vérité, si ce n'est par les tiens ?

RUTTEN. — En vérité, sire, je ne saurais rien dire sur le caractère et l'esprit du noble prince.

LE ROI. — En est-il ainsi ? Tu hésites ? Toi, courtisan ! De combien d'éloges l'air de cette chambre serait déjà rempli, de combien d'hyperboles et de métaphores flat-

teuses, si le prince qui sera demain mon gendre t'avait
paru digne de ce titre! Me serais-je trompé, mon ami?
aurais-je fait en lui un mauvais choix?

RUTTEN. — Sire, le prince passe pour le meilleur des rois.

LE ROI. — La politique est une fine toile d'araignée,
dans laquelle se débattent bien des pauvres mouches
mutilées; je ne sacrifierai le bonheur de ma fille à aucun
intérêt.

Ils sortent.

SCÈNE II

Une rue.

SPARK, HARTMAN ET FACIO, *buvant autour d'une table.*

HARTMAN. — Puisque c'est aujourd'hui le mariage de la
princesse, buvons, fumons, et tâchons de faire du tapage.

FACIO. — Il serait bon de nous mêler à tout ce peuple qui
court les rues, et d'éteindre quelques lampions sur de
bonnes têtes de bourgeois.

SPARK. — Allons donc! fumons tranquillement.

HARTMAN. — Je ne ferai rien tranquillement; dussé-je
me faire battant de cloche et me pendre dans le bourdon de
l'église, il faut que je carillonne un jour de fête. Où diable
est donc Fantasio?

SPARK. — Attendons-le; ne faisons rien sans lui.

FACIO. — Bah! il nous trouvera toujours. Il est à se
griser dans quelque trou de la rue Basse. Holà! ohé! un
dernier coup! *(Il lève son verre.)*

UN OFFICIER, *entrant.* — Messieurs, je viens vous prier
de vouloir bien aller plus loin, si vous ne voulez point être
dérangés dans votre gaieté.

HARTMAN. — Pourquoi, mon capitaine?

L'OFFICIER. — La princesse est dans ce moment sur la
terrasse que vous voyez, et vous comprenez aisément qu'il
n'est pas convenable que vos cris arrivent jusqu'à elle.

Il sort.

FACIO. — Voilà qui est intolérable!

SPARK. — Qu'est-ce que cela nous fait de rire ici ou
ailleurs?

HARTMAN. — Qui est-ce qui nous dit qu'ailleurs il
nous sera permis de rire? Vous verrez qu'il sortira un

drôle en habit vert de tous les pavés de la ville, pour nous prier d'aller rire dans la lune.

Entre Marinoni, couvert d'un manteau.

SPARK. — La princesse n'a jamais fait un acte de despotisme de sa vie. Que Dieu la conserve! Si elle ne veut pas qu'on rie, c'est qu'elle est triste, ou qu'elle chante; laissons-la en repos.

FACIO. — Humph! voilà un manteau rabattu qui flaire quelque nouvelle. Le gobe-mouches a envie de nous aborder.

MARINONI, *approchant.* — Je suis un étranger, messieurs; à quelle occasion cette fête?

SPARK. — La princesse Elsbeth se marie.

MARINONI. — Ah! ah! c'est une belle femme, à ce que je présume?

HARTMAN. — Comme vous êtes un bel homme, vous l'avez dit.

MARINONI. — Aimée de son peuple, si j'ose le dire, car il me paraît que tout est illuminé.

HARTMAN. — Tu ne te trompes pas, brave étranger, tous ces lampions allumés que tu vois, comme tu l'as remarqué sagement, ne sont pas autre chose qu'une illumination.

MARINONI. — Je voulais demander par là si la princesse est la cause de ces signes de joie.

HARTMAN. — L'unique cause, puissant rhéteur. Nous aurions beau nous marier tous, il n'y aurait aucune espèce de joie dans cette ville ingrate.

MARINONI. — Heureuse la princesse qui sait se faire aimer de son peuple!

HARTMAN. — Des lampions allumés ne font pas le bonheur d'un peuple, cher homme primitif. Cela n'empêche pas la susdite princesse d'être fantasque comme une bergeronnette.

MARINONI. — En vérité? vous avez dit fantasque?

HARTMAN. — Je l'ai dit, cher inconnu, je me suis servi de ce mot.

Marinoni salue et se retire.

FACIO. — A qui diantre en veut ce baragouineur d'italien? Le voilà qui nous quitte pour aborder un autre groupe. Il sent l'espion d'une lieue.

HARTMAN. — Il ne sent rien du tout; il est bête à faire plaisir.

SPARK. — Voilà Fantasio qui arrive.

HARTMAN. — Qu'a-t-il donc? il se dandine comme un conseiller de justice. Ou je me trompe fort, ou quelque lubie mûrit dans sa cervelle.

FACIO. — Eh bien! ami, que ferons-nous de cette belle soirée?

FANTASIO, *entrant*. — Tout absolument, hors un roman nouveau.

FACIO. — Je disais qu'il faudrait nous lancer dans cette canaille, et nous divertir un peu.

FANTASIO. — L'important serait d'avoir des nez de carton et des pétards.

HARTMAN. — Prendre la taille aux filles, tirer les bourgeois par la queue et casser les lanternes. Allons, partons, voilà qui est dit.

FANTASIO. — Il était une fois un roi de Perse...

HARTMAN. — Viens donc, Fantasio.

FANTASIO. — Je n'en suis pas, je n'en suis pas!

HARTMAN. — Pourquoi?

FANTASIO. — Donnez-moi un verre de ça. *(Il boit.)*

HARTMAN. — Tu as le mois de mai sur les joues.

FANTASIO. — C'est vrai; et le mois de janvier dans le cœur. Ma tête est comme une vieille cheminée sans feu : il n'y a que du vent et des cendres. Ouf! *(Il s'assoit.)* Que cela m'ennuie que tout le monde s'amuse! Je voudrais que ce grand ciel si lourd fût un immense bonnet de coton, pour envelopper jusqu'aux oreilles cette sotte ville et ses sots habitants. Allons, voyons! dites-moi, de grâce, un calembour usé, quelque chose de bien rebattu.

HARTMAN. — Pourquoi?

FANTASIO. — Pour que je rie. Je ne ris plus de ce qu'on invente; peut-être que je rirai de ce que je connais.

HARTMAN. — Tu me parais un tant soit peu misanthrope et enclin à la mélancolie.

FANTASIO. — Du tout; c'est que je viens de chez ma maîtresse.

FACIO. — Oui ou non, es-tu des nôtres?

FANTASIO. — Je suis des vôtres, si vous êtes des miens; restons un peu ici à parler de choses et d'autres, en regardant nos habits neufs.

FACIO. — Non, ma foi. Si tu es las d'être debout, je suis las d'être assis; il faut que je m'évertue en plein air.

FANTASIO. — Je ne saurais m'évertuer. Je vais fumer sous ces marronniers, avec ce brave Spark, qui va me tenir compagnie. N'est-ce pas, Spark?

SPARK. — Comme tu voudras.

HARTMAN. — En ce cas, adieu. Nous allons voir la fête.

Hartman et Facio sortent. — Fantasio s'assied
avec Spark.

FANTASIO. — Comme ce soleil couchant est manqué!
La nature est pitoyable ce soir. Regarde-moi un peu cette
vallée là-bas, ces quatre ou cinq méchants nuages qui
grimpent sur cette montagne. Je faisais des paysages
comme celui-là quand j'avais douze ans, sur la couverture
de mes livres de classe.

SPARK. — Quel bon tabac; quelle bonne bière!

FANTASIO. — Je dois bien t'ennuyer, Spark.

SPARK. — Non; pourquoi cela?

FANTASIO. — Toi, tu m'ennuies horriblement. Cela ne
te fait rien de voir tous les jours la même figure? Que
diable Hartman et Facio s'en vont-ils faire dans cette fête?

SPARK. — Ce sont deux gaillards actifs et qui ne sauraient
rester en place.

FANTASIO. — Quelle admirable chose que les *Mille et
une Nuits!* O Spark, mon cher Spark, si tu pouvais me
transporter en Chine! Si je pouvais seulement sortir de ma
peau pendant une heure ou deux! Si je pouvais être ce
monsieur qui passe!

SPARK. — Cela me paraît assez difficile.

FANTASIO. — Ce monsieur qui passe est charmant;
regarde : quelle belle culotte de soie! quelles belles fleurs
rouges sur son gilet! Ses breloques de montre battent sur
sa panse, en opposition avec les basques de son habit qui
voltigent sur ses mollets. Je suis sûr que cet homme-là
a dans la tête un millier d'idées qui me sont absolument
étrangères; son essence lui est particulière. Hélas! tout ce
que les hommes se disent entre eux se ressemble; les idées
qu'ils échangent sont presque toujours les mêmes dans
toutes leurs conversations; mais dans l'intérieur de toutes
ces machines isolées, quels replis, quels compartiments
secrets! C'est tout un monde que chacun porte en lui!
un monde ignoré qui naît et qui meurt en silence! Quelles
solitudes que tous ces corps humains!

SPARK. — Bois donc, désœuvré, au lieu de te creuser la
tête.

FANTASIO. — Il n'y a qu'une chose qui m'ait amusé
depuis trois jours : c'est que mes créanciers ont obtenu un
arrêt contre moi, et que si je mets les pieds dans ma maison,
il va arriver quatre estafiers qui me prendront au collet.

SPARK. — Voilà qui est fort gai, en effet. Où coucheras-tu
ce soir?

FANTASIO. — Chez la première venue. Te figures-tu que mes meubles se vendent demain matin? Nous en achèterons quelques-uns, n'est-ce pas?

SPARK. — Manques-tu d'argent, Henri? Veux-tu ma bourse?

FANTASIO. — Imbécile! si je n'avais pas d'argent, je n'aurais pas de dettes. J'ai envie de prendre pour maîtresse une fille d'opéra.

SPARK. — Cela t'ennuiera à périr.

FANTASIO. — Pas du tout; mon imagination se remplira de pirouettes et de souliers de satin blanc; il y aura un gant à moi sur la banquette du balcon depuis le premier janvier jusqu'à la Saint-Sylvestre, et je fredonnerai des solos de clarinette dans mes rêves, en attendant que je meure d'une indigestion de fraises dans les bras de ma bien-aimée. Remarques-tu une chose, Spark? c'est que nous n'avons point d'état; nous n'exerçons aucune profession.

SPARK. — C'est là ce qui t'attriste?

FANTASIO. — Il n'y a point de maître d'armes mélancolique.

SPARK. — Tu me fais l'effet d'être revenu de tout.

FANTASIO. — Ah! pour être revenu de tout, mon ami, il faut être allé dans bien des endroits.

SPARK. — Eh bien donc?

FANTASIO. — Eh bien donc! où veux-tu que j'aille? Regarde cette vieille ville enfumée; il n'y a pas de places, de rues, de ruelles où je n'aie rôdé trente fois; il n'y a pas de pavés où je n'aie traîné ces talons usés, pas de maisons où je ne sache quelle est la fille ou la vieille femme dont la tête stupide se dessine éternellement à la fenêtre; je ne saurais faire un pas sans marcher sur mes pas d'hier; eh bien, mon cher ami, cette ville n'est rien auprès de ma cervelle. Tous les recoins m'en sont cent fois plus connus; toutes les rues, tous les trous de mon imagination sont cent fois plus fatigués; je m'y suis promené en cent fois plus de sens, dans cette cervelle délabrée, moi son seul habitant! je m'y suis grisé dans tous les cabarets; je m'y suis roulé comme un roi absolu dans un carrosse doré; j'y ai trotté en bon bourgeois sur une mule pacifique, et je n'ose seulement pas maintenant y entrer comme un voleur, une lanterne sourde à la main.

SPARK. — Je ne comprends rien à ce travail perpétuel sur toi-même; moi, quand je fume, par exemple, ma pensée se fait fumée de tabac; quand je bois, elle se fait vin d'Espagne ou bière de Flandre; quand je baise la main de ma maîtresse, elle entre par le bout de ses doigts effilés pour se répandre dans tout son être sur des courants électriques; il me faut le parfum d'une fleur pour me distraire, et de tout ce que renferme l'universelle nature, le plus chétif objet suffit pour me changer en abeille et me faire voltiger çà et là avec un plaisir toujours nouveau.

FANTASIO. — Tranchons le mot, tu es capable de pêcher à la ligne.

SPARK. — Si cela m'amuse, je suis capable de tout.

FANTASIO. — Même de prendre la lune avec les dents?

SPARK. — Cela ne m'amuserait pas.

FANTASIO. — Ah! ah! qu'en sais-tu? Prendre la lune avec les dents n'est pas à dédaigner. Allons jouer au trente et quarante.

SPARK. — Non, en vérité.

FANTASIO. — Pourquoi?

SPARK. — Parce que nous perdrions notre argent.

FANTASIO. — Ah! mon Dieu! qu'est-ce que tu vas imaginer là! Tu ne sais quoi inventer pour te torturer l'esprit. Tu vois donc tout en noir, misérable! Perdre notre argent! tu n'as donc dans le cœur ni foi en Dieu ni espérance? tu es donc un athée épouvantable, capable de me dessécher le cœur et de me désabuser de tout, moi qui suis plein de sève et de jeunesse! *(Il se met à danser.)*

SPARK. — En vérité, il y a de certains moments où je ne jurerais pas que tu n'es pas fou.

FANTASIO, *dansant toujours* — Qu'on me donne une cloche! une cloche de verre!

SPARK. — A propos de quoi une cloche?

FANTASIO. — Jean-Paul n'a-t-il pas dit qu'un homme absorbé par une grande pensée est comme un plongeur sous sa cloche, au milieu du vaste Océan? Je n'ai point de cloche, Spark, point de cloche, et je danse comme Jésus-Christ sur le vaste Océan.

SPARK. — Fais-toi journaliste ou homme de lettres, Henri, c'est encore le plus efficace moyen qui nous reste de désopiler la misanthropie et d'amortir l'imagination.

FANTASIO. — Oh! je voudrais me passionner pour un homard à la moutarde, pour une grisette, pour une classe de minéraux. Spark! essayons de bâtir une maison à nous deux.

SPARK. — Pourquoi n'écris-tu pas tout ce que tu rêves? cela ferait un joli recueil.

FANTASIO. — Un sonnet vaut mieux qu'un long poème, et un verre de vin vaut mieux qu'un sonnet. *(Il boit.)*

SPARK. — Pourquoi ne voyages-tu pas ? va en Italie.

FANTASIO. — J'y ai été.

SPARK. — Eh bien! est-ce que tu ne trouves pas ce pays-là beau ?

FANTASIO. — Il y a une quantité de mouches grosses comme des hannetons qui vous piquent toute la nuit.

SPARK. — Va en France.

FANTASIO. — Il n'y a pas de bon vin du Rhin à Paris.

SPARK. — Va en Angleterre.

FANTASIO. — J'y suis. Est-ce que les Anglais ont une patrie ? J'aime autant les voir ici que chez eux.

SPARK. — Va donc au diable, alors.

FANTASIO. — Oh! s'il y avait un diable dans le ciel! s'il y avait un enfer, comme je me brûlerais la cervelle pour aller voir tout ça! Quelle misérable chose que l'homme! ne pas pouvoir seulement sauter par sa fenêtre sans se casser les jambes! être obligé de jouer du violon dix ans pour devenir un musicien passable! Apprendre pour être peintre, pour être palefrenier! Apprendre pour faire une omelette! Tiens, Spark, il me prend des envies de m'asseoir sur un parapet, de regarder couler la rivière, et de me mettre à compter un, deux, trois, quatre, cinq, six, sept, et ainsi de suite jusqu'au jour de ma mort.

SPARK. — Ce que tu dis là ferait rire bien des gens ; moi, cela me fait frémir : c'est l'histoire du siècle entier. L'éternité est une grande aire, d'où tous les siècles, comme de jeunes aiglons, se sont envolés tour à tour pour traverser le ciel et disparaître ; le nôtre est arrivé à son tour au bord du nid ; mais on lui a coupé les ailes, et il attend la mort en regardant l'espace dans lequel il ne peut s'élancer.

FANTASIO, *chantant.*
> *Tu m'appelles ta vie, appelle-moi ton âme,*
> *Car l'âme est immortelle, et la vie est un jour.*

Connais-tu une plus divine romance que celle-là, Spark ? C'est une romance portugaise. Elle ne m'est jamais venue à l'esprit sans me donner envie d'aimer quelqu'un.

SPARK. — Qui, par exemple ?

FANTASIO. — Qui ? je n'en sais rien ; quelque belle fille toute ronde comme les femmes de Miéris ; quelque chose de doux comme le vent d'ouest, de pâle comme les rayons de la lune ; quelque chose de pensif comme ces petites servantes d'auberge des tableaux flamands qui donnent le coup de l'étrier à un voyageur à larges bottes, droit comme un piquet sur un grand cheval blanc. Quelle belle

chose que le coup de l'étrier! une jeune femme sur le
pas de sa porte, le feu allumé qu'on aperçoit au fond de
la chambre, le souper préparé, les enfants endormis;
toute la tranquillité de la vie paisible et contemplative
dans un coin du tableau! et là l'homme encore haletant,
mais ferme sur la selle, ayant fait vingt lieues, en ayant
trente à faire; une gorgée d'eau-de-vie, et adieu. La nuit
est profonde là-bas, le temps menaçant, la forêt dangereuse; la bonne femme le suit des yeux une minute, puis
elle laisse tomber, en retournant à son feu, cette sublime
aumône du pauvre : Que Dieu le protège!

SPARK. — Si tu étais amoureux, Henri, tu serais le plus
heureux des hommes.

FANTASIO. — L'amour n'existe plus, mon cher ami. La
religion, sa nourrice, a les mamelles pendantes comme
une vieille bourse au fond de laquelle il y a un gros sou.
L'amour est une hostie qu'il faut briser en deux au pied
d'un autel et avaler ensemble dans un baiser; il n'y a plus
d'autel, il n'y a plus d'amour. Vive la nature! Il y a encore
du vin. *(Il boit.)*

SPARK. — Tu vas te griser.

FANTASIO. — Je vais me griser, tu l'as dit.

SPARK. — Il est un peu tard pour cela.

FANTASIO. — Qu'appelles-tu tard? Midi, est-ce tard?
minuit, est-ce de bonne heure? Où prends-tu la journée?
Restons là, Spark, je t'en prie. Buvons, causons, analysons,
déraisonnons, faisons de la politique; imaginons des combinaisons de gouvernement; attrapons tous les hannetons
qui passent autour de cette chandelle, et mettons-les
dans nos poches. Sais-tu que les canons à vapeur sont
une belle chose en matière de philanthropie?

SPARK. — Comment l'entends-tu?

FANTASIO. — Il y avait une fois un roi qui était très
sage, très sage, très heureux, très heureux...

SPARK. — Après?

FANTASIO. — La seule chose qui manquait à son bonheur, c'était d'avoir des enfants. Il fit faire des prières
publiques dans toutes les mosquées.

SPARK. — A quoi en veux-tu venir?

FANTASIO. — Je pense à mes chères *Mille et une Nuits*.
C'est comme cela qu'elles commencent toutes. Tiens,
Spark, je suis gris. Il faut que je fasse quelque chose.
Tra la, tra la! Allons, levons-nous!

Un enterrement passe.

Ohé! braves gens, qui enterrez-vous là? Ce n'est pas maintenant l'heure d'enterrer proprement.

LES PORTEURS. — Nous enterrons Saint-Jean.

FANTASIO. — Saint-Jean est mort? le bouffon du roi est mort? Qui a pris sa place? le ministre de la justice?

LES PORTEURS. — Sa place est vacante, vous pouvez la prendre si vous voulez.

Ils sortent.

SPARK. — Voilà une insolence que tu t'es bien attirée. A quoi penses-tu, d'arrêter ces gens?

FANTASIO. — Il n'y a rien là d'insolent. C'est un conseil d'ami que m'a 'donné cet homme, et que je vais suivre à l'instant.

SPARK. — Tu vas te faire bouffon de la Cour?

FANTASIO. — Cette nuit même, si l'on veut de moi. Puisque je ne puis coucher chez moi, je veux me donner la représentation de cette royale comédie qui se jouera demain, et de la loge du roi lui-même.

SPARK. — Comme tu es fin! On te reconnaîtra, et les laquais te mettront à la porte; n'es-tu pas filleul de la feue reine?

FANTASIO. — Comme tu es bête! je me mettrai une bosse et une perruque rousse comme la portait Saint-Jean, et personne ne me reconnaîtra, quand j'aurais trois douzaines de parrains à mes trousses. *(Il frappe à une boutique.)* Hé! brave homme, ouvrez-moi, si vous n'êtes pas sorti, vous, votre femme et vos petits chiens!

UN TAILLEUR, *ouvrant la boutique.* — Que demande votre Seigneurie?

FANTASIO. — N'êtes-vous pas tailleur de la cour?

LE TAILLEUR. — Pour vous servir.

FANTASIO. — Est-ce vous qui habilliez Saint-Jean?

LE TAILLEUR. — Oui, monsieur.

FANTASIO. — Vous le connaissiez? Vous savez de quel côté était sa bosse, comment il frisait sa moustache, et quelle perruque il portait?

LE TAILLEUR. — Hé, hé! monsieur veut rire.

FANTASIO. — Homme, je ne veux point rire; entre dans ton arrière-boutique : et si tu ne veux être empoisonné demain dans ton café au lait, songe à être muet comme la tombe sur tout ce qui va se passer ici.

Il sort avec le tailleur ; Spark le suit.

SCÈNE III

Une auberge sur la route de Munich.

Entrent le PRINCE DE MANTOUE ET MARINONI.

LE PRINCE. — Eh bien, colonel ?

MARINONI. — Altesse ?

LE PRINCE. — Eh bien, Marinoni ?

MARINONI. — Mélancolique, fantasque, d'une joie folle, soumise à son père, aimant beaucoup les pois verts.

LE PRINCE. — Écris cela ; je ne comprends clairement que les écritures moulées en bâtarde.

MARINONI, *écrivant.* — Mélanco...

LE PRINCE. — Écris à voix basse : je rêve à un projet d'importance depuis mon dîner.

MARINONI. — Voilà, Altesse, ce que vous demandez.

LE PRINCE. — C'est bien ; je te nomme mon ami intime ; je ne connais pas dans tout mon royaume de plus belle écriture que la tienne. Assieds-toi à quelque distance. Vous pensez donc, mon ami, que le caractère de la princesse, ma future épouse, vous est secrètement connu ?

MARINONI. — Oui, altesse : j'ai parcouru les alentours du palais, et ces tablettes renferment les principaux traits des conversations différentes dans lesquelles je me suis immiscé.

LE PRINCE, *se mirant.* — Il me semble que je suis poudré comme un homme de la dernière classe.

MARINONI. — L'habit est magnifique.

LE PRINCE. — Que dirais-tu, Marinoni, si tu voyais ton maître revêtir un simple frac olive ?

MARINONI. — Son Altesse se rit de ma crédulité.

LE PRINCE. — Non, Colonel. Apprends que ton maître est le plus romanesque des hommes.

MARINONI. — Romanesque, Altesse !

LE PRINCE. — Oui, mon ami (je t'ai accordé ce titre) ; l'important projet que je médite est inouï dans ma famille ; je prétends arriver à la cour du roi mon beau-père dans l'habillement d'un simple aide de camp ; ce n'est pas assez d'avoir envoyé un homme de ma maison recueillir les bruits sur la future princesse de Mantoue (et cet homme, Marinoni, c'est toi-même), je veux encore observer par mes yeux.

MARINONI. — Est-il vrai, Altesse?

LE PRINCE. — Ne reste pas pétrifié. Un homme tel que moi ne doit avoir pour ami intime qu'un esprit vaste et entreprenant.

MARINONI. — Une seule chose me paraît s'opposer au dessein de Votre Altesse.

LE PRINCE. — Laquelle?

MARINONI. — L'idée d'un tel travestissement ne pouvait appartenir qu'au prince glorieux qui nous gouverne. Mais si mon gracieux souverain est confondu parmi l'état-major, à qui le roi de Bavière fera-t-il les honneurs d'un festin splendide qui doit avoir lieu dans la galerie?

LE PRINCE. — Tu as raison; si je me déguise, il faut que quelqu'un prenne ma place. Cela est impossible, Marinoni; je n'avais pas pensé à cela.

MARINONI. — Pourquoi impossible, Altesse?

LE PRINCE. — Je puis bien abaisser la dignité princière jusqu'au grade de colonel; mais comment peux-tu croire que je consentirais à élever jusqu'à mon rang un homme quelconque? Penses-tu d'ailleurs que mon futur beau-père me le pardonnerait?

MARINONI. — Le roi passe pour un homme de beaucoup de sens et d'esprit, avec une humeur agréable.

LE PRINCE. — Ah! ce n'est pas sans peine que je renonce à mon projet. Pénétrer dans cette cour nouvelle sans faste et sans bruit, observer tout, approcher de la princesse sous un faux nom, et peut-être m'en faire aimer! — Oh! je m'égare; cela est impossible. Marinoni, mon ami, essaye mon habit de cérémonie; je ne saurais y résister.

MARINONI, *s'inclinant.* — Altesse!

LE PRINCE. — Penses-tu que les siècles futurs oublieront une pareille circonstance?

MARINONI. — Jamais, gracieux prince.

LE PRINCE. — Viens essayer mon habit.

Ils sortent.

ACTE II

SCÈNE I

Le jardin du roi de Bavière.

Entrent ELSBETH ET SA GOUVERNANTE.

LA GOUVERNANTE. — Mes pauvres yeux en ont pleuré, pleuré un torrent du ciel.

ELSBETH. — Tu es si bonne! Moi aussi j'aimais Saint-Jean; il avait tant d'esprit! Ce n'était point un bouffon ordinaire.

LA GOUVERNANTE. — Dire que le pauvre homme est allé là-haut la veille de vos fiançailles! Lui qui ne parlait que de vous à dîner et à souper, tant que le jour durait. Un garçon si gai, si amusant, qu'il faisait aimer la laideur, et que les yeux le cherchaient toujours en dépit d'eux-mêmes!

ELSBETH. — Ne me parle pas de mon mariage; c'est encore là un plus grand malheur.

LA GOUVERNANTE. — Ne savez-vous pas que le prince de Mantoue arrive aujourd'hui? On dit que c'est un Amadis.

ELSBETH. — Que dis-tu là, ma chère! Il est horrible et idiot, tout le monde le sait déjà ici.

LA GOUVERNANTE. — En vérité? on m'avait dit que c'était un Amadis.

ELSBETH. — Je ne demandais pas un Amadis, ma chère; mais cela est cruel, quelquefois, de n'être qu'une fille de roi. Mon père est le meilleur des hommes; le mariage qu'il prépare assure la paix de son royaume; il recevra en récompense la bénédiction d'un peuple; mais moi, hélas! j'aurai la sienne, et rien de plus.

LA GOUVERNANTE. — Comme vous parlez tristement!

ELSBETH. — Si je refusais le prince, la guerre serait bientôt recommencée; quel malheur, que ces traités de paix se signent toujours avec des larmes! Je voudrais être une forte tête, et me résigner à épouser le premier venu, quand cela est nécessaire en politique. Être la mère d'un peuple, cela console les grands cœurs, mais non les têtes faibles. Je ne suis qu'une pauvre rêveuse; peut-être la faute en est-elle à tes romans, tu en as toujours dans tes poches.

LA GOUVERNANTE. — Seigneur! n'en dites rien.

ELSBETH. — J'ai peu connu la vie, et j'ai beaucoup rêvé.

LA GOUVERNANTE. — Si le prince de Mantoue est tel que vous le dites, Dieu ne laissera pas cette affaire-là s'arranger, j'en suis sûre.

ELSBETH. — Tu crois! Dieu laisse faire les hommes, ma pauvre amie, et il ne fait guère plus de cas de nos plaintes que du bêlement d'un mouton.

LA GOUVERNANTE. — Je suis sûre que si vous refusiez le prince, votre père ne vous forcerait pas.

ELSBETH. — Non, certainement, il ne me forcerait pas; et c'est pour cela que je me sacrifie. Veux-tu que j'aille dire à mon père d'oublier sa parole, et de rayer d'un trait de plume son nom respectable sur un contrat qui fait des milliers d'heureux? Qu'importe qu'il fasse une malheureuse? Je laisse mon bon père être un bon roi.

LA GOUVERNANTE. — Hi! hi! *(Elle pleure.)*

ELSBETH. — Ne pleure pas sur moi, ma bonne; tu me ferais peut-être pleurer moi-même, et il ne faut pas qu'une royale fiancée ait les yeux rouges. Ne t'afflige pas de tout cela. Après tout, je serai une reine, c'est peut-être amusant; je prendrai peut-être goût à mes parures, que sais-je? à mes carrosses, à ma nouvelle cour; heureusement qu'il y a pour une princesse autre chose dans un mariage qu'un mari. Je trouverai peut-être le bonheur au fond de ma corbeille de noces.

LA GOUVERNANTE. — Vous êtes un vrai agneau pascal.

ELSBETH. — Tiens, ma chère, commençons toujours par en rire, quitte à en pleurer quand il en sera temps. On dit que le prince de Mantoue est la plus ridicule chose du monde.

LA GOUVERNANTE. — Si Saint-Jean était là!

ELSBETH. — Ah! Saint-Jean, Saint-Jean!

LA GOUVERNANTE. — Vous l'aimiez beaucoup, mon enfant.

ELSBETH. — Cela est singulier; son esprit m'attachait à lui avec des fils imperceptibles qui semblaient venir de mon cœur; sa perpétuelle moquerie de mes idées romanesques me plaisait à l'excès, tandis que je ne puis supporter qu'avec peine bien des gens qui abondent dans mon sens; je ne sais ce qu'il y avait autour de lui, dans ses

yeux, dans ses gestes, dans la manière dont il prenait
son tabac. C'était un homme bizarre; tandis qu'il me parlait, il me passait devant les yeux des tableaux délicieux;
sa parole donnait la vie, comme par enchantement, aux
choses les plus étranges.

La Gouvernante. — C'était un vrai Triboulet.

Elsbeth. — Je n'en sais rien; mais c'était un diamant
d'esprit.

La Gouvernante. — Voilà des pages qui vont et
viennent; je crois que le prince ne va pas tarder à se
montrer; il faudrait retourner au palais pour vous habiller.

Elsbeth. — Je t'en supplie, laisse-moi un quart d'heure
encore; va préparer ce qu'il me faut : hélas! ma chère, je
n'ai plus longtemps à rêver.

La Gouvernante. — Seigneur, est-il possible que ce
mariage se fasse, s'il vous déplaît? Un père sacrifier sa
fille! le roi serait un véritable Jephté, s'il le faisait.

Elsbeth. — Ne dis pas de mal de mon père; va, ma
chère, prépare ce qu'il me faut.

La gouvernante sort.

Elsbeth, *seule.* — Il me semble qu'il y a quelqu'un
derrière ces bosquets. Est-ce le fantôme de mon pauvre
bouffon que j'aperçois dans ces bluets, assis sur la prairie?
Répondez-moi; qui êtes-vous? que faites-vous là, à cueillir
ces fleurs? *(Elle s'avance vers un tertre.)*

Fantasio, *assis, vêtu en bouffon, avec une bosse et une
perruque.* — Je suis un brave cueilleur de fleurs, qui
souhaite le bonjour à vos beaux yeux.

Elsbeth. — Que signifie cet accoutrement? qui êtes-
vous pour venir parodier sous cette large perruque un
homme que j'ai aimé? Êtes-vous écolier en bouffonneries?

Fantasio. — Plaise à Votre Altesse sérénissime, je suis
le nouveau bouffon du roi; le majordome m'a reçu favo-
rablement; je suis présenté au valet de chambre; les marmitons me protègent depuis hier au soir, et je cueille
modestement des fleurs en attendant qu'il me vienne de
l'esprit.

Elsbeth. — Cela me paraît douteux, que vous cueilliez
jamais cette fleur-là.

Fantasio. — Pourquoi? l'esprit peut venir à un homme
vieux, tout comme à une jeune fille. Cela est si difficile
quelquefois de distinguer un trait spirituel d'une grosse
sottise! Beaucoup parler, voilà l'important; le plus mauvais tireur de pistolet peut attraper la mouche, s'il tire
sept cent quatre-vingts coups à la minute, tout aussi

bien que le plus habile homme qui n'en tire qu'un ou
deux bien ajustés. Je ne demande qu'à être nourri conve-
nablement pour la grosseur de mon ventre, et je regarderai
mon ombre au soleil pour voir si ma perruque pousse.

ELSBETH. — En sorte que vous voilà revêtu des dépouilles
de Saint-Jean ? Vous avez raison de parler de votre ombre;
tant que vous aurez ce costume, elle lui ressemblera
toujours, je crois, plus que vous.

FANTASIO. — Je fais en ce moment une élégie qui déci-
dera de mon sort.

ELSBETH. — En quelle façon ?

FANTASIO. — Elle prouvera clairement que je suis le
premier homme du monde, ou bien elle ne vaudra rien
du tout. Je suis en train de bouleverser l'univers pour le
mettre en acrostiche; la lune, le soleil et les étoiles se
battent pour entrer dans mes rimes, comme des écoliers
à la porte d'un théâtre de mélodrames.

ELSBETH. — Pauvre homme! quel métier tu entreprends!
faire de l'esprit à tant par heure! N'as-tu ni bras ni jambes,
et ne ferais-tu pas mieux de labourer la terre que ta propre
cervelle ?

FANTASIO. — Pauvre petite! quel métier vous entrepre-
nez! épouser un sot que vous n'avez jamais vu! —
N'avez-vous ni cœur ni tête, et ne feriez-vous pas mieux
de vendre vos robes que votre corps ?

ELSBETH. — Voilà qui est hardi, monsieur le nouveau
venu!

FANTASIO. — Comment appelez-vous cette fleur-là, s'il
vous plaît ?

ELSBETH. — Une tulipe. Que veux-tu prouver ?

FANTASIO. — Une tulipe rouge, ou une tulipe bleue ?

ELSBETH. — Bleue, à ce qu'il me semble.

FANTASIO. — Point du tout, c'est une tulipe rouge.

ELSBETH. — Veux-tu mettre un habit neuf à une vieille
sentence ? tu n'en as pas besoin pour dire que des goûts
et des couleurs il n'en faut pas disputer.

FANTASIO. — Je ne dispute pas; je vous dis que cette
tulipe est une tulipe rouge, et cependant je conviens qu'elle
est bleue.

ELSBETH. — Comment arranges-tu cela ?

FANTASIO. — Comme votre contrat de mariage. Qui
peut savoir sous le soleil s'il est né bleu ou rouge ? Les
tulipes elles-mêmes n'en savent rien. Les jardiniers et les
notaires font des greffes si extraordinaires, que les pommes
deviennent des citrouilles, et que les chardons sortent de

la mâchoire de l'âne pour s'inonder de sauce dans le plat
d'argent d'un évêque. Cette tulipe que voilà s'attendait
bien à être rouge ; mais on l'a mariée, elle est tout étonnée
d'être bleue ; c'est ainsi que le monde entier se métamor-
phose sous les mains de l'homme ; et la pauvre dame nature
doit se rire parfois au nez de bon cœur, quand elle mire
dans ses lacs et dans ses mers son éternelle mascarade.
Croyez-vous que ça sentît la rose dans le paradis de Moïse ?
ça ne sentait que le foin vert. La rose est fille de la civili-
sation ; c'est une marquise comme vous et moi.

ELSBETH. — La pâle fleur de l'aubépine peut devenir
une rose, et un chardon peut devenir un artichaut ; mais
une fleur ne peut en devenir une autre : ainsi qu'importe
à la nature ? on ne la change pas, on l'embellit ou on la
tue. La plus chétive violette mourrait plutôt que de céder
si l'on voulait, par des moyens artificiels, altérer sa forme
d'une étamine.

FANTASIO. — C'est pourquoi je fais plus de cas d'une
violette que d'une fille de roi.

ELSBETH. — Il y a de certaines choses que les bouffons
eux-mêmes n'ont pas le droit de railler ; fais-y attention.
Si tu as écouté ma conversation avec ma gouvernante,
prends garde à tes oreilles.

FANTASIO. — Non pas à mes oreilles, mais à ma langue.
Vous vous trompez de sens ; il y a une erreur de sens dans
vos paroles.

ELSBETH. — Ne me fais de calembour, si tu veux
gagner ton argent, et ne me compare pas à des tulipes,
si tu ne veux gagner autre chose.

FANTASIO. — Qui sait ? Un calembour console de bien
des chagrins ; et jouer avec les mots est un moyen comme
un autre de jouer avec les pensées, les actions et les êtres.
Tout est calembour ici-bas, et il est aussi difficile de comprendre le regard d'un enfant de quatre ans, que le galimatias de trois drames modernes.

ELSBETH. — Tu me fais l'effet de regarder le monde à
travers un prisme tant soit peu changeant.

FANTASIO. — Chacun a ses lunettes ; mais personne ne
sait au juste de quelle couleur en sont les verres. Qui est-ce
qui pourra me dire au juste si je suis heureux ou malheureux, bon ou mauvais, triste ou gai, bête ou spirituel ?

ELSBETH. — Tu es laid, du moins ; c'est certain.

FANTASIO. — Pas plus certain que votre beauté. Voilà
votre père qui vient avec votre futur mari. Qui est-ce
qui peut savoir si vous l'épouserez ?

Il sort.

ELSBETH. — Puisque je ne puis éviter la rencontre du prince de Mantoue, je ferai aussi bien d'aller au-devant de lui.

Entrent le roi, Marinoni sous le costume de prince, et le prince vêtu en aide de camp.

LE ROI. — Prince, voici ma fille. Pardonnez-lui cette toilette de jardinière ; vous êtes ici chez un bourgeois qui en gouverne d'autres, et notre étiquette est aussi indulgente pour nous-mêmes que pour eux.

MARINONI. — Permettez-moi de baiser cette main charmante, madame, si ce n'est pas une trop grande faveur pour mes lèvres.

LA PRINCESSE. — Votre Altesse m'excusera si je rentre au palais. Je la verrai, je pense, d'une manière plus convenable à la présentation de ce soir.

Elle sort.

LE PRINCE. — La princesse a raison ; voilà une divine pudeur.

LE ROI, *à Marinoni.* — Quel est donc cet aide de camp qui vous suit comme votre ombre ? Il m'est insupportable de l'entendre ajouter une remarque inepte à tout ce que nous disons. Renvoyez-le, je vous en prie.

Marinoni parle bas au prince.

LE PRINCE, *de même.* — C'est fort adroit de ta part de lui avoir persuadé de m'éloigner ; je vais tâcher de joindre la princesse et de lui toucher quelques mots délicats sans faire semblant de rien.

Il sort.

LE ROI. — Cet aide de camp est un imbécile, mon ami ; que pouvez-vous faire de cet homme-là ?

MARINONI. — Hum ! Hum ! Poussons quelques pas plus avant, si Votre Majesté le permet ; je crois apercevoir un kiosque tout à fait charmant dans ce bocage.

Ils sortent.

SCÈNE II

Une autre partie du jardin.

Entre LE PRINCE.

LE PRINCE. — Mon déguisement me réussit à merveille ; j'observe, et je me fais aimer. Jusqu'ici tout va au gré de mes souhaits ; le père me paraît un grand roi, quoique trop

sans façon, et je m'étonnerais si je ne lui avais plu tout
d'abord. J'aperçois la princesse qui rentre au palais ; le
hasard me favorise singulièrement.

Elsbeth entre ; le prince l'aborde.

Altesse, permettez à un fidèle serviteur de votre futur
époux de vous offrir les félicitations sincères que son cœur
humble et dévoué ne peut contenir en vous voyant.
Heureux les grands de la terre ! Ils peuvent vous épouser !
Moi je ne le puis pas ; cela m'est tout à fait impossible ;
je suis d'une naissance obscure ; je n'ai pour tout bien
qu'un nom redoutable à l'ennemi ; un cœur pur et sans
tache bat sous ce modeste uniforme ; je suis un pauvre
soldat criblé de balles des pieds à la tête ; je n'ai pas un
ducat ; je suis solitaire et exilé de ma terre natale comme
de ma patrie céleste, c'est-à-dire du paradis de mes rêves ;
je n'ai pas un cœur de femme à presser sur mon cœur ;
je suis maudit et silencieux.

ELSBETH. — Que me voulez-vous, mon cher monsieur ?
Êtes-vous fou, ou demandez-vous l'aumône ?

LE PRINCE. — Qu'il serait difficile de trouver des paroles
pour exprimer ce que j'éprouve ! Je vous ai vue passer
toute seule dans cette allée ; j'ai cru qu'il était de mon
devoir de me jeter à vos pieds, et de vous offrir ma compagnie jusqu'à la poterne.

ELSBETH. — Je vous suis obligée ; rendez-moi le service
de me laisser tranquille.

Elle sort.

LE PRINCE, *seul.* — Aurais-je eu tort de l'aborder ? Il
le fallait cependant, puisque j'ai le projet de la séduire
sous mon habit supposé. Oui, j'ai bien fait de l'aborder.
Cependant, elle m'a répondu d'une manière désagréable.
Je n'aurais peut-être pas dû lui parler si vivement. Il le
fallait pourtant bien, puisque son mariage est presque
assuré, et que je suis censé devoir supplanter Marinoni
qui me remplace. J'ai eu raison de lui parler vivement.
Mais la réponse est désagréable. Aurait-elle un cœur dur
et faux ? Il serait bon de sonder adroitement la chose.

Il sort.

SCÈNE III

Une antichambre.

FANTASIO, *couché sur un tapis.* — Quel métier délicieux
que celui de bouffon! J'étais gris, je crois, hier soir, lorsque
j'ai pris ce costume et que je me suis présenté au palais;
mais, en vérité, jamais la saine raison ne m'a rien inspiré
qui valût cet acte de folie. J'arrive, et me voilà reçu,
choyé, enregistré, et, ce qu'il y a de mieux encore, oublié.
Je vais et viens dans ce palais comme si je l'avais habité
toute ma vie. Tout à l'heure, j'ai rencontré le roi; il n'a
pas même eu la curiosité de me regarder; son bouffon
étant mort, on lui a dit : « Sire, en voilà un autre. » C'est
admirable! Dieu merci, voilà ma cervelle à l'aise; je puis
faire toutes les balivernes possibles sans qu'on me dise
rien pour m'en empêcher; je suis un des animaux domestiques du roi de Bavière, et si je veux, tant que je garderai
ma bosse et ma perruque, on me laissera vivre jusqu'à
ma mort entre un épagneul et une pintade. En attendant,
mes créanciers peuvent se casser le nez contre ma porte
tout à leur aise. Je suis aussi bien en sûreté ici, sous cette
perruque, que dans les Indes Occidentales.

N'est-ce pas la princesse que j'aperçois dans la chambre
voisine, à travers cette glace? Elle rajuste son voile de
noces; deux longues larmes coulent sur ses joues; en voilà
une qui se détache comme une perle et qui tombe sur sa
poitrine. Pauvre petite! j'ai entendu ce matin sa conversation avec sa gouvernante; en vérité, c'était par hasard;
j'étais assis sur le gazon, sans autre dessein que celui de
dormir. Maintenant la voilà qui pleure et qui ne se doute
guère que je la vois encore. Ah! si j'étais un écolier de
rhétorique, comme je réfléchirais profondément sur cette
misère couronnée, sur cette pauvre brebis à qui on met
un ruban rose au cou pour la mener à la boucherie! Cette
petite fille est sans doute romanesque; il lui est cruel
d'épouser un homme qu'elle ne connaît pas. Cependant
elle se sacrifie en silence; que le hasard est capricieux!
il faut que je me grise, que je rencontre l'enterrement de
Saint-Jean, que je prenne son costume et sa place, que je
fasse enfin la plus grande folie de la terre, pour venir voir
tomber, à travers cette glace, les deux seules larmes que
cette enfant versera peut-être sur son triste voile de fiancée!

Il sort.

SCÈNE IV

Une allée du jardin.

LE PRINCE, MARINONI.

LE PRINCE. — Tu n'es qu'un sot, colonel.

MARINONI. — Votre Altesse se trompe sur mon compte de la manière la plus pénible.

LE PRINCE. — Tu es un maître butor. Ne pouvais-tu pas empêcher cela? Je te confie le plus grand projet qui se soit enfanté depuis une suite d'années incalculable, et toi, mon meilleur ami, mon plus fidèle serviteur, tu entasses bêtises sur bêtises. Non, non, tu as beau dire; cela n'est point pardonnable.

MARINONI. — Comment pouvais-je empêcher Votre Altesse de s'attirer les désagréments qui sont la suite nécessaire du rôle supposé qu'elle joue? Vous m'ordonnez de prendre votre nom et de me comporter en véritable prince de Mantoue. Puis-je empêcher le roi de Bavière de faire un affront à mon aide de camp? Vous aviez tort de vous mêler de nos affaires.

LE PRINCE. — Je voudrais bien qu'un maraud comme toi se mêlât de me donner des ordres.

MARINONI. — Considérez, Altesse, qu'il faut cependant que je sois le prince ou que je sois l'aide de camp. C'est par votre ordre que j'agis.

LE PRINCE. — Me dire que je suis un impertinent en présence de toute la cour, parce que j'ai voulu baiser la main de la princesse! Je suis prêt à lui déclarer la guerre, et à retourner dans mes États pour me mettre à la tête de mes armées.

MARINONI. — Songez donc, Altesse, que ce mauvais compliment s'adressait à l'aide de camp et non au prince. Prétendez-vous qu'on vous respecte sous ce déguisement?

LE PRINCE. — Il suffit. Rends-moi mon habit.

MARINONI, *ôtant l'habit*. — Si mon souverain l'exige, je suis prêt à mourir pour lui.

LE PRINCE. — En vérité, je ne sais que résoudre. D'un côté, je suis furieux de ce qui m'arrive; et, d'un autre, je suis désolé de renoncer à mon projet. La princesse ne paraît pas répondre indifféremment aux mots à double entente dont je ne cesse de la poursuivre. Déjà je suis parvenu deux ou trois fois à lui dire à l'oreille des choses incroyables. Viens, réfléchissons à tout cela.

MARINONI, *tenant l'habit.* — Que ferai-je, Altesse ?

LE PRINCE. — Remets-le, remets-le, et rentrons au palais.

Ils sortent.

SCÈNE V

LA PRINCESSE ELSBETH, LE ROI.

LE ROI. — Ma fille, il faut répondre franchement à ce que je vous demande : ce mariage vous déplaît-il ?

ELSBETH. — C'est à vous, Sire, de répondre vous-même. Il me plaît, s'il vous plaît ; il me déplaît, s'il vous déplaît.

LE ROI. — Le prince m'a paru être un homme ordinaire, dont il est difficile de rien dire. La sottise de son aide de camp lui fait seule tort dans mon esprit ; quant à lui, c'est peut-être un prince, mais ce n'est pas un homme élevé. Il n'y a rien en lui qui me repousse ou qui m'attire. Que puis-je te dire là-dessus ? Le cœur des femmes a des secrets que je ne puis connaître ; elles se font des héros parfois si étranges, elles saisissent si singulièrement un ou deux côtés d'un homme qu'on leur présente, qu'il est impossible de juger pour elles, tant qu'on n'est pas guidé par quelque point tout à fait sensible. Dis-moi donc clairement ce que tu penses de ton fiancé.

ELSBETH. — Je pense qu'il est prince de Mantoue, et que la guerre recommencera demain entre lui et vous, si je ne l'épouse pas.

LE ROI. — Cela est certain, mon enfant.

ELSBETH. — Je pense donc que je l'épouserai, et que la guerre sera finie.

LE ROI. — Que les bénédictions de mon peuple te rendent grâces pour ton père ! O ma fille chérie ! je serai heureux de cette alliance ; mais je ne voudrais pas voir dans ces beaux yeux bleus cette tristesse qui dément leur résignation. Réfléchis encore quelques jours.

Il sort. — Entre Fantasio.

ELSBETH. — Te voilà, pauvre garçon ! comment te plais-tu ici ?

FANTASIO. — Comme un oiseau en liberté.

ELSBETH. — Tu aurais mieux répondu, si tu avais dit

comme un oiseau en cage. Ce palais en est une assez belle, cependant c'en est une.

FANTASIO. — La dimension d'un palais ou d'une chambre ne fait pas l'homme plus ou moins libre. Le corps se remue où il peut; l'imagination ouvre quelquefois des ailes grandes comme le ciel dans un cachot grand comme la main.

ELSBETH. — Ainsi donc, tu es un heureux fou?

FANTASIO. — Très heureux. Je fais la conversation avec les petits chiens et les marmitons. Il y a un roquet pas plus haut que cela dans la cuisine, qui m'a dit des choses charmantes.

ELSBETH. — En quel langage?

FANTASIO. — Dans le style le plus pur. Il ne ferait pas une seule faute de grammaire dans l'espace d'une année.

ELSBETH. — Pourrai-je entendre quelques mots de ce style?

FANTASIO. — En vérité, je ne le voudrais pas; c'est une langue qui est particulière. Il n'y a pas que les roquets qui la parlent, les arbres et les grains de blé eux-mêmes la savent aussi; mais les filles de roi ne la savent pas. A quand votre noce?

ELSBETH. — Dans quelques jours tout sera fini.

FANTASIO. — C'est-à-dire, tout sera commencé. Je compte vous offrir un présent de ma main.

ELSBETH. — Quel présent? Je suis curieuse de cela.

FANTASIO. — Je compte vous offrir un joli petit serin empaillé, qui chante comme un rossignol.

ELSBETH. — Comment peut-il chanter, s'il est empaillé?

FANTASIO. — Il chante parfaitement.

ELSBETH. — En vérité, tu te moques de moi avec un rare acharnement.

FANTASIO. — Point du tout. Mon serin a une petite serinette dans le ventre. On pousse tout doucement un petit ressort sous la patte gauche, et il chante tous les opéras nouveaux, exactement comme mademoiselle Grisi.

ELSBETH. — C'est une invention de ton esprit, sans doute?

FANTASIO. — En aucune façon. C'est un serin de cour; il y a beaucoup de petites filles très bien élevées, qui n'ont pas d'autres procédés que celui-là. Elles ont un petit ressort sous le bras gauche, un joli ressort en diamant fin, comme la montre d'un petit-maître. Le gouverneur ou la gouvernante fait jouer le ressort, et vous voyez aussitôt les lèvres s'ouvrir avec le sourire le plus gracieux; une

charmante cascatelle de paroles mielleuses sort avec le
plus doux murmure, et toutes les convenances sociales,
pareilles à des nymphes légères, se mettent aussitôt à
dansoter sur la pointe du pied autour de la fontaine mer-
veilleuse. Le prétendu ouvre des yeux ébahis : l'assistance
chuchote avec indulgence, et le père, rempli d'un secret
contentement, regarde avec orgueil les boucles d'or de
ses souliers.

ELSBETH. — Tu parais revenir volontiers sur de certains
sujets. Dis-moi, bouffon, que t'ont donc fait ces pauvres
jeunes filles, pour que tu en fasses si gaiement la satire?
Le respect d'aucun devoir ne peut-il trouver grâce devant
toi?

FANTASIO. — Je respecte fort la laideur; c'est pourquoi
je me respecte moi-même si profondément.

ELSBETH. — Tu parais quelquefois en savoir plus que
tu n'en dis. D'où viens-tu donc, et qui es-tu, pour que,
depuis un jour que tu es ici, tu saches pénétrer des mystères que les princes eux-mêmes ne soupçonneront jamais?
Est-ce à moi que s'adressent tes folies, ou est-ce au hasard
que tu parles?

FANTASIO. — C'est au hasard; je parle beaucoup au
hasard; c'est mon plus cher confident.

ELSBETH. — Il semble en effet t'avoir appris ce que tu
ne devrais pas connaître. Je croirais volontiers que tu
épies mes actions et mes paroles.

FANTASIO. — Dieu le sait. Que vous importe?

ELSBETH. — Plus que tu ne peux penser. Tantôt dans
cette chambre, pendant que je mettais mon voile, j'ai
entendu marcher tout à coup derrière la tapisserie. Je me
trompe fort si ce n'était toi qui marchais.

FANTASIO. — Soyez sûre que cela reste entre votre
mouchoir et moi. Je ne suis pas plus indiscret que je ne
suis curieux. Quel plaisir pourraient me faire vos chagrins;
quel chagrin pourraient me faire vos plaisirs? Vous êtes
ceci, et moi cela. Vous êtes jeune, et moi je suis vieux;
belle, et je suis laid; riche, et je suis pauvre. Vous voyez
bien qu'il n'y a aucun rapport entre nous. Que vous
importe que le hasard ait croisé sur sa grande route deux
roues qui ne suivent pas la même ornière, et qui ne peuvent
marquer sur la même poussière? Est-ce ma faute s'il
m'est tombé, tandis que je dormais, une de vos larmes sur
la joue?

ELSBETH. — Tu me parles sous la forme d'un homme
que j'ai aimé, voilà pourquoi je t'écoute malgré moi.

Mes yeux croient voir Saint-Jean ; mais peut-être n'es-tu qu'un espion.

Fantasio. — A quoi cela me servirait-il ? Quand il serait vrai que votre mariage vous coûterait quelques larmes, et quand je l'aurais appris par hasard, qu'est-ce que je gagnerais à l'aller raconter ? On ne me donnerait pas une pistole pour cela, et on ne vous mettrait pas au cabinet noir. Je comprends très bien qu'il doit être assez ennuyeux d'épouser le prince de Mantoue. Mais après tout, ce n'est pas moi qui en suis chargé. Demain ou après-demain vous serez partie pour Mantoue avec votre robe de noce, et moi je serai encore sur ce tabouret avec mes vieilles chausses. Pourquoi voulez-vous que je vous en veuille ? Je n'ai pas de raison pour désirer votre mort ; vous ne m'avez jamais prêté d'argent.

Elsbeth. — Mais si le hasard t'a fait voir ce que je veux qu'on ignore, ne dois-je pas te mettre à la porte, de peur de nouvel accident ?

Fantasio. — Avez-vous le dessein de me comparer à un confident de tragédie, et craignez-vous que je ne suive votre ombre en déclamant ? Ne me chassez pas, je vous en prie. Je m'amuse beaucoup ici. Tenez, voilà votre gouvernante qui arrive avec des mystères plein ses poches. La preuve que je ne l'écouterai pas, c'est que je m'en vais à l'office manger une aile de pluvier que le majordome a mise de côté pour sa femme.

Il sort.

La Gouvernante, *entrant.* — Savez-vous une chose terrible, ma chère Elsbeth ?

Elsbeth. — Que veux-tu dire ? tu es toute tremblante.

La Gouvernante. — Le prince n'est pas le prince, ni l'aide de camp non plus. C'est un vrai conte de fées.

Elsbeth. — Quel imbroglio me fais-tu là ?

La Gouvernante. — Chut ! chut ! C'est un des officiers du prince lui-même qui vient de me le dire. Le prince de Mantoue est un véritable Almaviva ; il est déguisé et caché parmi les aides de camp ; il a voulu sans doute chercher à vous voir et à vous connaître d'une manière féerique. Il est déguisé, le digne seigneur, il est déguisé, comme Lindor ; celui qu'on vous a présenté comme votre futur époux n'est qu'un aide de camp nommé Marinoni.

Elsbeth. — Cela n'est pas possible !

La Gouvernante. — Cela est certain, certain mille fois. Le digne homme est déguisé ; il est impossible de le reconnaître ; c'est une chose extraordinaire.

ELSBETH. — Tu tiens cela, dis-tu, d'un officier?

LA GOUVERNANTE. — D'un officier du prince. Vous pouvez le lui demander à lui-même.

ELSBETH. — Et il ne t'a pas montré parmi les aides de camp le véritable prince de Mantoue?

LA GOUVERNANTE. — Figurez-vous qu'il en tremblait lui-même, le pauvre homme, de ce qu'il me disait. Il ne m'a confié son secret que parce qu'il désire vous être agréable et qu'il savait que je vous préviendrais. Quant à Marinoni, cela est positif; mais, pour ce qui est du prince véritable, il ne me l'a pas montré.

ELSBETH. — Cela me donnerait quelque chose à penser, si c'était vrai. Viens, amène-moi cet officier.

Entre un page.

LA GOUVERNANTE. — Qu'y a-t-il, Flamel? Tu parais hors d'haleine.

LE PAGE. — Ah! madame, c'est une chose à en mourir de rire. Je n'ose parler devant Votre Altesse.

ELSBETH. — Parle : qu'y a-t-il encore de nouveau?

LE PAGE. — Au moment où le prince de Mantoue entrait à cheval dans la cour, à la tête de son état-major, sa perruque s'est enlevée dans les airs et a disparu tout à coup.

ELSBETH. — Pourquoi cela? Quelle niaiserie!

LE PAGE. — Madame, je veux mourir si ce n'est pas la vérité. La perruque s'est enlevée en l'air au bout d'un hameçon. Nous l'avons retrouvée dans l'office, à côté d'une bouteille cassée, on ignore qui a fait cette plaisanterie. Mais le duc n'en est pas moins furieux, et il a juré que si l'auteur n'en est pas puni de mort, il déclarera la guerre au roi votre père et mettra tout à feu et à sang.

ELSBETH. — Viens écouter toute cette histoire, ma chère. Mon sérieux commence à m'abandonner.

Entre un autre page.

ELSBETH. — Eh bien, quelle nouvelle?

LE PAGE. — Madame! le bouffon du roi est en prison; c'est lui qui a enlevé la perruque du prince.

ELSBETH. — Le bouffon est en prison? et sur l'ordre du prince?

LE PAGE. — Oui, Altesse.

ELSBETH. — Viens, chère mère, il faut que je te parle.

Elle sort avec sa gouvernante.

SCÈNE VI

LE PRINCE, MARINONI.

LE PRINCE. — Non, non, laisse-moi me démasquer. Il
est temps que j'éclate. Cela ne se passera pas ainsi. Feu
et sang! une perruque royale au bout d'un hameçon!
Sommes-nous chez les barbares, dans les déserts de la
Sibérie? Y a-t-il encore sous le soleil quelque chose de
civilisé et de convenable? J'écume de colère, et les yeux
me sortent de la tête.

MARINONI. — Vous perdez tout par cette violence.

LE PRINCE. — Et ce père, ce roi de Bavière, ce monarque
vanté dans tous les almanachs de l'année passée! cet homme
qui a un extérieur si décent, qui s'exprime en termes si
mesurés, et qui se met à rire en voyant la perruque de
son gendre voler dans les airs! Car enfin, Marinoni, je
conviens que c'est ta perruque qui a été enlevée. Mais
n'est-ce pas toujours celle du prince de Mantoue, puisque
c'est lui que l'on croit voir en toi? Quand je pense que si
c'eût été moi, en chair et en os, ma perruque aurait peut-
être... Ah! il y a une Providence; lorsque Dieu m'a envoyé
tout d'un coup l'idée de me travestir; lorsque cet éclair
a traversé ma pensée : « Il faut que je me travestisse »,
ce fatal événement était prévu par le destin. C'est lui qui
a sauvé de l'affront le plus intolérable la tête qui gouverne mes peuples. Mais, par le ciel, tout sera connu.
C'est trop longtemps trahir ma dignité. Puisque les
majestés divines et humaines sont impitoyablement violées
et lacérées, puisqu'il n'y a plus chez les hommes de notions
du bien et du mal, puisque le roi de plusieurs milliers
d'hommes éclate de rire comme un palefrenier à la vue
d'une perruque, Marinoni, rends-moi mon habit.

MARINONI, *ôtant son habit.* — Si mon souverain le
commande, je suis prêt à souffrir pour lui mille tortures.

LE PRINCE. — Je connais ton dévouement. Viens, je
vais dire au roi son fait en propres termes.

MARINONI. — Vous refusez la main de la princesse?
elle vous a cependant lorgné d'une manière évidente
pendant tout le dîner.

LE PRINCE. — Tu crois? Je me perds dans un abîme
de perplexités. Viens toujours, allons chez le roi.

MARINONI, *tenant l'habit.* — Que faut-il faire, Altesse?

LE PRINCE. — Remets-le pour un instant. Tu me le rendras tout à l'heure; ils seront bien plus pétrifiés, en m'entendant prendre le ton qui me convient, sous ce frac de couleur foncée.

Ils sortent.

SCÈNE VII

Une prison.

FANTASIO, *seul.* — Je ne sais s'il y a une Providence, mais c'est amusant d'y croire. Voilà pourtant une pauvre petite princesse qui allait épouser à son corps défendant un animal immonde, un cuistre de province, à qui le hasard a laissé tomber une couronne sur la tête, comme l'aigle d'Eschyle sa tortue. Tout était préparé; les chandelles allumées, le prétendu poudré, la pauvre petite confessée. Elle avait essuyé les deux charmantes larmes que j'ai vues couler ce matin. Rien ne manquait que deux ou trois capucinades pour que le malheur de sa vie fût en règle. Il y avait dans tout cela la fortune de deux royaumes, la tranquillité de deux peuples; et il faut que j'imagine de me déguiser en bossu, pour venir me griser derechef dans l'office de notre bon roi, et pour pêcher au bout d'une ficelle la perruque de son cher allié! En vérité, lorsque je suis gris, je crois que j'ai quelque chose de surhumain. Voilà le mariage manqué et tout remis en question. Le prince de Mantoue a demandé ma tête, en échange de sa perruque. Le roi de Bavière a trouvé la peine un peu forte, et n'a consenti qu'à la prison. Le prince de Mantoue, grâce à Dieu, est si bête, qu'il se ferait plutôt couper en morceaux que d'en démordre; ainsi la princesse reste fille, du moins pour cette fois. S'il n'y a pas là le sujet d'un poème épique en douze chants, je ne m'y connais pas. Pope et Boileau ont fait des vers admirables sur des sujets bien moins importants. Ah! si j'étais poète, comme je peindrais la scène de cette perruque voltigeant dans les airs! Mais celui qui est capable de faire de pareilles choses dédaigne de les écrire. Ainsi la postérité s'en passera. *(Il s'endort.)*

Entrent Elsbeth et sa gouvernante, une lampe à la main.

ELSBETH. — Il dort, ferme la porte doucement.

LA GOUVERNANTE. — Voyez; cela n'est pas douteux.

Il a ôté sa perruque postiche; sa difformité a disparu en même temps; le voilà tel qu'il est, tel que ses peuples le voient sur son char de triomphe; c'est le noble prince de Mantoue.

ELSBETH. — Oui, c'est lui; voilà ma curiosité satisfaite; je voulais voir son visage, et rien de plus; laisse-moi me pencher sur lui. *(Elle prend la lampe.)* Psyché, prends garde à ta goutte d'huile.

LA GOUVERNANTE. — Il est beau comme un vrai Jésus.

ELSBETH. — Pourquoi m'as-tu donné à lire tant de romans et de contes de fées? Pourquoi as-tu semé dans ma pauvre pensée tant de fleurs étranges et mystérieuses?

LA GOUVERNANTE. — Comme vous voilà émue, sur la pointe de vos petits pieds!

ELSBETH. — Il s'éveille; allons-nous-en.

FANTASIO, *s'éveillant.* — Est-ce un rêve? Je tiens le coin d'une robe blanche.

ELSBETH. — Lâchez-moi; laissez-moi partir.

FANTASIO. — C'est vous, princesse! Si c'est la grâce du bouffon du roi que vous m'apportez si divinement, laissez-moi remettre ma bosse et ma perruque; ce sera fait dans un instant.

LA GOUVERNANTE. — Ah! prince, qu'il vous sied mal de nous tromper ainsi! Ne reprenez pas ce costume; nous savons tout.

FANTASIO. — Prince! Où en voyez-vous un?

LA GOUVERNANTE. — A quoi sert-il de dissimuler?

FANTASIO. — Je ne dissimule pas le moins du monde; par quel hasard m'appelez-vous prince?

LA GOUVERNANTE. — Je connais mes devoirs envers Votre Altesse.

FANTASIO. — Madame, je vous supplie de m'expliquer les paroles de cette honnête dame. Y a-t-il réellement quelque méprise extravagante, ou suis-je l'objet d'une raillerie?

ELSBETH. — Pourquoi le demander, lorsque c'est vous-même qui raillez?

FANTASIO. — Suis-je donc un prince, par hasard? Concevrait-on quelque soupçon sur l'honneur de ma mère?

ELSBETH. — Qui êtes-vous, si vous n'êtes pas le prince de Mantoue?

FANTASIO. — Mon nom est Fantasio; je suis un bourgeois de Munich. *(Il lui montre une lettre.)*

ELSBETH. — Un bourgeois de Munich! Et pourquoi êtes-vous déguisé? Que faites-vous ici?

FANTASIO. — Madame, je vous supplie de me pardonner. *(Il se jette à genoux.)*

ELSBETH. — Que veut dire cela? Relevez-vous, homme, et sortez d'ici. Je vous fais grâce d'une punition que vous mériteriez peut-être. Qui vous a poussé à cette action?

FANTASIO. — Je ne puis dire le motif qui m'a conduit ici.

ELSBETH. — Vous ne pouvez le dire? et cependant je veux le savoir.

FANTASIO. — Excusez-moi, je n'ose l'avouer.

LA GOUVERNANTE. — Sortons, Elsbeth; ne vous exposez pas à entendre des discours indignes de vous. Cet homme est un voleur, ou un insolent qui va vous parler d'amour.

ELSBETH. — Je veux savoir la raison qui vous a fait prendre ce costume.

FANTASIO. — Je vous supplie, épargnez-moi.

ELSBETH. — Non, non, parlez, ou je ferme cette porte sur vous pour dix ans.

FANTASIO. — Madame, je suis criblé de dettes; mes créanciers ont obtenu un arrêt contre moi; à l'heure où je vous parle, mes meubles sont vendus, et si je n'étais dans cette prison, je serais dans une autre. On a dû venir m'arrêter hier au soir; ne sachant où passer la nuit, ni comment me soustraire aux poursuites des huissiers, j'ai imaginé de prendre ce costume et de venir me réfugier aux pieds du roi; si vous me rendez la liberté, on va me prendre au collet; mon oncle est un avare qui vit de pommes de terre et de radis, et qui me laisse mourir de faim dans tous les cabarets du royaume. Puisque vous voulez le savoir, je dois vingt mille écus.

ELSBETH. — Tout cela est-il vrai?

FANTASIO. — Si je mens, je consens à les payer.

On entend un bruit de chevaux.

LA GOUVERNANTE. — Voilà des chevaux qui passent; c'est le roi en personne. Si je pouvais faire signe à un page! *(Elle appelle par la fenêtre.)* Holà! Flamel, où allez-vous donc?

LE PAGE, *en dehors.* — Le prince de Mantoue va partir.

LA GOUVERNANTE. — Le prince de Mantoue!

LE PAGE. — Oui, la guerre est déclarée. Il y a eu entre lui et le roi une scène épouvantable devant toute la Cour, et le mariage de la princesse est rompu.

ELSBETH. — Entendez-vous cela, monsieur Fantasio? vous avez fait manquer mon mariage.

La Gouvernante. — Seigneur mon Dieu! le prince de Mantoue s'en va, et je ne l'aurai pas vu?

Elsbeth. — Si la guerre est déclarée, quel malheur!

Fantasio. — Vous appelez cela un malheur, Altesse? Aimeriez-vous mieux un mari qui prend fait et cause pour sa perruque? Eh! Madame, si la guerre est déclarée, nous saurons quoi faire de nos bras; les oisifs de nos promenades mettront leurs uniformes; moi-même je prendrai mon fusil de chasse, s'il n'est pas encore vendu. Nous irons faire un tour d'Italie, et, si vous entrez jamais à Mantoue, ce sera comme une véritable reine, sans qu'il y ait besoin pour cela d'autres cierges que nos épées.

Elsbeth. — Fantasio, veux-tu rester le bouffon de mon père? Je te paie tes vingt mille écus.

Fantasio. — Je le voudrais de grand cœur; mais en vérité, si j'y étais forcé, je sauterais par la fenêtre pour me sauver un de ces jours.

Elsbeth. — Pourquoi? tu vois que Saint-Jean est mort; il nous faut absolument un bouffon.

Fantasio. — J'aime ce métier plus que tout autre; mais je ne puis faire aucun métier. Si vous trouvez que cela vaille vingt mille écus de vous avoir débarrassée du prince de Mantoue, donnez-les-moi et ne payez pas mes dettes. Un gentilhomme sans dettes ne saurait où se présenter. Il ne m'est jamais venu à l'esprit de me trouver sans dettes.

Elsbeth. — Eh bien! je te les donne, mais prends la clef de mon jardin : le jour où tu t'ennuieras d'être poursuivi par tes créanciers, viens te cacher dans les bluets où je t'ai trouvé ce matin; aie soin de reprendre ta perruque et ton habit bariolé; ne parais pas devant moi sans cette taille contrefaite et ces grelots d'argent, car c'est ainsi que tu m'as plu : tu redeviendras mon bouffon pour le temps qu'il te plaira de l'être, et puis tu iras à tes affaires. Maintenant tu peux t'en aller, la porte est ouverte.

La Gouvernante. — Est-il possible que le prince de Mantoue soit parti sans que je l'aie vu?

FIN DE « FANTASIO »

ON NE BADINE PAS AVEC L'AMOUR

Ce « proverbe » — car telle était l'indication mise originellement par Musset sous le titre de sa pièce — a été publié pour la première fois le 1er juillet 1834 dans *la Revue des Deux Mondes*. Il n'est pas impossible, d'ailleurs, comme l'a signalé Lafoscade, que Musset se soit rappelé pour titrer sa pièce une phrase de *Clarisse Harlowe*, le célèbre roman de Richardson : « L'amour est un feu avec lequel on ne badine pas impunément. »

Musset a composé cette comédie dramatique, qui devait d'abord être en vers (dont quarante-deux seulement furent écrits, qui datent probablement de 1833) et s'appeler *Camille et Perdican*, dans les mois qui suivirent son retour de Venise, après sa rupture avec George Sand. Il n'est donc pas surprenant qu'elle porte, comme l'indique son frère Paul, « des traces de l'état moral où était l'auteur. Le caractère étrange de Camille, certains mots d'une tendresse mélancolique dans le rôle de Perdican, la lutte d'orgueil entre ces deux personnages, font reconnaître l'influence des souvenirs douloureux contre lesquels le poète se débattait ».

Ce qui est sûr, c'est que pressé par Buloz de fournir, comme promis, deux volumes de théâtre en prose, Musset abandonna l'idée d'une comédie en vers; ce qui est non moins sûr, c'est qu'il utilisa pour écrire sa pièce les confidences de George sur sa vie de couventine et sur les déceptions de son mariage, le roman de *Lélia*, celui, tout récent, d'*André*, les lettres qu'il recevait de George. On a pu noter encore que Camille peut rappeler par sa froideur la princesse Belgiojoso.

Créature faite pour vivre et pour aimer, mais desséchée par l'éducation qu'elle a reçue au couvent, Camille se défie de l'amour et de la vie, parce qu'elle a, quatre années durant, recueilli les confidences d'une femme qu'un malheureux amour a conduite à la vie claustrale. L'histoire de cette femme est devenue peu à peu, et puissamment, la sienne. L'orgueil la raidit contre l'amour de Perdican. Mais lorsqu'elle voit que Perdican, rebuté par elle, fait la cour à sa sœur de lait, Rosette, les puissances de l'instinct l'emportent en elle sur la rigueur de l'éducation. Elle revoit Perdican qu'elle ne voulait plus revoir. Elle est jalouse; elle devient coquette et elle se laisse aller : « Oui, nous nous aimons, Perdican; laisse-moi le sentir sur ton cœur. » Mais Rosette, qui les a surpris et entendus dans l'oratoire où a lieu cette scène, en meurt. « Elle est morte! Adieu, Perdican. »

René Doumic, qui a si bien écrit du théâtre d'Alfred de Musset, veut voir dans ce drame de l'amour « la pièce la plus originale que Musset ait écrite », un drame où les figures grotesques de Dame Pluche, « la respectable haridelle qui sert de gouvernante à Camille », de maître Blazius et du curé Bridaine, « ces deux sacs à vin », égayent par la fantaisie un fond plein d'amertume, tandis que le chœur, formé des paysans qui ont vu grandir Perdican, « qui l'ont fait danser sur leurs genoux, qui ont vieilli depuis ce temps-là, mais qui se souviennent..., personnifie les souvenirs d'enfance, ces liens mystérieux et si doux qui nous rattachent au sol natal ».

C'est dans *On ne badine pas avec l'amour* que se trouve le fameux couplet sur l'Amour qui transfigure l'humanité, couplet qui est au centre de toute l'œuvre théâtrale et lyrique de Musset; on ne peut pas ne point noter que les lignes finales de ce couplet sont prises textuellement dans une lettre que, maternelle déjà, George Sand adressait, le 12 mai 1834, à Alfred : « Ne tue pas [ton cœur], je t'en prie. Qu'il se mette tout entier ou en partie dans toutes les amours de ta vie, mais qu'il y joue toujours son noble rôle, afin qu'un jour tu puisses regarder en arrière et dire comme moi : j'ai souffert souvent, je me suis trompé quelquefois, mais j'ai aimé. C'est moi qui ai vécu, et non pas un être factice créé par mon orgueil et mon ennui. »

Ce « proverbe » n'a pas été représenté du vivant de Musset, mais fut joué pour la première fois à la Comédie-Française quatre ans après la mort du poète, le 18 novembre 1861. L'administrateur de la Comédie avait demandé à Paul d'en adapter le texte pour la scène. Les exigences d'une censure pudibonde, et aussi celles du goût de l'époque, obligèrent Paul de Musset à remanier, supprimer, atténuer certains passages. Monselet, qui assista à la première représentation, note que la pièce fut mieux accueillie que ne devait l'être *Fantasio*, quelques années plus tard, mais qu'elle suscita « un peu de gêne » chez les auditeurs, qui la trouvèrent « trop lyrique » et « trop alambiquée ». Delaunay fut pourtant un merveilleux Perdican; Mlle Favart, qui remplaçait Augustine Brohan malade, y tint le rôle de Camille; Mlle Fleury, celui de Rosette.

« Consacrée aujourd'hui par une longue admiration », écrivait Sarcey en 1881, et reprise dans son texte original, *On ne badine pas avec l'amour* a eu, à la Comédie-Française, 588 représentations.

M. R.

PERSONNAGES

LE BARON.
PERDICAN, son fils.
MAITRE BLAZIUS, gouverneur de Perdican.
MAITRE BRIDAINE, curé.
CAMILLE, nièce du baron.
DAME PLUCHE, sa gouvernante.
ROSETTE, sœur de lait de Camille.
PAYSANS, VALETS, etc.

ACTE PREMIER

SCÈNE I

Une place devant le château.

LE CHŒUR. — Doucement bercé sur sa mule fringante, messer Blazius s'avance dans les bluets fleuris, vêtu de neuf, l'écritoire au côté. Comme un poupon sur l'oreiller, il se ballotte sur son ventre rebondi, et les yeux à demi fermés, il marmotte un *Pater noster* dans son triple menton. Salut, maître Blazius ; vous arrivez au temps de la vendange, pareil à une amphore antique.

MAÎTRE BLAZIUS. — Que ceux qui veulent apprendre une nouvelle d'importance m'apportent ici premièrement un verre de vin frais.

LE CHŒUR. — Voilà notre plus grande écuelle ; buvez, maître Blazius ; le vin est bon ; vous parlerez après.

MAÎTRE BLAZIUS. — Vous saurez, mes enfants, que le jeune Perdican, fils de notre seigneur, vient d'atteindre à sa majorité, et qu'il est reçu docteur à Paris. Il revient aujourd'hui même au château, la bouche toute pleine de façons de parler si belles et si fleuries, qu'on ne sait que lui répondre les trois quarts du temps. Toute sa gracieuse personne est un livre d'or ; il ne voit pas un brin d'herbe à terre, qu'il ne vous dise comment cela s'appelle en latin ; et quand il fait du vent ou qu'il pleut, il vous dit tout clairement pourquoi. Vous ouvririez des yeux grands comme la porte que voilà, de le voir dérouler un des parchemins qu'il a coloriés d'encres de toutes couleurs, de ses propres mains et sans en rien dire à personne. Enfin c'est un diamant fin des pieds à la tête, et voilà ce que je viens annoncer à M. le baron. Vous sentez que cela me fait quelque honneur, à moi, qui suis son gouverneur depuis l'âge de quatre ans ; ainsi donc, mes bons amis, apportez une chaise que je descende un peu de cette mule-ci sans me casser le cou ; la bête est tant soit peu rétive, et je ne serais pas fâché de boire encore une gorgée avant d'entrer.

LE CHŒUR. — Buvez, maître Blazius, et reprenez vos esprits. Nous avons vu naître le petit Perdican, et il n'était pas besoin, du moment qu'il arrive, de nous en dire si long. Puissions-nous retrouver l'enfant dans le cœur de l'homme !

MAITRE BLAZIUS. — Ma foi, l'écuelle est vide ; je ne croyais pas avoir tout bu. Adieu ; j'ai préparé, en trottant sur la route, deux ou trois phrases sans prétention qui plairont à monseigneur ; je vais tirer la cloche.

Il sort.

LE CHŒUR. — Durement cahotée sur son âne essoufflé, dame Pluche gravit la colline ; son écuyer transi gourdine à tour de bras le pauvre animal, qui hoche la tête, un chardon entre les dents. Ses longues jambes maigres trépignent de colère, tandis que, de ses mains osseuses, elle égratigne son chapelet. Bonjour donc, dame Pluche, vous arrivez comme la fièvre, avec le vent qui fait jaunir les bois.

DAME PLUCHE. — Un verre d'eau, canaille que vous êtes ! un verre d'eau et un peu de vinaigre !

LE CHŒUR. — D'où venez-vous, Pluche, ma mie ? vos faux cheveux sont couverts de poussière ; voilà un toupet de gâté, et votre chaste robe est retroussée jusqu'à vos vénérables jarretières.

DAME PLUCHE. — Sachez, manants, que la belle Camille, la nièce de votre maître, arrive aujourd'hui au château. Elle a quitté le couvent sur l'ordre exprès de monseigneur, pour venir en son temps et lieu recueillir, comme faire se doit, le bon bien qu'elle a de sa mère. Son éducation, Dieu merci, est terminée ; et ceux qui la verront auront la joie de respirer une glorieuse fleur de sagesse et de dévotion. Jamais il n'y a rien eu de si pur, de si ange, de si agneau et de si colombe que cette chère nonnain ; que le Seigneur Dieu du ciel la conduise ! Ainsi soit-il. Rangez-vous, canaille ; il me semble que j'ai les jambes enflées.

LE CHŒUR. — Défripez-vous, honnête Pluche, et quand vous prierez Dieu, demandez de la pluie ; nos blés sont secs comme vos tibias.

DAME PLUCHE. — Vous m'avez apporté de l'eau dans une écuelle qui sent la cuisine ; donnez-moi la main pour descendre ; vous êtes des butors et des malappris.

Elle sort.

LE CHŒUR. — Mettons nos habits du dimanche, et attendons que le baron nous fasse appeler. Ou je me trompe fort, ou quelque joyeuse bombance est dans l'air d'aujourd'hui.

Ils sortent.

SCÈNE II

Le salon du baron.

Entrent LE BARON, MAITRE BRIDAINE
et MAITRE BLAZIUS.

LE BARON. — Maître Bridaine, vous êtes mon ami; je vous présente maître Blazius, gouverneur de mon fils. Mon fils a eu hier matin, à midi huit minutes, vingt et un ans comptés; il est docteur à quatre boules blanches. Maître Blazius, je vous présente maître Bridaine, curé de la paroisse; c'est mon ami.

MAITRE BLAZIUS, *saluant.* — A quatre boules blanches, seigneur! littérature, botanique, droit romain, droit canon.

LE BARON. — Allez à votre chambre, cher Blazius, mon fils ne va pas tarder à paraître; faites un peu de toilette, et revenez au coup de la cloche.

Maître Blazius sort.

MAITRE BRIDAINE. — Vous dirai-je ma pensée, monseigneur? le gouverneur de votre fils sent le vin à pleine bouche.

LE BARON. — Cela est impossible.

MAITRE BRIDAINE. — J'en suis sûr comme de ma vie; il m'a parlé de fort près tout à l'heure; il sentait le vin à faire peur.

LE BARON. — Brisons là, je vous répète que cela est impossible.

Entre dame Pluche.

Vous voilà, bonne dame Pluche? Ma nièce est sans doute avec vous?

DAME PLUCHE. — Elle me suit, monseigneur, je l'ai devancée de quelques pas.

LE BARON. — Maître Bridaine, vous êtes mon ami. Je vous présente la dame Pluche, gouvernante de ma nièce. Ma nièce est depuis hier, à sept heures de nuit, parvenue à l'âge de dix-huit ans; elle sort du meilleur couvent de

France. Dame Pluche, je vous présente maître Bridaine, curé de la paroisse; c'est mon ami.

DAME PLUCHE, *saluant*. — Du meilleur couvent de France, seigneur, et je puis ajouter : la meilleure chrétienne du couvent.

LE BARON. — Allez, dame Pluche, réparer le désordre où vous voilà; ma nièce va bientôt venir, j'espère; soyez prête à l'heure du dîner.

Dame Pluche sort.

MAITRE BRIDAINE. — Cette vieille demoiselle paraît tout à fait pleine d'onction.

LE BARON. — Pleine d'onction et de componction, maître Bridaine; sa vertu est inattaquable.

MAITRE BRIDAINE. — Mais le gouverneur sent le vin; j'en ai la certitude.

LE BARON. — Maître Bridaine! il y a des moments où je doute de votre amitié. Prenez-vous à tâche de me contredire? Pas un mot de plus là-dessus. J'ai formé le dessein de marier mon fils avec ma nièce; c'est un couple assorti : ✳ leur éducation me coûte six mille écus.

MAITRE BRIDAINE. — Il sera nécessaire d'obtenir des dispenses.

LE BARON. — Je les ai, Bridaine; elles sont sur ma table, dans mon cabinet. O mon ami, apprenez maintenant que je suis plein de joie. Vous savez que j'ai eu de tout temps la plus profonde horreur pour la solitude. Cependant la place que j'occupe et la gravité de mon habit me forcent à rester dans ce château pendant trois mois d'hiver et trois mois d'été. Il est impossible de faire le bonheur des hommes en général, et de ses vassaux en particulier, sans donner parfois à son valet de chambre l'ordre rigoureux de ne laisser entrer personne. Qu'il est austère et difficile le recueillement de l'homme d'État! et quel plaisir ne trouverai-je pas à tempérer, par la présence de mes deux enfants réunis, la sombre tristesse à laquelle je dois nécessairement être en proie depuis que le roi m'a nommé receveur!

MAITRE BRIDAINE. — Ce mariage se fera-t-il ici ou à Paris?

LE BARON. — Voilà où je vous attendais, Bridaine; j'étais sûr de cette question. Eh bien! mon ami, que diriez-vous si ces mains que voilà, oui, Bridaine, vos propres mains, ne les regardez pas d'une manière aussi piteuse, étaient destinées à bénir solennellement l'heureuse confirmation de mes rêves les plus chers? Hé?

✳ variation sur un thème : la précaution inutile

MAÎTRE BRIDAINE. — Je me tais; la reconnaissance me ferme la bouche.

LE BARON. — Regardez par cette fenêtre; ne voyez-vous pas que mes gens se portent en foule à la grille? Mes deux enfants arrivent en même temps; voilà la combinaison la plus heureuse. J'ai disposé les choses de manière à tout prévoir. Ma nièce sera introduite par cette porte à gauche, et mon fils par cette porte à droite. Qu'en dites-vous? Je me fais une fête de voir comment ils s'aborderont, ce qu'ils se diront; six mille écus ne sont pas une bagatelle, il ne faut pas s'y tromper. Ces enfants s'aimaient d'ailleurs fort tendrement dès le berceau. — Bridaine, il me vient une idée.

MAÎTRE BRIDAINE. — Laquelle?

LE BARON. — Pendant le dîner, sans avoir l'air d'y toucher, — vous comprenez, mon ami, — tout en vidant quelques coupes joyeuses, — vous savez le latin, Bridaine.

MAÎTRE BRIDAINE. — *Itâ œdepol*, pardieu, si je le sais!

LE BARON. — Je serais bien aise de vous voir entreprendre ce garçon, — discrètement s'entend, — devant sa cousine; cela ne peut produire qu'un bon effet; — faites-le parler un peu latin, — non pas précisément pendant le dîner, cela deviendrait fastidieux, et quant à moi, je n'y comprends rien; — mais au dessert, — entendez-vous?

MAÎTRE BRIDAINE. — Si vous n'y comprenez rien, monseigneur, il est probable que votre nièce est dans le même cas.

LE BARON. — Raison de plus; ne voulez-vous pas qu'une femme admire ce qu'elle comprend? D'où sortez-vous, Bridaine? Voilà un raisonnement qui fait pitié.

MAÎTRE BRIDAINE. — Je connais peu les femmes; mais il me semble qu'il est difficile qu'on admire ce qu'on ne comprend pas.

LE BARON. — Je les connais, Bridaine; je connais ces êtres charmants et indéfinissables. Soyez persuadé qu'elles aiment à avoir de la poudre dans les yeux, et que plus on leur en jette, plus elles les écarquillent, afin d'en gober davantage.

Perdican entre d'un côté, Camille de l'autre.

Bonjour, mes enfants; bonjour, ma chère Camille, mon cher Perdican! embrassez-moi, et embrassez-vous.

PERDICAN. — Bonjour, mon père, ma sœur bien-aimée! Quel bonheur! que je suis heureux!

CAMILLE. — Mon père et mon cousin, je vous salue.

PERDICAN. — Comme te voilà grande, Camille! et belle comme le jour.

Le Baron. — Quand as-tu quitté Paris, Perdican?

Perdican. — Mercredi, je crois, ou mardi. Comme te voilà métamorphosée en femme! Je suis donc un homme, moi! Il me semble que c'est hier que je t'ai vue pas plus haute que cela.

Le Baron. — Vous devez être fatigués; la route est longue, et il fait chaud.

Perdican. — Oh! mon Dieu, non. Regardez donc, mon père, comme Camille est jolie!

Le Baron. — Allons, Camille, embrasse ton cousin.

Camille. — Excusez-moi.

Le Baron. — Un compliment vaut un baiser; embrasse-la, Perdican.

Perdican. — Si ma cousine recule quand je lui tends la main, je vous dirai à mon tour : Excusez-moi; l'amour peut voler un baiser, mais non pas l'amitié.

Camille. — L'amitié ni l'amour ne doivent recevoir que ce qu'ils peuvent rendre.

Le Baron, *à maître Bridaine.* — Voilà un commencement de mauvais augure, hé?

Maître Bridaine, *au baron.* — Trop de pudeur est sans doute un défaut; mais le mariage lève bien des scrupules.

Le Baron, *à maître Bridaine.* — Je suis choqué, — blessé. — Cette réponse m'a déplu. — *Excusez-moi!* Avez-vous vu qu'elle a fait mine de se signer? — Venez ici, que je vous parle. — Cela m'est pénible au dernier point. Ce moment, qui devait m'être si doux, est complètement gâté. — Je suis vexé, piqué. — Diable! voilà qui est fort mauvais.

Maître Bridaine. — Dites-leur quelques mots; les voilà qui se tournent le dos.

Le Baron. — Eh bien! mes enfants, à quoi pensez-vous donc? Que fais-tu là, Camille, devant cette tapisserie?

Camille, *regardant un tableau.* — Voilà un beau portrait, mon oncle! N'est-ce pas une grand-tante à nous?

Le Baron. — Oui, mon enfant, c'est ta bisaïeule, — ou du moins — la sœur de ton bisaïeul, — car la chère dame n'a jamais concouru, — pour sa part, je crois, autrement qu'en prières, — à l'accroissement de la famille. — C'était, ma foi, une sainte femme.

Camille. — Oh! oui, une sainte! c'est ma grand-tante Isabelle. Comme ce costume religieux lui va bien!

Le Baron. — Et toi, Perdican, que fais-tu là devant ce pot de fleurs?

PERDICAN. — Voilà une fleur charmante, mon père. C'est un héliotrope.

LE BARON. — Te moques-tu ? elle est grosse comme une mouche.

PERDICAN. — Cette petite fleur grosse comme une mouche a bien son prix.

MAITRE BRIDAINE. — Sans doute ! le docteur a raison ; demandez-lui à quel sexe, à quelle classe elle appartient ; de quels éléments elle se forme, d'où lui viennent sa sève et sa couleur ; il vous ravira en extase en vous détaillant les phénomènes de ce brin d'herbe, depuis la racine jusqu'à la fleur.

PERDICAN. — Je n'en sais pas si long, mon révérend. Je trouve qu'elle sent bon, voilà tout.

SCÈNE III

Devant le château.

Entre LE CHŒUR.

Plusieurs choses me divertissent et excitent ma curiosité. Venez, mes amis, et asseyons-nous sous ce noyer. Deux formidables dîneurs sont en ce moment en présence au château, maître Bridaine et maître Blazius. N'avez-vous pas fait une remarque ? c'est que lorsque deux hommes à peu près pareils, également gros, également sots, ayant les mêmes vices et les mêmes passions, viennent par hasard à se rencontrer, il faut nécessairement qu'ils s'adorent ou qu'ils s'exècrent. Par la raison que les contraires s'attirent, qu'un homme grand et desséché aimera un homme petit et rond, que les blonds recherchent les bruns, et réciproquement, je prévois une lutte secrète entre le gouverneur et le curé. Tous deux sont armés d'une égale impudence ; tous deux ont pour ventre un tonneau ; non seulement ils sont gloutons, mais ils sont gourmets ; tous deux se disputeront à dîner, non seulement la quantité, mais la qualité. Si le poisson est petit, comment faire ? et dans tous les cas une langue de carpe ne peut se partager, et une carpe ne peut avoir deux langues. *Item*, tous deux sont bavards ; mais à la rigueur ils peuvent parler ensemble sans s'écouter ni l'un ni l'autre. Déjà maître Bridaine a voulu adresser au jeune Perdican plusieurs questions pédantes, et le gou-

verneur a froncé le sourcil. Il lui est désagréable qu'un autre
que lui semble mettre son élève à l'épreuve. *Item*, ils sont
aussi ignorants l'un que l'autre. *Item*, ils sont prêtres tous
deux; l'un se targuera de sa cure, l'autre se rengorgera
dans sa charge de gouverneur. Maître Blazius confesse le
fils, et maître Bridaine le père. Déjà, je les vois accoudés
sur la table, les joues enflammées, les yeux à fleur de tête,
secouer pleins de haine leurs triples mentons. Ils se regardent de la tête aux pieds, ils préludent par de légères
escarmouches; bientôt la guerre se déclare; les cuistreries
de toute espèce se croisent et s'échangent, et, pour comble
de malheur, entre les deux ivrognes s'agite dame Pluche,
qui les repousse l'un et l'autre de ses coudes affilés.

Maintenant que voilà le dîner fini, on ouvre la grille du
château. C'est la compagnie qui sort; retirons-nous à
l'écart.

Ils sortent.
Entrent le baron et dame Pluche.

LE BARON. — Vénérable Pluche, je suis peiné.

DAME PLUCHE. — Est-il possible, monseigneur?

LE BARON. — Oui, Pluche, cela est possible. J'avais
compté depuis longtemps, — j'avais même écrit, noté, —
sur mes tablettes de poche, — que ce jour devait être le
plus agréable de mes jours, — oui, bonne dame, le plus
agréable. — Vous n'ignorez pas que mon dessein était de
marier mon fils avec ma nièce; — cela était résolu, —
convenu, — j'en avais parlé à Bridaine, — et je vois, je
crois voir, que ces enfants se parlent froidement; ils ne se
sont pas dit un mot.

DAME PLUCHE. — Les voilà qui viennent, monseigneur.
Sont-ils prévenus de vos projets?

LE BARON. — Je leur en ai touché quelques mots en
particulier. Je crois qu'il serait bon, puisque les voilà
réunis, de nous asseoir sous cet ombrage propice, et de les
laisser ensemble un instant.

Il se retire avec dame Pluche.
Entrent Camille et Perdican.

PERDICAN. — Sais-tu que cela n'a rien de beau, Camille,
de m'avoir refusé un baiser?

CAMILLE. — Je suis comme cela; c'est ma manière.

PERDICAN. — Veux-tu mon bras, pour faire un tour dans
le village?

CAMILLE. — Non, je suis lasse.

PERDICAN. — Cela ne te ferait pas plaisir de revoir la
prairie? Te souviens-tu de nos parties sur le bateau?

Viens, nous descendrons jusqu'aux moulins; je tiendrai les
rames, et toi le gouvernail.

CAMILLE. — Je n'en ai nulle envie.

PERDICAN. — Tu me fends l'âme. Quoi! pas un souvenir,
Camille? pas un battement de cœur pour notre enfance,
pour tout ce pauvre temps passé, si bon, si doux, si plein
de niaiseries délicieuses? Tu ne veux pas venir voir le sentier par où nous allions à la ferme?

CAMILLE. — Non, pas ce soir.

PERDICAN. — Pas ce soir! et quand donc? Toute notre
vie est là.

CAMILLE. — Je ne suis pas assez jeune pour m'amuser
de mes poupées, ni assez vieille pour aimer le passé.

PERDICAN. — Comment dis-tu cela?

CAMILLE. — Je dis que les souvenirs d'enfance ne sont
pas de mon goût.

PERDICAN. — Cela t'ennuie?

CAMILLE. — Oui, cela m'ennuie.

PERDICAN. — Pauvre enfant! je te plains sincèrement.

Ils sortent chacun de leur côté.

LE BARON, *rentrant avec dame Pluche.* — Vous le voyez,
et vous l'entendez, excellente Pluche; je m'attendais à la
plus suave harmonie, et il me semble assister à un concert
où le violon joue *Mon cœur soupire*, pendant que la flûte
joue *Vive Henri IV*. Songez à la discordance affreuse
qu'une pareille combinaison produirait. Voilà pourtant ce
qui se passe dans mon cœur.

DAME PLUCHE. — Je l'avoue; il m'est impossible de blâmer Camille, et rien n'est de plus mauvais ton, à mon sens,
que les parties de bateau.

LE BARON. — Parlez-vous sérieusement?

DAME PLUCHE. — Seigneur, une jeune fille qui se respecte ne se hasarde pas sur les pièces d'eau.

LE BARON. — Mais observez donc, dame Pluche, que
son cousin doit l'épouser, et que dès lors...

DAME PLUCHE. — Les convenances défendent de tenir
un gouvernail, et il est malséant de quitter la terre ferme
seule avec un jeune homme.

LE BARON. — Mais je répète... je vous dis...

DAME PLUCHE. — C'est là mon opinion.

LE BARON. — Êtes-vous folle? En vérité, vous me feriez
dire... Il y a certaines expressions que je ne veux pas,... qui
me répugnent... Vous me donnez envie... En vérité, si je
ne me retenais... Vous êtes une pécore, Pluche! Je ne sais
que penser de vous.

Il sort.

SCÈNE IV

Une place.

LE CHŒUR, PERDICAN.

PERDICAN. — Bonjour, amis. Me reconnaissez-vous?

LE CHŒUR. — Seigneur, vous ressemblez à un enfant
que nous avons beaucoup aimé.

PERDICAN. — N'est-ce pas vous qui m'avez porté sur
votre dos pour passer les ruisseaux de vos prairies, vous
qui m'avez fait danser sur vos genoux, qui m'avez pris en
croupe sur vos chevaux robustes, qui vous êtes serrés quelquefois autour de vos tables pour me faire une place au
souper de la ferme?

LE CHŒUR. — Nous nous en souvenons, seigneur. Vous
étiez bien le plus mauvais garnement et le meilleur garçon
de la terre.

PERDICAN. — Et pourquoi donc alors ne m'embrassez-
vous pas, au lieu de me saluer comme un étranger?

LE CHŒUR. — Que Dieu te bénisse, enfant de nos
entrailles! chacun de nous voudrait te prendre dans ses
bras; mais nous sommes vieux, monseigneur, et vous êtes
un homme.

PERDICAN. — Oui, il y a dix ans que je ne vous ai vus,
et en un jour tout change sous le soleil. Je me suis élevé
de quelques pieds vers le ciel, et vous vous êtes courbés de
quelques pouces vers le tombeau. Vos têtes ont blanchi,
vos pas sont devenus plus lents; vous ne pouvez plus soulever de terre votre enfant d'autrefois. C'est donc à moi
d'être votre père, à vous qui avez été les miens.

LE CHŒUR. — Votre retour est un jour plus heureux
que votre naissance. Il est plus doux de retrouver ce qu'on
aime, que d'embrasser un nouveau-né.

PERDICAN. — Voilà donc ma chère vallée! mes noyers,
mes sentiers verts, ma petite fontaine! voilà mes jours passés encore tout pleins de vie, voilà le monde mystérieux
des rêves de mon enfance! O patrie! patrie! mot incompréhensible! l'homme n'est-il donc né que pour un coin de
terre, pour y bâtir son nid et pour y vivre un jour?

LE CHŒUR. — On nous a dit que vous êtes un savant,
monseigneur.

PERDICAN. — Oui, on me l'a dit aussi. Les sciences sont

une belle chose, mes enfants; ces arbres et ces prairies enseignent à haute voix la plus belle de toutes, l'oubli de ce qu'on sait.

LE CHŒUR. — Il s'est fait plus d'un changement pendant votre absence. Il y a des filles mariées et des garçons partis pour l'armée.

PERDICAN. — Vous me conterez tout cela. Je m'attends bien à du nouveau; mais en vérité je n'en veux pas encore. Comme ce lavoir est petit! autrefois il me paraissait immense; j'avais emporté dans ma tête un océan et des forêts, et je retrouve une goutte d'eau et des brins d'herbe. Quelle est donc cette jeune fille qui chante à sa croisée derrière ces arbres?

LE CHŒUR. — C'est Rosette, la sœur de lait de votre cousine Camille.

PERDICAN, s'avançant. — Descends vite, Rosette, et viens ici.

ROSETTE, entrant. — Oui, monseigneur.

PERDICAN. — Tu me voyais de ta fenêtre, et tu ne venais pas, méchante fille? Donne-moi vite cette main-là, et ces joues-là, que je t'embrasse.

ROSETTE. — Oui, monseigneur.

PERDICAN. — Es-tu mariée, petite? on m'a dit que tu l'étais.

ROSETTE. — Oh! non.

PERDICAN. — Pourquoi? Il n'y a pas dans le village de plus jolie fille que toi. Nous te marierons, mon enfant.

LE CHŒUR. — Monseigneur, elle veut mourir fille.

PERDICAN. — Est-ce vrai, Rosette?

ROSETTE. — Oh! non.

PERDICAN. — Ta sœur Camille est arrivée. L'as-tu vue?

ROSETTE. — Elle n'est pas encore venue par ici.

PERDICAN. — Va-t'en vite mettre ta robe neuve, et viens souper au château.

SCÈNE V

Une salle.

Entrent LE BARON *et* MAITRE BLAZIUS.

MAITRE BLAZIUS. — Seigneur, j'ai un mot à vous dire; le curé de la paroisse est un ivrogne.

LE BARON. — Fi donc! cela ne se peut pas.

MAITRE BLAZIUS. — J'en suis certain; il a bu à dîner trois bouteilles de vin.

LE BARON. — Cela est exorbitant.

MAITRE BLAZIUS. — Et en sortant de table, il a marché sur les plates-bandes.

LE BARON. — Sur les plates-bandes? — Je suis confondu. — Voilà qui est étrange! — Boire trois bouteilles de vin à dîner! marcher sur les plates-bandes? c'est incompréhensible. Et pourquoi ne marchait-il pas dans l'allée?

MAITRE BLAZIUS. — Parce qu'il allait de travers.

LE BARON, *à part.* — Je commence à croire que Bridaine avait raison ce matin. Ce Blazius sent le vin d'une manière horrible.

MAITRE BLAZIUS. — De plus, il a mangé beaucoup; sa parole était embarrassée.

LE BARON. — Vraiment, je l'ai remarqué aussi.

MAITRE BLAZIUS. — Il a lâché quelques mots latins; c'étaient autant de solécismes. Seigneur, c'est un homme dépravé.

LE BARON, *à part.* — Pouah! ce Blazius a une odeur qui est intolérable. — Apprenez, gouverneur, que j'ai bien autre chose en tête, et que je ne me mêle jamais de ce qu'on boit ni de ce qu'on mange. Je ne suis point un majordome.

MAITRE BLAZIUS. — A Dieu ne plaise que je vous déplaise, monsieur le baron. Votre vin est bon.

LE BARON. — Il y a de bon vin dans mes caves.

MAITRE BRIDAINE, *entrant.* — Seigneur, votre fils est sur la place, suivi de tous les polissons du village.

LE BARON. — Cela est impossible.

MAITRE BRIDAINE. — Je l'ai vu de mes propres yeux. Il ramassait des cailloux pour faire des ricochets.

LE BARON. — Des ricochets? ma tête s'égare; voilà mes idées qui se bouleversent. Vous me faites un rapport insensé, Bridaine. Il est inouï qu'un docteur fasse des ricochets.

MAITRE BRIDAINE. — Mettez-vous à la fenêtre, monseigneur, vous le verrez de vos propres yeux.

LE BARON, *à part.* — O ciel! Blazius a raison; Bridaine va de travers.

MAITRE BRIDAINE. — Regardez, monseigneur, le voilà au bord du lavoir. Il tient sous le bras une jeune paysanne.

LE BARON. — Une jeune paysanne? Mon fils vient-il ici pour débaucher mes vassales? Une paysanne sous son

bras! et tous les gamins du village autour de lui! Je me
sens hors de moi.

MAITRE BRIDAINE. — Cela crie vengeance.

LE BARON. — Tout est perdu! — perdu sans ressource!
— Je suis perdu : Bridaine va de travers, Blazius sent le
vin à faire horreur, et mon fils séduit toutes les filles du
village en faisant des ricochets.

Il sort.

ACTE II

SCÈNE I

Un jardin.

Entrent MAITRE BLAZIUS *et* PERDICAN.

MAITRE BLAZIUS. — Seigneur, votre père est au désespoir.

PERDICAN. — Pourquoi cela?

MAITRE BLAZIUS. — Vous n'ignorez pas qu'il avait formé le projet de vous unir à votre cousine Camille?

PERDICAN. — Eh bien? — Je ne demande pas mieux.

MAITRE BLAZIUS. — Cependant le baron croit remarquer que vos caractères ne s'accordent pas.

PERDICAN. — Cela est malheureux; je ne puis refaire le mien.

MAITRE BLAZIUS. — Rendrez-vous par là ce mariage impossible?

PERDICAN. — Je vous répète que je ne demande pas mieux que d'épouser Camille. Allez trouver le baron et dites-lui cela.

MAITRE BLAZIUS. — Seigneur, je me retire : voilà votre cousine qui vient de ce côté.

Il sort.
Entre Camille.

PERDICAN. — Déjà levée, cousine? J'en suis toujours pour ce que je t'ai dit hier; tu es jolie comme un cœur.

CAMILLE. — Parlons sérieusement, Perdican; votre père veut nous marier. Je ne sais ce que vous en pensez; mais je crois bien faire en vous prévenant que mon parti est pris là-dessus.

PERDICAN. — Tant pis pour moi si je vous déplais.

CAMILLE. — Pas plus qu'un autre; je ne veux pas me marier : il n'y a rien là dont votre orgueil doive souffrir.

PERDICAN. — L'orgueil n'est pas mon fait; je n'en estime ni les joies ni les peines.

CAMILLE. — Je suis venue ici pour recueillir le bien de ma mère; je retourne demain au couvent.

PERDICAN. — Il y a de la franchise dans ta démarche ; touche-là, et soyons bons amis.

CAMILLE. — Je n'aime pas les attouchements.

PERDICAN, *lui prenant la main.* — Donne-moi ta main, Camille, je t'en prie. Que crains-tu de moi ? Tu ne veux pas qu'on nous marie ? eh bien ! ne nous marions pas ; est-ce une raison pour nous haïr ? ne sommes-nous pas le frère et la sœur ? Lorsque ta mère a ordonné ce mariage dans son testament, elle a voulu que notre amitié fût éternelle, voilà tout ce qu'elle a voulu. Pourquoi nous marier ? voilà ta main et voilà la mienne ; et pour qu'elles restent unies ainsi jusqu'au dernier soupir, crois-tu qu'il nous faille un prêtre ? Nous n'avons besoin que de Dieu.

CAMILLE. — Je suis bien aise que mon refus vous soit indifférent.

PERDICAN. — Il ne m'est point indifférent, Camille. Ton amour m'eût donné la vie, mais ton amitié m'en consolera. Ne quitte pas le château demain ; hier, tu as refusé de faire un tour de jardin, parce que tu voyais en moi un mari dont tu ne voulais pas. Reste ici quelques jours, laisse-moi espérer que notre vie passée n'est pas morte à jamais dans ton cœur.

CAMILLE. — Je suis obligée de partir.

PERDICAN. — Pourquoi ?

CAMILLE. — C'est mon secret.

PERDICAN. — En aimes-tu un autre que moi ?

CAMILLE. — Non ; mais je veux partir.

PERDICAN. — Irrévocablement ?

CAMILLE. — Oui, irrévocablement.

PERDICAN. — Eh bien ! adieu. J'aurais voulu m'asseoir avec toi sous les marronniers du petit bois et causer de bonne amitié une heure ou deux. Mais si cela te déplaît, n'en parlons plus ; adieu, mon enfant.

Il sort.

CAMILLE, *à dame Pluche qui entre.* — Dame Pluche, tout est-il prêt ? Partirons-nous demain ? Mon tuteur a-t-il fini ses comptes ?

DAME PLUCHE. — Oui, chère colombe sans tache. Le baron m'a traitée de pécore hier soir, et je suis enchantée de partir.

CAMILLE. — Tenez ; voilà un mot d'écrit que vous porterez avant dîner, de ma part, à mon cousin Perdican.

DAME PLUCHE. — Seigneur, mon Dieu ! est-ce possible ? Vous écrivez un billet à un homme ?

CAMILLE. — Ne dois-je pas être sa femme ? Je puis bien écrire à mon fiancé.

DAME PLUCHE. — Le seigneur Perdican sort d'ici. Que pouvez-vous lui écrire ? Votre fiancé, miséricorde ! Serait-il vrai que vous oubliez Jésus ?

CAMILLE. — Faites ce que je vous dis, et disposez tout pour notre départ.

Elles sortent.

SCÈNE II

La salle à manger. — On met le couvert.

Entre MAITRE BRIDAINE. — Cela est certain, on lui donnera encore aujourd'hui le place d'honneur. Cette chaise que j'ai occupée si longtemps à la droite du baron sera la proie du gouverneur. O malheureux que je suis ! Un âne bâté, un ivrogne sans pudeur, me relègue au bas bout de la table ! Le majordome lui versera le premier verre de Malaga, et lorsque les plats arriveront à moi, ils seront à moitié froids et les meilleurs morceaux déjà avalés ; il ne restera plus autour des perdreaux ni choux ni carottes. O sainte Église catholique ! Qu'on lui ait donné cette place hier, cela se concevait ; il venait d'arriver ; c'était la première fois, depuis nombre d'années, qu'il s'asseyait à cette table. Dieu ! comme il dévorait ! Non, rien ne me restera que des os et des pattes de poulet. Je ne souffrirai pas cet affront. Adieu, vénérable fauteuil où je me suis renversé tant de fois gorgé de mets succulents ! Adieu, bouteilles cachetées, fumet sans pareil de venaisons cuites à point ! Adieu, table splendide, noble salle à manger, je ne dirai plus le bénédicité ! Je retourne à ma cure ; on ne me verra pas confondu parmi la foule des convives, et j'aime mieux, comme César, être le premier au village que le second dans Rome.

Il sort.

SCÈNE III

Un champ devant une petite maison.

Entrent ROSETTE *et* PERDICAN.

PERDICAN. — Puisque ta mère n'y est pas, viens faire un tour de promenade.

ROSETTE. — Croyez-vous que cela me fasse du bien, tous ces baisers que vous me donnez?

PERDICAN. — Quel mal y trouves-tu? Je t'embrasserais devant ta mère. N'es-tu pas la sœur de Camille? ne suis-je pas ton frère comme je suis le sien?

ROSETTE. — Des mots sont des mots et des baisers sont des baisers. Je n'ai guère d'esprit, et je m'en aperçois bien sitôt que je veux dire quelque chose. Les belles dames savent leur affaire, selon qu'on leur baise la main droite ou la main gauche; leurs pères les embrassent sur le front, leurs frères sur la joue, leurs amoureux sur les lèvres; moi, tout le monde m'embrasse sur les deux joues, et cela me chagrine.

PERDICAN. — Que tu es jolie, mon enfant!

ROSETTE. — Il ne faut pas non plus vous fâcher pour cela. Comme vous paraissez triste ce matin! Votre mariage est donc manqué?

PERDICAN. — Les paysans de ton village se souviennent de m'avoir aimé; les chiens de la basse-cour et les arbres du bois s'en souviennent aussi; mais Camille ne s'en souvient pas. Et toi, Rosette, à quand le mariage?

ROSETTE. — Ne parlons pas de cela, voulez-vous? Parlons du temps qu'il fait, de ces fleurs que voilà, de vos chevaux et de mes bonnets.

PERDICAN. — De tout ce qui te plaira, de tout ce qui peut passer sur tes lèvres sans leur ôter ce sourire céleste que je respecte plus que ma vie.

Il l'embrasse.

ROSETTE. — Vous respectez mon sourire, mais vous ne respectez guère mes lèvres, à ce qu'il me semble. Regardez donc; voilà une goutte de pluie qui me tombe sur la main, et cependant le ciel est pur.

PERDICAN. — Pardonne-moi.

ROSETTE. — Que vous ai-je fait, pour que vous pleuriez?

Ils sortent.

SCÈNE IV

Au château.

Entrent MAITRE BLAZIUS et LE BARON.

MAITRE BLAZIUS. — Seigneur, j'ai une chose singulière à vous dire. Tout à l'heure, j'étais par hasard dans l'office, je veux dire dans la galerie : qu'aurais-je été faire dans

l'office ? J'étais donc dans la galerie. J'avais trouvé par
accident une bouteille, je veux dire une carafe d'eau :
comment aurais-je trouvé une bouteille dans la galerie ?
J'étais donc en train de boire un coup de vin, je veux dire
un verre d'eau, pour passer le temps, et je regardais par
la fenêtre, entre deux vases de fleurs qui me paraissaient
d'un goût moderne, bien qu'ils soient imités de l'étrusque...

LE BARON. — Quelle insupportable manière de parler
vous avez adoptée, Blazius ! vos discours sont inexplicables.

MAITRE BLAZIUS. — Écoutez-moi, seigneur, prêtez-moi
un moment d'attention. Je regardais donc par la fenêtre.
Ne vous impatientez pas, au nom du ciel, il y va de l'honneur de la famille.

LE BARON. — De la famille ! voilà qui est incompréhensible. De l'honneur de la famille, Blazius ! Savez-vous que
nous sommes trente-sept mâles, et presque autant de
femmes, tant à Paris qu'en province ?

MAITRE BLAZIUS. — Permettez-moi de continuer. Tandis
que je buvais un coup de vin, je veux dire un verre d'eau,
pour hâter la digestion tardive, imaginez que j'ai vu
passer sous la fenêtre dame Pluche hors d'haleine.

LE BARON. — Pourquoi hors d'haleine, Blazius ? ceci
est insolite.

MAITRE BLAZIUS. — Et à côté d'elle, rouge de colère,
votre nièce Camille.

LE BARON. — Qui était rouge de colère, ma nièce, ou
dame Pluche ?

MAITRE BLAZIUS. — Votre nièce, seigneur.

LE BARON. — Ma nièce rouge de colère ! Cela est inouï !
Et comment savez-vous que c'était de colère ? Elle pouvait être rouge pour mille raisons ; elle avait sans doute
poursuivi quelques papillons dans mon parterre.

MAITRE BLAZIUS. — Je ne puis rien affirmer là-dessus ;
cela se peut ; mais elle s'écriait avec force : Allez-y ! trouvez-le ! faites ce qu'on vous dit ! vous êtes une sotte ! je
le veux ! Et elle frappait avec son éventail sur le coude de
dame Pluche, qui faisait un soubresaut dans la luzerne
à chaque exclamation.

LE BARON. — Dans la luzerne ! et que répondait la
gouvernante aux extravagances de ma nièce ? car cette
conduite mérite d'être qualifiée ainsi.

MAITRE BLAZIUS. — La gouvernante répondait : Je ne
veux pas y aller ! Je ne l'ai pas trouvé ! Il fait la cour aux
filles du village, à des gardeuses de dindons ! Je suis trop
vieille pour commencer à porter des messages d'amour ;

grâce à Dieu, j'ai vécu les mains pures jusqu'ici; — et tout en parlant elle froissait dans ses mains un petit papier plié en quatre. —

LE BARON. — Je n'y comprends rien; mes idées s'embrouillent tout à fait. Quelle raison pouvait avoir dame Pluche pour froisser un papier plié en quatre en faisant des soubresauts dans une luzerne! Je ne puis ajouter foi à de pareilles monstruosités.

MAITRE BLAZIUS. — Ne comprenez-vous pas clairement, seigneur, ce que cela signifiait?

LE BARON. — Non, en vérité, non, mon ami, je n'y comprends absolument rien. Tout cela me paraît une conduite désordonnée, il est vrai, mais sans motif comme sans excuse.

MAITRE BLAZIUS. — Cela veut dire que votre nièce a une correspondance secrète.

LE BARON. — Que dites-vous? Songez-vous de qui vous parlez? Pesez vos paroles, monsieur l'abbé.

MAITRE BLAZIUS. — Je les pèserais dans la balance céleste qui doit peser mon âme au jugement dernier, que je n'y trouverais pas un mot qui sente la fausse monnaie. Votre nièce a une correspondance secrète.

LE BARON. — Mais songez donc, mon ami, que cela est impossible.

MAITRE BLAZIUS. — Pourquoi aurait-elle chargé sa gouvernante d'une lettre? Pourquoi aurait-elle crié: *Trouvez-le!* tandis que l'autre boudait et rechignait?

LE BARON. — Et à qui était adressée cette lettre?

MAITRE BLAZIUS. — Voilà précisément le *hic*, monseigneur, *hic jacet lepus*. A qui était adressée cette lettre? à un homme qui fait la cour à une gardeuse de dindons. Or, un homme qui recherche en public une gardeuse de dindons peut être soupçonné violemment d'être né pour les garder lui-même. Cependant il est impossible que votre nièce, avec l'éducation qu'elle a reçue, soit éprise d'un tel homme; voilà ce que je dis, et ce qui fait que je n'y comprends rien non plus que vous, révérence parler.

LE BARON. — O ciel! ma nièce m'a déclaré ce matin même qu'elle refusait son cousin Perdican. Aimerait-elle un gardeur de dindons? Passons dans mon cabinet; j'ai éprouvé depuis hier des secousses si violentes, que je ne puis rassembler mes idées.

Ils sortent.

SCÈNE V

Une fontaine dans un bois.

Entre PERDICAN, *lisant un billet.* — « Trouvez-vous à midi à la petite fontaine. » Que veut dire cela ? tant de froideur, un refus si positif, si cruel, un orgueil si insensible, et un rendez-vous par-dessus tout ? Si c'est pour me parler d'affaires, pourquoi choisir un pareil endroit ? Est-ce une coquetterie ? Ce matin, en me promenant avec Rosette, j'ai entendu remuer dans les broussailles, et il m'a semblé que c'était un pas de biche. Y a-t-il ici quelque intrigue ?

Entre Camille.

CAMILLE. — Bonjour, cousin ; j'ai cru m'apercevoir, à tort ou à raison, que vous me quittiez tristement ce matin. Vous m'avez pris la main malgré moi, je viens vous demander de me donner la vôtre. Je vous ai refusé un baiser, le voilà.

Elle l'embrasse.

Maintenant, vous m'avez dit que vous seriez bien aise de causer de bonne amitié. Asseyez-vous là, et causons.

Elle s'assoit.

PERDICAN. — Avais-je fait un rêve, ou en fais-je un autre en ce moment ?

CAMILLE. — Vous avez trouvé singulier de recevoir un billet de moi, n'est-ce pas ? Je suis d'humeur changeante ; mais vous m'avez dit ce matin un mot très juste : « Puisque nous nous quittons, quittons-nous bons amis. » Vous ne savez pas la raison pour laquelle je pars, et je viens vous la dire : je vais prendre le voile.

PERDICAN. — Est-ce possible ? Est-ce toi, Camille, que je vois dans cette fontaine, assise sur les marguerites, comme aux jours d'autrefois ?

CAMILLE. — Oui, Perdican, c'est moi. Je viens revivre un quart d'heure de la vie passée. Je vous ai paru brusque et hautaine ; cela est tout simple, j'ai renoncé au monde. Cependant, avant de le quitter, je serais bien aise d'avoir votre avis. Trouvez-vous que j'aie raison de me faire religieuse ?

PERDICAN. — Ne m'interrogez pas là-dessus, car je ne me ferai jamais moine.

CAMILLE. — Depuis près de dix ans que nous avons vécu éloignés l'un de l'autre, vous avez commencé l'expérience de la vie. Je sais quel homme vous êtes, et vous devez avoir beaucoup appris en peu de temps avec un cœur et un esprit comme les vôtres. Dites-moi, avez-vous eu des maîtresses ?

PERDICAN. — Pourquoi cela ?

CAMILLE. — Répondez-moi, je vous en prie, sans modestie et sans fatuité.

PERDICAN. — J'en ai eu.

CAMILLE. — Les avez-vous aimées ?

PERDICAN. — De tout mon cœur.

CAMILLE. — Où sont-elles maintenant ? Le savez-vous ?

PERDICAN. — Voilà, en vérité, des questions singulières. Que voulez-vous que je vous dise ? Je ne suis ni leur mari ni leur frère ; elles sont allées où bon leur a semblé.

CAMILLE. — Il doit nécessairement y en avoir une que vous ayez préférée aux autres. Combien de temps avez-vous aimé celle que vous avez aimée le mieux ?

PERDICAN. — Tu es une drôle de fille ! Veux-tu te faire mon confesseur ?

CAMILLE. — C'est une grâce que je vous demande, de me répondre sincèrement. Vous n'êtes point un libertin, et je crois que votre cœur a de la probité. Vous avez dû inspirer l'amour, car vous le méritez, et vous ne vous seriez pas livré à un caprice. Répondez-moi, je vous en prie.

PERDICAN. — Ma foi, je ne m'en souviens pas.

CAMILLE. — Connaissez-vous un homme qui n'ait aimé qu'une femme ?

PERDICAN. — Il y en a certainement.

CAMILLE. — Est-ce un de vos amis ? Dites-moi son nom.

PERDICAN. — Je n'ai pas de nom à vous dire ; mais je crois qu'il y a des hommes capables de n'aimer qu'une fois.

CAMILLE. — Combien de fois un honnête homme peut-il aimer ?

PERDICAN. — Veux-tu me faire réciter une litanie, ou récites-tu toi-même un catéchisme ?

CAMILLE. — Je voudrais m'instruire, et savoir si j'ai tort ou raison de me faire religieuse. Si je vous épousais, ne devriez-vous pas répondre avec franchise à toutes mes questions, et me montrer votre cœur à nu ? Je vous estime beaucoup, et je vous crois, par votre éducation et par votre nature, supérieur à beaucoup d'autres hommes. Je suis fâchée que vous ne vous souveniez plus de ce que je vous demande; peut-être en vous connaissant mieux je m'enhardirais.

PERDICAN. — Où veux-tu en venir? parle; je répondrai.

CAMILLE. — Répondez donc à ma première question. Ai-je raison de rester au couvent?

PERDICAN. — Non.

CAMILLE. — Je ferais donc mieux de vous épouser?

PERDICAN. — Oui.

CAMILLE. — Si le curé de votre paroisse soufflait sur un verre d'eau, et vous disait que c'est un verre de vin, le boiriez-vous comme tel?

PERDICAN. — Non.

CAMILLE. — Si le curé de votre paroisse soufflait sur vous, et me disait que vous m'aimerez toute votre vie, aurais-je raison de le croire?

PERDICAN. — Oui et non.

CAMILLE. — Que me conseilleriez-vous de faire le jour où je verrais que vous ne m'aimez plus?

PERDICAN. — De prendre un amant.

CAMILLE. — Que ferai-je ensuite le jour où mon amant ne m'aimera plus?

PERDICAN. — Tu en prendras un autre.

CAMILLE. — Combien de temps cela durera-t-il?

PERDICAN. — Jusqu'à ce que tes cheveux soient gris, et alors les miens seront blancs.

CAMILLE. — Savez-vous ce que c'est que les cloîtres, Perdican? Vous êtes-vous jamais assis un jour entier sur le banc d'un monastère de femmes?

PERDICAN. — Oui; je m'y suis assis.

CAMILLE. — J'ai pour amie une sœur qui n'a que trente ans, et qui a eu cinq cent mille livres de revenu à l'âge de quinze ans. C'est la plus belle et la plus noble créature qui ait marché sur terre. Elle était pairesse du parlement, et avait pour mari un des hommes les plus distingués de France. Aucune des nobles facultés humaines n'était restée sans culture en elle, et, comme un arbrisseau d'une sève choisie, tous ses bourgeons avaient donné des ramures. Jamais l'amour et le bonheur ne poseront leur couronne fleurie sur un front plus beau; son mari l'a trompée; elle a aimé un autre homme, et elle se meurt de désespoir.

PERDICAN. — Cela est possible.

CAMILLE. — Nous habitons la même cellule, et j'ai passé des nuits entières à parler de ses malheurs; ils sont presque devenus les miens; cela est singulier, n'est-ce pas? Je ne sais trop comment cela se fait. Quand elle me parlait de son mariage, quand elle me peignait d'abord l'ivresse des premiers jours, puis la tranquillité des autres, et comme enfin tout s'était envolé; comme elle était assise le soir au coin du feu, et lui auprès de la fenêtre, sans se dire un seul mot; comme leur amour avait langui, et comme tous les efforts pour se rapprocher n'aboutissaient qu'à des querelles; comme une figure étrangère est venue peu à peu se placer entre eux et se glisser dans leurs souffrances: c'était moi que je voyais agir tandis qu'elle parlait. Quand elle disait : Là, j'ai été heureuse, mon cœur bondissait; et quand elle ajoutait : Là, j'ai pleuré, mes larmes coulaient. Mais figurez-vous quelque chose de plus singulier encore; j'avais fini par me créer une vie imaginaire; cela a duré quatre ans; il est inutile de vous dire par combien de réflexions, de retours sur moi-même, tout cela est venu. Ce que je voulais vous raconter, comme une curiosité, c'est que tous les récits de Louise, toutes les fictions de mes rêves portaient votre ressemblance.

PERDICAN. — Ma ressemblance, à moi?

CAMILLE. — Oui, et cela est naturel : vous étiez le seul homme que j'eusse connu. En vérité, je vous ai aimé, Perdican.

PERDICAN. — Quel âge as-tu, Camille?

CAMILLE. — Dix-huit ans.

PERDICAN. — Continue, continue; j'écoute.

CAMILLE. — Il y a deux cents femmes dans notre couvent; un petit nombre de ces femmes ne connaîtra jamais la vie, et tout le reste attend la mort. Plus d'une parmi elles sont sorties du monastère comme j'en sors aujourd'hui, vierges et pleines d'espérances. Elles sont revenues peu de temps après, vieilles et désolées. Tous les jours il en meurt dans nos dortoirs, et tous les jours il en vient de nouvelles prendre la place des mortes sur les matelas de crin. Les étrangers qui nous visitent admirent le calme et l'ordre de la maison; ils regardent attentivement la blancheur de nos voiles; mais ils se demandent pourquoi nous les rabaissons sur nos yeux. Que pensez-vous de ces femmes, Perdican? Ont-elles tort, ou ont-elles raison?

PERDICAN. — Je n'en sais rien.

CAMILLE. — Il s'en est trouvé quelques-unes qui me conseillent de rester vierge. Je suis bien aise de vous consulter. Croyez-vous que ces femmes-là auraient mieux fait de prendre un amant et de me conseiller d'en faire autant?

PERDICAN. — Je n'en sais rien.

CAMILLE. — Vous aviez promis de me répondre.

PERDICAN. — J'en suis dispensé tout naturellement; je ne crois pas que ce soit toi qui parles.

CAMILLE. — Cela se peut, il doit y avoir dans toutes mes idées des choses très ridicules. Il se peut bien qu'on m'ait fait la leçon, et que je ne sois qu'un perroquet mal appris. Il y a dans la galerie un petit tableau qui représente un moine courbé sur un missel; à travers les barreaux obscurs de sa cellule glisse un faible rayon de soleil, et on aperçoit une locanda italienne devant laquelle danse un chevrier. Lequel de ces deux hommes estimez-vous davantage?

PERDICAN. — Ni l'un ni l'autre et tous les deux. Ce sont deux hommes de chair et d'os; il y en a un qui lit, et un autre qui danse; je n'y vois pas autre chose. Tu as raison de te faire religieuse.

CAMILLE. — Vous me disiez non tout à l'heure.

PERDICAN. — Ai-je dit non? Cela est possible.

CAMILLE. — Ainsi vous me le conseillez?

PERDICAN. — Ainsi tu ne crois à rien?

CAMILLE. — Lève la tête, Perdican! quel est l'homme qui ne croit à rien?

PERDICAN, *se levant*. — En voilà un; je ne crois pas à la vie immortelle. — Ma sœur chérie, les religieuses t'ont donné leur expérience; mais, crois-moi, ce n'est pas la tienne; tu ne mourras pas sans aimer.

CAMILLE. — Je veux aimer, mais je ne veux pas souffrir; je veux aimer d'un amour éternel, et faire des serments qui ne se violent pas. Voilà mon amant.

Elle montre son crucifix.

PERDICAN. — Cet amant-là n'exclut pas les autres.

CAMILLE. — Pour moi, du moins, il les exclura. Ne souriez pas, Perdican! Il y a dix ans que je ne vous ai vu, et je pars demain. Dans dix autres années, si nous nous revoyons, nous en reparlerons. J'ai voulu ne pas rester dans votre souvenir comme une froide statue; car l'insensibilité mène au point où j'en suis. Écoutez-moi; retournez à la vie, et tant que vous serez heureux, tant que vous aimerez comme on peut aimer sur la terre, oubliez votre sœur Camille; mais s'il vous arrive jamais d'être oublié ou d'oublier vous-même, si l'ange de l'espérance vous abandonne, lorsque vous serez seul avec le vide dans le cœur, pensez à moi qui prierai pour vous.

PERDICAN. — Tu es une orgueilleuse; prends garde à toi.

CAMILLE. — Pourquoi?

PERDICAN. — Tu as dix-huit ans, et tu ne crois pas à l'amour!

CAMILLE. — Y croyez-vous, vous qui parlez? vous voilà courbé près de moi avec des genoux qui se sont usés sur les tapis de vos maîtresses, et vous n'en savez plus le nom. Vous avez pleuré des larmes de joie et des larmes de désespoir; mais vous saviez que l'eau des sources est plus constante que vos larmes, et qu'elle serait toujours là pour laver vos paupières gonflées. Vous faites votre métier de jeune homme, et vous souriez quand on me parle de femmes désolées; vous ne croyez pas qu'on puisse mourir d'amour, vous qui vivez et qui avez aimé. Qu'est-ce donc que le monde? Il me semble que vous devez cordialement mépriser les femmes qui vous prennent tel que vous êtes, et qui chassent leur dernier amant pour vous attirer dans leurs bras avec les baisers d'une autre sur les lèvres. Je vous demandais tout à l'heure si vous aviez aimé; vous m'avez répondu comme un voyageur à qui l'on demanderait s'il a été en Italie ou en Allemagne, et qui dirait : Oui, j'y ai été; puis qui penserait à aller en Suisse, ou dans le premier pays venu. Est-ce donc une monnaie que votre amour, pour qu'il puisse passer ainsi de mains en mains jusqu'à la mort? Non, ce n'est pas même une monnaie; car la plus mince pièce d'or vaut mieux que vous, et dans quelques mains qu'elle passe, elle garde son effigie.

PERDICAN. — Que tu es belle, Camille, lorsque tes yeux s'animent!

CAMILLE. — Oui, je suis belle, je le sais. Les complimenteurs ne m'apprendront rien; la froide nonne qui coupera mes cheveux pâlira peut-être de sa mutilation; mais ils ne se changeront pas en bagues et en chaînes pour courir les boudoirs; il n'en manquera pas un seul sur ma tête lorsque le fer y passera; je ne veux qu'un coup de ciseau, et quand le prêtre qui me bénira me mettra au doigt l'anneau d'or de mon époux céleste, la mèche de cheveux que je lui donnerai pourra lui servir de manteau.

PERDICAN. — Tu es en colère, en vérité.

CAMILLE. — J'ai eu tort de parler; j'ai ma vie entière sur les lèvres. O Perdican! ne raillez pas; tout cela est triste à mourir.

PERDICAN. — Pauvre enfant, je te laisse dire, et j'ai bien envie de te répondre un mot. Tu me parles d'une religieuse qui me paraît avoir eu sur toi une influence funeste; tu dis qu'elle a été trompée, qu'elle a trompé elle-même, et

qu'elle est désespérée. Es-tu sûre que si son mari ou son
amant revenait lui tendre la main à travers la grille du
parloir, elle ne lui tendrait pas la sienne?

CAMILLE. — Qu'est-ce que vous dites? J'ai mal entendu.

PERDICAN. — Es-tu sûre que si son mari ou son amant
revenait lui dire de souffrir encore, elle répondrait non?

CAMILLE. — Je le crois.

PERDICAN. — Il y a deux cents femmes dans ton monastère, et la plupart ont au fond du cœur des blessures profondes; elles te les ont fait toucher, et elles ont coloré ta
pensée virginale des gouttes de leur sang. Elles ont vécu,
n'est-ce pas? et elles t'ont montré avec horreur la route
de leur vie; tu t'es signée devant leurs cicatrices comme
devant les plaies de Jésus; elles t'ont fait une place dans
leurs processions lugubres, et tu te serres contre ces
corps décharnés avec une crainte religieuse, lorsque tu
vois passer un homme. Es-tu sûre que si l'homme qui
passe était celui qui les a trompées, celui pour qui elles
pleurent et elles souffrent, celui qu'elles maudissent en
priant Dieu, es-tu sûre qu'en le voyant elles ne briseraient
pas leurs chaînes pour courir à leurs malheurs passés, et
pour presser leurs poitrines sanglantes sur le poignard
qui les a meurtries? O mon enfant! sais-tu les rêves de
ces femmes, qui te disent de ne pas rêver? Sais-tu quel
nom elles murmurent quand les sanglots qui sortent de
leurs lèvres font trembler l'hostie qu'on leur présente?
Elles qui s'assoient près de toi avec leurs têtes branlantes
pour verser dans ton oreille leur vieillesse flétrie, elles
qui sonnent dans les ruines de ta jeunesse le tocsin de leur
désespoir, et qui font sentir à ton sang vermeil la fraîcheur
de leurs tombes, sais-tu qui elles sont?

CAMILLE. — Vous me faites peur; la colère vous prend
aussi.

PERDICAN. — Sais-tu ce que c'est que des nonnes, malheureuse fille? Elles qui te représentent l'amour des
hommes comme un mensonge, savent-elles qu'il y a pis
encore, le mensonge de l'amour divin? Savent-elles que
c'est un crime qu'elles font, de venir chuchoter à une
vierge des paroles de femme? Ah! comme elles t'ont fait
la leçon! Comme j'avais prévu tout cela quand tu t'es
arrêtée devant le portrait de notre vieille tante! Tu voulais
partir sans me serrer la main; tu ne voulais revoir ni ce
bois, ni cette pauvre petite fontaine qui nous regarde
toute en larmes; tu reniais les jours de ton enfance, et le
masque de plâtre que les nonnes t'ont placé sur les joues

me refusait un baiser de frère; mais ton cœur a battu;
il a oublié sa leçon, lui qui ne sait pas lire, et tu es revenue
t'asseoir sur l'herbe où nous voilà. Eh bien! Camille, ces
femmes ont bien parlé; elles t'ont mise dans le vrai chemin;
il pourra m'en coûter le bonheur de ma vie; mais dis-leur
cela de ma part : le ciel n'est pas pour elles.

CAMILLE. — Ni pour moi, n'est-ce pas?

PERDICAN. — Adieu, Camille, retourne à ton couvent,
et lorsqu'on te fera de ces récits hideux qui t'ont empoisonnée, réponds ce que je vais te dire : Tous les hommes sont
menteurs, inconstants, faux, bavards, hypocrites, orgueilleux et lâches, méprisables et sensuels; toutes les femmes
sont perfides, artificieuses, vaniteuses, curieuses et dépra-
vées; le monde n'est qu'un égout sans fond où les phoques
les plus informes rampent et se tordent sur des montagnes
de fange; mais il y a au monde une chose sainte et sublime,
c'est l'union de deux de ces êtres si imparfaits et si affreux.
On est souvent trompé en amour, souvent blessé et souvent
malheureux; mais on aime, et quand on est sur le bord
de sa tombe, on se retourne pour regarder en arrière, et
on se dit : J'ai souffert souvent, je me suis trompé quelquefois; mais j'ai aimé. C'est moi qui ai vécu, et non pas un
être factice créé par mon orgueil et mon ennui.

Il sort.

ACTE III

SCÈNE I

Devant le château.

Entrent LE BARON *et* MAITRE BLAZIUS.

LE BARON. — Indépendamment de votre ivrognerie, vous êtes un bélître, maître Blazius. Mes valets vous voient entrer furtivement dans l'office, et quand vous êtes convaincu d'avoir volé mes bouteilles de la manière la plus pitoyable, vous croyez vous justifier en accusant ma nièce d'une correspondance secrète.

MAITRE BLAZIUS. — Mais, monseigneur, veuillez vous rappeler...

LE BARON. — Sortez, monsieur l'abbé, et ne reparaissez jamais devant moi; il est déraisonnable d'agir comme vous faites, et ma gravité m'oblige à ne vous pardonner de ma vie.

> *Il sort ; maître Blazius le suit.*
> *Entre Perdican.*

PERDICAN. — Je voudrais bien savoir si je suis amoureux. D'un côté, cette manière d'interroger tant soit peu cavalière, pour une fille de dix-huit ans; d'un autre, les idées que ces nonnes lui ont fourrées dans la tête auront de la peine à se corriger. De plus, elle doit partir aujourd'hui. Diable! je l'aime, cela est sûr. Après tout, qui sait? peut-être elle répétait une leçon, et d'ailleurs il est clair qu'elle ne se soucie pas de moi. D'une autre part, elle a beau être jolie, cela n'empêche pas qu'elle n'ait des manières beaucoup trop décidées, et un ton trop brusque. Je n'ai qu'à n'y plus penser; il est clair que je ne l'aime pas. Cela est certain qu'elle est jolie; mais pourquoi cette conversation d'hier ne veut-elle pas me sortir de la tête? En vérité, j'ai passé la nuit à radoter. Où vais-je donc? — Ah! je vais au village.

> *Il sort.*

SCÈNE II

Un chemin.

Entre MAITRE BRIDAINE. — Que font-ils maintenant?
Hélas! voilà midi. — Ils sont à table. Que mangent-ils?
que ne mangent-ils pas? J'ai vu la cuisinière traverser
le village, avec un énorme dindon. L'aide portait les
truffes, avec un panier de raisin.

Entre maître Blazius.

MAITRE BLAZIUS. — O disgrâce imprévue! me voilà
chassé du château, par conséquent de la salle à manger.
Je ne boirai plus le vin de l'office.

MAITRE BRIDAINE. — Je ne verrai plus fumer les plats;
je ne chaufferai plus au feu de la noble cheminée mon
ventre copieux.

MAITRE BLAZIUS. — Pourquoi une fatale curiosité m'a-
t-elle poussé à écouter le dialogue de dame Pluche et de
sa nièce? Pourquoi ai-je rapporté au baron tout ce que j'ai
vu?

MAITRE BRIDAINE. — Pourquoi un vain orgueil m'a-t-il
éloigné de ce dîner honorable où j'étais si bien accueilli?
Que m'importait d'être à droite ou à gauche?

MAITRE BLAZIUS. — Hélas! j'étais gris, il faut en convenir, lorsque j'ai fait cette folie.

MAITRE BRIDAINE. — Hélas! le vin m'avait monté à la
tête quand j'ai commis cette imprudence.

MAITRE BLAZIUS. — Il me semble que voilà le curé.

MAITRE BRIDAINE. — C'est le gouverneur en personne.

MAITRE BLAZIUS. — Oh! oh! monsieur le curé, que
faites-vous là?

MAITRE BRIDAINE. — Moi! je vais dîner. N'y venez-vous
pas?

MAITRE BLAZIUS. — Pas aujourd'hui. Hélas! maître Bridaine, intercédez pour moi; le baron m'a chassé. J'ai accusé
faussement mademoiselle Camille d'avoir une correspondance secrète, et cependant Dieu m'est témoin que j'ai vu,
ou que j'ai cru voir dame Pluche dans la luzerne. Je suis
perdu, monsieur le curé.

MAITRE BRIDAINE. — Que m'apprenez-vous là?

MAITRE BLAZIUS. — Hélas! hélas! la vérité! Je suis en
disgrâce complète pour avoir volé une bouteille.

MAITRE BRIDAINE. — Que parlez-vous, messire, de bouteilles volées à propos d'une luzerne et d'une correspondance ?

MAITRE BLAZIUS. — Je vous supplie de plaider ma cause. Je suis honnête, seigneur Bridaine. O digne seigneur Bridaine, je suis votre serviteur.

MAITRE BRIDAINE, à part. — O fortune ! est-ce un rêve ? Je serai donc assis sur toi, ô chaise bienheureuse !

MAITRE BLAZIUS. — Je vous serai reconnaissant d'écouter mon histoire, et de vouloir bien m'excuser, brave seigneur, cher curé.

MAITRE BRIDAINE. — Cela m'est impossible, monsieur, il est midi sonné, et je m'en vais dîner. Si le baron se plaint de vous, c'est votre affaire. Je n'intercède point pour un ivrogne.

A part.

Vite, volons à la grille ; et toi, mon ventre, arrondis-toi.

Il sort en courant.

MAITRE BLAZIUS, *seul.* — Misérable Pluche ! c'est toi qui paieras pour tous ; oui, c'est toi qui es la cause de ma ruine, femme déhontée, vile entremetteuse. C'est à toi que je dois cette disgrâce. O sainte université de Paris ! on me traite d'ivrogne ! Je suis perdu si je ne saisis une lettre, et si je ne prouve au baron que sa nièce a une correspondance. Je l'ai vue ce matin écrire à son bureau. Patience ! voici du nouveau.

Passe dame Pluche portant une lettre.

Pluche, donnez-moi cette lettre.

DAME PLUCHE. — Que signifie cela ? C'est une lettre de ma maîtresse que je vais mettre à la poste au village.

MAITRE BLAZIUS. — Donnez-la-moi, ou vous êtes morte.

DAME PLUCHE. — Moi, morte ! morte, Marie, Jésus, vierge et martyr.

MAITRE BLAZIUS. — Oui, morte, Pluche ; donnez-moi ce papier.

Ils se battent ; entre Perdican.

PERDICAN. — Qu'y a-t-il ? Que faites-vous, Blazius ? Pourquoi violenter cette femme ?

DAME PLUCHE. — Rendez-moi la lettre. Il me l'a prise, seigneur, justice.

MAITRE BLAZIUS. — C'est une entremetteuse, seigneur. Cette lettre est un billet doux.

DAME PLUCHE. — C'est une lettre de Camille, seigneur, de votre fiancée.

MAITRE BLAZIUS. — C'est un billet doux à un gardeur de dindons.

DAME PLUCHE. — Tu en as menti, abbé. Apprends cela de moi.

PERDICAN. — Donnez-moi cette lettre ; je ne comprends rien à votre dispute ; mais en qualité de fiancé de Camille, je m'arroge le droit de la lire.

Il lit.

« A la sœur Louise, au couvent de★★★. »

A part.

Quelle maudite curiosité me saisit malgré moi ? Mon cœur bat avec force, et je ne sais ce que j'éprouve. — Retirez-vous, dame Pluche, vous êtes une digne femme, et maître Blazius est un sot. Allez dîner ; je me charge de remettre cette lettre à la poste.

Sortent maître Blazius et dame Pluche.

PERDICAN, *seul.* — Que ce soit un crime d'ouvrir une lettre, je le sais trop bien pour le faire. Que peut dire Camille à cette sœur ? Suis-je donc amoureux ? Quel empire a donc pris sur moi cette singulière fille, pour que les trois mots écrits sur cette adresse me fassent trembler la main ? Cela est singulier ; Blazius, en se débattant avec la dame Pluche, a fait sauter le cachet. Est-ce un crime de rompre le pli ? Bon, je n'y changerai rien.

Il ouvre la lettre et lit.

« Je pars aujourd'hui, ma chère, et tout est arrivé comme je l'avais prévu. C'est une terrible chose ; mais ce pauvre jeune homme a le poignard dans le cœur ; il ne se consolera pas de m'avoir perdue. Cependant j'ai fait tout au monde pour le dégoûter de moi. Dieu me pardonnera de l'avoir réduit au désespoir par mon refus. Hélas ! ma chère, que pouvais-je y faire ? Priez pour moi ; nous nous reverrons demain, et pour toujours. Toute à vous du meilleur de mon âme.

« CAMILLE. »

Est-il possible ? Camille écrit cela ! C'est de moi qu'elle parle ainsi ! Moi au désespoir de son refus ! Eh ! bon Dieu ! si cela était vrai, on le verrait bien ; quelle honte peut-il y avoir à aimer ? Elle a fait tout au monde pour me dégoûter, dit-elle, et j'ai le poignard dans le cœur ? Quel intérêt peut-elle avoir à inventer un roman pareil ? Cette pensée que j'avais cette nuit est-elle donc vraie ? O femmes ! Cette pauvre Camille a peut-être une grande piété ; c'est de bon

cœur qu'elle se donne à Dieu, mais elle a résolu et décrété
qu'elle me laisserait au désespoir. Cela était convenu entre
les bonnes amies avant de partir du couvent. On a décidé
que Camille allait revoir son cousin, qu'on le lui voudrait
faire épouser, qu'elle refuserait, et que le cousin serait
désolé. Cela est si intéressant, une jeune fille qui fait à
Dieu le sacrifice du bonheur d'un cousin! Non, non,
Camille, je ne t'aime pas, je ne suis pas au désespoir, je
n'ai pas le poignard dans le cœur, et je te le prouverai. Oui,
tu sauras que j'en aime une autre avant de partir d'ici.
Holà! brave homme.

Entre un paysan.

Allez au château, dites à la cuisine qu'on envoie un valet
porter à Mademoiselle Camille le billet que voici.

Il écrit.

LE PAYSAN. — Oui, monseigneur.

Il sort.

PERDICAN. — Maintenant, à l'autre. Ah! je suis au
désespoir! Holà! Rosette! Rosette!

Il frappe à une porte.

ROSETTE, *ouvrant.* — C'est vous, monseigneur? Entrez,
ma mère y est.

PERDICAN. — Mets ton plus beau bonnet, Rosette, et
viens avec moi.

ROSETTE. — Où donc?

PERDICAN. — Je te le dirai; demande la permission à ta
mère, mais dépêche-toi.

ROSETTE. — Oui, monseigneur.

Elle rentre dans la maison.

PERDICAN. — J'ai demandé un nouveau rendez-vous à
Camille, et je suis sûr qu'elle y viendra; mais par le ciel,
elle n'y trouvera pas ce qu'elle y comptera trouver. Je veux
faire la cour à Rosette devant Camille elle-même.

SCÈNE III

Le petit bois.

Entrent CAMILLE *et* LE PAYSAN.

LE PAYSAN. — Mademoiselle, je vais au château porter
une lettre pour vous; faut-il que je vous la donne, ou que
je la remette à la cuisine, comme me l'a dit le seigneur Perdican?

CAMILLE. — Donne-la-moi.

LE PAYSAN. — Si vous aimez mieux que je la porte au château, ce n'est pas la peine de m'attarder.

CAMILLE. — Je te dis de me la donner.

LE PAYSAN. — Ce qui vous plaira.

Il donne la lettre.

CAMILLE. — Tiens, voilà pour ta peine.

LE PAYSAN. — Grand merci; je m'en vais, n'est-ce pas?

CAMILLE. — Si tu veux.

LE PAYSAN. — Je m'en vais, je m'en vais.

Il sort.

CAMILLE, *lisant*. — Perdican me demande de lui dire adieu avant de partir, près de la petite fontaine où je l'ai fait venir hier. Que peut-il avoir à me dire? Voilà justement la fontaine, et je suis toute portée. Dois-je accorder ce second rendez-vous? Ah!

Elle se cache derrière un arbre.

Voilà Perdican qui approche avec Rosette, ma sœur de lait. Je suppose qu'il va la quitter; je suis bien aise de ne pas avoir l'air d'arriver la première.

Entrent Perdican et Rosette qui s'assoient.

CAMILLE, *cachée, à part*. — Que veut dire cela? Il la fait asseoir près de lui? Me demande-t-il un rendez-vous pour y venir causer avec une autre? Je suis curieuse de savoir ce qu'il lui dit.

PERDICAN, *à haute voix, de manière que Camille l'entende.* — Je t'aime, Rosette; toi seule au monde tu n'as rien oublié de nos beaux jours passés; toi seule tu te souviens de la vie qui n'est plus; prends ta part de ma vie nouvelle; donne-moi ton cœur, chère enfant; voilà le gage de notre amour.

Il lui pose sa chaîne sur le cou.

ROSETTE. — Vous me donnez votre chaîne d'or?

PERDICAN. — Regarde à présent cette bague. Lève-toi, et approchons-nous de cette fontaine. Nous vois-tu tous les deux, dans la source, appuyés l'un sur l'autre? Vois-tu tes beaux yeux près des miens, ta main dans la mienne? Regarde tout cela s'effacer.

Il jette sa bague dans l'eau.

Regarde comme notre image a disparu; la voilà qui revient peu à peu; l'eau qui s'était troublée reprend son équilibre; elle tremble encore; de grands cercles noirs courent à sa surface; patience, nous reparaissons; déjà je

distingue de nouveau tes bras enlacés dans les miens ;
encore une minute, et il n'y aura plus une ride sur ton joli
visage ; regarde ! c'était une bague que m'avait donnée
Camille.

CAMILLE, *à part*. — Il a jeté ma bague dans l'eau.

PERDICAN. — Sais-tu ce que c'est que l'amour, Rosette ?
Écoute ! le vent se tait ; la pluie du matin roule en perles
sur les feuilles séchées que le soleil ranime. Par la lumière
du ciel, par le soleil que voilà, je t'aime ! Tu veux bien de
moi, n'est-ce pas ? On n'a pas flétri ta jeunesse ? on n'a pas
infiltré dans ton sang vermeil les restes d'un sang affadi ?
Tu ne veux pas te faire religieuse ; te voilà jeune et belle
dans les bras d'un jeune homme. O Rosette, Rosette,
sais-tu ce que c'est que l'amour ?

ROSETTE. — Hélas ! monsieur le docteur, je vous aimerai
comme je pourrai.

PERDICAN. — Oui, comme tu pourras ; et tu m'aimeras
mieux, tout docteur que je suis et toute paysanne que tu
es, que ces pâles statues fabriquées par les nonnes, qui ont
la tête à la place du cœur, et qui sortent des cloîtres pour
venir répandre dans la vie l'atmosphère humide de leurs
cellules ; tu ne sais rien ; tu ne lirais pas dans un livre la
prière que ta mère t'apprend, comme elle l'a apprise de sa
mère ; tu ne comprends même pas le sens des paroles que
tu répètes, quand tu t'agenouilles au pied de ton lit ; mais
tu comprends bien que tu pries, et c'est tout ce qu'il faut
à Dieu.

ROSETTE. — Comme vous me parlez, monseigneur.

PERDICAN. — Tu ne sais pas lire ; mais tu sais ce que
disent ces bois et ces prairies, ces tièdes rivières, ces beaux
champs couverts de moissons, toute cette nature splendide
de jeunesse. Tu reconnais tous ces milliers de frères, et
moi pour l'un d'entre eux ; lève-toi ; tu seras ma femme, et
nous prendrons racine ensemble dans la sève du monde
tout-puissant.

Il sort avec Rosette.

SCÈNE IV

Entre LE CHŒUR. — Il se passe assurément quelque
chose d'étrange au château ; Camille a refusé d'épouser
Perdican ; elle doit retourner aujourd'hui au couvent dont
elle est venue. Mais je crois que le seigneur son cousin s'est

consolé avec Rosette. Hélas! la pauvre fille ne sait pas quel
danger elle court, en écoutant les discours d'un jeune et
galant seigneur.

DAME PLUCHE, *entrant*. — Vite, vite, qu'on selle mon
âne.

LE CHŒUR. — Passerez-vous comme un songe léger, ô
vénérable dame? Allez-vous si promptement enfourcher
derechef cette pauvre bête qui est si triste de vous porter?

DAME PLUCHE. — Dieu merci, chère canaille, je ne mourrai pas ici.

LE CHŒUR. — Mourez au loin, Pluche, ma mie; mourez
inconnue dans un caveau malsain. Nous ferons des vœux
pour votre respectable résurrection.

DAME PLUCHE. — Voici ma maîtresse qui s'avance.

A Camille qui entre.

Chère Camille, tout est prêt pour notre départ; le baron
a rendu ses comptes, et mon âne est bâté.

CAMILLE. — Allez au diable, vous et votre âne, je ne par-
tirai pas aujourd'hui.

Elle sort.

LE CHŒUR. — Que veut dire ceci? Dame Pluche est
pâle de terreur; ses faux cheveux tentent de se hérisser, sa
poitrine siffle avec force et ses doigts s'allongent en se cris-
pant.

DAME PLUCHE. — Seigneur Jésus! Camille a juré!

Elle sort.

SCÈNE V

Entrent LE BARON et MAITRE BRIDAINE.

MAITRE BRIDAINE. — Seigneur, il faut que je vous parle
en particulier. Votre fils fait la cour à une fille du village.

LE BARON. — C'est absurde, mon ami.

MAITRE BRIDAINE. — Je l'ai vu distinctement passer
dans la bruyère en lui donnant le bras; il se penchait à son
oreille et lui promettait de l'épouser.

LE BARON. — Cela est monstrueux.

MAITRE BRIDAINE. — Soyez-en convaincu; il lui a fait
un présent considérable que la petite a montré à sa mère.

LE BARON. — O ciel! considérable, Bridaine? En quoi
considérable?

MAÎTRE BRIDAINE. — Pour le poids et pour la conséquence. C'est la chaîne d'or qu'il portait à son bonnet.

LE BARON. — Passons dans mon cabinet; je ne sais à quoi m'en tenir.

Ils sortent.

SCÈNE VI

La chambre de Camille.

Entrent CAMILLE et DAME PLUCHE.

CAMILLE. — Il a pris ma lettre, dites-vous?

DAME PLUCHE. — Oui, mon enfant, il s'est chargé de la mettre à la poste.

CAMILLE. — Allez au salon, dame Pluche, et faites-moi le plaisir de dire à Perdican que je l'attends ici.

Dame Pluche sort.

Il a lu ma lettre, cela est certain; sa scène du bois est une vengeance, comme son amour pour Rosette. Il a voulu me prouver qu'il en aimait une autre que moi, et jouer l'indifférent malgré son dépit. Est-ce qu'il m'aimerait, par hasard?

Elle lève la tapisserie.

Es-tu là, Rosette?

ROSETTE, *entrant.* — Oui; puis-je entrer?

CAMILLE. — Écoute-moi, mon enfant; le seigneur Perdican ne te fait-il pas la cour?

ROSETTE. — Hélas! oui.

CAMILLE. — Que penses-tu de ce qu'il t'a dit ce matin?

ROSETTE. — Ce matin? Où donc?

CAMILLE. — Ne fais pas l'hypocrite. — Ce matin, à la fontaine, dans le petit bois.

ROSETTE. — Vous m'avez donc vue?

CAMILLE. — Pauvre innocente! Non, je ne t'ai pas vue. Il t'a fait de beaux discours, n'est-ce pas? Gageons qu'il t'a promis de t'épouser.

ROSETTE. — Comment le savez-vous?

CAMILLE. — Qu'importe comment je le sais? Crois-tu à ses promesses, Rosette?

ROSETTE. — Comment n'y croirais-je pas? Il me tromperait donc? Pour quoi faire?

CAMILLE. — Perdican ne t'épousera pas, mon enfant.

ROSETTE. — Hélas! je n'en sais rien.

CAMILLE. — Tu l'aimes, pauvre fille; il ne t'épousera pas, et la preuve, je vais te la donner; rentre derrière ce rideau, tu n'auras qu'à prêter l'oreille et à venir quand je t'appellerai.

Rosette sort.

CAMILLE, *seule*. — Moi qui croyais faire un acte de vengeance, ferais-je un acte d'humanité? La pauvre fille a le cœur pris.

Entre Perdican.

Bonjour, cousin, asseyez-vous.

PERDICAN. — Quelle toilette, Camille! A qui en voulez-vous?

CAMILLE. — A vous, peut-être; je suis fâchée de n'avoir pu me rendre au rendez-vous que vous m'avez demandé; vous aviez quelque chose à me dire?

PERDICAN, *à part*. — Voilà, sur ma vie, un petit mensonge assez gros, pour un agneau sans tache; je l'ai vue derrière un arbre écouter la conversation.

Haut.

Je n'ai rien à vous dire, qu'un adieu, Camille; je croyais que vous partiez; cependant votre cheval est à l'écurie, et vous n'avez pas l'air d'être en robe de voyage.

CAMILLE. — J'aime la discussion; je ne suis pas bien sûre de ne pas avoir eu envie de me quereller encore avec vous.

PERDICAN. — A quoi sert de se quereller, quand le raccommodement est impossible? Le plaisir des disputes, c'est de faire la paix.

CAMILLE. — Êtes-vous convaincu que je ne veuille pas la faire?

PERDICAN. — Ne raillez pas; je ne suis pas de force à vous répondre.

CAMILLE. — Je voudrais qu'on me fît la cour; je ne sais si c'est que j'ai une robe neuve, mais j'ai envie de m'amuser. Vous m'avez proposé d'aller au village, allons-y, je veux bien; mettons-nous en bateau; j'ai envie d'aller dîner sur l'herbe, ou de faire une promenade dans la forêt. Fera-t-il clair de lune, ce soir? Cela est singulier; vous n'avez plus au doigt la bague que je vous ai donnée.

PERDICAN. — Je l'ai perdue.

CAMILLE. — C'est donc pour cela que je l'ai trouvée; tenez, Perdican, la voilà.

PERDICAN. — Est-ce possible? Où l'avez-vous trouvée?

CAMILLE. — Vous regardez si mes mains sont mouillées, n'est-ce pas ? En vérité, j'ai gâté ma robe de couvent pour retirer ce petit hochet d'enfant de la fontaine. Voilà pourquoi j'en ai mis une autre, et je vous dis, cela m'a changée ; mettez donc cela à votre doigt.

PERDICAN. — Tu as retiré cette bague de l'eau, Camille, au risque de te précipiter ? Est-ce un songe ? La voilà ; c'est toi qui me la mets au doigt ! Ah ! Camille, pourquoi me la rends-tu, ce triste gage d'un bonheur qui n'est plus ? Parle, coquette et imprudente fille, pourquoi pars-tu, pourquoi restes-tu ? Pourquoi, d'une heure à l'autre, changes-tu d'apparence et de couleur, comme la pierre de cette bague à chaque rayon du soleil !

CAMILLE. — Connaissez-vous le cœur des femmes, Perdican ? Êtes-vous sûr de leur inconstance, et savez-vous si elles changent réellement de pensée en changeant quelquefois de langage ? Il y en a qui disent que non. Sans doute, il nous faut souvent jouer un rôle, souvent mentir ; vous voyez que je suis franche ; mais êtes-vous sûr que tout mente dans une femme, lorsque sa langue ment ? Avez-vous bien réfléchi à la nature de cet être faible et violent, à la rigueur avec laquelle on le juge, aux principes qu'on lui impose ? Et qui sait si, forcée à tromper par le monde, la tête de ce petit être sans cervelle ne peut pas y prendre plaisir, et mentir quelquefois par passe-temps, par folie, comme elle ment par nécessité ?

PERDICAN. — Je n'entends rien à tout cela, et je ne mens jamais. Je t'aime, Camille, voilà tout ce que je sais.

CAMILLE. — Vous dites que vous m'aimez, et vous ne mentez jamais ?

PERDICAN. — Jamais.

CAMILLE. — En voilà une qui dit pourtant que cela vous arrive quelquefois.

Elle lève la tapisserie, Rosette paraît dant le fond,
évanouie sur une chaise.

Que répondrez-vous à cette enfant, Perdican, lorsqu'elle vous demandera compte de vos paroles ? Si vous ne mentez jamais, d'où vient donc qu'elle s'est évanouie en vous entendant me dire que vous m'aimez ? Je vous laisse avec elle ; tâchez de la faire revenir.

Elle veut sortir.

PERDICAN. — Un instant, Camille, écoute-moi.

CAMILLE. — Que voulez-vous me dire ? c'est à Rosette qu'il faut parler. Je ne vous aime pas, moi ; je n'ai pas été chercher par dépit cette malheureuse enfant au fond de sa chaumière, pour en faire un appât, un jouet, je n'ai pas répété imprudemment devant elle des paroles brûlantes adressées à une autre; je n'ai pas feint de jeter au vent pour elle le souvenir d'une amitié chérie; je ne lui ai pas mis ma chaîne au cou; je ne lui ai pas dit que je l'épouserais.

PERDICAN. — Écoutez-moi, écoutez-moi!

CAMILLE. — N'as-tu pas souri tout à l'heure quand je t'ai dit que je n'avais pu aller à la fontaine? Eh bien! oui, j'y étais, et j'ai tout entendu; mais, Dieu m'en est témoin, je ne voudrais pas y avoir parlé comme toi. Que feras-tu de cette fille-là, maintenant, quand elle viendra, avec tes baisers ardents sur les lèvres, te montrer en pleurant la blessure que tu lui as faite? Tu as voulu te venger de moi, n'est-ce pas, et me punir d'une lettre écrite à mon couvent? Tu as voulu me lancer à tout prix quelque trait qui pût m'atteindre, et tu comptais pour rien que la flèche empoisonnée traversât cette enfant, pourvu qu'elle me frappât derrière elle. Je m'étais vantée de t'avoir inspiré quelque amour, de te laisser quelque regret. Cela t'a blessé dans ton noble orgueil? Eh bien! apprends-le de moi, tu m'aimes, entends-tu; mais tu épouseras cette fille, ou tu n'es qu'un lâche.

PERDICAN. — Oui, je l'épouserai.

CAMILLE. — Et tu feras bien.

PERDICAN. — Très bien, et beaucoup mieux qu'en t'épousant toi-même. Qu'y a-t-il, Camille, qui t'échauffe si fort? Cette enfant s'est évanouie; nous la ferons bien revenir; il ne faut pour cela qu'un flacon de vinaigre; tu as voulu me prouver que j'avais menti une fois dans ma vie; cela est possible, mais je te trouve hardie de décider à quel instant. Viens, aide-moi à secourir Rosette.

Ils sortent.

SCÈNE VII

Entrent LE BARON *et* CAMILLE.

LE BARON. — Si cela se fait, je deviendrai fou.

CAMILLE. — Employez votre autorité.

LE BARON. — Je deviendrai fou, et je refuserai mon consentement, voilà qui est certain.

CAMILLE. — Vous devriez lui parler, et lui faire entendre raison.

LE BARON. — Cela me jettera dans le désespoir pour tout le carnaval, et je ne paraîtrai pas une fois à la cour. C'est un mariage disproportionné. Jamais on n'a entendu parler d'épouser la sœur de lait de sa cousine ; cela passe toute espèce de bornes.

CAMILLE. — Faites-le appeler, et dites-lui nettement que ce mariage vous déplaît. Croyez-moi, c'est une folie, il ne résistera pas.

LE BARON. — Je serai vêtu de noir cet hiver, tenez-le pour assuré.

CAMILLE. — Mais parlez-lui, au nom du ciel. C'est un coup de tête qu'il a fait ; peut-être n'est-il déjà plus temps ; s'il en a parlé, il le fera.

LE BARON. — Je vais m'enfermer pour m'abandonner à ma douleur. Dites-lui, s'il me demande, que je suis enfermé, et que je m'abandonne à ma douleur de le voir épouser une fille sans nom.

Il sort.

CAMILLE. — Ne trouverai-je pas ici un homme de cœur ? En vérité, quand on en cherche, on est effrayé de sa solitude.

Entre Perdican.

Eh bien ! cousin, à quand le mariage ?

PERDICAN. — Le plus tôt possible ; j'ai déjà parlé au notaire, au curé, et à tous les paysans.

CAMILLE. — Vous comptez donc réellement que vous épouserez Rosette ?

PERDICAN. — Assurément.

CAMILLE. — Qu'en dira votre père ?

PERDICAN. — Tout ce qu'il voudra ; il me plaît d'épouser cette fille ; c'est une idée que je vous dois, et je m'y tiens. Faut-il vous répéter les lieux communs les plus rebattus sur sa naissance et sur la mienne ? Elle est jeune et jolie, et elle m'aime. C'est plus qu'il n'en faut pour être trois fois heureux. Qu'elle ait de l'esprit ou qu'elle n'en ait pas, j'aurais pu trouver pire. On criera et on raillera ; je m'en lave les mains.

CAMILLE. — Il n'y a rien là de risible ; vous faites très bien de l'épouser. Mais je suis fâchée pour vous d'une chose : c'est qu'on dira que vous l'avez fait par dépit.

PERDICAN. — Vous êtes fâchée de cela ? Oh ! que non.

CAMILLE. — Si, j'en suis vraiment fâchée pour vous. Cela fait du tort à un jeune homme, de ne pouvoir résister à un moment de dépit.

PERDICAN. — Soyez-en donc fâchée ; quant à moi, cela m'est bien égal.

CAMILLE. — Mais vous n'y pensez pas ; c'est une fille de rien.

PERDICAN. — Elle sera donc de quelque chose, lorsqu'elle sera ma femme.

CAMILLE. — Elle vous ennuiera avant que le notaire ait mis son habit neuf et ses souliers pour venir ici ; le cœur vous lèvera au repas de noces, et le soir de la fête, vous lui ferez couper les mains et les pieds, comme dans les contes arabes, parce qu'elle sentira le ragoût.

PERDICAN. — Vous verrez que non. Vous ne me connaissez pas ; quand une femme est douce et sensible, franche, bonne et belle, je suis capable de me contenter de cela, oui, en vérité, jusqu'à ne pas me soucier de savoir si elle parle latin.

CAMILLE. — Il est à regretter qu'on ait dépensé tant d'argent pour vous l'apprendre ; c'est trois mille écus de perdus.

PERDICAN. — Oui, on aurait mieux fait de les donner aux pauvres.

CAMILLE. — Ce sera vous qui vous en chargerez, du moins pour les pauvres d'esprit.

PERDICAN. — Et ils me donneront en échange le royaume des cieux, car il est à eux.

CAMILLE. — Combien de temps durera cette plaisanterie ?

PERDICAN. — Quelle plaisanterie ?

CAMILLE. — Votre mariage avec Rosette.

PERDICAN. — Bien peu de temps ; Dieu n'a pas fait de l'homme une œuvre de durée : trente ou quarante ans, tout au plus.

CAMILLE. — Je suis curieuse de danser à vos noces !

PERDICAN. — Écoutez-moi, Camille, voilà un ton de persiflage qui est hors de propos.

CAMILLE. — Il me plaît trop pour que je le quitte.

PERDICAN. — Je vous quitte donc vous-même, car j'en ai tout à l'heure assez.

CAMILLE. — Allez-vous chez votre épousée ?

PERDICAN. — Oui, j'y vais de ce pas.

CAMILLE. — Donnez-moi donc le bras ; j'y vais aussi.

Entre Rosette.

PERDICAN. — Te voilà, mon enfant ? Viens, je veux te présenter à mon père.

ROSETTE, *se mettant à genoux*. — Monseigneur, je viens vous demander une grâce. Tous les gens du village à qui j'ai parlé ce matin m'ont dit que vous aimiez votre cousine, et que vous ne m'avez fait la cour que pour vous divertir tous deux; on se moque de moi quand je passe, et je ne pourrai plus trouver de mari dans le pays, après avoir servi de risée à tout le monde. Permettez-moi de vous rendre le collier que vous m'avez donné, et de vivre en paix chez ma mère.

CAMILLE. — Tu es une bonne fille, Rosette; garde ce collier, c'est moi qui te le donne, et mon cousin prendra le mien à la place. Quant à un mari, n'en sois pas embarrassée, je me charge de t'en trouver un.

PERDICAN. — Cela n'est pas difficile, en effet. Allons, Rosette, viens, que je te mène à mon père.

CAMILLE. — Pourquoi? Cela est inutile.

PERDICAN. — Oui, vous avez raison, mon père nous recevrait mal; il faut laisser passer le premier moment de surprise qu'il a éprouvée. Viens avec moi, nous retournerons sur la place. Je trouve plaisant qu'on dise que je ne t'aime pas quand je t'épouse. Pardieu! nous les ferons bien taire.

Il sort avec Rosette.

CAMILLE. — Que se passe-t-il donc en moi? Il l'emmène d'un air bien tranquille. Cela est singulier; il me semble que la tête me tourne. Est-ce qu'il l'épouserait tout de bon? Holà! dame Pluche, dame Pluche! N'y a-t-il donc personne ici?

Entre un valet.

Courez après le seigneur Perdican; dites-lui vite qu'il remonte ici, j'ai à lui parler.

Le valet sort.

Mais qu'est-ce donc que tout cela? Je n'en puis plus, mes pieds refusent de me soutenir.

Rentre Perdican.

PERDICAN. — Vous m'avez demandé, Camille?

CAMILLE. — Non, — non.

PERDICAN. — En vérité, vous voilà pâle; qu'avez-vous à me dire? Vous m'avez fait rappeler pour me parler.

CAMILLE. — Non, non. — O! Seigneur Dieu!

Elle sort.

SCÈNE VIII

Un oratoire.

Entre CAMILLE; *elle se jette au pied de l'autel.* — M'avez-vous abandonnée, ô mon Dieu? Vous le savez, lorsque je suis venue, j'avais juré de vous être fidèle; quand j'ai refusé de devenir l'épouse d'un autre que vous, j'ai cru parler sincèrement, devant vous et ma conscience; vous le savez, mon père, ne voulez-vous donc plus de moi? Oh! pourquoi faites-vous mentir la vérité elle-même? Pourquoi suis-je si faible? Ah, malheureuse, je ne puis plus prier.

Entre Perdican.

PERDICAN. — Orgueil, le plus fatal des conseillers humains, qu'es-tu venu faire entre cette fille et moi? La voilà pâle et effrayée, qui presse sur les dalles insensibles son cœur et son visage. Elle aurait pu m'aimer, et nous étions nés l'un pour l'autre; qu'es-tu venu faire sur nos lèvres, orgueil, lorsque nos mains allaient se joindre?

CAMILLE. — Qui m'a suivie? Qui parle sous cette voûte? Est-ce toi, Perdican?

PERDICAN. — Insensés que nous sommes! nous nous aimons. Quel songe avons-nous fait, Camille? Quelles vaines paroles, quelles misérables folies ont passé comme un vent funeste entre nous deux? Lequel de nous a voulu tromper l'autre? Hélas! cette vie est elle-même un si pénible rêve : pourquoi encore y mêler les nôtres? O mon Dieu, le bonheur est une perle si rare dans cet océan d'ici-bas! Tu nous l'avais donné, pêcheur céleste, tu l'avais tiré pour nous des profondeurs de l'abîme, cet inestimable joyau; et nous, comme des enfants gâtés que nous sommes, nous en avons fait un jouet; le vert sentier qui nous amenait l'un vers l'autre avait une pente si douce, il était entouré de buissons si fleuris, il se perdait dans un si tranquille horizon! Il a bien fallu que la vanité, le bavardage et la colère vinssent jeter leurs rochers informes sur cette route céleste, qui nous aurait conduits à toi dans un baiser! Il a bien fallu que nous nous fissions du mal, car nous sommes des hommes. O insensés! nous nous aimons.

Il la prend dans ses bras.

CAMILLE. — Oui, nous nous aimons, Perdican; laisse-moi le sentir sur ton cœur. Ce Dieu qui nous regarde ne s'en offensera pas; il veut bien que je t'aime; il y a quinze ans qu'il le sait.

PERDICAN. — Chère créature, tu es à moi!

Il l'embrasse ; on entend un grand cri derrière l'autel.

CAMILLE. — C'est la voix de ma sœur de lait.

PERDICAN. — Comment est-elle ici! Je l'avais laissée dans l'escalier, lorsque tu m'as fait rappeler. Il faut donc qu'elle m'ait suivi, sans que je m'en sois aperçu.

CAMILLE. — Entrons dans cette galerie; c'est là qu'on a crié.

PERDICAN. — Je ne sais ce que j'éprouve; il me semble que mes mains sont couvertes de sang.

CAMILLE. — La pauvre enfant nous a sans doute épiés; elle s'est encore évanouie; viens, portons-lui secours; hélas! tout cela est cruel.

PERDICAN. — Non, en vérité, je n'entrerai pas; je sens un froid mortel qui me paralyse. Vas-y, Camille, et tâche de la ramener.

Camille sort.

Je vous en supplie, mon Dieu! ne faites pas de moi un meurtrier! Vous voyez ce qui se passe; nous sommes deux enfants insensés, et nous avons joué avec la vie et la mort; mais notre cœur est pur; ne tuez pas Rosette, Dieu juste! Je lui trouverai un mari, je réparerai ma faute; elle est jeune, elle sera riche, elle sera heureuse; ne faites pas cela, ô Dieu, vous pouvez bénir encore quatre de vos enfants. Eh bien! Camille, qu'y a-t-il?

Camille rentre.

CAMILLE. — Elle est morte. Adieu, Perdican.

FIN DE « ON NE BADINE PAS AVEC L'AMOUR »

To **ESC**

Date **7-23** Time **9:40**

WHILE YOU WERE OUT

M _Vogler_

of _____

Phone _____

| Area Code | Number | Extension |

TELEPHONED		PLEASE CALL	
CALLED TO SEE YOU		WILL CALL AGAIN	
WANTS TO SEE YOU		URGENT	
RETURNED YOUR CALL		

Message _Please read
Mussel !_

Operator

AMPAD
EFFICIENCY®

23-022

LORENZACCIO

George Sand, à qui Jules Sandeau ou Latouche avait signalé, après notre révolution de 1830, un passage des chroniques florentines *(Storia Fiorentina)* de Varchi sur la conspiration républicaine de 1537 contre le duc de Florence Alexandre de Médicis, en avait tiré l'ébauche d'une pièce en six tableaux intitulée *Une conspiration en 1537,* dont elle confia plus tard, dégoûtée de l'entreprise, le manuscrit à Musset. Celui-ci, comme l'a démontré récemment (1958) avec la vigueur et la rigueur critiques qui lui sont propres M. Jean Pommier, en tira une pièce, *Lorenzaccio,* écrite « à travers des séances de travail plus ou moins espacées, plus ou moins longues, plus ou moins fructueuses » dès 1833, à un moment qui se situe « entre le début de la liaison avec George Sand et le départ pour l'Italie », donc pendant quatre mois environ.

Alors que sa maîtresse s'était intéressée au sujet de cette conspiration manquée, Musset concentre l'intérêt de la pièce sur le personnage de Lorenzo (Lorenzaccio), dont il fait comme une réplique de lui-même.

Publié le 1er août 1834 dans le tome Ier de la seconde livraison (en prose) d'*Un Spectacle dans un fauteuil, Lorenzaccio* fut, en 1864, interdit par la censure impériale lorsqu'il fut question de porter la pièce au théâtre, « la discussion du droit d'assassiner un souverain dont les crimes et les iniquités crient vengeance, le meurtre même du prince par un de ses parents, type de dégradation et d'abrutissement », paraissant un spectacle « dangereux à présenter au public ». Le drame ne devait être porté sur la scène qu'en 1896, où il plut à Sarah Bernhardt de le monter dans un texte retouché et condensé par Armand d'Artois et de jouer elle-même en travesti, à cinquante-deux ans, le rôle de Lorenzo. Ce fut au théâtre de la Renaissance, le

3 décembre, et Sarah Bernhardt reçut un accueil triomphal auquel la presse presque unanime, de Sarcey à Faguet, de Catulle Mendès à Anatole France *(Revue de Paris)*, associa le chef-d'œuvre de Musset. Ce n'est qu'en 1927 que la pièce fut inscrite au répertoire de la Comédie-Française.

Des six tableaux ébauchés assez maladroitement par George Sand, Musset avait, par un travail dont son manuscrit porte les preuves, dégagé et refait une œuvre originale, un drame en cinq actes (trente-neuf scènes) où l'histoire et la couleur historique sont respectées, encore que des éléments du drame s'inspirent de la *Conjuration de Fiesque* de Schiller (qui lui-même s'était inspiré des *Mémoires* du cardinal de Retz), de la *Conspiration des Pazzi* d'Alfieri, des événements de 1830 en France, que la princesse Belgiojoso qui avait fomenté en 1831 la vaine insurrection des Romagnes contre l'Autriche ait pu donner des traits à la marquise Cibo, qu'enfin le mari de cette princesse ait pu être un des modèles du duc Alexandre.

Par ses proportions, par le goût de la vérité historique et locale, par son agencement même, *Lorenzaccio* est généralement considéré aujourd'hui comme le meilleur échantillon du grand drame romantique à la façon de Shakespeare. Musset, qui le tenait pour une de ses meilleures œuvres, y a mis, comme dans ses autres pièces, beaucoup de lui-même, mais il l'a fait sans fausser gravement le Lorenzo de l'Histoire. De son personnage, Jules Lemaitre écrivait qu'il « est aussi riche de signification qu'un Faust ou qu'un Hamlet ». Sauf de rares exceptions toute la critique contemporaine est de cet avis. Faguet admirait « la forte peinture » de la pièce. Bellessort affirmait que c'est « notre plus beau drame romantique, le plus profond, disons même le seul drame profond du XIXe siècle », et Fortunat Strowski proclame : « C'est une pièce admirable et terrible. Qui sait si, dans cent ans, au pays même de *Polyeucte*, de *Phèdre* et d'*Hernani*, on ne considérera pas comme le plus grand chef-d'œuvre de l'art dramatique ce *Lorenzaccio ?* ».

Ernest Moret a tiré de la pièce de Musset un drame lyrique, qui fut joué avec succès, le 19 mai 1920 à l'Opéra-Comique. On l'a aussi adaptée pour l'écran.

Lorenzaccio, de 1927 à 1963, n'a pourtant été joué que 53 fois à la Comédie-Française.

                                                                    M. R.

PERSONNAGES

ALEXANDRE DE MEDICIS, duc de Florence.
LORENZO DE MEDICIS (Lorenzaccio) ⎱ ses cousins.
COME DE MEDICIS ⎰
LE CARDINAL CIBO.
LE MARQUIS DE CIBO, son frère.
SIRE MAURICE, chancelier des Huit.
LE CARDINAL BACCIO VALORI, commissaire apostolique.
JULIEN SALVIATI,
PHILIPPE STROZZI.
PIERRE STROZZI, ⎫
THOMAS STROZZI, ⎬ ses fils.
LEON STROZZI, prieur de Capoue ⎭
ROBERTO CORSINI, provéditeur de la forteresse.
PALLA RUCCELLAI ⎫
ALAMANNO SALVIATI ⎬ seigneurs républicains.
FRANÇOIS PAZZI ⎭
BINDO ALTOVITI, oncle de Lorenzo.
VENTURI, bourgeois.
TEBALDEO, peintre.
SCORONCONCOLO, spadassin.
Les HUIT.
GIOMO LE HONGROIS, écuyer du duc.
MAFFIO, bourgeois.
MARIE SODERINI, mère de Lorenzo.
CATHERINE GINORI, sa tante.
LA MARQUISE DE CIBO.
LOUISE STROZZI.
DEUX DAMES DE LA COUR ET UN OFFICIER ALLEMAND, UN ORFÈVRE,
   UN MARCHAND, DEUX PRÉCEPTEURS ET DEUX ENFANTS, PAGES, SOL-
   DATS, MOINES, COURTISANS, BANNIS, ÉCOLIERS, DOMESTIQUES, BOUR-
   GEOIS, ETC., ETC.

ACTE PREMIER

SCÈNE I

*Un jardin. Clair de lune ; un pavillon dans le fond,
un autre sur le devant.*

Entrent LE DUC *et* LORENZO, *couverts de leurs manteaux ;*
GIOMO, *une lanterne à la main.*

LE DUC. — Qu'elle se fasse attendre encore un quart
d'heure, et je m'en vais. Il fait un froid de tous les diables.

LORENZO. — Patience, altesse, patience.

LE DUC. — Elle devait sortir de chez sa mère à minuit ;
il est minuit, et elle ne vient pourtant pas.

LORENZO. — Si elle ne vient pas, dites que je suis un
sot, et que la vieille mère est une honnête femme.

LE DUC. — Entrailles du pape ! avec tout cela, je suis
volé d'un millier de ducats !

LORENZO. — Nous n'avons avancé que moitié. Je
réponds de la petite. Deux grands yeux languissants, cela
ne trompe pas. Quoi de plus curieux pour le connaisseur
que la débauche à la mamelle ? Voir dans un enfant de
quinze ans la rouée à venir ; étudier, ensemencer, infiltrer
paternellement le filon mystérieux du vice dans un conseil
d'ami, dans une caresse au menton ; — tout dire et ne
rien dire, selon le caractère des parents ; — habituer doucement l'imagination qui se développe à donner des corps
à ses fantômes, à toucher ce qui l'effraie, à mépriser ce
qui la protège ! Cela va plus vite qu'on ne pense ; le vrai
mérite est de frapper juste. Et quel trésor que celle-ci !
tout ce qui peut faire passer une nuit délicieuse à votre
altesse ! Tant de pudeur ! Une jeune chatte qui veut bien
des confitures, mais qui ne veut pas se salir la patte.
Proprette comme une Flamande ! La médiocrité bourgeoise
en personne. D'ailleurs, fille de bonnes gens, à qui leur
peu de fortune n'a pas permis une éducation solide ;
point de fond dans les principes, rien qu'un léger vernis ;
mais quel flot violent d'un fleuve magnifique sous cette
couche de glace fragile qui craque à chaque pas ! Jamais
arbuste en fleurs n'a promis de fruits plus rares, jamais je

n'ai humé dans une atmosphère enfantine plus exquise
odeur de courtisanerie.

Le Duc. — Sacrebleu! je ne vois pas le signal. Il faut
pourtant que j'aille au bal chez Nasi : c'est aujourd'hui
qu'il marie sa fille.

Giomo. — Allons au pavillon, monseigneur. Puisqu'il
ne s'agit que d'emporter une fille qui est à moitié payée,
nous pouvons bien taper aux carreaux.

Le Duc. — Viens par ici, le Hongrois a raison.

Ils s'éloignent.
Entre Maffio.

Maffio. — Il me semblait dans mon rêve voir ma sœur
traverser notre jardin, tenant une lanterne sourde, et
couverte de pierreries. Je me suis éveillé en sursaut. Dieu
sait que ce n'est qu'une illusion, mais une illusion trop
forte pour que le sommeil ne s'enfuie pas devant elle.
Grâce au ciel, les fenêtres du pavillon où couche la petite
sont fermées comme de coutume; j'aperçois faiblement la
lumière de sa lampe entre les feuilles de notre vieux figuier.
Maintenant mes folles terreurs se dissipent; les battements
précipités de mon cœur font place à une douce tranquillité.
Insensé! mes yeux se remplissent de larmes, comme si
ma pauvre sœur avait couru un véritable danger. —
Qu'entends-je? Qui remue là entre les branches?

La sœur de Maffio passe dans l'éloignement.

Suis-je éveillé? c'est le fantôme de ma sœur. Il tient
une lanterne sourde, et un collier brillant étincelle sur sa
poitrine aux rayons de la lune. Gabrielle! Gabrielle! où
vas-tu?

Rentrent Giomo et le duc.

Giomo. — Ce sera le bonhomme de frère pris de som-
nambulisme. — Lorenzo conduira votre belle au palais
par la petite porte; et quant à nous, qu'avons-nous à
craindre?

Maffio. — Qui êtes-vous? Holà! arrêtez!

Il tire son épée.

Giomo. — Honnête rustre, nous sommes tes amis.

Maffio. — Où est ma sœur? que cherchez-vous ici?

Giomo. — Ta sœur est dénichée, brave canaille. Ouvre
la grille de ton jardin.

Maffio. — Tire ton épée et défends-toi, assassin que
tu es!

Giomo *saute sur lui et le désarme*. — Halte-là! maître
sot, pas si vite.

MAFFIO. — O honte, ô excès de misère! S'il y a des lois
à Florence; si quelque justice vit encore sur la terre, par
ce qu'il y a de vrai et de sacré au monde, je me jetterai
aux pieds du duc, et il vous fera pendre tous les deux.

GIOMO. — Aux pieds du duc?

MAFFIO. — Oui, oui, je sais que les gredins de votre
espèce égorgent impunément les familles. Mais que je
meure, entendez-vous, je ne mourrai pas silencieux comme
tant d'autres. Si le duc ne sait pas que sa ville est une
forêt pleine de bandits, pleine d'empoisonneurs et de
filles déshonorées, en voilà un qui le lui dira. Ah! massacre!
ah! fer et sang! j'obtiendrai justice de vous!

GIOMO, *l'épée à la main.* — Faut-il frapper, altesse?

LE DUC. — Allons donc! frapper ce pauvre homme!
Va te recoucher, mon ami; nous t'enverrons demain
quelques ducats.

Il sort.

MAFFIO. — C'est Alexandre de Médicis!

GIOMO. — Lui-même, mon brave rustre. Ne te vante
pas de sa visite si tu tiens à tes oreilles.

Il sort.

SCÈNE II

Une rue. Le point du jour.

Plusieurs masques sortent d'une maison illuminée;
UN MARCHAND DE SOIERIES *et* UN ORFÈVRE
ouvrent leurs boutiques.

LE MARCHAND DE SOIERIES. — Hé, hé, père Mondella,
voilà bien du vent pour mes étoffes.

Il étale ses pièces de soie.

L'ORFÈVRE, *bâillant.* — C'est à se casser la tête. Au diable
leur noce! Je n'ai pas fermé l'œil de la nuit.

LE MARCHAND. — Ni ma femme non plus, voisin; la
chère âme s'est tournée et retournée comme une anguille.
Ah! dame! quand on est jeune, on ne s'endort pas au
bruit des violons.

L'ORFÈVRE. — Jeune! jeune! cela vous plaît à dire. On
n'est pas jeune avec une barbe comme celle-là; et cependant Dieu sait si leur damnée musique me donne envie
de danser.

Deux écoliers passent.

PREMIER ÉCOLIER. — Rien n'est plus amusant. On se glisse contre la porte au milieu des soldats, et on les voit descendre avec leurs habits de toutes les couleurs. Tiens, voilà la maison des Nasi.

Il souffle dans ses doigts.

Mon portefeuille me glace les mains.

DEUXIÈME ÉCOLIER. — Et on nous laissera approcher ?

PREMIER ÉCOLIER. — En vertu de quoi est-ce qu'on nous en empêcherait ? Nous sommes citoyens de Florence. Regarde tout ce monde autour de la porte ; en voilà des chevaux, des pages et des livrées ! Tout cela va et vient, il n'y a qu'à s'y connaître un peu ; je suis capable de nommer toutes les personnes d'importance ; on observe bien tous les costumes, et le soir on dit à l'atelier : J'ai une terrible envie de dormir, j'ai passé la nuit au bal chez le prince Aldobrandini, chez le comte Salviati ; le prince était habillé de telle ou telle façon, la princesse de telle autre, et on ne ment pas. Viens, prends ma cape par derrière.

Ils se placent contre la porte de la maison.

L'ORFÈVRE. — Entendez-vous les petits badauds ? Je voudrais qu'un de mes apprentis fît un pareil métier !

LE MARCHAND. — Bon, bon, père Mondella, où le plaisir ne coûte rien, la jeunesse n'a rien à perdre. Tous ces grands yeux étonnés de ces petits polissons me réjouissent le cœur. — Voilà comme j'étais, humant l'air et cherchant les nouvelles. Il paraît que la Nasi est une belle gaillarde, et que le Martelli est un heureux garçon. C'est une famille bien florentine, celle-là ! Quelle tournure ont tous ces grands seigneurs ! J'avoue que ces fêtes-là me font plaisir, à moi. On est dans son lit bien tranquille, avec un coin de ses rideaux retroussé ; on regarde de temps en temps les lumières qui vont et viennent dans le palais ; on attrape un petit air de danse sans rien payer, et on se dit : Hé, hé, ce sont mes étoffes qui dansent, mes belles étoffes du bon Dieu, sur le cher corps de tous ces braves et loyaux seigneurs.

L'ORFÈVRE. — Il en danse plus d'une qui n'est pas payée, voisin ; ce sont celles-là qu'on arrose de vin et qu'on frotte sur les murailles avec le moins de regret. Que les grands seigneurs s'amusent, c'est tout simple, — ils sont nés pour cela. Mais il y a des amusements de plusieurs sortes, entendez-vous ?

LE MARCHAND. — Oui, oui, comme la danse, le cheval,

le jeu de paume et tant d'autres. Qu'entendez-vous vous-
même, père Mondella?

L'Orfèvre. — Cela suffit; — je me comprends. —
C'est-à-dire que les murailles de tous ces palais-là n'ont
jamais mieux prouvé leur solidité. Il leur fallait moins de
force pour défendre les aïeux de l'eau du ciel, qu'il ne leur
en faut pour soutenir les fils quand ils ont trop pris de
leur vin.

Le Marchand. — Un verre de vin est de bon conseil,
père Mondella. Entrez donc dans ma boutique, que je
vous montre une pièce de velours.

L'Orfèvre. — Oui, de bon conseil et de bonne mine,
voisin; un bon verre de vin vieux a une bonne mine au
bout d'un bras qui a sué pour le gagner; on le soulève
gaiement d'un petit coup et il s'en va donner du courage
au cœur de l'honnête homme qui travaille pour sa famille.
Mais ce sont des tonneaux sans vergogne, que tous ces
godelureaux de la cour. A qui fait-on plaisir en s'abrutis-
sant jusqu'à la bête féroce? A personne, pas même à soi,
et à Dieu encore moins.

Le Marchand. — Le carnaval a été rude, il faut l'avouer;
et leur maudit ballon m'a gâté de la marchandise pour une
cinquantaine de florins *. Dieu merci! les Strozzi l'ont
payé.

L'Orfèvre. — Les Strozzi! Que le ciel confonde ceux
qui ont osé porter la main sur leur neveu! Le plus brave
homme de Florence, c'est Philippe Strozzi!

Le Marchand. — Cela n'empêche pas Pierre Strozzi
d'avoir traîné son maudit ballon sur ma boutique, et de
m'avoir fait trois grandes taches dans une aune de velours
brodé. A propos, père Mondella, nous verrons-nous à
Montolivet?

L'Orfèvre. — Ce n'est pas mon métier de suivre les
foires; j'irai cependant à Montolivet par piété. C'est un
saint pèlerinage, voisin, et qui remet tous les péchés.

Le Marchand. — Et qui est tout à fait vénérable, voisin,
et qui fait gagner les marchands plus que tous les autres
jours de l'année. C'est plaisir de voir ces bonnes dames,
sortant de la messe, manier, examiner toutes les étoffes.
Que Dieu conserve Son Altesse! La cour est une belle
chose.

---

* C'était l'usage au carnaval de traîner dans les rues un énorme ballon
qui renversait les passants et les devantures des boutiques. Pierre Strozzi
avait été arrêté pour ce fait.

L'ORFÈVRE. — La cour! le peuple la porte sur le dos, voyez-vous! Florence était encore (il n'y a pas longtemps de cela) une bonne maison bien bâtie; tous ces grands palais, qui sont les logements de nos grandes familles, en étaient les colonnes. Il n'y en avait pas une, de toutes ces colonnes, qui dépassât les autres d'un pouce; elles soutenaient à elles toutes une vieille voûte bien cimentée, et nous nous promenions là-dessous sans crainte d'une pierre sur la tête. Mais il y a de par le monde deux architectes malavisés qui ont gâté l'affaire, je vous le dis en confidence, c'est le pape et l'empereur Charles. L'empereur a commencé par entrer par une assez bonne brèche dans la susdite maison. Après quoi, ils ont jugé à propos de prendre une des colonnes dont je vous parle, à savoir celle de la famille des Médicis, et d'en faire un clocher, lequel clocher a poussé comme un champignon de malheur dans l'espace d'une nuit. Et puis, savez-vous, voisin! comme l'édifice branlait au vent, attendu qu'il avait la tête trop lourde et une jambe de moins, on a remplacé le pilier devenu clocher par un gros pâté informe fait de boue et de crachat, et on a appelé cela la citadelle. Les Allemands se sont installés dans ce maudit trou comme des rats dans un fromage; et il est bon de savoir que tout en jouant aux dés et en buvant leur vin aigrelet, ils ont l'œil sur nous autres. Les familles florentines ont beau crier, le peuple et les marchands ont beau dire, les Médicis gouvernent au moyen de leur garnison; ils nous dévorent, comme une excroissance vénéneuse dévore un estomac malade; c'est en vertu des hallebardes qui se promènent sur la plate-forme, qu'un bâtard, une moitié de Médicis, un butor que le ciel avait fait pour être garçon boucher ou valet de charrue, couche dans le lit de nos filles, boit nos bouteilles, casse nos vitres; et encore le paie-t-on pour cela.

LE MARCHAND. — Peste! comme vous y allez! Vous avez l'air de savoir tout cela par cœur; il ne ferait pas bon dire cela dans toutes les oreilles, voisin Mondella.

L'ORFÈVRE. — Et quand on me bannirait comme tant d'autres! On vit à Rome aussi bien qu'ici. Que le diable emporte la noce, ceux qui y dansent et ceux qui la font!

Il rentre. Le marchand se mêle aux curieux.
Passe un bourgeois avec sa femme.

LA FEMME. — Guillaume Martelli est un bel homme et riche. C'est un bonheur pour Nicolo Nasi d'avoir un gendre comme celui-là. Tiens! le bal dure encore. — Regarde donc toutes ces lumières.

LE BOURGEOIS. — Et nous, notre fille, quand la marierons-nous?

LA FEMME. — Comme tout est illuminé! danser encore à l'heure qu'il est, c'est là une jolie fête. — On dit que le duc y est.

LE BOURGEOIS. — Faire du jour la nuit et de la nuit le jour, c'est un moyen commode de ne pas voir les honnêtes gens. Une belle invention, ma foi, que des hallebardes à la porte d'une noce! Que le bon Dieu protège la ville! Il en sort tous les jours de nouveau de ces chiens d'Allemands de leur damnée forteresse.

LA FEMME. — Regarde donc le joli masque. Ah! la belle robe! Hélas! tout cela coûte très cher, et nous sommes bien pauvres, à la maison.

Ils sortent.

UN SOLDAT, *au marchand.* — Gare, canaille! laisse passer les chevaux.

LE MARCHAND. — Canaille toi-même, Allemand du diable!

Le soldat le frappe de sa pique.

LE MARCHAND, *se retirant.* — Voilà comme on suit la capitulation! Ces gredins-là maltraitent les citoyens.

Il rentre chez lui.

L'ÉCOLIER, *à son camarade.* — Vois-tu celui-là qui ôte son masque? C'est Palla Ruccellai. Un fier luron! Ce petit-là, à côté de lui, c'est Thomas Strozzi, Masaccio, comme on dit.

UN PAGE, *criant.* — Le cheval de Son Altesse!

LE SECOND ÉCOLIER. — Allons-nous-en, voilà le duc qui sort.

LE PREMIER ÉCOLIER. — Crois-tu pas qu'il va te manger?

La foule augmente à la porte.

L'ÉCOLIER. — Celui-là, c'est Nicolini; celui-là, c'est le provéditeur.

Le duc sort, vêtu en religieuse, avec Julien Salviati, habillé de même, tous deux masqués.

LE DUC, *montant à cheval.* — Viens-tu, Julien?

SALVIATI. — Non, Altesse, pas encore.

Il lui parle à l'oreille.

LE DUC. — Bien, bien, ferme!

SALVIATI. — Elle est belle comme un démon. — Laissez-moi faire, si je peux me débarrasser de ma femme.

Il rentre dans le bal.

LE DUC. — Tu es gris, Salviati; le diable m'emporte, tu vas de travers.

Il part avec sa suite.

L'ÉCOLIER. — Maintenant que voilà le duc parti, il n'y en a pas pour longtemps.

Les masques sortent de tous côtés.

LE SECOND ÉCOLIER. — Rose, vert, bleu; j'en ai plein les yeux; la tête me tourne.

UN BOURGEOIS. — Il paraît que le souper a duré long-temps : en voilà deux qui ne peuvent plus se tenir.

Le provéditeur monte à cheval ; une bouteille cassée lui tombe sur l'épaule.

LE PROVÉDITEUR. — Eh! ventrebleu! quel est l'assommeur, ici?

UN MASQUE. — Eh! ne le voyez-vous pas, seigneur Corsini? Tenez, regardez à la fenêtre; c'est Lorenzo, avec sa robe de nonne.

LE PROVÉDITEUR. — Lorenzaccio, le diable soit de toi, tu as blessé mon cheval.

La fenêtre se ferme.

Peste soit de l'ivrogne et de ses farces silencieuses! un gredin qui n'a pas souri trois fois dans sa vie, et qui passe le temps à des espiègleries d'écolier en vacance!

Il part.

Louise Strozzi sort de la maison, accompagnée de Julien Salviati; il lui tient l'étrier. Elle monte à cheval ; un écuyer et une gouvernante la suivent.

JULIEN. — La jolie jambe, chère fille! Tu es un rayon de soleil, et tu as brûlé la moelle de mes os.

LOUISE. — Seigneur, ce n'est pas là le langage d'un cavalier.

JULIEN. — Quels yeux tu as, mon cher cœur! quelle belle épaule à essuyer, tout humide et si fraîche! Que faut-il te donner pour être ta camériste cette nuit? Le joli pied à déchausser!

LOUISE. — Lâche mon pied, Salviati.

JULIEN. — Non, par le corps de Bacchus! jusqu'à ce que tu m'aies dit quand nous coucherons ensemble.

Louise frappe son cheval et part au galop.

Un Masque, *à Julien.* — La petite Strozzi s'en va rouge comme la braise ; — vous l'avez fâchée, Salviati.

Julien. — Baste ! colère de jeune fille et pluie du matin...

Il sort.

SCÈNE III

Chez le marquis Cibo.

LE MARQUIS, *en habit de voyage ;* LA MARQUISE ; ASCANIO. LE CARDINAL CIBO, *assis.*

Le Marquis, *embrassant son fils.* — Je voudrais pouvoir t'emmener, petit, toi et ta grande épée qui te traîne entre les jambes. Prends patience, Massa n'est pas bien loin, et je te rapporterai un bon cadeau.

La Marquise. — Adieu, Laurent ; revenez, revenez !

Le Cardinal. — Marquise, voilà des pleurs qui sont de trop. Ne dirait-on pas que mon frère part pour la Palestine ? Il ne court pas grand danger dans ses terres, je crois.

Le Marquis. — Mon frère, ne dites pas de mal de ces belles larmes.

Il embrasse sa femme.

Le Cardinal. — Je voudrais seulement que l'honnêteté n'eût pas cette apparence.

La Marquise. — L'honnêteté n'a-t-elle point de larmes, monsieur le cardinal ? sont-elles toutes au repentir ou à la crainte ?

Le Marquis. — Non, par le ciel ! car les meilleures sont à l'amour. N'essuyez pas celles-ci sur mon visage, le vent s'en chargera en route : qu'elles se sèchent lentement ! Eh bien ! ma chère, vous ne me dites rien pour vos favoris ? N'emporterai-je pas, comme de coutume, quelque belle harangue sentimentale à faire de votre part aux roches et aux cascades de mon vieux patrimoine ?

La Marquise. — Ah ! mes pauvres cascatelles !

Le Marquis. — C'est la vérité, ma chère âme ; elles sont toutes tristes sans vous. *(Plus bas.)* Elles ont été joyeuses autrefois, n'est-il pas vrai, Ricciarda ?

La Marquise. — Emmenez-moi !

Le Marquis. — Je le ferais si j'étais fou, et je le suis presque, avec ma vieille mine de soldat. N'en parlons plus ; — ce sera l'affaire d'une semaine. Que ma chère

Ricciarda voie ses jardins quand ils sont tranquilles et solitaires; les pieds boueux de mes fermiers ne laisseront pas de trace dans ses allées chéries. C'est à moi de compter mes vieux troncs d'arbres qui me rappellent ton père Albéric, et tous les brins d'herbe de mes bois; les métayers et leurs bœufs, tout cela me regarde. A la première fleur que je verrai pousser, je mets tout à la porte, et je vous emmène alors.

LA MARQUISE. — La première fleur de notre belle pelouse m'est toujours chère. L'hiver est si long! Il me semble toujours que ces pauvres petites ne reviendront jamais!

ASCANIO. — Quel cheval as-tu, mon père, pour t'en aller?

LE MARQUIS. — Viens avec moi dans la cour, tu le verras.

Il sort.

La marquise reste seule avec le cardinal. — Un silence.

LE CARDINAL. — N'est-ce pas aujourd'hui que vous m'avez demandé d'entendre votre confession, marquise?

LA MARQUISE. — Dispensez-m'en, cardinal. Ce sera pour ce soir, si Votre Éminence est libre, ou demain, comme elle voudra. — Ce moment-ci n'est pas à moi.

Elle se met à la fenêtre et fait un signe d'adieu à son mari.

LE CARDINAL. — Si les regrets étaient permis à un fidèle serviteur de Dieu, j'envierais le sort de mon frère. — Un si court voyage, si simple, si tranquille! — une visite à une de ses terres qui n'est qu'à quelques pas d'ici! — une absence d'une semaine, — et tant de tristesse, une si douce tristesse, veux-je dire, à son départ! Heureux celui qui sait se faire aimer ainsi après sept années de mariage? N'est-ce pas sept années, marquise?

LA MARQUISE. — Oui, cardinal, mon fils a six ans.

LE CARDINAL. — Étiez-vous hier à la noce des Nasi?

LA MARQUISE. — Oui, j'y étais.

LE CARDINAL. — Et le duc en religieuse?

LA MARQUISE. — Pourquoi le duc en religieuse?

LE CARDINAL. — On m'avait dit qu'il avait pris ce costume; il se peut qu'on m'ait trompé.

LA MARQUISE. — Il l'avait en effet. Ah! Malaspina, nous sommes dans un triste temps pour toutes les choses saintes!

Le Cardinal. — On peut respecter les choses saintes, et, dans un jour de folie, prendre le costume de certains couvents, sans aucune intention hostile à la sainte Église catholique.

La Marquise. — L'exemple est à craindre, et non l'intention. Je ne suis pas comme vous ; cela m'a révoltée. Il est vrai que je ne sais pas bien ce qui se peut et ce qui ne se peut pas, selon vos règles mystérieuses. Dieu sait où elles mènent. Ceux qui mettent les mots sur leur enclume, et qui les tordent avec un marteau et une lime, ne réfléchissent pas toujours que ces mots représentent des pensées et ces pensées des actions.

Le Cardinal. — Bon, bon ! le duc est jeune, marquise, et gageons que cet habit coquet des nonnes lui allait à ravir.

La Marquise. — On ne peut mieux ; il n'y manquait que quelques gouttes du sang de son cousin, Hippolyte de Médicis.

Le Cardinal. — Et le bonnet de la Liberté, n'est-il pas vrai, petite sœur ? Quelle haine pour ce pauvre duc !

La Marquise. — Et vous, son bras droit, cela vous est égal que le duc de Florence soit le préfet de Charles Quint, le commissaire civil du pape, comme Baccio est son commissaire religieux ? Cela vous est égal, à vous, frère de mon Laurent, que notre soleil, à nous, promène sur la citadelle des ombres allemandes ? que César parle ici dans toutes les bouches ? que la débauche serve d'entremetteuse à l'esclavage, et secoue ses grelots sur les sanglots du peuple ? Ah ! le clergé sonnerait au besoin toutes ses cloches pour en étouffer le bruit et pour réveiller l'aigle impérial, s'il s'endormait sur nos pauvres toits.

Elle sort.

Le Cardinal, *seul, soulève la tapisserie et appelle à voix basse.* — Agnolo !

Entre un page.

Quoi de nouveau aujourd'hui ?

Agnolo. — Cette lettre, monseigneur.

Le Cardinal. — Donne-la-moi.

Agnolo. — Hélas ! Éminence, c'est un péché.

Le Cardinal. — Rien n'est un péché quand on obéit à un prêtre de l'Église romaine.

Agnolo remet la lettre.

Le Cardinal. — Cela est comique d'entendre les fureurs de cette pauvre marquise, et de la voir courir à un rendez-vous d'amour avec le cher tyran, toute baignée de larmes républicaines.

Il ouvre la lettre et lit.

« Ou vous serez à moi, ou vous aurez fait mon malheur, le vôtre, et celui de nos deux maisons. »

Le style du duc est laconique, mais il ne manque pas d'énergie. Que la marquise soit convaincue ou non, voilà le difficile à savoir. Deux mois de cour presque assidue, c'est beaucoup pour Alexandre; ce doit être assez pour Ricciarda Cibo.

Il rend la lettre au page.

Remets cela chez ta maîtresse; tu es toujours muet, n'est-ce pas? Compte sur moi.

Il lui donne sa main à baiser et sort.

SCÈNE IV

Une cour du palais du duc.

LE DUC ALEXANDRE *sur une terrasse;*
des pages exercent des chevaux dans la cour.
Entrent VALORI *et* SIRE MAURICE.

LE DUC, *à Valori.* — Votre Éminence a-t-elle reçu ce matin des nouvelles de la cour de Rome?

VALORI. — Paul III envoie mille bénédictions à Votre Altesse, et fait les vœux les plus ardents pour sa prospérité.

LE DUC. — Rien que des vœux, Valori?

VALORI. — Sa Sainteté craint que le duc ne se crée de nouveaux dangers par trop d'indulgence. Le peuple est mal habitué à la domination absolue; et César, à son dernier voyage, en a dit autant, je crois, à Votre Altesse.

LE DUC. — Voilà, pardieu, un beau cheval, sire Maurice! hé, quelle croupe de diable!

SIRE MAURICE. — Superbe, Altesse.

LE DUC. — Ainsi, monsieur le commissaire apostolique, il y a encore quelques mauvaises branches à élaguer. César et le pape ont fait de moi un roi; mais, par Bacchus, ils m'ont mis dans la main une espèce de sceptre qui sent la hache d'une lieue. Allons, voyons, Valori, qu'est-ce que c'est?

VALORI. — Je suis un prêtre, Altesse; si les paroles que mon devoir me force à vous rapporter fidèlement doivent être interprétées d'une manière aussi sévère, mon cœur me défend d'y ajouter un mot.

Le Duc. — Oui, oui, je vous connais pour un brave. Vous êtes, pardieu, le seul prêtre honnête homme que j'aie vu de ma vie.

Valori. — Monseigneur, l'honnêteté ne se perd ni ne se gagne sous aucun habit, et parmi les hommes il y a plus de bons que de méchants.

Le Duc. — Ainsi donc, point d'explications?

Sire Maurice. — Voulez-vous que je parle, Monseigneur? tout est facile à expliquer.

Le Duc. — Eh bien?

Sire Maurice. — Les désordres de la cour irritent le pape.

Le Duc. — Que dis-tu là, toi?

Sire Maurice. — J'ai dit les désordres de la cour, Altesse; les actions du duc n'ont d'autre juge que lui-même. C'est Lorenzo de Médicis que le pape réclame comme transfuge de sa justice.

Le Duc. — De sa justice? Il n'a jamais offensé de pape à ma connaissance, que Clément VII, feu mon cousin, qui, à cette heure, est en enfer.

Sire Maurice. — Clément VII a laissé sortir de ses États le libertin qui, un jour d'ivresse, avait décapité les statues de l'arc de Constantin. Paul III ne saurait pardonner au modèle titré de la débauche florentine.

Le Duc. — Ah! parbleu, Alexandre Farnèse est un plaisant garçon! Si la débauche l'effarouche, que diable fait-il de son bâtard, le cher Pierre Farnèse, qui traite si joliment l'évêque de Fano? Cette mutilation revient toujours sur l'eau, à propos de ce pauvre Renzo. Moi, je trouve cela drôle, d'avoir coupé la tête à tous ces hommes de pierre. Je protège les arts comme un autre, et j'ai chez moi les premiers artistes de l'Italie. Mais je n'entends rien au respect du pape pour ces statues qu'il excommunierait demain, si elles étaient en chair et en os.

Sire Maurice. — Lorenzo est un athée; il se moque de tout. Si le gouvernement de Votre Altesse n'est pas entouré d'un profond respect, il ne saurait être solide. Le peuple appelle Lorenzo, Lorenzaccio : on sait qu'il dirige vos plaisirs, et cela suffit.

Le Duc. — Paix! tu oublies que Lorenzo de Médicis est cousin d'Alexandre.

Entre le cardinal Cibo.

Cardinal, écoutez un peu ces messieurs qui disent que

le pape est scandalisé des désordres de ce pauvre Renzo, et qui prétendent que cela fait tort à mon gouvernement.

LE CARDINAL. — Messire Francesco Molza vient de débiter à l'Académie romaine une harangue en latin contre le mutilateur de l'arc de Constantin.

LE DUC. — Allons donc, vous me mettriez en colère! Renzo, un homme à craindre! le plus fieffé poltron! une femmelette, l'ombre d'un ruffian énervé! un rêveur qui marche nuit et jour sans épée, de peur d'en apercevoir l'ombre à son côté! d'ailleurs un philosophe, un gratteur de papier, un méchant poète, qui ne sait seulement pas faire un sonnet! Non, non, je n'ai pas encore peur des ombres. Eh! corps de Bacchus! que me font les discours latins et les quolibets de ma canaille! J'aime Lorenzo, moi, et, par la mort de Dieu, il restera ici.

LE CARDINAL. — Si je craignais cet homme, ce ne serait pas pour votre cour, ni pour Florence, mais pour vous, duc.

LE DUC. — Plaisantez-vous, cardinal, et voulez-vous que je vous dise la vérité?

Il lui parle bas.

Tout ce que je sais de ces damnés bannis, de tous ces républicains entêtés qui complotent autour de moi, c'est par Lorenzo que je le sais. Il est glissant comme une anguille; il se fourre partout et me dit tout. N'a-t-il pas trouvé moyen d'établir une correspondance avec tous ces Strozzi de l'enfer? Oui, certes, c'est mon entremetteur; mais croyez que son entremise, si elle nuit à quelqu'un, ne me nuira pas. Tenez!

Lorenzo paraît au fond d'une galerie basse.

Regardez-moi ce petit corps maigre, ce lendemain d'orgie ambulant. Regardez-moi ces yeux plombés, ces mains fluettes et maladives, à peine assez fermes pour soutenir un éventail; ce visage morne, qui sourit quelquefois, mais qui n'a pas la force de rire. C'est là un homme à craindre? Allons, allons? vous vous moquez de lui. Hé! Renzo, viens donc ici; voilà sire Maurice qui te cherche dispute.

LORENZO, *monte l'escalier de la terrasse.* — Bonjour, messieurs les amis de mon cousin.

LE DUC. — Lorenzo, écoute ici. Voilà une heure que nous parlons de toi. Sais-tu la nouvelle? Mon ami, on t'excommunie en latin, et sire Maurice t'appelle un homme dangereux, le cardinal aussi; quant au bon Valori, il est trop honnête homme pour prononcer ton nom.

LORENZO. — Pour qui, dangereux, Éminence? pour les filles de joie ou pour les saints du paradis?

LE CARDINAL. — Les chiens de cour peuvent être pris de la rage comme les autres chiens.

LORENZO. — Une insulte de prêtre doit se faire en latin.

SIRE MAURICE. — Il s'en fait en toscan, auxquelles on peut répondre.

LORENZO. — Sire Maurice, je ne vous voyais pas; excusez-moi, j'avais le soleil dans les yeux; mais vous avez bon visage et votre habit me paraît tout neuf.

SIRE MAURICE. — Comme votre esprit; je l'ai fait faire d'un vieux pourpoint de mon grand-père.

LORENZO. — Cousin, quand vous aurez assez de quelque conquête des faubourgs, envoyez-la donc chez sire Maurice. Il est malsain de vivre sans femme, pour un homme qui a, comme lui, le cou court et les mains velues.

SIRE MAURICE. — Celui qui se croit le droit de plaisanter doit savoir se défendre. A votre place, je prendrais une épée.

LORENZO. — Si l'on vous a dit que j'étais un soldat, c'est une erreur; je suis un pauvre amant de la science.

SIRE MAURICE. — Votre esprit est une épée acérée, mais flexible. C'est une arme trop vile; chacun fait usage des siennes.

Il tire son épée.

VALORI. — Devant le duc, l'épée nue!

LE DUC, *riant*. — Laissez faire, laissez faire. Allons, Renzo, je veux te servir de témoin; qu'on lui donne une épée.

LORENZO. — Monseigneur, que dites-vous là?

LE DUC. — Eh bien! ta gaieté s'évanouit si vite? Tu trembles, cousin? Fi donc! tu fais honte au nom des Médicis. Je ne suis qu'un bâtard, et je le porterais mieux que toi, qui es légitime? Une épée, une épée! un Médicis ne se laisse point provoquer ainsi. Pages, montez ici; toute la cour le verra, et je voudrais que Florence entière y fût.

LORENZO. — Son Altesse se rit de moi.

LE DUC. — J'ai ri tout à l'heure, mais maintenant je rougis de honte. Une épée!

Il prend l'épée d'un page et la présente à Lorenzo.

VALORI. — Monseigneur, c'est pousser trop loin les choses. Une épée tirée en présence de Votre Altesse est un crime punissable dans l'intérieur du palais.

LE DUC. — Qui parle ici, quand je parle?

VALORI. — Votre Altesse ne peut avoir eu d'autre dessein que celui de s'égayer un instant, et sire Maurice lui-même n'a point agi dans une autre pensée.

LE DUC. — Et vous ne voyez pas que je plaisante encore ! Qui diable pense ici à une affaire sérieuse ? Regardez Renzo, je vous en prie ; ses genoux tremblent ; il serait devenu pâle, s'il pouvait le devenir. Quelle contenance, juste Dieu ! je crois qu'il va tomber.

Lorenzo chancelle ; il s'appuie sur la balustrade et glisse à terre tout d'un coup.

LE DUC, *riant aux éclats*. — Quand je vous le disais ! personne ne le sait mieux que moi ; la seule vue d'une épée le fait trouver mal. Allons, chère Lorenzetta, fais-toi emporter chez ta mère.

Les pages relèvent Lorenzo.

SIRE MAURICE. — Double poltron ! fils de catin !

LE DUC. — Silence, sire Maurice ; pesez vos paroles ; c'est moi qui vous le dis maintenant ; pas de ces mots-là devant moi.

VALORI. — Pauvre jeune homme !

Sire Maurice et Valori sortent.

LE CARDINAL, *resté seul avec le duc*. — Vous croyez à cela, Monseigneur ?

LE DUC. — Je voudrais bien savoir comment je n'y croirais pas.

LE CARDINAL. — Hum ! c'est bien fort.

LE DUC. — C'est justement pour cela que j'y crois. Vous figurez-vous qu'un Médicis se déshonore publiquement, par partie de plaisir ? D'ailleurs ce n'est pas la première fois que cela lui arrive ; jamais il n'a pu voir une épée.

LE CARDINAL. — C'est bien fort. C'est bien fort.

Ils sortent.

SCÈNE V

Devant l'église de Saint-Miniato à Montolivet.
La foule sort de l'église.

UNE FEMME, *à sa voisine*. — Retournez-vous ce soir à Florence ?

LA VOISINE. — Je ne reste jamais plus d'une heure ici, et je n'y viens jamais qu'un seul vendredi * ; je ne suis pas

---

* On allait à Montolivet tous les vendredis de certains mois ; c'était à Florence ce que Longchamp était autrefois à Paris : les marchands y trouvaient l'occasion d'une foire et y transportaient leurs boutiques.

assez riche pour m'arrêter à la foire; ce n'est pour moi qu'une affaire de dévotion, et que cela suffise pour mon salut, c'est tout ce qu'il me faut.

UNE DAME DE LA COUR, *à une autre.* — Comme il a bien prêché! c'est le confesseur de ma fille.

Elle s'approche d'une boutique.

Blanc et or, cela fait bien le soir; mais le jour, le moyen d'être propre avec cela!

Le marchand et l'orfèvre devant leurs boutiques
avec quelques cavaliers.

L'ORFÈVRE. — La citadelle! voilà ce que le peuple ne souffrira jamais : voir tout d'un coup s'élever sur la ville cette nouvelle tour de Babel, au milieu du plus maudit baragouin : les Allemands ne pousseront jamais à Florence, et pour les y greffer, il faudra un vigoureux enté.

LE MARCHAND. — Voyez, mesdames; que vos seigneuries acceptent un tabouret sous mon auvent.

UN CAVALIER. — Tu es du vieux sang florentin, père Mondella; la haine de la tyrannie fait encore trembler tes doigts sur tes ciselures précieuses, au fond de ton cabinet de travail.

L'ORFÈVRE. — C'est vrai, Excellence. Si j'étais un grand artiste, j'aimerais les princes, parce qu'eux seuls peuvent faire entreprendre de grands travaux; les grands artistes n'ont pas de patrie; moi, je fais des saints ciboires et des poignées d'épée.

UN AUTRE CAVALIER. — A propos d'artiste, ne voyez-vous pas dans ce petit cabaret ce grand gaillard qui gesticule devant des badauds? Il frappe son verre sur la table; si je ne me trompe, c'est ce hâbleur de Cellini.

LE PREMIER CAVALIER. — Allons-y donc, et entrons; avec un verre de vin dans la tête, il est curieux à entendre, et probablement quelque bonne histoire est en train.

Ils sortent.
Deux bourgeois s'assoient.

PREMIER BOURGEOIS. — Il y a eu une émeute à Florence?

DEUXIÈME BOURGEOIS. — Presque rien. — Quelques pauvres jeunes gens ont été tués sur le Vieux-Marché.

PREMIER BOURGEOIS. — Quelle pitié pour les familles!

DEUXIÈME BOURGEOIS. — Voilà des malheurs inévitables. Que voulez-vous que fasse la jeunesse sous un gouvernement comme le nôtre? On vient crier à son de trompe que César est à Bologne; et les badauds répètent : « César est à Bologne », en clignant des yeux d'un air d'importance, sans réfléchir à ce qu'on y fait. Le jour suivant, ils sont plus heureux encore d'apprendre et de répéter : « Le pape est à Bologne avec César. » Que s'ensuit-il ? Une réjouissance publique, ils n'en voient pas davantage ; et puis un beau matin ils se réveillent tout endormis des fumées du vin impérial, et ils voient une figure sinistre à la grande fenêtre du palais des Pazzi. Ils demandent quel est ce personnage, et on leur répond que c'est leur roi. Le pape et l'empereur sont accouchés d'un bâtard qui a droit de vie et de mort sur nos enfants, et qui ne pourrait pas nommer sa mère.

L'ORFÈVRE, *s'approchant*. — Vous parlez en patriote, ami ; je vous conseille de prendre garde à ce flandrin.

Passe un officier allemand.

L'OFFICIER. — Otez-vous de là, messieurs ; des dames veulent s'asseoir.

Deux dames de la cour entrent et s'assoient.

PREMIÈRE DAME. — Cela est de Venise ?

LE MARCHAND. — Oui, magnifique, seigneurie ; vous en lèverai-je quelques aunes ?

PREMIÈRE DAME. — Si tu veux. J'ai cru voir passer Julien Salviati.

L'OFFICIER. — Il va et vient à la porte de l'église ; c'est un galant.

DEUXIÈME DAME. — C'est un insolent. Montrez-moi des bas de soie.

L'OFFICIER. — Il n'y en aura pas d'assez petits pour vous.

PREMIÈRE DAME. — Laissez donc, vous ne savez que dire. Puisque vous voyez Julien, allez lui dire que j'ai à lui parler.

L'OFFICIER. — J'y vais, et je le ramène.

Il sort.

PREMIÈRE DAME. — Il est bête à faire plaisir, ton officier ; que peux-tu faire de cela ?

DEUXIÈME DAME. — Tu sauras qu'il n'y a rien de mieux que cet homme-là.

Elles s'éloignent.
Entre le prieur de Capoue.

LE PRIEUR. — Donnez-moi un verre de limonade, brave homme.

Il s'assoit.

UN DES BOURGEOIS. — Voilà le prieur de Capoue; c'est là un patriote!

Les deux bourgeois se rassoient.

LE PRIEUR. — Vous venez de l'église, messieurs? que dites-vous du sermon?

LE BOURGEOIS. — Il était beau, seigneur prieur.

DEUXIÈME BOURGEOIS, *à l'orfèvre.* — Cette noblesse des Strozzi est chère au peuple, parce qu'elle n'est pas fière. N'est-il pas agréable de voir un grand seigneur adresser librement la parole à ses voisins d'une manière affable? Tout cela fait plus qu'on ne pense.

LE PRIEUR. — S'il faut parler franchement, j'ai trouvé le sermon trop beau; j'ai prêché quelquefois, et je n'ai jamais tiré grande gloire du tremblement des vitres. Mais une petite larme sur la joue d'un brave homme m'a toujours été d'un grand prix.

Entre Salviati.

SALVIATI. — On m'a dit qu'il y avait ici des femmes qui me demandaient tout à l'heure. Mais je ne vois de robe ici que la vôtre, prieur. Est-ce que je me trompe?

LE MARCHAND. — Excellence, on ne vous a pas trompé. Elles se sont éloignées; mais je pense qu'elles vont revenir. Voilà dix aunes d'étoffe et quatre paires de bas pour elles.

SALVIATI, *s'asseyant.* — Voilà une jolie femme qui passe. — Où diable l'ai-je donc vue? — Ah! parbleu, c'est dans mon lit.

LE PRIEUR, *au bourgeois.* — Je crois avoir vu votre signature sur une lettre adressée au duc.

LE BOURGEOIS. — Je le dis tout haut; c'est la supplique adressée par les bannis.

LE PRIEUR. — En avez-vous dans votre famille?

LE BOURGEOIS. — Deux, Excellence : mon père et mon oncle; il n'y a plus que moi d'homme à la maison.

LE DEUXIÈME BOURGEOIS, *à l'orfèvre.* — Comme ce Salviati a une méchante langue!

L'ORFÈVRE. — Cela n'est pas étonnant; un homme à moitié ruiné, vivant des générosités de ces Médicis, et marié comme il l'est à une femme déshonorée partout! Il voudrait qu'on dît de toutes les femmes possibles ce qu'on dit de la sienne.

SALVIATI. — N'est-ce pas Louise Strozzi qui passe sur ce tertre?

LE MARCHAND. — Elle-même, seigneurie. Peu de dames

de notre noblesse me sont inconnues. Si je ne me trompe, elle donne la main à sa sœur cadette.

SALVIATI. — J'ai rencontré cette Louise la nuit dernière au bal des Nasi ; elle a, ma foi, une jolie jambe, et nous devons coucher ensemble au premier jour.

LE PRIEUR, *se retournant*. — Comment l'entendez-vous ?

SALVIATI. — Cela est clair ; elle me l'a dit. Je lui tenais l'étrier, ne pensant guère à malice ; je ne sais par quelle distraction je lui pris la jambe, et voilà comme tout est venu.

LE PRIEUR. — Julien, je ne sais pas si tu sais que c'est de ma sœur dont tu parles.

SALVIATI. — Je le sais très bien ; toutes les femmes sont faites pour coucher avec les hommes, et ta sœur peut bien coucher avec moi.

LE PRIEUR, *se lève*. — Vous dois-je quelque chose, brave homme ?

*Il jette une pièce de monnaie
sur la table et sort.*

SALVIATI. — J'aime beaucoup ce brave prieur, à qui un propos sur sa sœur a fait oublier le reste de son argent. Ne dirait-on pas que toute la vertu de Florence s'est réfugiée chez ces Strozzi ! Le voilà qui se retourne. Écarquille les yeux tant que tu voudras, tu ne me feras pas peur.

SCÈNE VI

Le bord de l'Arno.

MARIE SODERINI, CATHERINE.

CATHERINE. — Le soleil commence à baisser. De larges bandes de pourpre traversent le feuillage, et la grenouille fait sonner sous les roseaux sa petite cloche de cristal. C'est une singulière chose que toutes les harmonies du soir avec le bruit lointain de cette ville.

MARIE. — Il est temps de rentrer ; noue ton voile autour de ton cou.

CATHERINE. — Pas encore, à moins que vous n'ayez froid. Regardez, ma mère chérie * ; que le ciel est beau !

---

* *Catherine Ginori est belle-sœur de Marie ; elle lui donne le nom de mère parce qu'il y a entre elles une différence d'âge très grande ; Catherine n'a guère que vingt-deux ans.*

que tout cela est vaste et tranquille! comme Dieu est partout! Mais vous baissez la tête; vous êtes inquiète depuis ce matin.

MARIE. — Inquiète, non, mais affligée. N'as-tu pas entendu répéter cette fatale histoire de Lorenzo? Le voilà la fable de Florence.

CATHERINE. — O ma mère, la lâcheté n'est point un crime; le courage n'est pas une vertu : pourquoi la faiblesse serait-elle blâmable? Répondre des battements de son cœur est un triste privilège. Et pourquoi cet enfant n'aurait-il pas le droit que nous avons toutes, nous autres femmes? Une femme qui n'a peur de rien n'est pas aimable, dit-on.

MARIE. — Aimerais-tu un homme qui a peur? Tu rougis, Catherine; Lorenzo est ton neveu, mais figure-toi qu'il s'appelle de tout autre nom, qu'en penserais-tu? Quelle femme voudrait s'appuyer sur son bras pour monter à cheval? quel homme lui serrerait la main?

CATHERINE. — Cela est triste, et cependant ce n'est pas de cela que je le plains. Son cœur n'est peut-être pas celui d'un Médicis; mais, hélas! c'est encore moins celui d'un honnête homme.

MARIE. — N'en parlons pas, Catherine; — il est assez cruel pour une mère de ne pouvoir parler de son fils.

CATHERINE. — Ah! cette Florence! c'est là qu'on l'a perdu! N'ai-je pas vu briller quelquefois dans ses yeux le feu d'une noble ambition? Sa jeunesse n'a-t-elle pas été l'aurore d'un soleil levant? Et souvent encore aujourd'hui il me semble qu'un éclair rapide... — Je me dis malgré moi que tout n'est pas mort en lui.

MARIE. — Ah! tout cela est un abîme! Tant de facilité, un si doux amour de la solitude! Ce ne sera jamais un guerrier que mon Renzo, disais-je en le voyant rentrer de son collège, avec ses gros livres sous le bras; mais un saint amour de la vérité brillait sur ses lèvres et dans ses yeux noirs; il lui fallait s'inquiéter de tout, dire sans cesse : « Celui-là est pauvre, celui-là est ruiné; comment faire? » Et cette admiration pour les grands hommes de son Plutarque! Catherine, Catherine, que de fois je l'ai baisé au front en pensant au père de la patrie!

CATHERINE. — Ne vous affligez pas.

MARIE. — Je dis que je ne veux pas parler de lui, et j'en parle sans cesse. Il y a de certaines choses, vois-tu, les mères ne s'en taisent que dans le silence éternel. Que mon fils eût été un débauché vulgaire ; que le sang des Soderini eût été pâle dans cette faible goutte tombée de mes veines, je ne me désespérerais pas ; mais j'ai espéré et j'ai eu raison de le faire. Ah ! Catherine, il n'est même plus beau ; comme une fumée malfaisante, la souillure de son cœur lui est montée au visage. Le sourire, ce doux épanouissement qui rend la jeunesse semblable aux fleurs, s'est enfui de ses joues couleur de soufre, pour y laisser grommeler une ironie ignoble et le mépris de tout.

CATHERINE. — Il est encore beau quelquefois dans sa mélancolie étrange.

MARIE. — Sa naissance ne l'appelait-elle pas au trône ? N'aurait-il pas pu y faire monter un jour avec lui la science d'un docteur, la plus belle jeunesse du monde, et couronner d'un diadème d'or tous mes songes chéris ? Ne devais-je pas m'attendre à cela ? Ah ! Cattina, pour dormir tranquille, il faut n'avoir jamais fait certains rêves. Cela est trop cruel d'avoir vécu dans un palais de fées, où murmuraient les cantiques des anges, de s'y être endormie, bercée par son fils, et de se réveiller dans une masure ensanglantée, pleine de débris d'orgie et de restes humains, dans les bras d'un spectre hideux qui vous tue en vous appelant encore du nom mère.

CATHERINE. — Des ombres silencieuses commencent à marcher sur la route ; rentrons, Marie, tous ces bannis me font peur.

MARIE. — Pauvres gens ! ils ne doivent que faire pitié ! Ah ! ne puis-je voir un seul objet qu'il ne m'entre une épine dans le cœur ? Ne puis-je plus ouvrir les yeux ? Hélas ! ma Cattina, ceci est encore l'ouvrage de Lorenzo. Tous ces pauvres bourgeois ont eu confiance en lui ; il n'en est pas un, parmi tous ces pères de famille chassés de leur patrie, que mon fils n'ait trahi. Leurs lettres, signées de leurs noms, sont montrées au duc. C'est ainsi qu'il fait tourner à un infâme usage jusqu'à la glorieuse mémoire de ses aïeux. Les républicains s'adressent à lui comme à l'antique rejeton de leur protecteur ; sa maison leur est ouverte, les Strozzi eux-mêmes y viennent. Pauvre Philippe ! il y aura une triste fin pour tes cheveux gris ! Ah ! ne puis-je voir une fille sans pudeur, un malheureux privé de sa famille, sans que tout cela ne me crie : Tu es la mère de nos malheurs ! Quand serai-je là ?

Elle frappe la terre.

CATHERINE. — Ma pauvre mère, vos larmes se gagnent.

Elles s'éloignent. — Le soleil est couché. — Un
groupe de bannis se forme au milieu d'un champ.

UN DES BANNIS. — Où allez-vous?

UN AUTRE. — A Pise; et vous?

LE PREMIER. — A Rome.

UN AUTRE. — Et moi à Venise; en voilà deux qui vont à Ferrare; que deviendrons-nous ainsi éloignés les uns des autres?

UN QUATRIÈME. — Adieu, voisin, à des temps meilleurs.

Il s'en va.

LE SECOND. — Adieu; pour nous, nous pouvons aller ensemble jusqu'à la croix de la Vierge.

Il sort avec un autre.
Arrive Maffio.

LE PREMIER BANNI. — C'est toi, Maffio? Par quel hasard es-tu ici?

MAFFIO. — Je suis des vôtres. Vous saurez que le duc a enlevé ma sœur; j'ai tiré l'épée; une espèce de tigre avec des membres de fer s'est jeté à mon cou et m'a désarmé. Après quoi j'ai reçu l'ordre de sortir de la ville, et une bourse à moitié pleine de ducats.

LE SECOND BANNI. — Et ta sœur, où est-elle?

MAFFIO. — On me l'a montrée ce soir sortant du spectacle dans une robe comme n'en a pas l'impératrice; que Dieu lui pardonne! Une vieille l'accompagnait, qui a laissé trois de ses dents à la sortie. Jamais je n'ai donné de ma vie un coup de poing qui m'ait fait ce plaisir-là.

LE TROISIÈME BANNI. — Qu'ils crèvent tous dans leur fange crapuleuse, et nous mourrons contents.

LE QUATRIÈME. — Philippe Strozzi nous écrira à Venise; quelque jour nous serons tous étonnés de trouver une armée à nos ordres.

LE TROISIÈME. — Que Philippe vive longtemps! Tant qu'il y aura un cheveu sur sa tête, la liberté de l'Italie n'est pas morte.

Une partie du groupe se détache ; tous les bannis
s'embrassent.

UNE VOIX. — A des temps meilleurs.

UNE AUTRE. — A des temps meilleurs.

Deux bannis montent sur une plate-forme d'où
l'on découvre la ville.

Le Premier. — Adieu, Florence, peste de l'Italie; adieu, mère stérile, qui n'as plus de lait pour tes enfants.

Le Second. — Adieu, Florence la bâtarde, spectre hideux de l'antique Florence; adieu, fange sans nom.

Tous les Bannis. — Adieu, Florence! maudites soient les mamelles de tes femmes! maudits soient tes sanglots! maudites les prières de tes églises, le pain de tes blés, l'air de tes rues! Malédiction sur la dernière goutte de ton sang corrompu!

ACTE II

SCÈNE I

Chez les Strozzi.

Philippe, *dans son cabinet.* — Dix citoyens bannis dans
ce quartier-ci seulement! le vieux Galeazzo et le petit
Maffio bannis! sa sœur corrompue, devenue une fille publique en une nuit! Pauvre petite! Quand l'éducation des
basses classes sera-t-elle assez forte pour empêcher les
petites filles de rire lorsque leurs parents pleurent? La corruption est-elle donc une loi de nature? Ce qu'on appelle
la vertu, est-ce donc l'habit du dimanche qu'on met pour
aller à la messe? Le reste de la semaine, on est à la croisée,
et, tout en tricotant, on regarde les jeunes gens passer.
Pauvre humanité! quel nom portes-tu donc? celui de ta
race, ou celui de ton baptême? Et nous autres vieux rêveurs,
quelle tache originelle avons-nous lavée sur la face humaine
depuis quatre ou cinq mille ans que nous jaunissons avec
nos livres? Qu'il t'est facile à toi, dans le silence du cabinet,
de tracer d'une main légère une ligne mince et pure comme
un cheveu sur ce papier blanc! qu'il t'est facile de bâtir
des palais et des villes avec ce petit compas et un peu
d'encre! Mais l'architecte, qui a dans son pupitre des milliers de plans admirables, ne peut soulever de terre le premier pavé de son édifice, quand il vient se mettre à l'ouvrage avec son dos voûté et ses idées obstinées. Que le
bonheur des hommes ne soit qu'un rêve, cela est pourtant
dur; que le mal soit irrévocable, éternel, impossible à changer, non! Pourquoi le philosophe qui travaille pour tous
regarde-t-il autour de lui? voilà le tort. Le moindre insecte
qui passe devant ses yeux lui cache le soleil; allons-y donc
plus hardiment; la république, il nous faut ce mot-là. Et
quand ce ne serait qu'un mot, c'est quelque chose, puisque
les peuples se lèvent quand il traverse l'air... Ah! bonjour,
Léon.

Entre le prieur de Capoue.

Le Prieur. — Je viens de la foire de Montolivet.

Philippe. — Était-ce beau? Te voilà aussi, Pierre? Assieds-toi donc, j'ai à te parler.

Entre Pierre Strozzi.

Le Prieur. — C'était très beau, et je me suis assez amusé, sauf certaine contrariété un peu trop forte que j'ai quelque peine à digérer.

Pierre. — Bah! qu'est-ce que c'est donc?

Le Prieur. — Figurez-vous que j'étais entré dans une boutique pour prendre un verre de limonade... — Mais non, cela est inutile, je suis un sot de m'en souvenir.

Philippe. — Que diable as-tu sur le cœur? tu parles comme une âme en peine.

Le Prieur. — Ce n'est rien; un méchant propos, rien de plus. Il n'y a aucune importance à attacher à tout cela.

Pierre. — Un propos? sur qui? sur toi?

Le Prieur. — Non pas sur moi précisément. Je me soucierais bien d'un propos sur moi.

Pierre. — Sur qui donc? Allons, parle, si tu veux.

Le Prieur. — J'ai tort; on ne se souvient pas de ces choses-là quand on sait la différence d'un honnête homme à un Salviati.

Pierre. — Salviati? Qu'a dit cette canaille?

Le Prieur. — C'est un misérable, tu as raison. Qu'importe ce qu'il peut dire! Un homme sans pudeur, un valet de cour, qui, à ce qu'on raconte, a pour femme la plus grande dévergondée! Allons, voilà qui est fait, je n'y penserai pas davantage.

Pierre. — Penses-y et parle, Léon; c'est-à-dire que cela me démange de lui couper les oreilles. De qui a-t-il médit? De nous? De mon père? Ah! sang du Christ, je ne l'aime guère, ce Salviati. Il faut que je sache cela, entends-tu?

Le Prieur. — Si tu y tiens, je te le dirai. Il s'est exprimé devant moi, dans une boutique, d'une manière vraiment offensante sur le compte de notre sœur.

Pierre. — O mon Dieu! Dans quels termes? Allons, parle donc!

Le Prieur. — Dans les termes les plus grossiers.

Pierre. — Diable de prêtre que tu es! tu me vois hors de moi d'impatience, et tu cherches tes mots! Dis les choses comme elles sont; parbleu, un mot est un mot; il n'y a pas de bon Dieu qui tienne.

Philippe. — Pierre, Pierre! tu manques à ton frère.

Le Prieur. — Il a dit qu'il coucherait avec elle, voilà son mot, et qu'elle le lui avait promis.

PIERRE. — Qu'elle couch... Ah! mort de mort, de mille
morts! Quelle heure est-il?

PHILIPPE. — Où vas-tu? Allons, es-tu fait de salpêtre?
Qu'as-tu à faire de cette épée? tu en as une au côté.

PIERRE. — Je n'ai rien à faire; allons dîner, le dîner est
servi.

Ils sortent.

SCÈNE II

Le portail d'une église.

Entrent LORENZO *et* VALORI.

VALORI. — Comment se fait-il que le duc n'y vienne
pas? Ah! monsieur, quelle satisfaction pour un chrétien
que ces pompes magnifiques de l'Église romaine! quel
homme pourrait y être insensible? L'artiste ne trouve-t-il
pas là le paradis de son cœur? le guerrier, le prêtre et le marchand n'y rencontrent-ils pas tout ce qu'ils aiment? Cette
admirable harmonie des orgues, ces tentures éclatantes de
velours et de tapisseries, ces tableaux des premiers maîtres,
les parfums tièdes et suaves que balancent les encensoirs,
et les chants délicieux de ces voix argentines, tout cela peut
choquer, par son ensemble mondain, le moine sévère et
ennemi du plaisir. Mais rien n'est plus beau, selon moi,
qu'une religion qui se fait aimer par de pareils moyens.
Pourquoi les prêtres voudraient-ils servir un Dieu jaloux?
La religion n'est pas un oiseau de proie; c'est une colombe
compatissante qui plane doucement sur tous les rêves et
sur tous les amours.

LORENZO. — Sans doute; ce que vous dites là est parfaitement vrai, et parfaitement faux, comme tout au monde.

TEBALDEO FRECCIA, *s'approchant de Valori*. — Ah! monseigneur, qu'il est doux de voir un homme tel que Votre
Éminence parler ainsi de la tolérance et de l'enthousiasme
sacré! Pardonnez à un citoyen obscur, qui brûle de ce feu
divin, de vous remercier de ce peu de paroles que je viens
d'entendre. Trouver sur les lèvres d'un honnête homme ce
qu'on a soi-même dans le cœur, c'est le plus grand des
bonheurs qu'on puisse désirer.

VALORI. — N'êtes-vous pas le petit Freccia?

TEBALDEO. — Mes ouvrages ont peu de mérite; je sais
mieux aimer les arts que je ne sais les exercer. Ma jeunesse
tout entière s'est passée dans les églises. Il me semble que

je ne puis admirer ailleurs Raphaël et notre divin Buonar-
roti. Je demeure alors durant des journées devant leurs
ouvrages, dans une extase sans égale. Le chant de l'orgue
me révèle leur pensée, et me fait pénétrer dans leur âme ;
je regarde les personnages de leurs tableaux, si saintement
agenouillés, et j'écoute, comme si les cantiques du chœur
sortaient de leurs bouches entr'ouvertes ; des bouffées d'encens aromatique passent entre eux et moi dans une vapeur
légère ; je crois y voir la gloire de l'artiste ; c'est aussi une
triste et douce fumée, et qui ne serait qu'un parfum stérile,
si elle ne montait à Dieu.

VALORI. — Vous êtes un vrai cœur d'artiste ; venez à
mon palais, et ayez quelque chose sous votre manteau
quand vous y viendrez. Je veux que vous travailliez pour
moi.

TEBALDEO. — C'est trop d'honneur que me fait Votre
Éminence. Je suis un desservant bien humble de la sainte
religion de la peinture.

LORENZO. — Pourquoi remettre vos offres de service ?
Vous avez, il me semble, un cadre dans les mains.

TEBALDEO. — Il est vrai ; mais je n'ose le montrer à de
si grands connaisseurs. C'est une esquisse bien pauvre d'un
rêve magnifique.

LORENZO. — Vous faites le portrait de vos rêves ? Je
ferai poser pour vous quelques-uns des miens.

TEBALDEO. — Réaliser des rêves, voilà la vie du peintre.
Les plus grands ont représenté les leurs dans toute leur
force, et sans y rien changer. Leur imagination était un
arbre plein de sève ; les bourgeons s'y métamorphosaient
sans peine en fleurs, et les fleurs en fruits ; bientôt ces fruits
mûrissaient à un soleil bienfaisant, et quand ils étaient
mûrs, ils se détachaient d'eux-mêmes et tombaient sur la
terre sans perdre un seul grain de leur poussière virginale.
Hélas ! les rêves des artistes médiocres sont des plantes dif-
ficiles à nourrir, et qu'on arrose de larmes bien amères pour
les faire bien peu prospérer.

Il montre son tableau.

VALORI. — Sans compliment, cela est beau ; non pas du
premier mérite, il est vrai : pourquoi flatterais-je un
homme qui ne se flatte pas lui-même ? Mais votre barbe
n'est pas encore poussée, jeune homme.

LORENZO. — Est-ce un paysage ou un portrait ? De quel
côté faut-il le regarder, en long ou en large ?

TEBALDEO. — Votre seigneurie se rit de moi. C'est la vue
du Campo Santo.

LORENZO. — Combien y a-t-il d'ici à l'immortalité ?

VALORI. — Il est mal à vous de plaisanter cet enfant. Voyez comme ses grands yeux s'attristent à chacune de vos paroles.

TEBALDEO. — L'immortalité, c'est la foi. Ceux à qui Dieu a donné des ailes y arrivent en souriant.

VALORI. — Tu parles comme un élève de Raphaël.

TEBALDEO. — Seigneur, c'était mon maître. Ce que j'ai appris vient de lui.

LORENZO. — Viens chez moi ; je te ferai peindre la Mazzafirra toute nue.

TEBALDEO. — Je ne respecte point mon pinceau, mais je respecte mon art ; je ne puis faire le portrait d'une courtisane.

LORENZO. — Ton Dieu s'est bien donné la peine de la faire ; tu peux bien te donner celle de la peindre. Veux-tu me faire une vue de Florence ?

TEBALDEO. — Oui, monseigneur.

LORENZO. — Comment t'y prendrais-tu ?

TEBALDEO. — Je me placerais à l'orient, sur la rive gauche de l'Arno. C'est de cet endroit que la perspective est la plus large et la plus agréable.

LORENZO. — Tu peindrais Florence, les places, les maisons et les rues ?

TEBALDEO. — Oui, monseigneur.

LORENZO. — Pourquoi donc ne peux-tu peindre une courtisane, si tu peux peindre un mauvais lieu ?

TEBALDEO. — On ne m'a point encore appris à parler ainsi de ma mère.

LORENZO. — Qu'appelles-tu ta mère ?

TEBALDEO. — Florence, seigneur.

LORENZO. — Alors tu n'es qu'un bâtard, car ta mère n'est qu'une catin.

TEBALDEO. — Une blessure sanglante peut engendrer la corruption dans le corps le plus sain. Mais des gouttes précieuses du sang de ma mère sort une plante odorante qui guérit tous les maux. L'art, cette fleur divine, a quelquefois besoin du fumier pour engraisser le sol et le féconder.

LORENZO. — Comment entends-tu ceci ?

TEBALDEO. — Les nations paisibles et heureuses ont quelquefois brillé d'une clarté pure, mais faible. Il y a plusieurs cordes à la harpe des anges ; le zéphyr peut murmurer sur les plus faibles, et tirer de leur accord une harmonie suave et délicieuse ; mais la corde d'argent ne s'ébranle qu'au passage du vent du nord. C'est la plus belle et la plus noble; et cependant le toucher d'une rude main lui est favorable. L'enthousiasme est frère de la souffrance.

LORENZO. — C'est-à-dire qu'un peuple malheureux fait les grands artistes. Je me ferais volontiers l'alchimiste de ton alambic; les larmes des peuples y retombent en perles. Par la mort du diable, tu me plais. Les familles peuvent se désoler, les nations mourir de misère, cela échauffe la cervelle de monsieur. Admirable poète! comment arranges-tu tout cela avec ta piété?

TEBALDEO. — Je ne ris point du malheur des familles : je dis que la poésie est la plus douce des souffrances, et qu'elle aime ses sœurs. Je plains les peuples malheureux; mais je crois en effet qu'ils font les grands artistes : les champs de bataille font pousser les moissons, les terres corrompues engendrent le blé céleste.

LORENZO. — Ton pourpoint est usé; en veux-tu un à ma livrée?

TEBALDEO. — Je n'appartiens à personne; quand la pensée veut être libre, le corps doit l'être aussi.

LORENZO. — J'ai envie de dire à mon valet de chambre de te donner des coups de bâton.

TEBALDEO. — Pourquoi, monseigneur?

LORENZO. — Parce que cela me passe par la tête. Es-tu boiteux de naissance ou par accident?

TEBALDEO. — Je ne suis pas boiteux; que voulez-vous dire par là?

LORENZO. — Tu es boiteux ou tu es fou.

TEBALDEO. — Pourquoi, monseigneur? Vous vous riez de moi.

LORENZO. — Si tu n'étais pas boiteux, comment resterais-tu, à moins d'être fou, dans une ville où, en l'honneur de tes idées de liberté, le premier valet d'un Médicis peut t'assommer sans qu'on y trouve à redire?

TEBALDEO. — J'aime ma mère Florence; c'est pourquoi je reste chez elle. Je sais qu'un citoyen peut être assassiné en plein jour et en pleine rue, selon le caprice de ceux qui la gouvernent; c'est pourquoi je porte ce stylet à ma ceinture.

LORENZO. — Frapperais-tu le duc si le duc te frappait, comme il lui est arrivé souvent de commettre, par partie de plaisir, des meurtres facétieux?

TEBALDEO. — Je le tuerais s'il m'attaquait.

LORENZO. — Tu me dis cela, à moi?

TEBALDEO. — Pourquoi m'en voudrait-on? Je ne fais de mal à personne. Je passe les journées à l'atelier. Le

dimanche, je vais à l'Annonciade ou à Sainte-Marie; les
moines trouvent que j'ai de la voix; ils me mettent une
robe blanche et une calotte rouge, et je fais ma partie
dans les chœurs, quelquefois un petit solo : ce sont les
seules occasions où je vais en public. Le soir, je vais chez
ma maîtresse, et quand la nuit est belle, je la passe sur
son balcon. Personne ne me connaît, et je ne connais
personne : à qui ma vie ou ma mort peut-elle être utile?

LORENZO. — Es-tu républicain? aimes-tu les princes?

TEBALDEO. — Je suis artiste; j'aime ma mère et ma
maîtresse.

LORENZO. — Viens demain à mon palais, je veux te
faire faire un tableau d'importance pour le jour de mes
noces.

Ils sortent.

SCÈNE III

Chez la marquise Cibo.

LE CARDINAL, *seul.* — Oui, je suivrai tes ordres, Farnèse *! Que ton commissaire apostolique s'enferme avec
sa probité dans le cercle étroit de son office, je remuerai
d'une main ferme la terre glissante sur laquelle il n'ose
marcher. Tu attends cela de moi; je l'ai compris, et j'agirai
sans parler, comme tu as commandé. Tu as deviné qui
j'étais, lorsque tu m'as placé auprès d'Alexandre sans me
revêtir d'aucun titre qui me donnât quelque pouvoir sur
lui. C'est d'un autre qu'il se défiera, en m'obéissant à son
insu. Qu'il épuise sa force contre des ombres d'hommes
gonflés d'une ombre de puissance, je serai l'anneau invisible
qui l'attachera, pieds et poings liés, à la chaîne de fer dont
Rome et César tiennent les deux bouts. Si mes yeux ne me
trompent pas, c'est dans cette maison qu'est le marteau
dont je me servirai. Alexandre aime ma belle-sœur; que cet
amour l'ait flattée, cela est croyable; ce qui peut en résulter
est douteux. Mais ce qu'elle en veut faire, c'est là ce qui
est certain pour moi. Qui sait jusqu'où pourrait aller l'influence d'une femme exaltée, même sur cet homme grossier, sur cette armure vivante? Un si doux péché pour une
si belle cause, cela est tentant, n'est-il pas vrai, Ricciarda?

* *Le pape Paul III.*

Presser ce cœur de lion sur ton faible cœur tout percé de flèches sanglantes, comme celui de saint Sébastien; parler, les yeux en pleurs, des malheurs de la patrie pendant que le tyran adoré passera ses rudes mains dans ta chevelure dénouée; faire jaillir d'un rocher l'étincelle sacrée, cela valait bien le petit sacrifice de l'honneur conjugal, et de quelques autres bagatelles. Florence y gagnerait tant, et ces bons maris n'y perdent rien! Mais il ne fallait pas me prendre pour confesseur.

La voici qui s'avance, son livre de prières à la main. Aujourd'hui donc tout va s'éclaircir; laisse seulement tomber ton secret dans l'oreille du prêtre : le courtisan pourra bien en profiter; mais, en conscience, il n'en dira rien.

Entre la marquise.

Le Cardinal, *s'asseyant.* — Me voilà prêt.

La marquise s'agenouille auprès de lui sur son prie-Dieu.

La Marquise. — Bénissez-moi, mon père, parce que j'ai péché.

Le Cardinal. — Avez-vous dit votre *Confiteor* ? Nous pouvons commencer, marquise.

La Marquise. — Je m'accuse de mouvements de colère, de doutes irréligieux et injurieux pour notre saint père le pape.

Le Cardinal. — Continuez.

La Marquise. — J'ai dit hier, dans une assemblée, à propos de l'évêque de Fano, que la sainte Église catholique était un lieu de débauche.

Le Cardinal. — Continuez.

La Marquise. — J'ai écouté des discours contraires à la fidélité que j'ai jurée à mon mari.

Le Cardinal. — Qui vous a tenu ces discours?

La Marquise. — J'ai lu une lettre écrite dans la même pensée.

Le Cardinal. — Qui vous a écrit cette lettre?

La Marquise. — Je m'accuse de ce que j'ai fait, et non de ce qu'ont fait les autres.

Le Cardinal. — Ma fille, vous devez me répondre, si vous voulez que je puisse vous donner l'absolution en toute sécurité. Avant tout, dites-moi si vous avez répondu à cette lettre.

La Marquise. — J'y ai répondu de vive voix, mais non par écrit.

Le Cardinal. — Qu'avez-vous répondu?

La Marquise. — J'ai accordé à la personne qui m'avait écrit la permission de me voir comme elle le demandait.

Le Cardinal. — Comment s'est passée cette entrevue ?

La Marquise. — Je me suis accusée déjà d'avoir écouté des discours contraires à mon honneur.

Le Cardinal. — Comment y avez-vous répondu ?

La Marquise. — Comme il convient à une femme qui se respecte.

Le Cardinal. — N'avez-vous point laissé entrevoir qu'on finirait par vous persuader ?

La Marquise. — Non, mon père.

Le Cardinal. — Avez-vous annoncé à la personne dont il s'agit la résolution de ne plus écouter de semblables discours à l'avenir ?

La Marquise. — Oui, mon père.

Le Cardinal. — Cette personne vous plaît-elle ?

La Marquise. — Mon cœur n'en sait rien, j'espère.

Le Cardinal. — Avez-vous averti votre mari ?

La Marquise. — Non, mon père. Une honnête femme ne doit point troubler son ménage par des récits de cette sorte.

Le Cardinal. — Ne me cachez-vous rien ? Ne s'est-il rien passé entre vous et la personne dont il s'agit, que vous hésitiez à me confier ?

La Marquise. — Rien, mon père.

Le Cardinal. — Pas un regard tendre ? Pas un baiser pris à la dérobée ?

La Marquise. — Non, mon père.

Le Cardinal. — Cela est-il sûr, ma fille ?

La Marquise. — Mon beau-frère, il me semble que je n'ai pas l'habitude de mentir devant Dieu.

Le Cardinal. — Vous avez refusé de me dire le nom que je vous ai demandé tout à l'heure ; je ne puis cependant vous donner l'absolution sans le savoir.

La Marquise. — Pourquoi cela ? Lire une lettre peut être un péché ; mais non pas lire une signature. Qu'importe le nom à la chose ?

Le Cardinal. — Il importe plus que vous ne pensez.

La Marquise. — Malaspina, vous en voulez trop savoir. Refusez-moi l'absolution, si vous voulez, je prendrai pour confesseur le premier prêtre venu, qui me la donnera.

Elle se lève.

Le Cardinal. — Quelle violence, marquise ? Est-ce que je ne sais pas que c'est du duc que vous voulez parler ?

LA MARQUISE. — Du duc! — Eh bien! si vous le savez, pourquoi voulez-vous me le faire dire?

LE CARDINAL. — Pourquoi refusez-vous de le dire? Cela m'étonne.

LA MARQUISE. — Et qu'en voulez-vous faire, vous, mon confesseur? Est-ce pour le répéter à mon mari que vous tenez si fort à l'entendre? Oui, cela est bien certain; c'est un tort que d'avoir pour confesseur un de ses parents. Le ciel m'est témoin qu'en m'agenouillant devant vous, j'oublie que je suis votre belle-sœur. Mais vous prenez soin de me le rappeler; prenez garde, Cibo, prenez garde à votre salut éternel, tout cardinal que vous êtes.

LE CARDINAL. — Revenez donc à cette place, marquise; il n'y a pas tant de mal que vous croyez.

LA MARQUISE. — Que voulez-vous dire?

LE CARDINAL. — Qu'un confesseur doit tout savoir, parce qu'il peut tout diriger, et qu'un beau-frère ne doit rien dire, à certaines conditions.

LA MARQUISE. — Quelles conditions?

LE CARDINAL. — Non, non, je me trompe; ce n'était pas ce mot-là que je voulais employer. Je voulais dire que le duc est puissant, qu'une rupture avec lui peut nuire aux plus riches familles; mais qu'un secret d'importance entre des mains expérimentées peut devenir une source de biens abondante.

LA MARQUISE. — Une source de biens! — des mains expérimentées! — Je reste là, en vérité, comme une statue. Que couves-tu, prêtre, sous ces paroles ambiguës? Il y a certains assemblages de mots qui passent par instant sur vos lèvres, à vous autres; on ne sait qu'en penser.

LE CARDINAL. — Revenez donc vous asseoir là, Ricciarda. Je ne vous ai point encore donné l'absolution.

LA MARQUISE. — Parlez toujours; il n'est pas prouvé que j'en veuille.

LE CARDINAL, se levant. — Prenez garde à vous, marquise! Quand on veut me braver en face, il faut avoir une armure solide et sans défaut; je ne veux point menacer; je n'ai qu'un mot à vous dire : prenez un autre confesseur.

Il sort.

LA MARQUISE, seule. — Cela est inouï. S'en aller en serrant les poings! les yeux enflammés de colère! Parler de mains expérimentées, de direction à donner à certaines choses! Eh! mais qu'y a-t-il donc? Qu'il voulût pénétrer mon secret pour en informer mon mari, je le conçois. Mais

si ce n'est pas là son but, que veut-il donc faire de moi ?
la maîtresse du duc ? Tout savoir, dit-il, et tout diriger !
cela n'est pas possible ; il y a quelque autre mystère plus
sombre et plus inexplicable là-dessous ; Cibo ne ferait pas
un pareil métier. Non ! cela est sûr ; je le connais. C'est bon
pour Lorenzaccio ; mais lui ! il faut qu'il ait quelque sourde
pensée, plus vaste que cela et plus profonde. Ah ! comme
les hommes sortent d'eux-mêmes tout à coup après dix ans
de silence ! Cela est effrayant.

Maintenant, que ferai-je ? Est-ce que j'aime Alexandre ?
Non, je ne l'aime pas, non, assurément ; j'ai dit que non
dans ma confession, et je n'ai pas menti. Pourquoi Laurent
est-il à Massa ? Pourquoi le duc me presse-t-il ? Pourquoi
ai-je répondu que je ne voulais plus le voir ? pourquoi ?
Ah ! pourquoi y a-t-il dans tout cela un aimant, un charme
inexplicable qui m'attire ?

Elle ouvre sa fenêtre.

Que tu es belle, Florence, mais que tu es triste ! Il y a
là plus d'une maison où Alexandre est entré la nuit, couvert de son manteau ; c'est un libertin, je le sais. — Et
pourquoi est-ce que tu te mêles à tout cela, toi, Florence ?
Qui est-ce donc que j'aime ? Est-ce toi ? Est-ce lui ?

Agnolo, *entrant*. — Madame, Son Altesse vient d'entrer
dans la cour.

La Marquise. — Cela est singulier ; ce Malaspina m'a
laissée toute tremblante.

SCÈNE IV

Au palais des Soderini.

MARIE SODERINI, CATHERINE, LORENZO, *assis.*

Catherine, *tenant un livre*. — Quelle histoire vous
lirai-je, ma mère ?

Marie. — Ma Cattina se moque de sa pauvre mère.
Est-ce que je comprends rien à tes livres latins ?

Catherine. — Celui-ci n'est point en latin, mais il en
est traduit. C'est l'histoire romaine.

Lorenzo. — Je suis très fort sur l'histoire romaine. Il
y avait une fois un jeune gentilhomme nommé Tarquin le
fils.

Catherine. — Ah ! c'est une histoire de sang.

Lorenzo. — Pas du tout ; c'est un conte de fées. Brutus

était un fou, un monomane, et rien de plus. Tarquin était un duc plein de sagesse, qui allait voir en pantoufles si les petites filles dormaient bien.

CATHERINE. — Dites-vous aussi du mal de Lucrèce ?

LORENZO. — Elle s'est donné le plaisir du péché et la gloire du trépas. Elle s'est laissé prendre toute vive comme une alouette au piège, et puis elle s'est fourré bien gentiment son petit couteau dans le ventre.

MARIE. — Si vous méprisez les femmes, pourquoi affectez-vous de les rabaisser devant votre mère et votre sœur ?

LORENZO. — Je vous estime, vous et elle. Hors de là, le monde me fait horreur.

MARIE. — Sais-tu le rêve que j'ai eu cette nuit, mon enfant ?

LORENZO. — Quel rêve ?

MARIE. — Ce n'était point un rêve, car je ne dormais pas. J'étais seule dans cette grande salle ; ma lampe était loin de moi, sur cette table auprès de la fenêtre. Je songeais aux jours où j'étais heureuse, aux jours de ton enfance, mon Lorenzino. Je regardais cette nuit obscure, et je me disais : Il ne rentrera qu'au jour, lui qui passait autrefois les nuits à travailler. Mes yeux se remplissaient de larmes, et je secouais la tête en les sentant couler. J'ai entendu tout d'un coup marcher lentement dans la galerie ; je me suis retournée ; un homme vêtu de noir venait à moi, un livre sous le bras : c'était toi, Renzo : « Comme tu reviens de bonne heure ! » me suis-je écriée. Mais le spectre s'est assis auprès de la lampe sans me répondre ; il a ouvert son livre, et j'ai reconnu mon Lorenzino d'autrefois.

LORENZO. — Vous l'avez vu ?

MARIE. — Comme je te vois.

LORENZO. — Quand s'est-il en allé ?

MARIE. — Quand tu as tiré la cloche ce matin en rentrant.

LORENZO. — Mon spectre, à moi ! Et il s'en est allé quand je suis rentré ?

MARIE. — Il s'est levé d'un air mélancolique, et s'est effacé comme une vapeur du matin.

LORENZO. — Catherine, Catherine, lis-moi l'histoire de Brutus.

CATHERINE. — Qu'avez-vous ? vous tremblez de la tête aux pieds.

LORENZO. — Ma mère, asseyez-vous ce soir à la place où vous étiez cette nuit, et si mon spectre revient, dites-lui qu'il verra bientôt quelque chose qui l'étonnera.

On frappe.

CATHERINE. — C'est mon oncle Bindo, et Baptista Venturi.

Entrent Bindo et Venturi.

BINDO, *bas à Marie.* — Je viens tenter un dernier effort.

MARIE. — Nous vous laissons, puissiez-vous réussir !

Elle sort avec Catherine.

BINDO. — Lorenzo, pourquoi ne démens-tu pas l'histoire scandaleuse qui court sur ton compte ?

LORENZO. — Quelle histoire ?

BINDO. — On dit que tu t'es évanoui à la vue d'une épée.

LORENZO. — Le croyez-vous, mon oncle ?

BINDO. — Je t'ai vu faire des armes à Rome ; mais cela ne m'étonnerait pas que tu devinsses plus vil qu'un chien, au métier que tu fais ici.

LORENZO. — L'histoire est vraie : je me suis évanoui. Bonjour, Venturi. A quel taux sont vos marchandises ? comment va le commerce ?

VENTURI. — Seigneur, je suis à la tête d'une fabrique de soie ; mais c'est me faire une injure que de m'appeler marchand.

LORENZO. — C'est vrai. Je voulais dire seulement que vous aviez contracté au collège l'habitude innocente de vendre de la soie.

BINDO. — J'ai confié au seigneur Venturi les projets qui occupent en ce moment tant de familles à Florence. C'est un digne ami de la liberté, et j'entends, Lorenzo, que vous le traitiez comme tel. Le temps de plaisanter est passé. Vous nous avez dit quelquefois que cette confiance extrême que le duc vous témoigne n'était qu'un piège de votre part. Cela est-il vrai ou faux ? Êtes-vous des nôtres, ou n'en êtes-vous pas ? voilà ce qu'il nous faut savoir. Toutes les grandes familles voient bien que le despotisme des Médicis n'est ni juste ni tolérable. De quel droit laisserions-nous s'élever paisiblement cette maison orgueilleuse sur les ruines de nos privilèges ? La capitulation n'est point observée. La puissance de l'Allemagne se fait sentir de jour en jour d'une manière plus absolue. Il est temps d'en finir, et de rassembler les patriotes. Répondrez-vous à cet appel ?

LORENZO. — Qu'en dites-vous, seigneur Venturi ? Parlez, parlez, voilà mon oncle qui reprend haleine ; saisissez cette occasion, si vous aimez votre pays.

VENTURI. — Seigneur, je pense de même, et je n'ai pas un mot à ajouter.

LORENZO. — Pas un mot? pas un beau petit mot bien sonore? Vous ne connaissez pas la véritable éloquence. On tourne une grande période autour d'un beau petit mot, pas trop court ni trop long, et rond comme une toupie; on rejette son bras gauche en arrière de manière à faire faire à son manteau des plis pleins d'une dignité tempérée par la grâce; on lâche sa période qui se déroule comme une corde ronflante, et la petite toupie s'échappe avec un murmure délicieux. On pourrait presque la ramasser dans le creux de la main, comme les enfants des rues.

BINDO. — Tu es un insolent! Réponds, ou sors d'ici.

LORENZO. — Je suis des vôtres, mon oncle. Ne voyez-vous pas à ma coiffure que je suis républicain dans l'âme? Regardez comme ma barbe est coupée. N'en doutez pas un seul instant; l'amour de la patrie respire dans mes vêtements les plus cachés.

On sonne à la porte d'entrée ; la cour se remplit
de pages et de chevaux.

UN PAGE, *en entrant.* — Le duc.

Entre Alexandre.

LORENZO. — Quel excès de faveur, mon prince! Vous daignez visiter un pauvre serviteur en personne?

LE DUC. — Quels sont ces hommes-là? J'ai à te parler.

LORENZO. — J'ai l'honneur de présenter à Votre Altesse mon oncle Bindo Altoviti, qui regrette qu'un long séjour à Naples ne lui ait pas permis de se jeter plus tôt à vos pieds. Cet autre seigneur est l'illustre Baptista Venturi, qui fabrique, il est vrai, de la soie, mais qui n'en vend point. Que la présence inattendue d'un si grand prince dans cette humble maison ne vous trouble pas, mon cher oncle, ni vous non plus, digne Venturi. Ce que vous demandez vous sera accordé, ou vous serez en droit de dire que mes supplications n'ont aucun crédit auprès de mon gracieux souverain.

LE DUC. — Que demandez-vous, Bindo?

BINDO. — Altesse, je suis désolé que mon neveu...

LORENZO. — Le titre d'ambassadeur à Rome n'appartient à personne en ce moment. Mon oncle se flattait de l'obtenir de vos bontés. Il n'est pas dans Florence un seul homme qui puisse soutenir la comparaison avec lui, dès qu'il s'agit du dévouement et du respect qu'on doit aux Médicis.

LE DUC. — En vérité, Renzino? Eh bien! mon cher Bindo, voilà qui est dit. Viens demain matin au palais.

BINDO. — Altesse, je suis confondu! Comment reconnaître...

LORENZO. — Le seigneur Venturi, bien qu'il ne vende point de soie, demande un privilège pour ses fabriques.

LE DUC. — Quel privilège?

LORENZO. — Vos armoiries sur la porte, avec le brevet. Accordez-le-lui, monseigneur, si vous aimez ceux qui vous aiment.

LE DUC. — Voilà qui est bon. Est-ce fini? Allez, messieurs, la paix soit avec vous.

VENTURI. — Altesse!... vous me comblez de joie... je ne puis exprimer...

LE DUC, *à ses gardes*. — Qu'on laisse passer ces deux personnes.

BINDO, *sortant, bas à Venturi*. — C'est un tour infâme.

VENTURI, *de même*. — Qu'est-ce que vous ferez?

BINDO, *de même*. — Que diable veux-tu que je fasse? Je suis nommé.

VENTURI, *de même*. — Cela est terrible.

Ils sortent.

LE DUC. — La Cibo est à moi.

LORENZO. — J'en suis fâché.

LE DUC. — Pourquoi?

LORENZO. — Parce que cela fera tort aux autres.

LE DUC. — Ma foi, non, elle m'ennuie déjà. Dis-moi donc, mignon, quelle est donc cette belle femme qui arrange ces fleurs sur cette fenêtre? Voilà longtemps que je la vois sans cesse en passant.

LORENZO. — Où donc?

LE DUC. — Là-bas, en face, dans le palais.

LORENZO. — Oh! ce n'est rien.

LE DUC. — Rien? Appelles-tu rien ces bras-là? Quelle Vénus, entrailles du diable!

LORENZO. — C'est une voisine.

LE DUC. — Je veux parler à cette voisine-là. Eh! parbleu, si je ne me trompe, c'est Catherine Ginori.

LORENZO. — Non.

LE DUC. — Je la reconnais très bien; c'est ta tante. Peste! j'avais oublié cette figure-là. Amène-la donc souper.

LORENZO. — Cela serait très difficile. C'est une vertu.

LE DUC. — Allons donc! Est-ce qu'il y en a pour nous autres?

LORENZO. — Je le lui demanderai, si vous voulez. Mais je vous avertis que c'est une pédante; elle parle latin.

Le Duc. — Bon! elle ne fait pas l'amour en latin. Viens donc par ici; nous la verrons mieux de cette galerie.

Lorenzo. — Une autre fois, mignon; — à l'heure qu'il est je n'ai pas de temps à perdre : — il faut que j'aille chez le Strozzi.

Le Duc. — Quoi! chez ce vieux fou?

Lorenzo. — Oui, chez ce vieux misérable, chez cet infâme. Il paraît qu'il ne peut se guérir de cette singulière lubie d'ouvrir sa bourse à toutes ces viles créatures qu'on nomme bannis, et que ces meurt-de-faim se réunissent chez lui tous les jours avant de mettre leurs souliers et de prendre leurs bâtons. Maintenant, mon projet est d'aller au plus vite manger le dîner de ce vieux gibier de potence, et de lui renouveler l'assurance de ma cordiale amitié. J'aurai ce soir quelque bonne histoire à vous conter, quelque charmante petite fredaine qui pourra faire lever de bonne heure demain matin quelques-unes de toutes ces canailles.

Le Duc. — Que je suis heureux de t'avoir, mignon! J'avoue que je ne comprends pas comment ils te reçoivent.

Lorenzo. — Bon! Si vous saviez comme cela est aisé de mentir impudemment au nez d'un butor! Cela prouve bien que vous n'avez jamais essayé. A propos, ne m'avez-vous pas dit que vous vouliez donner votre portrait, je ne sais plus à qui? J'ai un peintre à vous amener; c'est un protégé.

Le Duc. — Bon, bon; mais pense à la tante. C'est pour elle que je suis venu te voir; le diable m'emporte, tu as une tante qui me revient.

Lorenzo. — Et la Cibo?

Le Duc. — Je te dis de parler de moi à ta tante.

Ils sortent.

SCÈNE V

Une salle du palais des Strozzi.

PHILIPPE STROZZI; LE PRIEUR; LOUISE, *occupée à travailler;* LORENZO, *couché sur un sopha.*

Philippe. — Dieu veuille qu'il n'en soit rien! Que de haines inextinguibles, implacables, n'ont pas commencé autrement! Un propos! la fumée d'un repas jasant sur les lèvres épaisses d'un débauché! voilà les guerres de famille, voilà comme les couteaux se tirent. On est insulté et on tue; on a tué et on est tué. Bientôt les haines s'enracinent; on berce les fils dans les cercueils de leurs aïeux, et des générations entières sortent de terre l'épée à la main.

Le Prieur. — J'ai peut-être eu tort de me souvenir de ce méchant propos et de ce maudit voyage à Montolivet; mais le moyen d'endurer ces Salviati?

Philippe. — Ah! Léon, Léon, je te le demande, qu'y aurait-il de changé pour Louise et pour nous-mêmes si tu n'avais rien dit à mes enfants? La vertu d'une Strozzi ne peut-elle oublier un mot d'un Salviati? L'habitant d'un palais de marbre doit-il savoir les obscénités que la populace écrit sur ses murs? Qu'importe le propos d'un Julien? Ma fille en trouvera-t-elle moins un honnête mari? ses enfants la respecteront-ils moins? M'en souviendrai-je, moi, son père, en lui donnant le baiser du soir? Où en sommes-nous, si l'insolence du premier venu tire du fourreau des épées comme les nôtres? Maintenant tout est perdu; voilà Pierre furieux de tout ce que tu nous as conté. Il s'est mis en campagne; il est allé chez les Pazzi. Dieu sait ce qui peut arriver! Qu'il rencontre Salviati, voilà le sang répandu; le mien, mon sang sur le pavé de Florence! Ah! pourquoi suis-je père?

Le Prieur. — Si l'on m'eût rapporté un propos sur ma sœur, quel qu'il fût, j'aurais tourné le dos, et tout aurait été fini là. Mais celui-là m'était adressé; il était si grossier, que je me suis figuré que le rustre ne savait de qui il parlait; — mais il le savait bien.

Philippe. — Oui, ils le savent, les infâmes! ils savent bien où ils frappent! Le vieux tronc d'arbre est d'un bois trop solide; ils ne viendraient pas l'entamer. Mais ils connaissent la fibre délicate qui tressaille dans ses entrailles lorsqu'on attaque son plus faible bourgeon. Ma Louise! ah! qu'est-ce donc que la raison? Les mains me tremblent à cette idée. Juste Dieu! la raison, est-ce donc la vieillesse?

Le Prieur. — Pierre est trop violent.

Philippe. — Pauvre Pierre! comme le rouge lui est monté au front! comme il a frémi en t'écoutant raconter l'insulte faite à sa sœur! C'est moi qui suis un fou, car je t'ai laissé dire. Pierre se promenait par la chambre à grands pas, inquiet, furieux, la tête perdue; — il allait et venait, comme moi maintenant. Je le regardais en silence; c'est un si beau spectacle qu'un sang pur montant à un front sans reproche! O ma patrie! pensais-je, en voilà un, et c'est mon aîné. Ah! Léon, j'ai beau faire, je suis un Strozzi.

Le Prieur. — Il n'y a peut-être pas tant de danger que vous le pensez. — C'est un grand hasard s'il rencontre Salviati ce soir. — Demain, nous verrons tous les choses plus sagement.

Philippe. — N'en doute pas; Pierre le tuera, ou il se fera tuer.

Il ouvre la fenêtre.

Où sont-ils maintenant? Voilà la nuit; la ville se couvre de profondes ténèbres; ces rues sombres me font horreur; — le sang coule quelque part; j'en suis sûr.

Le Prieur. — Calmez-vous.

Philippe. — A la manière dont mon Pierre est sorti, je suis sûr qu'on ne le reverra que vengé ou mort. Je l'ai vu décrocher son épée en fronçant le sourcil; il se mordait les lèvres, et les muscles de ses bras étaient tendus comme des arcs. Oui, oui, maintenant il meurt ou il est vengé, cela n'est pas douteux.

Le Prieur. — Remettez-vous, fermez cette fenêtre.

Philippe. — Eh bien! Florence, apprends-la donc à tes pavés, la couleur de mon noble sang! Il y a quarante de tes fils qui l'ont dans les veines. Et moi, le chef de cette famille immense, plus d'une fois encore ma tête blanche se penchera du haut de ces fenêtres, dans les angoisses paternelles! plus d'une fois ce sang, que tu bois peut-être à cette heure avec indifférence, séchera au soleil de tes places. Mais ne ris pas ce soir du vieux Strozzi, qui a peur pour son enfant. Sois avare de sa famille, car il viendra un jour où tu le compteras, où tu te mettras avec lui à la fenêtre, et où le cœur te battra aussi lorsque tu entendras le bruit de nos épées.

Louise. — Mon père! mon père! vous me faites peur.

Le Prieur, *bas à Louise.* — N'est-ce pas Thomas qui rôde sous ces lanternes? Il m'a semblé le reconnaître à sa petite taille; le voilà parti.

Philippe. — Pauvre ville! où les pères attendent ainsi le retour de leurs enfants! Pauvre patrie! pauvre patrie! Il y en a bien d'autres à cette heure qui ont pris leurs manteaux et leurs épées pour s'enfoncer dans cette nuit obscure; et ceux qui les attendent ne sont point inquiets; ils savent qu'ils mourront demain de misère, s'ils ne meurent de froid cette nuit. Et nous, dans ces palais somptueux, nous attendons qu'on nous insulte pour tirer nos épées! Le propos d'un ivrogne nous transporte de colère, et disperse dans ces sombres rues nos fils et nos amis! Mais les malheurs publics ne secouent pas la poussière de nos armes. On croit Phi-

lippe Strozzi un honnête homme, parce qu'il fait le bien
sans empêcher le mal; et maintenant, moi, père, que ne
donnerais-je pas pour qu'il y eût au monde un être capable
de me rendre mon fils et de punir juridiquement l'insulte
faite à ma fille? Mais pourquoi empêcherait-on le mal qui
m'arrive, quand je n'ai pas empêché celui qui arrive aux
autres, moi qui en avais le pouvoir? Je me suis courbé sur
des livres, et j'ai rêvé pour ma patrie ce que j'admirais dans
l'antiquité. Les murs criaient vengeance autour de moi,
et je me bouchais les oreilles pour m'enfoncer dans mes
méditations; il a fallu que la tyrannie vînt me frapper au
visage pour me faire dire : Agissons! et ma vengeance a
des cheveux gris.

Entrent Pierre avec Thomas et François Pazzi.

Pierre. — C'est fait; Salviati est mort.

Il embrasse sa sœur.

Louise. — Quelle horreur! tu es couvert de sang.

Pierre. — Nous l'avons attendu au coin de la rue des
Archers; François a arrêté son cheval; Thomas l'a frappé
à la jambe, et moi...

Louise. — Tais-toi! Tais-toi! tu me fais frémir; tes
yeux sortent de leurs orbites; tes mains sont hideuses;
tout ton corps tremble, et tu es pâle comme la mort.

Lorenzo, *se levant.* — Tu es beau, Pierre; tu es grand
comme la vengeance.

Pierre. — Qui dit cela? Te voilà ici, toi, Lorenzaccio?

Il s'approche de son père.

Quand donc fermerez-vous votre porte à ce misérable?
ne savez-vous donc pas ce que c'est, sans compter l'histoire
de son duel avec Maurice?

Philippe. — C'est bon; je sais tout cela : si Lorenzo est
ici, c'est que j'ai de bonnes raisons pour l'y recevoir. Nous
en parlerons en temps et lieu.

Pierre, *entre ses dents.* — Hum? des raisons pour recevoir cette canaille! Je pourrais bien en trouver un de ces
matins une très bonne aussi pour le faire sauter par les
fenêtres. Dites ce que vous voudrez, j'étouffe dans cette
chambre de voir une pareille lèpre se traîner sur nos
fauteuils.

Philippe. — Allons! paix; tu es un écervelé! Dieu veuille
que ton coup de ce soir n'ait pas de mauvaises suites
pour nous! Il faut commencer par te cacher.

Pierre. — Me cacher! Et au nom de tous les saints,
pourquoi me cacherais-je?

LORENZO, *à Thomas.* — En sorte que vous l'avez frappé
à l'épaule ?... Dites-moi donc un peu...

> *Il l'entraîne dans l'embrasure d'une fenêtre ;*
> *tous deux s'entretiennent à voix basse.*

PIERRE. — Non, mon père, je ne me cacherai pas. L'insulte
a été publique, il nous l'a faite au milieu d'une place.
Moi, je l'ai assommé au milieu d'une rue, et il me convient
demain matin de le raconter à toute la ville. Depuis quand
se cache-t-on pour avoir vengé son honneur ? Je me pro-
mènerais volontiers l'épée nue, et sans en essuyer une
goutte de sang.

PHILIPPE. — Viens par ici, il faut que je te parle. Tu
n'es pas blessé, mon enfant ? tu n'as rien reçu dans tout
cela ?

> *Ils sortent.*

SCÈNE VI

Au palais du duc.

LE DUC, *à demi nu ;* TEBALDEO, *faisant son portrait ;*
GIOMO *joue de la guitare.*

GIOMO, *chantant.*

Quand je mourrai, mon échanson,
Porte mon cœur à ma maîtresse.
Qu'elle envoie au diable la messe,
La prêtraille et les oraisons.
Les pleurs ne sont que de l'eau claire ;
Dis-lui qu'elle évente un tonneau ;
Qu'on entonne un chœur sur ma bière ;
J'y répondrai du fond de mon tombeau.

LE DUC. — Je savais bien que j'avais quelque chose à
te demander. Dis-moi, Hongrois, que t'avait donc fait
ce garçon que je t'ai vu bâtonner tantôt d'une si joyeuse
manière ?

GIOMO. — Ma foi, je ne saurais le dire, ni lui non plus.

LE DUC. — Pourquoi ? Est-ce qu'il est mort ?

GIOMO. — C'est un gamin d'une maison voisine ; tout
à l'heure, en passant, il m'a semblé qu'on l'enterrait.

LE DUC. — Quand mon Giomo frappe, il frappe ferme.

GIOMO. — Cela vous plaît à dire ; je vous ai vu tuer un
homme d'un coup plus d'une fois.

Le Duc. — Tu crois! J'étais donc gris? Quand je suis
en pointe de gaieté, tous mes moindres coups sont mortels.
(A Tebaldeo.) Qu'as-tu donc, petit? est-ce que la main
te tremble? tu louches terriblement.

Tebaldeo. — Rien, Monseigneur, plaise à Votre Altesse.

Entre Lorenzo.

Lorenzo. — Cela avance-t-il? Êtes-vous content de
mon protégé?

Il prend la cotte de mailles du duc sur le sopha.

Vous avez là une jolie cotte de mailles, mignon! Mais
cela doit être bien chaud.

Le Duc. — En vérité, si elle me gênait, je n'en porterais
pas. Mais c'est du fil d'acier; la lime la plus aiguë n'en
pourrait ronger une maille, et en même temps c'est léger
comme de la soie. Il n'y a peut-être pas la pareille dans
toute l'Europe; aussi je ne la quitte guère, jamais, pour
mieux dire.

Lorenzo. — C'est très léger, mais très solide. Croyez-
vous cela à l'épreuve du stylet?

Le Duc. — Assurément.

Lorenzo. — Au fait, j'y réfléchis à présent : vous la
portez toujours sous votre pourpoint. L'autre jour, à la
chasse, j'étais en croupe derrière vous, et en vous tenant à
bras-le-corps, je la sentais très bien. C'est une prudente
habitude.

Le Duc. — Ce n'est pas que je me défie de personne;
comme tu dis, c'est une habitude, — pure habitude de
soldat.

Lorenzo. — Votre habit est magnifique. Quel parfum
que ces gants! Pourquoi donc posez-vous à moitié nu?
Cette cotte de mailles aurait fait son effet dans votre portrait; vous avez eu tort de la quitter.

Le Duc. — C'est le peintre qui l'a voulu; cela vaut
toujours mieux, d'ailleurs, de poser le cou découvert :
regarde les antiques.

Lorenzo. — Où diable est ma guitare? Il faut que je
fasse un second dessus à Giomo.

Il sort.

Tebaldeo. — Altesse, je n'en ferai pas davantage aujour-
d'hui.

Giomo, *à la fenêtre.* — Que fait donc Lorenzo? Le
voilà en contemplation devant le puits qui est au milieu
du jardin : ce n'est pas là, il me semble, qu'il devrait
chercher sa guitare.

Le Duc. — Donne-moi mes habits. Où est donc ma cotte de mailles ?

Giomo. — Je ne la trouve pas ; j'ai beau chercher : elle s'est envolée.

Le Duc. — Renzino la tenait il n'y a pas cinq minutes ; il l'aura jetée dans un coin en s'en allant, selon sa louable coutume de paresseux.

Giomo. — Cela est incroyable ; pas plus de cotte de mailles que sur ma main.

Le Duc. — Allons, tu rêves ! Cela est impossible.

Giomo. — Voyez vous-même, Altesse ; la chambre n'est pas si grande.

Le Duc. — Renzo la tenait là, sur ce sopha.

Entre Lorenzo.

Qu'as-tu donc fait de ma cotte ? nous ne pouvons plus la trouver.

Lorenzo. — Je l'ai remise où elle était. Attendez ; non : je l'ai posée sur ce fauteuil ; non, c'était sur le lit. Je n'en sais rien. Mais j'ai trouvé ma guitare.

Il chante en s'accompagnant.

Bonjour, madame l'abbesse...

Giomo. — Dans le puits du jardin, apparemment ? car vous étiez penché dessus tout à l'heure d'un air tout à fait absorbé.

Lorenzo. — Cracher dans un puits pour faire des ronds est mon plus grand bonheur. Après boire et dormir, je n'ai pas d'autre occupation.

Il continue à jouer.

Bonjour, bonjour, abbesse de mon cœur.

Le Duc. — Cela est inouï que cette cotte se trouve perdue ! Je crois que je ne l'ai pas ôtée deux fois dans ma vie, si ce n'est pour me coucher.

Lorenzo. — Laissez donc, laissez donc. N'allez-vous pas faire un valet de chambre d'un fils de pape ? Vos gens la trouveront.

Le Duc. — Que le diable t'emporte ! c'est toi qui l'as égarée.

Lorenzo. — Si j'étais duc de Florence, je m'inquiéterais d'autre chose que de mes cottes. A propos, j'ai parlé de vous à ma chère tante. Tout est au mieux ; venez donc un peu ici que je vous parle à l'oreille.

Giomo, *bas au duc*. — Cela est singulier, au moins ; la cotte de mailles est enlevée.

Le Duc. — On la retrouvera.

Il s'assoit à côté de Lorenzo.

Giomo, *à part.* — Quitter la compagnie pour aller cracher dans le puits, cela n'est pas naturel. Je voudrais retrouver cette cotte de mailles, pour m'ôter de la tête une vieille idée qui se rouille de temps en temps. Bah! un Lorenzaccio! La cotte est sous quelque fauteuil.

SCÈNE VII

Devant le palais.

Entre SALVIATI, couvert de sang et boitant ;
deux hommes le soutiennent.

Salviati, *criant.* — Alexandre de Médicis, ouvre ta fenêtre, et regarde un peu comme on traite tes serviteurs.

Alexandre, *à la fenêtre.* — Qui est là dans la boue? Qui se traîne aux murailles de mon palais avec ces cris épouvantables?

Salviati. — Les Strozzi m'ont assassiné; je vais mourir à ta porte.

Le Duc. — Lesquels des Strozzi, et pourquoi?

Salviati. — Parce que j'ai dit que leur sœur était amoureuse de toi, mon noble duc. Les Strozzi ont trouvé leur sœur insultée, parce que j'ai dit que tu lui plaisais; trois d'entre eux m'ont assassiné. J'ai reconnu Pierre et Thomas; je ne connais pas le troisième.

Alexandre. — Fais-toi monter ici; par Hercule! les meurtriers passeront la nuit en prison, et on les pendra demain matin.

Salviati entre dans le palais.

ACTE III

SCÈNE I

La chambre à coucher de Lorenzo.

LORENZO, SCORONCONCOLO, *faisant des armes.*

SCORONCONCOLO. — Maître, as-tu assez du jeu ?

LORENZO. — Non ; crie plus fort. Tiens, pare celle-ci !
tiens, meurs ! tiens, misérable !

SCORONCONCOLO. — A l'assassin ! on me tue ! on me
coupe la gorge !

LORENZO. — Meurs ! meurs ! meurs ! Frappe donc du
pied.

SCORONCONCOLO. — A moi, mes archers ! au secours !
on me tue ! Lorenzo de l'enfer !

LORENZO. — Meurs, infâme ! Je te saignerai, pourceau,
je te saignerai. Au cœur, au cœur, il est éventré. — Crie
donc, frappe donc, tue donc ! Ouvre-lui les entrailles !
Coupons-le par morceaux, et mangeons, mangeons ! J'en
ai jusqu'au coude. Fouille dans sa gorge, roule-le, roule !
Mordons, mordons, et mangeons !

Il tombe épuisé.

SCORONCONCOLO, *s'essuyant le front.* — Tu as inventé
un rude jeu, maître, et tu y vas en vrai tigre ; mille millions
de tonnerres, tu rugis comme une caverne pleine de pan-
thères et de lions.

LORENZO. — O jour de sang, jour de mes noces ! O
soleil, soleil ! il y a assez longtemps que tu es sec comme
le plomb ; tu te meurs de soif, soleil ! son sang t'enivrera.
O ma vengeance ! qu'il y a longtemps que tes ongles
poussent ! O dents d'Ugolin, il vous faut le crâne, le crâne !

SCORONCONCOLO. — Es-tu en délire ? As-tu la fièvre ?

LORENZO. — Lâche, lâche, — ruffian, — le petit maigre,
les pères, les filles, — des adieux, des adieux sans fin,
— les rives de l'Arno pleines d'adieux ! — Les gamins
l'écrivent sur les murs ; — ris, vieillard, ris dans ton

bonnet blanc, — tu ne vois pas que mes ongles poussent ?
— Ah ! le crâne, le crâne !

Il s'évanouit.

SCORONCONCOLO. — Maître, tu as un ennemi.

Il lui jette de l'eau à la figure.

Allons, maître, ce n'est pas la peine de tant te démener.
On a des sentiments élevés ou on n'en a pas ; je n'oublierai
jamais que tu m'as fait avoir une certaine grâce, sans
laquelle je serais loin. Maître, si tu as un ennemi, dis-le,
et je t'en débarrasserai sans qu'il y paraisse autrement.

LORENZO. — Ce n'est rien ; je te dis que mon seul plaisir
est de faire peur à mes voisins.

SCORONCONCOLO. — Depuis que nous trépignons dans
cette chambre, et que nous y mettons tout à l'envers, ils
doivent être bien accoutumés à notre tapage. Je crois que
tu pourrais égorger trente hommes dans ce corridor, et les
rouler sur ton plancher, sans qu'on s'aperçoive dans la
maison qu'il s'y passe du nouveau. Si tu veux faire peur
aux voisins, tu t'y prends mal. Ils ont eu peur la première
fois, c'est vrai ; mais maintenant ils se contentent d'enrager,
et ne s'en mettent pas en peine jusqu'au point de quitter
leurs fauteuils ou d'ouvrir leurs fenêtres.

LORENZO. — Tu crois ?

SCORONCONCOLO. — Tu as un ennemi, maître. Ne t'ai-je
pas vu frapper du pied la terre, et maudire le jour de ta
naissance ? N'ai-je pas des oreilles ? Et, au milieu de tes
fureurs, n'ai-je pas entendu résonner distinctement un
petit mot bien net : la vengeance ? Tiens, maître, crois-moi,
tu maigris ; — tu n'as plus le mot pour rire, comme devant ;
— crois-moi, il n'y a rien de si mauvaise digestion qu'une
bonne haine. Est-ce que sur deux hommes au soleil il n'y
en a pas toujours un dont l'ombre gêne l'autre ? Ton
médecin est dans ma gaine ; laisse-moi te guérir.

Il tire son épée.

LORENZO. — Ce médecin-là t'a-t-il jamais guéri, toi ?

SCORONCONCOLO. — Quatre ou cinq fois. Il y avait un
jour à Padoue une petite demoiselle qui me disait...

LORENZO. — Montre-moi cette épée. Ah ! garçon, c'est
une brave lame.

SCORONCONCOLO. — Essaie-la, et tu verras.

LORENZO. — Tu as deviné mon mal, — j'ai un ennemi.
Mais pour lui je ne me servirai pas d'une épée qui ait
servi pour d'autres. Celle qui le tuera n'aura ici-bas qu'un
baptême ; elle gardera son nom.

SCORONCONCOLO. — Quel est le nom de l'homme?

LORENZO. — Qu'importe? M'es-tu dévoué?

SCORONCONCOLO. — Pour toi, je remettrais le Christ en croix.

LORENZO. — Je te le dis en confidence, — je ferai le coup dans cette chambre; et c'est précisément pour que mes chers voisins ne s'en étonnent pas que je les accoutume à ce bruit de tous les jours. Écoute bien, et ne te trompe pas. Si je l'abats du premier coup, ne t'avise pas de le toucher. Mais je ne suis pas plus gros qu'une puce, et c'est un sanglier. S'il se défend, je compte sur toi pour lui tenir les mains; rien de plus, entends-tu? c'est à moi qu'il appartient. Je t'avertirai en temps et lieu.

SCORONCONCOLO. — Amen!

SCÈNE II

Au palais Strozzi.

Entrent PHILIPPE *et* PIERRE.

PIERRE. — Quand je pense à cela, j'ai envie de me couper la main droite. Avoir manqué cette canaille! Un coup si juste, et l'avoir manqué! A qui n'était-ce pas rendre service que de faire dire aux gens : Il y a un Salviati de moins dans les rues? Mais le drôle a fait comme les araignées, — il s'est laissé tomber en repliant ses pattes crochues, et il a fait le mort de peur d'être achevé.

PHILIPPE. — Que t'importe qu'il vive? ta vengeance n'en est que plus complète. On le dit blessé de telle manière qu'il s'en souviendra toute sa vie.

PIERRE. — Oui, je le sais bien; voilà comme vous voyez les choses. Tenez, mon père, vous êtes bon patriote, mais encore meilleur père de famille : ne vous mêlez pas de tout cela.

PHILIPPE. — Qu'as-tu encore en tête? Ne saurais-tu vivre un quart d'heure sans penser à mal?

PIERRE. — Non, par l'enfer, je ne saurais vivre un quart d'heure tranquille dans cet air empoisonné. Le ciel me pèse sur la tête comme une voûte de prison, et il me semble que je respire dans les rues des quolibets et des hoquets d'ivrognes. Adieu, j'ai affaire à présent.

PHILIPPE. — Où vas-tu?

Pierre. — Pourquoi voulez-vous le savoir? Je vais chez les Pazzi.

Philippe. — Attends-moi donc, car j'y vais aussi.

Pierre. — Pas à présent, mon père; ce n'est pas un bon moment pour vous.

Philippe. — Parle-moi franchement.

Pierre. — Cela est entre nous. Nous sommes là une cinquantaine, les Ruccellaï et d'autres, qui ne portons pas le bâtard dans nos entrailles.

Philippe. — Ainsi donc?

Pierre. — Ainsi donc les avalanches se font quelquefois au moyen d'un caillou gros comme le bout du doigt.

Philippe. — Mais vous n'avez rien d'arrêté? pas de plan? pas de mesures prises? O enfants, enfants! jouer avec la vie et la mort! Des questions qui ont remué le monde! des idées qui ont blanchi des milliers de têtes, et qui les ont fait rouler comme des grains de sable sur les pieds du bourreau! des projets que la Providence elle-même regarde en silence et avec terreur et qu'elle laisse achever à l'homme, sans oser y toucher! Vous parlez de tout cela en faisant des armes et en buvant un verre de vin d'Espagne, comme s'il s'agissait d'un cheval ou d'une mascarade! Savez-vous ce que c'est qu'une république? que l'artisan au fond de son atelier, que le laboureur dans son champ, que le citoyen sur la place, que la vie entière d'un royaume? le bonheur des hommes, Dieu de justice! O enfants, enfants! savez-vous compter sur vos doigts?

Pierre. — Un bon coup de lancette guérit tous les maux.

Philippe. — Guérir! guérir! Savez-vous que le plus petit coup de lancette doit être donné par le médecin? Savez-vous qu'il faut une expérience longue comme la vie, et une science grande comme le monde, pour tirer du bras d'un malade une goutte de sang? N'étais-je pas offensé aussi, la nuit dernière, lorsque tu avais mis ton épée nue sous ton manteau? Ne suis-je pas le père de ma Louise, comme tu es son frère? N'était-ce pas une juste vengeance? Et cependant sais-tu ce qu'elle m'a coûté? Ah! les pères savent cela, mais non les enfants. Si tu es père un jour, nous en parlerons.

Pierre. — Vous qui savez aimer, vous devriez savoir haïr.

Philippe. — Qu'ont donc fait à Dieu ces Pazzi? Ils invitent leurs amis à venir conspirer, comme on invite à jouer aux dés, et leurs amis, en entrant dans leur cour, glissent dans le sang de leurs grands-pères. Quelle soif

ont donc leurs épées? Que voulez-vous donc, que voulez-
vous?

PIERRE. — Et pourquoi vous démentir vous-même? Ne
vous ai-je pas entendu cent fois dire ce que nous disons?
Ne savons-nous pas ce qui vous occupe, quand vos domestiques voient à leur lever vos fenêtres éclairées des flambeaux de la veille? Ceux qui passent les nuits sans dormir
ne meurent pas silencieux.

PHILIPPE. — Où en viendrez-vous? réponds-moi.

PIERRE. — Les Médicis sont une peste. Celui qui est
mordu par un serpent n'a que faire d'un médecin; il n'a
qu'à se brûler la plaie.

PHILIPPE. — Et quand vous aurez renversé ce qui est,
que voulez-vous mettre à la place?

PIERRE. — Nous sommes toujours sûrs de ne pas trouver pire.

PHILIPPE. — Je vous le dis, comptez sur vos doigts.

PIERRE. — Les têtes d'une hydre sont faciles à compter.

PHILIPPE. — Et vous voulez agir? cela est décidé?

PIERRE. — Nous voulons couper les jarrets aux meurtriers de Florence.

PHILIPPE. — Cela est irrévocable? vous voulez agir?

PIERRE. — Adieu, mon père; laissez-moi aller seul.

PHILIPPE. — Depuis quand le vieil aigle reste-t-il dans
le nid, quand ses aiglons vont à la curée? O mes enfants!
ma brave et belle jeunesse! vous qui avez la force que j'ai
perdue, vous qui êtes aujourd'hui ce qu'était le jeune Philippe, laissez-le avoir vieilli pour vous! Emmène-moi, mon
fils, je vois que vous allez agir. Je ne vous ferai pas de longs
discours, je ne dirai que quelques mots; il peut y avoir
quelque chose de bon dans cette tête grise : deux mots, et
ce sera fait. Je ne radote pas encore; je ne vous serai pas
à charge; ne pars pas sans moi, mon enfant; attends que
je prenne mon manteau.

PIERRE. — Venez, mon noble père; nous baiserons le
bas de votre robe. Vous êtes notre patriarche, venez voir
marcher au soleil les rêves de votre vie. La liberté est
mûre; venez, vieux jardinier de Florence, voir sortir de
terre la plante que vous aimez.

Ils sortent.

SCÈNE III

Une rue.

UN OFFICIER ALLEMAND *et des soldats,*
THOMAS STROZZI, *au milieu d'eux.*

L'OFFICIER. — Si nous ne le trouvons pas chez lui, nous
le trouverons chez les Pazzi.

THOMAS. — Va ton train, et ne sois pas en peine; tu sauras ce qu'il en coûte.

L'OFFICIER. — Pas de menace; j'exécute les ordres du
duc, et n'ai rien à souffrir de personne.

THOMAS. — Imbécile! qui arrête un Strozzi sur la parole
d'un Médicis!

Il se forme un groupe autour d'eux.

UN BOURGEOIS. — Pourquoi arrêtez-vous ce seigneur?
Nous le connaissons bien; c'est le fils de Philippe.

UN AUTRE. — Lâchez-le; nous répondons pour lui.

LE PREMIER. — Oui, oui, nous répondons pour les
Strozzi. Laisse-le aller, ou prends garde à tes oreilles.

L'OFFICIER. — Hors de là, canaille! laissez passer la justice du duc, si vous n'aimez pas les coups de hallebardes.

Pierre et Philippe arrivent.

PIERRE. — Qu'y a-t-il? quel est ce tapage? Que fais-tu
là, Thomas?

LE BOURGEOIS. — Empêche-le, Philippe, empêche-le
d'emmener ton fils en prison.

PHILIPPE. — En prison? et sur quel ordre?

PIERRE. — En prison? Sais-tu à qui tu as affaire?

L'OFFICIER. — Qu'on saisisse cet homme.

Les soldats arrêtent Pierre.

PIERRE. — Lâchez-moi, misérables, ou je vous éventre
comme des pourceaux!

PHILIPPE. — Sur quel ordre agissez-vous, monsieur?

L'OFFICIER, *montrant l'ordre du duc.* — Voilà mon mandat. J'ai ordre d'arrêter Pierre et Thomas Strozzi.

*Les soldats repoussent le peuple, qui leur jette
des cailloux.*

PIERRE. — De quoi nous accuse-t-on? qu'avons-nous
fait? Aidez-moi, mes amis; rossons cette canaille.

*Il tire son épée. Un autre détachement de soldats
arrive.*

L'Officier. — Venez ici ; prêtez-moi main-forte.

Pierre est désarmé.

En marche! et le premier qui approche de trop près, un coup de pique dans le ventre! Cela leur apprendra à se mêler de leurs affaires.

Pierre. — On n'a pas le droit de m'arrêter sans un ordre des Huit. Je me soucie bien des ordres d'Alexandre! Où est l'ordre des Huit?

L'Officier. — C'est devant eux que nous vous menons.

Pierre. — Si c'est devant eux, je n'ai rien à dire. De quoi suis-je accusé?

Un Homme du Peuple. — Comment, Philippe, tu laisses emmener tes enfants au tribunal des Huit!

Pierre. — Répondez donc, de quoi suis-je accusé?

L'Officier. — Cela ne me regarde pas.

Les soldats sortent avec Pierre et Thomas.

Pierre, *en sortant.* — N'ayez aucune inquiétude, mon père ; les Huit me renverront souper à la maison, et le bâtard en sera pour ses frais de justice.

Philippe *seul, s'asseyant sur un banc.* — J'ai beaucoup d'enfants, mais pas pour longtemps, — si cela va si vite. Où en sommes-nous donc si une vengeance aussi juste que le ciel que voilà est clair, est punie comme un crime! Eh quoi! les deux aînés d'une famille vieille comme la ville, emprisonnés comme des voleurs de grand chemin! la plus grossière insulte châtiée, un Salviati frappé, seulement frappé, et des hallebardes en jeu! Sors donc du fourreau, mon épée. Si le saint appareil des exécutions judiciaires devient la cuirasse des ruffians et des ivrognes, que la hache et le poignard, cette arme des assassins, protègent l'homme de bien. O Christ! la justice devenue une entremetteuse! l'honneur des Strozzi souffleté en place publique, et un tribunal répondant des quolibets d'un rustre! Un Salviati jetant à la plus noble famille de Florence son gant taché de vin et de sang, et, lorsqu'on le châtie, tirant pour se défendre le coupe-tête du bourreau! Lumière du soleil! j'ai parlé, il n'y a pas un quart d'heure, contre les idées de révolte, et voilà le pain qu'on me donne à manger, avec mes paroles de paix sur les lèvres! Allons, mes bras, remuez ; et toi, vieux corps courbé par l'âge et l'étude, redresse-toi pour l'action!

Entre Lorenzo.

Lorenzo. — Demandes-tu l'aumône, Philippe, assis au coin de cette rue?

PHILIPPE. — Je demande l'aumône à la justice des hommes ; je suis un mendiant affamé de justice, et mon honneur est en haillons.

LORENZO. — Quel changement va donc s'opérer dans le monde, et quelle robe nouvelle va revêtir la nature, si le masque de la colère s'est posé sur le visage auguste et paisible du vieux Philippe ? O mon père, quelles sont ces plaintes ? pour qui répands-tu sur la terre les joyaux les plus précieux qu'il y ait sous le soleil, les larmes d'un homme sans peur et sans reproche ?

PHILIPPE. — Il faut nous délivrer des Médicis, Lorenzo. Tu es un Médicis toi-même, mais seulement par ton nom ; si je t'ai bien connu, si la hideuse comédie que tu joues m'a trouvé impassible et fidèle spectateur, que l'homme sorte de l'histrion. Si tu as jamais été quelque chose d'honnête, sois-le aujourd'hui. Pierre et Thomas sont en prison.

LORENZO. — Oui, oui, je sais cela.

PHILIPPE. — Est-ce là ta réponse ? est-ce là ton visage, homme sans épée ?

LORENZO. — Que veux-tu ? dis-le, et tu auras alors ma réponse.

PHILIPPE. — Agir ! Comment, je n'en sais rien. Quel moyen employer, quel levier mettre sous cette citadelle de mort, pour la soulever et la pousser dans le fleuve ; quoi faire, que résoudre, quels hommes aller trouver, je ne puis le savoir encore. Mais agir, agir, agir ! O Lorenzo, le temps est venu. N'es-tu pas diffamé, traité de chien et de sanscœur ? Si je t'ai tenu en dépit de tout ma porte ouverte, ma main ouverte, mon cœur ouvert, parle, et que je voie si je me suis trompé. Ne m'as-tu pas parlé d'un homme qui s'appelle aussi Lorenzo, et qui se cache derrière le Lorenzo que voilà ? Cet homme n'aime-t-il pas sa patrie, n'est-il pas dévoué à ses amis ? Tu le disais, et je l'ai cru. Parle, parle, le temps est venu.

LORENZO. — Si je ne suis pas tel que vous le désirez, que le soleil me tombe sur la tête.

PHILIPPE. — Ami, rire d'un vieillard désespéré, cela porte malheur ; si tu dis vrai, à l'action ! J'ai de toi des promesses qui engageraient Dieu lui-même, et c'est sur ces promesses que je t'ai reçu. Le rôle que tu joues est un rôle de boue et de lèpre, tel que l'enfant prodigue ne l'aurait pas joué dans un jour de démence ; et cependant je t'ai reçu. Quand les pierres criaient à ton passage, quand chacun de tes pas faisait jaillir des mares de sang humain, je t'ai appelé du nom sacré d'ami ; je me suis fait sourd pour te

croire, aveugle pour t'aimer; j'ai laissé l'ombre de ta mauvaise réputation passer sur mon honneur, et mes enfants
ont douté de moi en trouvant sur ma main la trace hideuse
du contact de la tienne. Sois honnête, car je l'ai été; agis,
car tu es jeune, et je suis vieux.

LORENZO. — Pierre et Thomas sont en prison; est-ce là
tout?

PHILIPPE. — O ciel et terre, oui! c'est là tout. Presque
rien, deux enfants de mes entrailles qui vont s'asseoir au
banc des voleurs. Deux têtes que j'ai baisées autant de fois
que j'ai de cheveux gris, et que je vais trouver demain
matin clouées sur la porte de la forteresse; oui, c'est là tout,
rien de plus, en vérité.

LORENZO. — Ne me parle pas sur ce ton; je suis rongé
d'une tristesse auprès de laquelle la nuit la plus sombre est
une lumière éblouissante.

Il s'assied près de Philippe.

PHILIPPE. — Que je laisse mourir mes enfants, cela est
impossible, vois-tu! On m'arracherait les bras et les jambes,
que, comme le serpent, les morceaux mutilés de Philippe
se rejoindraient encore et se lèveraient pour la vengeance.
Je connais si bien tout cela! Les Huit! un tribunal
d'hommes de marbre! une forêt de spectres, sur laquelle
passe de temps en temps le vent lugubre du doute qui les
agite pendant une minute, pour se résoudre en un mot
sans appel. Un mot, un mot, ô conscience! Ces hommes-là
mangent, ils dorment, ils ont des femmes et des filles! Ah!
qu'ils tuent, qu'ils égorgent; mais pas mes enfants, pas
mes enfants.

LORENZO. — Pierre est un homme; il parlera, et il sera
mis en liberté.

PHILIPPE. — O mon Pierre, mon premier né!

LORENZO. — Rentrez chez vous, tenez-vous tranquille,
ou faites mieux, quittez Florence. Je vous réponds de tout,
si vous quittez Florence.

PHILIPPE. — Moi, un banni! moi dans un lit d'auberge
à mon heure dernière! O Dieu! et tout cela pour une parole
d'un Salviati.

LORENZO. — Sachez-le, Salviati voulait séduire votre
fille, mais non pas pour lui seul. Alexandre a un pied dans
le lit de cet homme; il y exerce le droit du seigneur sur la
prostitution.

PHILIPPE. — Et nous n'agirions pas! O Lorenzo, Lorenzo, tu es un homme ferme, toi; parle-moi, je suis faible,
et mon cœur est trop intéressé dans tout cela. Je m'épuise,

vois-tu; j'ai trop réfléchi ici-bas; j'ai trop tourné sur moi-même, comme un cheval de pressoir; je ne vaux plus rien pour la bataille. Dis-moi ce que tu penses, je le ferai.

LORENZO. — Rentrez chez vous, mon bon monsieur.

PHILIPPE. — Voilà qui est certain, je vais aller chez les Pazzi; là sont cinquante jeunes gens, tous déterminés. Ils ont juré d'agir; je leur parlerai noblement, comme un Strozzi et comme un père, et ils m'entendront. Ce soir, j'inviterai à souper les quarante membres de ma famille; je leur raconterai ce qui m'arrive. Nous verrons! nous verrons! rien n'est encore fait. Que les Médicis prennent garde à eux! Adieu, je vais chez les Pazzi; aussi bien, j'y allais avec Pierre, quand on l'a arrêté.

LORENZO. — Il y a plusieurs démons, Philippe; celui qui te tente en ce moment n'est pas le moins à craindre de tous.

PHILIPPE. — Que veux-tu dire?

LORENZO. — Prends-y garde; c'est un démon plus beau que Gabriel: la liberté, la patrie, le bonheur des hommes, tous ces mots résonnent à son approche comme les cordes d'une lyre, c'est le bruit des écailles d'argent de ses ailes flamboyantes. Les larmes de ses yeux fécondent la terre, et il tient à la main la palme des martyrs. Ses paroles épurent l'air autour de ses lèvres; son vol est si rapide que nul ne peut dire où il va. Prends-y garde! une fois, dans ma vie, je l'ai vu traverser les cieux. J'étais courbé sur mes livres; le toucher de sa main a fait frémir mes cheveux comme une plume légère. Que je l'aie écouté ou non, n'en parlons pas.

PHILIPPE. — Je ne te comprends qu'avec peine, et je ne sais pourquoi j'ai peur de te comprendre.

LORENZO. — N'avez-vous dans la tête que cela: délivrer vos fils? Mettez la main sur la conscience; quelque autre pensée plus vaste, plus terrible, ne vous entraîne-t-elle pas comme un chariot étourdissant au milieu de cette jeunesse?

PHILIPPE. — Eh bien! oui, que l'injustice faite à ma famille soit le signal de la liberté. Pour moi, et pour tous, j'irai!

LORENZO. — Prends garde à toi, Philippe, tu as pensé au bonheur de l'humanité.

PHILIPPE. — Que veut dire ceci? Es-tu dedans comme au dehors une vapeur infecte? Toi qui m'as parlé d'une liqueur précieuse dont tu étais le flacon, est-ce là ce que tu renfermes?

LORENZO. — Je suis en effet précieux pour vous, car je
tuerai Alexandre.

PHILIPPE. — Toi?

LORENZO. — Moi, demain ou après-demain. Rentrez
chez vous, tâchez de délivrer vos enfants; si vous ne le
pouvez pas, laissez-leur subir une légère punition; je sais
pertinemment qu'il n'y a pas d'autres dangers pour eux,
et je vous répète que d'ici à quelques jours il n'y aura pas
plus d'Alexandre de Médicis à Florence qu'il n'y a de
soleil à minuit.

PHILIPPE. — Quand cela serait vrai, pourquoi aurais-je
tort de penser à la liberté? Ne viendra-t-elle pas quand tu
auras fait ton coup, si tu le fais?

LORENZO. — Philippe, Philippe, prends garde à toi. Tu
as soixante ans de vertu sur ta tête grise; c'est un enjeu
trop cher pour le jouer aux dés.

PHILIPPE. — Si tu caches sous ces sombres paroles
quelque chose que je puisse entendre, parle; tu m'irrites
singulièrement.

LORENZO. — Tel que tu me vois, Philippe, j'ai été honnête. J'ai cru à la vertu, à la grandeur humaine, comme un
martyr croit à son Dieu. J'ai versé plus de larmes sur la
pauvre Italie, que Niobé sur ses filles.

PHILIPPE. — Eh bien, Lorenzo?

LORENZO. — Ma jeunesse a été pure comme l'or. Pendant vingt ans de silence, la foudre s'est amoncelée dans
ma poitrine, et il faut que je sois réellement une étincelle
du tonnerre, car tout à coup, une certaine nuit que j'étais
assis dans les ruines du Colisée antique, je ne sais pourquoi je me levai, je tendis vers le ciel mes bras trempés de
rosée, et je jurai qu'un des tyrans de ma patrie mourrait de
ma main. J'étais un étudiant paisible, je ne m'occupais
alors que des arts et des sciences, et il m'est impossible de
dire comment cet étrange serment s'est fait en moi. Peut-
être est-ce là ce qu'on éprouve quand on devient amoureux.

PHILIPPE. — J'ai toujours eu confiance en toi, et cependant je crois rêver.

LORENZO. — Et moi aussi. J'étais heureux alors; j'avais
le cœur et les mains tranquilles; mon nom m'appelait au
trône, et je n'avais qu'à laisser le soleil se lever et se coucher pour voir fleurir autour de moi toutes les espérances
humaines. Les hommes ne m'avaient fait ni bien ni mal;
mais j'étais bon, et, pour mon malheur éternel, j'ai voulu
être grand. Il faut que je l'avoue; si la Providence m'a

poussé à la résolution de tuer un tyran, quel qu'il fût,
l'orgueil m'y a poussé aussi. Que te dirais-je de plus ? Tous
les Césars du monde me faisaient penser à Brutus.

PHILIPPE. — L'orgueil de la vertu est un noble orgueil.
Pourquoi t'en défendrais-tu ?

LORENZO. — Tu ne sauras jamais, à moins d'être fou, de
quelle nature est la pensée qui m'a travaillé. Pour comprendre l'exaltation fiévreuse qui a enfanté en moi le
Lorenzo qui te parle, il faudrait que mon cerveau et mes
entrailles fussent à nu sous un scalpel. Une statue qui des-
cendrait de son piédestal pour marcher parmi les hommes
sur la place publique serait peut-être semblable à ce que
j'ai été le jour où j'ai commencé à vivre avec cette idée :
il faut que je sois un Brutus.

PHILIPPE. — Tu m'étonnes de plus en plus.

LORENZO. — J'ai voulu d'abord tuer Clément VII ; je
n'ai pu le faire, parce qu'on m'a banni de Rome avant
le temps. J'ai recommencé mon ouvrage avec Alexandre.
Je voulais agir seul, sans le secours d'aucun homme. Je
travaillais pour l'humanité ; mais mon orgueil restait solitaire au milieu de tous mes rêves philanthropiques. Il fallait
donc entamer par la ruse un combat singulier avec mon
ennemi. Je ne voulais pas soulever les masses, ni conquérir
la gloire bavarde d'un paralytique comme Cicéron ; je voulais arriver à l'homme, me prendre corps à corps avec la
tyrannie vivante, la tuer, porter mon épée sanglante sur la
tribune, et laisser la fumée du sang d'Alexandre monter au
nez des harangueurs, pour réchauffer leur cervelle ampou-
lée.

PHILIPPE. — Quelle tête de fer as-tu, ami ! quelle tête de
fer !

LORENZO. — La tâche que je m'imposais était rude avec
Alexandre. Florence était comme aujourd'hui noyée de vin
et de sang. L'empereur et le pape avaient fait un duc d'un
garçon boucher. Pour plaire à mon cousin, il fallait arriver
à lui porté par les larmes des familles ; pour devenir son
ami, et acquérir sa confiance, il fallait baiser sur ses lèvres
épaisses tous les restes de ses orgies. J'étais pur comme un
lis, et cependant je n'ai pas reculé devant cette tâche. Ce
que je suis devenu à cause de cela, n'en parlons pas. Tu
dois comprendre que j'ai souffert, et il y a des blessures
dont on ne lève pas l'appareil impunément. Je suis devenu
vicieux, lâche, un objet de honte et d'opprobre ; qu'importe ? Ce n'est pas de cela qu'il s'agit.

PHILIPPE. — Tu baisses la tête ; tes yeux sont humides.

LORENZO. — Non, je ne rougis point; les masques de plâtre n'ont point de rougeur au service de la honte. J'ai fait ce que j'ai fait. Tu sauras seulement que j'ai réussi dans mon entreprise. Alexandre viendra bientôt dans un certain lieu d'où il ne sortira pas debout. Je suis au terme de ma peine, et sois certain, Philippe, que le buffle sauvage, quand le bouvier l'abat sur l'herbe, n'est pas entouré de plus de filets, de plus de nœuds coulants que je n'en ai tissu autour de mon bâtard. Ce cœur, jusques auquel une armée ne serait pas parvenue en un an, il est maintenant à nu sous ma main; je n'ai qu'à laisser tomber mon stylet pour qu'il y entre. Tout sera fait. Maintenant, sais-tu ce qui m'arrive, et ce dont je veux t'avertir?

PHILIPPE. — Tu es notre Brutus, si tu dis vrai.

LORENZO. — Je me suis cru un Brutus, mon pauvre Philippe; je me suis souvenu du bâton d'or couvert d'écorce. Maintenant, je connais les hommes, et je te conseille de ne pas t'en mêler.

PHILIPPE. — Pourquoi?

LORENZO. — Ah! vous avez vécu tout seul, Philippe. Pareil à un fanal éclatant, vous êtes resté immobile au bord de l'océan des hommes, et vous avez regardé dans les eaux la réflexion de votre propre lumière; du fond de votre solitude, vous trouviez l'océan magnifique sous le dais splendide des cieux; vous ne comptiez pas chaque flot, vous ne jetiez pas la sonde; vous étiez plein de confiance dans l'ouvrage de Dieu. Mais moi, pendant ce temps-là, j'ai plongé; je me suis enfoncé dans cette mer houleuse de la vie; j'en ai parcouru toutes les profondeurs, couvert de ma cloche de verre; tandis que vous admiriez la surface, j'ai vu les débris des naufrages, les ossements et les Léviathans.

PHILIPPE. — Ta tristesse me fend le cœur.

LORENZO. — C'est parce que je vous vois tel que j'ai été, et sur le point de faire ce que j'ai fait, que je vous parle ainsi. Je ne méprise point les hommes; le tort des livres et des historiens est de nous les montrer différents de ce qu'ils sont. La vie est comme une cité; on peut y rester cinquante ou soixante ans sans voir autre chose que des promenades et des palais; mais il ne faut pas entrer dans les tripots, ni s'arrêter, en rentrant chez soi, aux fenêtres des mauvais quartiers. Voilà mon avis, Philippe; s'il s'agit de sauver tes enfants, je te dis de rester tranquille; c'est le meilleur moyen pour qu'on te les renvoie après une petite semonce. S'il s'agit de tenter quelque chose pour les hommes, je te conseille de te couper les bras, car tu ne seras pas longtemps à t'apercevoir qu'il n'y a que toi qui en aies.

PHILIPPE. — Je conçois que le rôle que tu joues t'ait donné de pareilles idées. Si je te comprends bien, tu as pris, dans un but sublime, une route hideuse, et tu crois que tout ressemble à ce que tu as vu.

LORENZO. — Je me suis réveillé de mes rêves, rien de plus. Je te dis le danger d'en faire. Je connais la vie, et c'est une vilaine cuisine, sois-en persuadé. Ne mets pas la main là-dedans, si tu respectes quelque chose.

PHILIPPE. — Arrête; ne brise pas comme un roseau mon bâton de vieillesse. Je crois à tout ce que tu appelles des rêves; je crois à la vertu, à la pudeur et à la liberté.

LORENZO. — Et me voilà dans la rue, moi, Lorenzaccio? et les enfants ne me jettent pas de la boue? Les lits des filles sont encore chauds de ma sueur, et les pères ne prennent pas, quand je passe, leurs couteaux et leurs balais pour m'assommer! Au fond de ces dix mille maisons que voilà, la septième génération parlera encore de la nuit où j'y suis entré, et pas une ne vomit à ma vue un valet de charrue qui me fende en deux comme une bûche pourrie? L'air que vous respirez, Philippe, je le respire; mon manteau de soie bariolé traîne paresseusement sur le sable fin des promenades; pas une goutte de poison ne tombe dans mon chocolat; que dis-je? ô Philippe! les mères pauvres soulèvent honteusement le voile de leurs filles quand je m'arrête au seuil de leurs portes; elles me laissent voir leur beauté avec un sourire plus vil que le baiser de Judas, tandis que moi, pinçant le menton de la petite, je serre les poings de rage en remuant dans ma poche quatre ou cinq méchantes pièces d'or.

PHILIPPE. — Que le tentateur ne méprise pas le faible; pourquoi tenter, lorsque l'on doute?

LORENZO. — Suis-je un Satan? Lumière du ciel! je m'en souviens encore; j'aurais pleuré avec la première fille que j'ai séduite, si elle ne s'était mise à rire. Quand j'ai commencé à jouer mon rôle de Brutus moderne, je marchais dans mes habits neufs de la grande confrérie du vice comme un enfant de dix ans dans l'armure d'un géant de la fable. Je croyais que la corruption était un stigmate et que les monstres seuls le portaient au front. J'avais commencé à dire tout haut que mes vingt années de vertu étaient un masque étouffant; ô Philippe! j'entrai alors dans la vie, et je vis qu'à mon approche tout le monde en faisait autant que moi; tous les masques tombaient devant mon regard; l'humanité souleva sa robe, et me montra, comme à un adepte digne d'elle, sa monstrueuse nudité. J'ai vu les hommes tels qu'ils sont, et je me suis dit : Pour qui est-ce donc que je travaille? Lorsque je parcourais les rues de Florence, avec mon fantôme à mes côtés, je regardais autour de moi, je cherchais les visages qui me donnaient du cœur, et je me demandais : Quand j'aurai fait mon coup, celui-là en profitera-t-il? J'ai vu les républicains dans leurs cabinets; je suis entré dans les boutiques, j'ai écouté et j'ai guetté. J'ai recueilli les discours des gens du peuple; j'ai vu l'effet que produisait sur eux la tyrannie; j'ai bu dans les banquets patriotiques le vin qui engendre la métaphore et la prosopopée; j'ai avalé entre deux baisers les larmes les plus vertueuses; j'attendais toujours que l'humanité me laissât voir sur sa face quelque chose d'honnête. J'observais comme un amant observe sa fiancée en attendant le jour des noces.

PHILIPPE. — Si tu n'as vu que le mal, je te plains, mais je ne puis te croire. Le mal existe, mais non pas sans le bien; comme l'ombre existe, mais non sans la lumière.

LORENZO. — Tu ne veux voir en moi qu'un mépriseur d'hommes, c'est me faire injure. Je sais parfaitement qu'il y en a de bons. Mais à quoi servent-ils? que font-ils? comment agissent-ils? Qu'importe que la conscience soit vivante, si le bras est mort? Il y a de certains côtés par où tout devient bon : un chien est un ami fidèle; on peut trouver en lui le meilleur des serviteurs, comme on peut voir aussi qu'il se roule sur les cadavres, et que la langue avec laquelle il lèche son maître sent la charogne d'une lieue. Tout ce que j'ai à voir, moi, c'est que je suis perdu, et que les hommes n'en profiteront pas plus qu'ils ne me comprendront.

PHILIPPE. — Pauvre enfant, tu me navres le cœur! Mais si tu es honnête, quand tu auras délivré ta patrie, tu le redeviendras. Cela réjouit mon vieux cœur, Lorenzo, de penser que tu es honnête; alors tu jetteras ce déguisement hideux qui te défigure, et tu redeviendras d'un métal aussi pur que les statues de bronze d'Harmodius et d'Aristogiton.

LORENZO. — Philippe, Philippe, j'ai été honnête. La main qui a soulevé une fois le voile de la vérité ne peut plus le laisser retomber; elle reste immobile jusqu'à la mort, tenant toujours ce voile terrible, et l'élevant de plus en plus au-dessus de la tête de l'homme, jusqu'à ce que l'ange du sommeil éternel lui bouche les yeux.

PHILIPPE. — Toutes les maladies se guérissent; et le vice est aussi une maladie.

LORENZO. — Il est trop tard. Je me suis fait à mon métier. Le vice a été pour moi un vêtement; maintenant, il est collé à ma peau. Je suis vraiment un ruffian, et quand je plaisante sur mes pareils, je me sens sérieux comme la mort au milieu de ma gaieté. Brutus a fait le fou pour tuer Tarquin, et ce qui m'étonne en lui, c'est qu'il n'y ait pas laissé sa raison. Profite de moi, Philippe, voilà ce que j'ai à te dire : ne travaille pas pour ta patrie.

PHILIPPE. — Si je te croyais, il me semble que le ciel s'obscurcirait pour toujours, et que ma vieillesse serait condamnée à marcher à tâtons. Que tu aies pris une route dangereuse, cela peut être; pourquoi ne pourrais-je en prendre une autre qui me mènerait au même point? Mon intention est d'en appeler au peuple, et d'agir ouvertement.

LORENZO. — Prends garde à toi, Philippe, celui qui te le dit sait pourquoi il le dit. Prends le chemin que tu voudras, tu auras toujours affaire aux hommes.

PHILIPPE. — Je crois à l'honnêteté des républicains.

LORENZO. — Je te fais une gageure. Je vais tuer Alexandre; une fois mon coup fait, si les républicains se comportent comme ils le doivent, il leur sera facile d'établir une république, la plus belle qui ait jamais fleuri sur la terre. Qu'ils aient pour eux le peuple, et tout est dit. Je te gage que ni eux ni le peuple ne feront rien. Tout ce que je te demande, c'est de ne pas t'en mêler; parle, si tu le veux, mais prends garde à tes paroles, et encore plus à tes actions. Laisse-moi faire mon coup; tu as les mains pures, et moi, je n'ai rien à perdre.

PHILIPPE. — Fais-le, et tu verras.

LORENZO. — Soit, — mais souviens-toi de ceci. Vois-tu dans cette petite maison cette famille assemblée autour d'une table? ne dirait-on pas des hommes? Ils ont un corps, et une âme dans ce corps. Cependant, s'il me prenait envie d'entrer chez eux, tout seul, comme me voilà, et de poignarder leur fils aîné au milieu d'eux, il n'y aurait pas un couteau de levé sur moi.

PHILIPPE. — Tu me fais horreur. Comment le cœur peut-il rester grand avec des mains comme les tiennes?

LORENZO. — Viens, rentrons à ton palais, et tâchons de délivrer tes enfants.

PHILIPPE. — Mais pourquoi tueras-tu le duc, si tu as des idées pareilles?

LORENZO. — Pourquoi? tu le demandes?

PHILIPPE. — Si tu crois que c'est un meurtre inutile à
ta patrie, pourquoi le commets-tu ?

LORENZO. — Tu me demandes cela en face ? regarde-
moi un peu. J'ai été beau, tranquille et vertueux.

PHILIPPE. — Quel abîme ! quel abîme tu m'ouvres !

LORENZO. — Tu me demandes pourquoi je tue
Alexandre ? Veux-tu donc que je m'empoisonne, ou que
je saute dans l'Arno ? veux-tu donc que je sois un spectre,
et qu'en frappant sur ce squelette *(il frappe sa poitrine)*,
il n'en sorte aucun son ? Si je suis l'ombre de moi-même,
veux-tu donc que je rompe le seul fil qui rattache aujour-
d'hui mon cœur à quelques fibres de mon cœur d'autrefois ? Songes-tu que ce meurtre, c'est tout ce qui me reste
de ma vertu ? Songes-tu que je glisse depuis deux ans sur
un rocher taillé à pic, et que ce meurtre est le seul brin
d'herbe où j'aie pu cramponner mes ongles ? Crois-tu
donc que je n'aie plus d'orgueil, parce que je n'ai plus
de honte ? et veux-tu que je laisse mourir en silence
l'énigme de ma vie ? Oui, cela est certain, si je pouvais
revenir à la vertu, si mon apprentissage du vice pouvait
s'évanouir, j'épargnerais peut-être ce conducteur de bœufs.
Mais j'aime le vin, le jeu et les filles ; comprends-tu cela ?
Si tu honores en moi quelque chose, toi qui me parles,
c'est mon meurtre que tu honores, peut-être justement
parce que tu ne le ferais pas. Voilà assez longtemps, vois-
tu, que les républicains me couvrent de boue et d'infamie ;
voilà assez longtemps que les oreilles me tintent, et que
l'exécration des hommes empoisonne le pain que je mâche ;
j'en ai assez de me voir conspué par des lâches sans nom,
qui m'accablent d'injures pour se dispenser de m'assommer, comme ils le devraient. J'en ai assez d'entendre
brailler en plein vent le bavardage humain ; il faut que le
monde sache un peu qui je suis, et qui il est. Dieu merci,
c'est peut-être demain que je tue Alexandre ; dans deux
jours j'aurai fini. Ceux qui tournent autour de moi avec
des yeux louches, comme autour d'une curiosité monstrueuse apportée d'Amérique, pourront satisfaire leur
gosier et vider leur sac à paroles. Que les hommes me
comprennent ou non, qu'ils agissent ou n'agissent pas,
j'aurai dit tout ce que j'ai à dire ; je leur ferai tailler leurs
plumes, si je ne leur fais pas nettoyer leurs piques, et l'humanité gardera sur sa joue le soufflet de mon épée marqué
en traits de sang. Qu'ils m'appellent comme ils voudront,
Brutus ou Érostrate, il ne me plaît pas qu'ils m'oublient.
Ma vie entière est au bout de ma dague, et que la Provi-

dence retourne ou non la tête, en m'entendant frapper, je
jette la nature humaine à pile ou face sur la tombe
d'Alexandre; dans deux jours les hommes comparaîtront
devant le tribunal de ma volonté.

PHILIPPE. — Tout cela m'étonne, et il y a dans tout ce
que tu m'as dit des choses qui me font peine, et d'autres
qui me font plaisir. Mais Pierre et Thomas sont en prison,
et je ne saurais là-dessus m'en fier à personne qu'à moi-
même. C'est en vain que ma colère voudrait ronger son
frein; mes entrailles sont émues trop vivement; tu peux
avoir raison, mais il faut que j'agisse; je vais rassembler
mes parents.

LORENZO. — Comme tu voudras; mais prends garde
à toi. Garde-moi le secret, même avec tes amis, c'est tout
ce que je te demande.

Ils sortent.

SCÈNE IV

Au palais Soderini.

Entre CATHERINE, *lisant un billet.* — « Lorenzo a dû vous
parler de moi; mais qui pourrait vous parler dignement
d'un amour pareil au mien? Que ma plume vous apprenne
ce que ma bouche ne peut vous dire et ce que mon cœur
voudrait signer de son sang.

« Alexandre DE MÉDICIS. »

Si mon nom n'était pas sur l'adresse, je croirais que le
messager s'est trompé, et ce que je lis me fait douter de
mes yeux.

Entre Marie.

O ma mère chérie! voyez ce qu'on m'écrit; expliquez-
moi, si vous pouvez, ce mystère.

MARIE. — Malheureuse! malheureuse! il t'aime! Où
t'a-t-il vue? où lui as-tu parlé?

CATHERINE. — Nulle part; un messager m'a apporté
cela comme je sortais de l'église.

MARIE. — Lorenzo, dit-il, a dû te parler de lui? Ah!
Catherine, avoir un fils pareil! Oui, faire de la sœur de
sa mère la maîtresse du duc, non pas même la maîtresse,
ô ma fille! Quels noms portent ces créatures! je ne puis le
dire; oui, il manquait cela à Lorenzo. Viens, je veux lui
porter cette lettre ouverte, et savoir devant Dieu comment
il répondra.

CATHERINE. — Je croyais que le duc aimait... pardon, ma mère; mais je croyais que le duc aimait la comtesse Cibo; on me l'avait dit...

MARIE. — Cela est vrai, il l'a aimée, s'il peut aimer.

CATHERINE. — Il ne l'aime plus? Ah! comment peut-on offrir sans honte un cœur pareil! Venez, ma mère, venez chez Lorenzo.

MARIE. — Donne-moi ton bras. Je ne sais ce que j'éprouve depuis quelques jours; j'ai eu la fièvre toutes les nuits : il est vrai que depuis trois mois elle ne me quitte guère. J'ai trop souffert, ma pauvre Catherine; pourquoi m'as-tu lu cette lettre? je ne puis plus rien supporter. Je ne suis plus jeune, et cependant il me semble que je le redeviendrais à certaines conditions; mais tout ce que je vois m'entraîne vers la tombe. Allons, soutiens-moi, pauvre enfant; je ne te donnerai pas longtemps cette peine.

Elles sortent.

SCÈNE V

Chez la marquise.

LA MARQUISE, *parée, devant un miroir*. — Quand je pense que cela est, cela me fait l'effet d'une nouvelle qu'on m'apprendrait tout à coup. Quel précipice que la vie! Comment, il est déjà neuf heures, et c'est le duc que j'attends dans cette toilette! N'importe, advienne que pourra, je veux essayer mon pouvoir.

Entre le cardinal.

LE CARDINAL. — Quelle parure, marquise. Voilà des fleurs qui embaument.

LA MARQUISE. — Je ne puis vous recevoir, cardinal; j'attends une amie : vous m'excuserez.

LE CARDINAL. — Je vous laisse, je vous laisse. Ce boudoir dont j'aperçois la porte entr'ouverte là-bas, c'est un petit paradis. Irai-je vous y attendre?

LA MARQUISE. — Je suis pressée, pardonnez-moi; non, pas dans mon boudoir; où vous voudrez.

LE CARDINAL. — Je reviendrai dans un moment plus favorable.

Il sort.

LA MARQUISE. — Pourquoi toujours le visage de ce prêtre? Quels cercles décrit donc autour de moi ce vautour à tête chauve, pour que je le trouve sans cesse derrière moi quand je me retourne? Est-ce que l'heure de ma mort serait proche?

Entre un page qui lui parle à l'oreille.

C'est bon, j'y vais. Ah! ce métier de servante, tu n'y es pas fait, pauvre cœur orgueilleux.

Elle sort.

SCÈNE VI

Le boudoir de la marquise.

LA MARQUISE, LE DUC

LA MARQUISE. — C'est ma façon de penser; je t'aimerais ainsi.

LE DUC. — Des mots, des mots, et rien de plus.

LA MARQUISE. — Vous autres hommes, cela est si peu pour vous! Sacrifier le repos de ses jours, la sainte chasteté de l'honneur! quelquefois ses enfants même; — ne vivre que pour un seul être au monde; se donner, enfin, se donner, puisque cela s'appelle ainsi! Mais cela n'en vaut pas la peine : à quoi bon écouter une femme? une femme qui parle d'autre chose que de chiffons et de libertinage, cela ne se voit pas.

LE DUC. — Vous rêvez tout éveillée.

LA MARQUISE. — Oui, par le ciel! oui, j'ai fait un rêve; hélas! les rois seuls n'en font jamais : toutes les chimères de leurs caprices se transforment en réalités, et leurs cauchemars eux-mêmes se changent en marbre. Alexandre! Alexandre! quel mot que celui-là : Je peux si je veux! Ah! Dieu lui-même n'en sait pas plus : devant ce mot, les mains des peuples se joignent dans une prière craintive, et le pâle troupeau des hommes retient son haleine pour écouter.

LE DUC. — N'en parlons plus, ma chère, cela est fatigant.

LA MARQUISE. — Être un roi, sais-tu ce que c'est? Avoir au bout de son bras cent mille mains! Être le rayon de soleil qui sèche les larmes des hommes! être le bonheur et le malheur! Ah! quel frisson mortel cela donne! Comme il tremblerait, ce vieux du Vatican, si tu ouvrais tes ailes, toi mon aiglon! César est si loin! la garnison t'est si

dévouée. Et d'ailleurs on égorge une armée mais l'on n'égorge
pas un peuple. Le jour où tu auras pour toi la nation tout
entière, où tu seras la tête d'un corps libre, où tu diras :
Comme le doge de Venise épouse l'Adriatique, ainsi je
mets mon anneau d'or au doigt de ma belle Florence, et
ses enfants sont mes enfants... Ah! sais-tu ce que c'est
qu'un peuple qui prend son bienfaiteur dans ses bras?
Sais-tu ce que c'est que d'être porté comme un nourrisson
chéri par le vaste océan des hommes? Sais-tu ce que c'est
que d'être montré par un père à son enfant?

Le Duc. — Je me soucie de l'impôt; pourvu qu'on le
paie, que m'importe?

La Marquise. — Mais enfin, on t'assassinera. — Les
pavés sortiront de terre et t'écraseront. Ah! la postérité!
N'as-tu jamais vu ce spectre-là au chevet de ton lit? Ne
t'es-tu jamais demandé ce que penseront de toi ceux
qui sont dans le ventre des vivants? Et tu vis, toi, il est
encore temps! Tu n'as qu'un mot à dire. Te souviens-tu
du père de la patrie? Va, cela est facile d'être un grand roi
quand on est roi. Déclare Florence indépendante; réclame
l'exécution du traité avec l'empire; tire ton épée et montre-
la; ils te diront de la remettre au fourreau, que ses éclairs
leur font mal aux yeux. Songe donc comme tu es jeune!
Rien n'est décidé sur ton compte. — Il y a dans le cœur
des peuples de larges indulgences pour les princes, et la
reconnaissance publique est un profond fleuve d'oubli
pour leurs fautes passées. On t'a mal conseillé, on t'a
trompé. — Mais il est encore temps; tu n'as qu'à dire;
tant que tu es vivant, la page n'est pas tournée dans le
livre de Dieu.

Le Duc. — Assez, ma chère, assez.

La Marquise. — Ah! quand elle le sera! quand un
misérable jardinier payé à la journée viendra arroser à
contre-cœur quelques chétives marguerites autour du
tombeau d'Alexandre — quand les pauvres respireront
gaiement l'air du ciel, et n'y verront plus planer le sombre
météore de ta puissance; — quand ils parleront de toi
en secouant la tête; — quand ils compteront autour de ta
tombe les tombes de leurs parents, — es-tu sûr de dormir
tranquille dans ton dernier sommeil? — Toi qui ne vas
pas à la messe, et qui ne tiens qu'à l'impôt, es-tu sûr que
l'éternité soit sourde, et qu'il n'y ait pas un écho de la
vie dans le séjour hideux des trépassés? Sais-tu où vont
les larmes des peuples quand le vent les emporte?

Le Duc. — Tu as une jolie jambe.

La Marquise. — Écoute-moi; tu es étourdi, je le sais;
mais tu n'es pas méchant; non, sur Dieu, tu ne l'es pas,
tu ne peux pas l'être. Voyons, fais-toi violence; — réfléchis
un instant, un seul instant, à ce que je te dis. N'y a-t-il
rien dans tout cela? Suis-je décidément une folle?

Le Duc. — Tout cela me passe bien par la tête; mais
qu'est-ce que je fais donc de si mal? Je vaux bien mes
voisins; je vaux, ma foi, mieux que le pape. Tu me fais
penser aux Strozzi avec tous tes discours; — et tu sais
que je les déteste. Tu veux que je me révolte contre César;
César est mon beau-père, ma chère amie. Tu te figures
que les Florentins ne m'aiment pas; je suis sûr qu'ils
m'aiment, moi. Eh! parbleu, quand tu aurais raison, de qui
veux-tu que j'aie peur?

La Marquise. — Tu n'as pas peur de ton peuple, —
mais tu as peur de l'empereur; tu as tué ou déshonoré
des centaines de citoyens, et tu crois avoir tout fait quand
tu mets une cotte de mailles sous ton habit.

Le Duc. — Paix! point de ceci.

La Marquise. — Ah! je m'emporte; je dis ce que je
ne veux pas dire. Mon ami, qui ne sait pas que tu es
brave? Tu es brave, comme tu es beau; ce que tu as fait
de mal, c'est ta jeunesse, c'est ta tête, — que sais-je,
moi? c'est le sang qui coule violemment dans ces veines
brûlantes, c'est le soleil étouffant qui nous pèse. — Je
t'en supplie, que je ne sois pas perdue sans ressource;
que mon nom, que mon pauvre amour pour toi ne soit pas
inscrit sur une liste infâme. Je suis une femme, c'est vrai,
et si la beauté est tout pour les femmes, bien d'autres
valent mieux que moi. Mais n'as-tu rien, dis-moi, —
dis-moi donc, toi! voyons! n'as-tu donc rien, rien là!

Elle lui frappe le cœur.

Le Duc. — Quel démon! Assieds-toi donc là, ma petite.

La Marquise. — Eh bien! oui, je veux bien l'avouer,
oui, j'ai de l'ambition, non pas pour moi, — mais toi!
toi, et ma chère Florence! O Dieu! tu m'es témoin de ce
que je souffre.

Le Duc. — Tu souffres! Qu'est-ce que tu as?

La Marquise. — Non, je ne souffre pas. Écoute! écoute!
Je vois que tu t'ennuies auprès de moi. Tu comptes les
moments, tu détournes la tête; ne t'en va pas encore :
c'est peut-être la dernière fois que je te vois. Écoute!
je te dis que Florence t'appelle sa peste nouvelle, et qu'il
n'y a pas une chaumière où ton portrait ne soit collé sur

les murailles avec un coup de couteau dans le cœur. Que je sois folle, que tu me haïsses demain, que m'importe? tu sauras cela.

Le Duc. — Malheur à toi, si tu joues avec ma colère!

La Marquise. — Oui, malheur à moi! malheur à moi!

Le Duc. — Une autre fois, — demain matin, si tu veux, nous pourrons nous revoir, — et parler de cela. Ne te fâche pas, si je te quitte à présent, il faut que j'aille à la chasse.

La Marquise. — Oui, malheur à moi! malheur à moi!

Le Duc. —Pourquoi? Tu as l'air sombre comme l'enfer. Pourquoi diable aussi te mêles-tu de politique? Allons, allons, ton petit rôle de femme, et de vraie femme, te va si bien. Tu es trop dévote; cela se formera. Aide-moi donc à remettre mon habit; je suis tout débraillé.

La Marquise. — Adieu, Alexandre.

Le duc l'embrasse. — Entre le cardinal.

Le Cardinal. — Ah! — Pardon, Altesse, je croyais ma sœur toute seule. Je suis un maladroit; c'est à moi d'en porter la peine. Je vous supplie de m'excuser.

Le Duc. — Comment l'entendez-vous? Allons donc, Malaspina, voilà qui sent le prêtre. Est-ce que vous devez voir ces choses-là? Venez donc, venez donc; que diable est-ce que cela vous fait?

Ils sortent ensemble.

La Marquise, *seule, tenant le portrait de son mari.* — Où es-tu, maintenant, Laurent? Il est midi passé; tu te promènes sur la terrasse, devant les grands marronniers. Autour de toi paissent tes génisses grasses; tes garçons de ferme dînent à l'ombre; la pelouse soulève son manteau blanchâtre aux rayons du soleil; les arbres, entretenus par tes soins, murmurent religieusement sur la tête blanche de leur vieux maître, tandis que l'écho de nos longues arcades répète avec respect le bruit de ton pas tranquille. O mon Laurent! j'ai perdu le trésor de ton honneur; j'ai voué au ridicule et au doute les dernières années de ta noble vie; tu ne presseras plus sur ta cuirasse un cœur digne du tien; ce sera une main tremblante qui t'apportera ton repas du soir quand tu rentreras de la chasse.

SCÈNE VII

Chez les Strozzi.

LES QUARANTE STROZZI, à *souper*.

PHILIPPE. — Mes enfants, mettons-nous à table.

LES CONVIVES. — Pourquoi reste-t-il deux sièges vides ?

PHILIPPE. — Pierre et Thomas sont en prison.

LES CONVIVES. — Pourquoi ?

PHILIPPE. — Parce que Salviati a insulté ma fille, que voilà, à la foire de Montolivet, publiquement, et devant son frère Léon. Pierre et Thomas ont tué Salviati, et Alexandre de Médicis les a fait arrêter pour venger la mort de son ruffian.

LES CONVIVES. — Meurent les Médicis !

PHILIPPE. — J'ai rassemblé ma famille pour lui raconter mes chagrins, et la prier de me secourir. Soupons, et sortons ensuite l'épée à la main, pour redemander mes deux fils, si vous avez du cœur.

LES CONVIVES. — C'est dit ; nous voulons bien.

PHILIPPE. — Il est temps que cela finisse, voyez-vous ; on nous tuerait nos enfants et on déshonorerait nos filles. Il est temps que Florence apprenne à ces bâtards ce que c'est que le droit de vie et de mort. Les Huit n'ont pas le droit de condamner mes enfants ; et moi, je n'y survivrais pas.

LES CONVIVES. — N'aie pas peur, Philippe, nous sommes là.

PHILIPPE. — Je suis le chef de la famille : comment souffrirais-je qu'on m'insultât ? Nous sommes tout autant que les Médicis, les Ruccellaï tout autant, les Aldobrandini et vingt autres. Pourquoi ceux-là pourraient-ils faire égorger nos enfants plutôt que nous les leurs ? Qu'on allume un tonneau de poudre dans les caves de la citadelle, et voilà la garnison allemande en déroute. Que reste-t-il à ces Médicis ? Là est leur force ; hors de là, ils ne sont rien. Sommes-nous des hommes ? Est-ce à dire qu'on abattra d'un coup de hache les nobles familles de Florence, et qu'on arrachera de la terre natale des racines aussi vieilles qu'elle ? C'est par nous qu'on commence ; c'est à nous de tenir ferme ; notre premier cri d'alarme, comme le coup de sifflet de l'oiseleur, va rabattre sur Florence une armée tout entière d'aigles chassés du nid; ils ne sont pas loin; ils tournoient autour de la ville, les yeux fixés sur ses clochers. Nous y planterons le drapeau noir de la peste; ils accourront à ce signal de mort. Ce sont les couleurs de la colère céleste. Ce soir, allons d'abord délivrer nos fils; demain nous irons tous ensemble, l'épée nue, à la porte de toutes les grandes familles; il y a à Florence quatre-vingts palais, et de chacun d'eux sortira une troupe pareille à la nôtre quand la liberté y frappera.

Les Convives. — Vive la liberté!

Philippe. — Je prends Dieu à témoin que c'est la violence qui me force à tirer l'épée; que je suis resté durant soixante ans bon et paisible citoyen; que je n'ai jamais fait de mal à qui que ce soit au monde, et que la moitié de ma fortune a été employée à secourir les malheureux.

Les Convives. — C'est vrai.

Philippe. — C'est une juste vengeance qui me pousse à la révolte, et je me fais rebelle parce que Dieu m'a fait père. Je ne suis poussé par aucun motif d'ambition, ni d'intérêt ni d'orgueil. Ma cause est loyale, honorable et sacrée. Emplissez vos coupes et levez-vous. Notre vengeance est une hostie que nous pouvons briser sans crainte et partager devant Dieu. Je bois à la mort des Médicis!

Les Convives, *se lèvent et boivent*. — A la mort des Médicis!

Louise, *posant son verre*. — Ah! je vais mourir.

Philippe. — Qu'as-tu, ma fille, mon enfant bien-aimée, qu'as-tu, mon Dieu! que t'arrive-t-il! Mon Dieu, mon Dieu, comme tu pâlis! Parle, qu'as-tu? parle à ton père. Au secours, au secours! un médecin! Vite, vite, il n'est plus temps.

Louise. — Je vais mourir, je vais mourir.

Elle meurt.

Philippe. — Elle s'en va, mes amis, elle s'en va! Un médecin! ma fille est empoisonnée!

Il tombe à genoux près de Louise.

Un Convive. — Coupez son corset; faites-lui boire de l'eau tiède; si c'est du poison, il faut de l'eau tiède.

Les domestiques accourent.

Un Autre Convive. — Frappez-lui dans les mains; ouvrez les fenêtres, et frappez-lui dans les mains.

UN AUTRE. — Ce n'est peut-être qu'un étourdissement; elle aura bu avec trop de précipitation.

UN AUTRE. — Pauvre enfant! Comme ses traits sont calmes! Elle ne peut pas être morte ainsi tout d'un coup.

PHILIPPE. — Mon enfant! es-tu morte, es-tu morte, Louise, ma fille bien-aimée?

LE PREMIER CONVIVE. — Voilà le médecin qui accourt.

Un médecin entre.

LE SECOND CONVIVE. — Dépêchez-vous, monsieur; dites-nous si c'est du poison.

PHILIPPE. — C'est un étourdissement, n'est-ce pas?

LE MÉDECIN. — Pauvre jeune fille! Elle est morte.

*Un profond silence règne dans la salle ; Philippe
est toujours à genoux auprès de Louise et lui tient
les mains.*

UN DES CONVIVES. — C'est du poison des Médicis. Ne laissons pas Philippe dans l'état où il est. Cette immobilité est effrayante.

UN AUTRE. — Je suis sûr de ne pas me tromper. Il y avait autour de la table un domestique qui a appartenu à la femme de Salviati.

UN AUTRE. — C'est lui qui a fait le coup, sans aucun doute. Sortons, et arrêtons-le.

Ils sortent.

LE PREMIER CONVIVE. — Philippe ne veut pas répondre à ce qu'on lui dit; il est frappé de la foudre.

UN AUTRE. — C'est horrible! C'est un meurtre inouï!

UN AUTRE. — Cela crie vengeance au ciel; sortons, et allons égorger Alexandre.

UN AUTRE. — Oui, sortons; mort à Alexandre! C'est lui qui a tout ordonné. Insensés que nous sommes! ce n'est pas d'hier que date sa haine contre nous. Nous agissons trop tard.

UN AUTRE. — Salviati n'en voulait pas à cette pauvre Louise pour son propre compte; c'est pour le duc qu'il travaillait. Allons, partons, quand on devrait nous tuer jusqu'au dernier.

PHILIPPE *se lève.* — Mes amis, vous enterrerez ma pauvre fille, n'est-ce pas? *(Il met son manteau)* dans mon jardin, derrière les figuiers. Adieu, mes bons amis; adieu, portez-vous bien.

UN CONVIVE. — Où vas-tu, Philippe?

PHILIPPE. — J'en ai assez, voyez-vous; j'en ai autant que j'en puis porter. J'ai mes deux fils en prison, et voilà ma fille morte. J'en ai assez, je m'en vais d'ici.

UN CONVIVE. — Tu t'en vas? tu t'en vas sans vengeance?

PHILIPPE. — Oui, oui. Ensevelissez seulement ma pauvre fille, mais ne l'enterrez pas; c'est à moi de l'enterrer; je le ferai à ma façon, chez de pauvres moines que je connais, et qui viendront la chercher demain. A quoi sert-il de la regarder? elle est morte; ainsi cela est inutile. Adieu, mes amis, rentrez chez vous; portez-vous bien.

UN CONVIVE. — Ne le laissez pas sortir, il a perdu la raison.

UN AUTRE. — Quelle horreur! je me sens prêt à m'évanouir dans cette salle.

Il sort.

PHILIPPE. — Ne me faites pas violence; ne m'enfermez pas dans une chambre où est le cadavre de ma fille; laissezmoi m'en aller.

UN CONVIVE. — Venge-toi, Philippe, laisse-nous te venger. Que ta Louise soit notre Lucrèce! Nous ferons boire à Alexandre le reste de son verre.

UN AUTRE. — La nouvelle Lucrèce! Nous allons jurer sur son corps de mourir pour la liberté! Rentre chez toi, Philippe, pense à ton pays. Ne rétracte pas tes paroles.

PHILIPPE. — Liberté, vengeance, voyez-vous, tout cela est beau; j'ai deux fils en prison, et voilà ma fille morte. Si je reste ici, tout va mourir autour de moi. L'important, c'est que je m'en aille, et que vous vous teniez tranquilles. Quand ma porte et mes fenêtres seront fermées, on ne pensera plus aux Strozzi. Si elles restent ouvertes, je m'en vais vous voir tomber tous les uns après les autres. Je suis vieux, voyez-vous, il est temps que je ferme ma boutique; adieu, mes amis, restez tranquilles; si je n'y suis plus, on ne vous fera rien. Je m'en vais de ce pas à Venise.

UN CONVIVE. — Il fait un orage épouvantable; reste ici cette nuit.

PHILIPPE. — N'enterrez pas ma pauvre enfant; mes vieux moines viendront demain, et ils l'emporteront. Dieu de justice! Dieu de justice! que t'ai-je fait?

Il sort en courant.

ACTE IV

SCÈNE I

Au palais du duc.

Entrent LE DUC *et* LORENZO.

LE DUC. — J'aurais voulu être là; il devait y avoir plus d'une face en colère. Mais je ne conçois pas qui a pu empoisonner cette Louise.

LORENZO. — Ni moi non plus; à moins que ce ne soit vous.

LE DUC. — Philippe doit être furieux! On dit qu'il est parti pour Venise. Dieu merci, me voilà délivré de ce vieillard insupportable. Quant à la chère famille, elle aura la bonté de se tenir tranquille. Sais-tu qu'ils ont failli faire une petite révolution dans leur quartier? On m'a tué deux Allemands.

LORENZO. — Ce qui me fâche le plus, c'est que cet honnête Salviati a une jambe coupée. Avez-vous retrouvé votre cotte de mailles?

LE DUC. — Non, en vérité; j'en suis plus mécontent que je ne puis le dire.

LORENZO. — Méfiez-vous de Giomo; c'est lui qui vous l'a volée. Que portez-vous à la place?

LE DUC. — Rien; je ne puis en supporter une autre; il n'y en a pas d'aussi légère que celle-là.

LORENZO. — Cela est fâcheux pour vous.

LE DUC. — Tu ne me parles pas de ta tante.

LORENZO. — C'est par oubli, car elle vous adore; ses yeux ont perdu le repos depuis que l'astre de votre amour s'est levé dans son pauvre cœur. De grâce, seigneur, ayez quelque pitié pour elle; dites quand vous voulez la recevoir, et à quelle heure il lui sera loisible de vous sacrifier le peu de vertu qu'elle a.

LE DUC. — Parles-tu sérieusement?

LORENZO. — Aussi sérieusement que la Mort elle-même. Je voudrais voir qu'une tante à moi ne couchât pas avec vous.

Le Duc. — Où pourrais-je la voir?

Lorenzo. — Dans ma chambre, seigneur; je ferai mettre des rideaux blancs à mon lit et un pot de réséda sur ma table; après quoi je coucherai par écrit sur votre calepin que ma tante sera en chemise à minuit précis, afin que vous ne l'oubliiez pas après souper.

Le Duc. — Je n'ai garde. Peste! Catherine est un morceau de roi. Eh! dis-moi, habile garçon, tu es vraiment sûr qu'elle viendra? Comment t'y es-tu pris?

Lorenzo. — Je vous dirai cela.

Le Duc. — Je m'en vais voir un cheval que je viens d'acheter; adieu et à ce soir. Viens me prendre après souper; nous irons ensemble à ta maison; quant à la Cibo, j'en ai par-dessus les oreilles : hier encore, il a fallu l'avoir sur le dos pendant toute la chasse. Bonsoir, mignon.

Il sort.

Lorenzo, *seul.* — Ainsi, c'est convenu. Ce soir je l'emmène chez moi, et demain les républicains verront ce qu'ils ont à faire, car le duc de Florence sera mort. Il faut que j'avertisse Scoronconcolo. Dépêche-toi, soleil, si tu es curieux des nouvelles que cette nuit te dira demain.

Il sort.

SCÈNE II

Une rue.

PIERRE *et* THOMAS STROZZI, *sortant de prison.*

Pierre. — J'étais bien sûr que les Huit me renverraient absous, et toi aussi. Viens, frappons à notre porte, et allons embrasser notre père. Cela est singulier; les volets sont fermés!

Le Portier, *ouvrant.* — Hélas! seigneur, vous savez les nouvelles.

Pierre. — Quelles nouvelles? Tu as l'air d'un spectre qui sort d'un tombeau, à la porte de ce palais désert.

Le Portier. — Est-il possible que vous ne sachiez rien?

Deux moines arrivent.

Thomas. — Et que pourrions-nous savoir? Nous sortons de prison. Parle; qu'est-il arrivé?

LE PORTIER. — Hélas! mes pauvres seigneurs! cela est horrible à dire.

LES MOINES, *s'approchant.* — Est-ce ici le palais des Strozzi?

LE PORTIER. — Oui; que demandez-vous?

LES MOINES. — Nous venons chercher le corps de Louise Strozzi. Voilà l'autorisation de Philippe, afin que vous nous laissiez l'emporter.

PIERRE. — Comment dites-vous? Quel corps demandez-vous?

LES MOINES. — Éloignez-vous, mon enfant, vous portez sur votre visage la ressemblance de Philippe; il n'y a rien de bon à apprendre ici pour vous.

THOMAS. — Comment? elle est morte? morte? ô Dieu du ciel!

Il s'assoit à l'écart.

PIERRE. — Je suis plus ferme que vous ne pensez. Qui a tué ma sœur? car on ne meurt pas à son âge dans l'espace d'une nuit, sans une cause extraordinaire. Qui l'a tuée, que je le tue? Répondez-moi, ou vous êtes mort vous-même.

LE PORTIER. — Hélas! hélas! qui peut le dire? Personne n'en sait rien.

PIERRE. — Où est mon père? Viens, Thomas, point de larmes. Par le ciel, mon cœur se serre comme s'il allait s'ossifier dans mes entrailles, et rester un rocher pour l'éternité.

LES MOINES. — Si vous êtes le fils de Philippe, venez avec nous; nous vous conduirons à lui; il est depuis hier à notre couvent.

PIERRE. — Et je ne saurai pas qui a tué ma sœur? Écoutez-moi, prêtres; si vous êtes l'image de Dieu, vous pouvez recevoir un serment. Par tout ce qu'il y a d'instruments de supplice sous le ciel, par les tortures de l'enfer... Non; je ne veux pas dire un mot. Dépêchons-nous, que je voie mon père. O Dieu! ô Dieu! faites que ce que je soupçonne soit la vérité, afin que je les broie sous mes pieds comme des grains de sable. Venez, venez; avant que je perde la force, ne me dites pas un mot; il s'agit là d'une vengeance, voyez-vous, telle que la colère céleste n'en a pas rêvé.

Ils sortent.

SCÈNE III

Une rue.

LORENZO, SCORONCONCOLO

LORENZO. — Rentre chez toi, et ne manque pas de
venir à minuit; tu t'enfermeras dans mon cabinet jusqu'à
ce qu'on vienne t'avertir.

SCORONCONCOLO. — Oui, Monseigneur.

Il sort.

LORENZO, *seul*. — De quel tigre a rêvé ma mère enceinte
de moi? Quand je pense que j'ai aimé les fleurs, les prairies
et les sonnets de Pétrarque, le spectre de ma jeunesse se
lève devant moi en frissonnant. O Dieu! pourquoi ce seul
mot : « A ce soir, » fait-il pénétrer jusque dans mes os
cette joie brûlante comme un fer rouge? De quelles
entrailles fauves, de quels velus embrassements suis-je
donc sorti? Que m'avait fait cet homme? Quand je pose
ma main là, sur mon cœur, et que je réfléchis, — qui donc
m'entendra dire demain : Je l'ai tué, sans me répondre :
Pourquoi l'as-tu tué? Cela est étrange. Il a fait du mal aux
autres, mais il m'a fait du bien, du moins à sa manière. Si
j'étais resté tranquille au fond de mes solitudes de Cafaggiuolo, il ne serait pas venu m'y chercher, et moi, je suis
venu le chercher à Florence. Pourquoi cela? Le spectre de
mon père me conduisait-il, comme Oreste, vers un nouvel
Égiste? M'avait-il offensé alors? Cela est étrange, et cependant pour cette action, j'ai tout quitté; la seule pensée de
ce meurtre a fait tomber en poussière les rêves de ma vie;
je n'ai plus été qu'une ruine, dès que ce meurtre, comme
un corbeau sinistre, s'est posé sur ma route et m'a appelé
à lui. Que veut dire cela? Tout à l'heure, en passant sur
la place, j'ai entendu deux hommes parler d'une comète.
Sont-ce bien les battements d'un cœur humain que je
sens là, sous les os de ma poitrine? Ah! pourquoi cette
idée me vient-elle si souvent depuis quelque temps?
Suis-je le bras de Dieu? Y a-t-il une nuée au-dessus de
ma tête? Quand j'entrerai dans cette chambre, et que je
voudrai tirer mon épée du fourreau, j'ai peur de tirer
l'épée flamboyante de l'archange, et de tomber en cendres
sur ma proie.

Il sort.

SCÈNE IV

Chez le marquis Cibo.

Entrent LE CARDINAL *et* LA MARQUISE.

La Marquise. — Comme vous voudrez, Malaspina.

Le Cardinal. — Oui, comme je voudrai. Pensez-y à
deux fois, marquise, avant de vous jouer à moi. Êtes-vous
une femme comme les autres, et faut-il qu'on ait une
chaîne d'or au cou et un mandat à la main pour que vous
compreniez qui on est? Attendez-vous qu'un valet crie
à tue-tête en ouvrant une porte devant moi, pour savoir
quelle est ma puissance? Apprenez-le : ce ne sont pas les
titres qui font l'homme; je ne suis ni envoyé du pape ni
capitaine de Charles Quint, je suis plus que cela.

La Marquise. — Oui, je le sais; César a vendu son
ombre au diable; cette ombre impériale se promène,
affublée d'une robe rouge, sous le nom de Cibo.

Le Cardinal. — Vous êtes la maîtresse d'Alexandre,
songez à cela; et votre secret est entre mes mains.

La Marquise. — Faites-en ce qu'il vous plaira; nous
verrons l'usage qu'un confesseur sait faire de sa conscience.

Le Cardinal. — Vous vous trompez; ce n'est pas par
votre confession que je l'ai appris; je l'ai vu de mes propres
yeux : je vous ai vue embrasser le duc. Vous me l'auriez
avoué au confessionnal que je pourrais encore en parler
sans péché, puisque je l'ai vu hors du confessionnal.

La Marquise. — Eh bien, après?

Le Cardinal. — Pourquoi le duc vous quittait-il d'un
pas si nonchalant, et en soupirant comme un écolier
quand la cloche sonne? Vous l'avez rassasié de votre
patriotisme, qui, comme une fade boisson, se mêle à
tous les mets de votre table; quels livres avez-vous lus,
et quelle sotte duègne était donc votre gouvernante, pour
que vous ne sachiez pas que la maîtresse d'un roi parle
ordinairement d'autre chose que de patriotisme?

La Marquise. — J'avoue que l'on ne m'a jamais appris
bien nettement de quoi devait parler la maîtresse d'un
roi; j'ai négligé de m'instruire sur ce point, comme aussi,
peut-être, de manger du riz pour m'engraisser, à la mode
turque.

Le Cardinal. — Il ne faut pas une grande science
pour garder un amant un peu plus de trois jours.

La Marquise. — Qu'un prêtre eût appris cette science
à une femme, cela eût été fort simple ; que ne m'avez-vous
conseillée ?

Le Cardinal. — Voulez-vous que je vous conseille ?
Prenez votre manteau, et allez vous glisser dans l'alcôve
du duc. S'il s'attend à des phrases en vous voyant, prouvez-
lui que vous savez n'en pas faire à toutes les heures ; soyez
pareille à une somnambule, et faites en sorte que s'il
s'endort sur ce cœur républicain, ce ne soit pas d'ennui.
Êtes-vous vierge ? n'y a-t-il plus de vin de Chypre ?
n'avez-vous pas au fond de la mémoire quelque joyeuse
chanson ? n'avez-vous pas lu l'Arétin ?

La Marquise. — O ciel ! j'ai entendu murmurer des
mots comme ceux-là à de hideuses vieilles qui grelottent
sur le Marché-Neuf. Si vous n'êtes pas un prêtre, êtes-
vous un homme ? Êtes-vous sûr que le ciel est vide, pour
faire ainsi rougir votre pourpre elle-même ?

Le Cardinal. — Il n'y a rien de si vertueux que l'oreille
d'une femme dépravée. Feignez ou non de me comprendre,
mais souvenez-vous que mon frère est votre mari.

La Marquise. — Quel intérêt vous avez à me torturer
ainsi, voilà ce que je ne puis comprendre que vaguement.
Vous me faites horreur ; que voulez-vous de moi ?

Le Cardinal. — Il y a des secrets qu'une femme ne
doit pas savoir, mais qu'elle peut faire prospérer en en
sachant les éléments.

La Marquise. — Quel fil mystérieux de vos sombres
pensées voudriez-vous me faire tenir ? Si vos désirs sont
aussi effrayants que vos menaces, parlez ; montrez-moi
du moins le cheveu qui suspend l'épée sur ma tête.

Le Cardinal. — Je ne puis parler qu'en termes couverts,
par la raison que je ne suis pas sûr de vous. Qu'il vous
suffise de savoir que si vous eussiez été une autre femme,
vous seriez une reine à l'heure qu'il est. Puisque vous
m'appelez l'ombre de César, vous auriez vu qu'elle est
assez grande pour intercepter le soleil de Florence. Savez-
vous où peut conduire un sourire féminin ? Savez-vous où
vont les fortunes dont les racines poussent dans les alcôves ?
Alexandre est fils du pape, apprenez-le ; et quand le pape
était à Bologne... Mais je me laisse entraîner trop loin.

La Marquise. — Prenez garde de vous confesser à
votre tour. Si vous êtes le frère de mon mari, je suis la maîtresse d'Alexandre.

Le Cardinal. — Vous l'avez été, marquise, et bien
d'autres aussi.

La Marquise. — Je l'ai été, oui, Dieu merci, je l'ai été.

Le Cardinal. — J'étais sûr que vous commenceriez par vos rêves; il faudra cependant que vous en veniez quelque jour aux miens. Écoutez-moi, nous nous querellons assez mal à propos; mais, en vérité, vous prenez tout au sérieux. Réconciliez-vous avec Alexandre, et puisque je vous ai blessée tout à l'heure en vous disant comment, je n'ai que faire de le répéter. Laissez-vous conduire; dans un an, dans deux ans, vous me remercierez. J'ai travaillé longtemps pour être ce que je suis, et je sais où l'on peut aller. Si j'étais sûr de vous, je vous dirais des choses que Dieu lui-même ne saura jamais.

La Marquise. — N'espérez rien, et soyez assuré de mon mépris.

Elle veut sortir.

Le Cardinal. — Un instant! pas si vite! N'entendez-vous pas le bruit d'un cheval? mon frère ne doit-il pas venir aujourd'hui ou demain? me connaissez-vous pour un homme qui a deux paroles? Allez au palais ce soir, ou vous êtes perdue.

La Marquise. — Mais enfin, que vous soyez ambitieux, que tous les moyens vous soient bons, je le conçois; mais parlerez-vous plus clairement? Voyons, Malaspina, je ne veux pas désespérer tout à fait de ma perversion. Si vous pouvez me convaincre, faites-le, — parlez-moi franchement. Quel est votre but?

Le Cardinal. — Vous ne désespérez pas de vous laisser convaincre, n'est-il pas vrai? Me prenez-vous pour un enfant, et croyez-vous qu'il suffise de me frotter les lèvres de miel pour me les desserrer? Agissez d'abord, je parlerai après. Le jour où, comme femme, vous aurez pris l'empire nécessaire, non pas sur l'esprit d'Alexandre, duc de Florence, mais sur le cœur d'Alexandre votre amant, je vous apprendrai le reste, et vous saurez ce que j'attends.

La Marquise. — Ainsi donc, quand j'aurai lu l'Arétin, pour me donner une première expérience, j'aurai à lire, pour en acquérir une seconde, le livre secret de vos pensées? Voulez-vous que je vous dise, moi, ce que vous n'osez pas me dire? Vous servez le pape, jusqu'à ce que l'empereur trouve que vous êtes meilleur valet que le pape lui-même. Vous espérez qu'un jour César vous devra bien réellement, bien complètement l'esclavage de l'Italie, et ce jour-là, — oh! ce jour-là, n'est-il pas vrai, celui qui est le roi de la moitié du monde pourrait bien vous donner en récompense le chétif héritage des cieux.

Pour gouverner Florence en gouvernant le duc, vous vous feriez femme tout à l'heure, si vous pouviez. Quand la pauvre Ricciarda Cibo aura fait faire deux ou trois coups d'État à Alexandre, on aura bientôt ajouté que Ricciarda Cibo mène le duc, mais qu'elle est menée par son beau-frère; et, comme vous dites, qui sait jusqu'où les larmes des peuples, devenues un océan, pourraient lancer votre barque? Est-ce à peu près cela? Mon imagination ne peut aller aussi loin que la vôtre, sans doute; mais je crois que c'est à peu près cela.

LE CARDINAL. — Allez ce soir chez le duc, ou vous êtes perdue.

LA MARQUISE. — Perdue? et comment?

LE CARDINAL. — Ton mari saura tout.

LA MARQUISE. — Faites-le, faites-le! je me tuerai.

LE CARDINAL. — Menace de femme! Écoutez-moi. Que vous m'ayez compris bien ou mal, allez ce soir chez le duc.

LA MARQUISE. — Non.

LE CARDINAL. — Voilà votre mari qui entre dans la cour. Par tout ce qu'il y a de sacré au monde, je lui raconte tout, si vous dites non encore une fois.

LA MARQUISE. — Non, non, non!

Entre le marquis.

LA MARQUISE. — Laurent, pendant que vous étiez à Massa, je me suis livrée à Alexandre, je me suis livrée, sachant qui il était, et quel rôle misérable j'allais jouer. Mais voilà un prêtre qui veut m'en faire jouer un plus vil encore; il me propose des horreurs pour m'assurer le titre de maîtresse du duc, et le tourner à son profit.

Elle se jette à genoux.

LE MARQUIS. — Êtes-vous folle? Que veut-elle dire, Malaspina? — Eh bien! vous voilà comme une statue. Ceci est-il une comédie, cardinal? Eh bien donc! que faut-il que j'en pense?

LE CARDINAL. — Ah! corps du Christ!

Il sort.

LE MARQUIS. — Elle est évanouie. Holà! qu'on apporte du vinaigre.

SCÈNE V

La chambre de Lorenzo.

LORENZO, DEUX DOMESTIQUES.

LORENZO. — Quand vous aurez placé ces fleurs sur la table et celles-ci au pied du lit, vous ferez un bon feu, mais de manière à ce que cette nuit la flamme ne flambe pas, et que les charbons échauffent sans éclairer. Vous me donnerez la clef, et vous irez vous coucher.

Entre Catherine.

CATHERINE. — Notre mère est malade; ne viens-tu pas la voir, Renzo?

LORENZO. — Ma mère est malade?

CATHERINE. — Hélas! je ne puis te cacher la vérité. J'ai reçu hier un billet du duc, dans lequel il me disait que tu avais dû me parler d'amour pour lui; cette lecture a fait bien du mal à Marie.

LORENZO. — Cependant je ne t'avais pas parlé de cela. N'as-tu pas pu lui dire que je n'étais pour rien là-dedans?

CATHERINE. — Je le lui ai dit. Pourquoi ta chambre est-elle aujourd'hui si belle, et en si bon état? je ne croyais pas que l'esprit d'ordre fût ton majordome.

LORENZO. — Le duc t'a donc écrit? Cela est singulier que je ne l'aie point su. Et, dis-moi, que penses-tu de sa lettre?

CATHERINE. — Ce que j'en pense?

LORENZO. — Oui, de la déclaration d'Alexandre. Qu'en pense ce petit cœur innocent?

CATHERINE. — Que veux-tu que j'en pense?

LORENZO. — N'as-tu pas été flattée? un amour qui fait l'envie de tant de femmes! un titre si beau à conquérir, la maîtresse de... Va-t'en, Catherine, va dire à ma mère que je te suis. Sors d'ici. Laisse-moi!

Catherine sort.

Par le ciel! quel homme de cire suis-je donc? Le vice, comme la robe de Déjanire, s'est-il si profondément incorporé à mes fibres, que je ne puisse plus répondre de ma langue, et que l'air qui sort de mes lèvres se fasse ruffian malgré moi? J'allais corrompre Catherine; je crois que je corrompais ma mère, si mon cerveau le prenait à tâche;

car Dieu sait quelle corde et quel arc les dieux ont tendus dans ma tête, et quelle force ont ont les flèches qui en partent. Si tous les hommes sont des parcelles d'un foyer immense, assurément l'être inconnu qui m'a pétri a laissé tomber un tison au lieu d'une étincelle dans ce corps faible et chancelant. Je puis délibérer et choisir, mais non revenir sur mes pas quand j'ai choisi. O Dieu! les jeunes gens à la mode ne se font-ils pas une gloire d'être vicieux, et les enfants qui sortent du collège ont-ils quelque chose de plus pressé que de se pervertir? Quel bourbier doit donc être l'espèce humaine qui se rue ainsi dans les tavernes avec des lèvres affamées de débauche, quand moi, qui n'ai voulu prendre qu'un masque pareil à leurs visages, et qui ai été aux mauvais lieux avec une résolution inébranlable de rester pur sous mes vêtements souillés, je ne puis ni me retrouver moi-même, ni laver mes mains, même avec du sang! Pauvre Catherine! tu mourrais cependant, comme Louise Strozzi, ou tu te laisserais tomber comme tant d'autres dans l'éternel abîme, si je n'étais pas là. O Alexandre! je ne suis pas dévot; mais je voudrais, en vérité, que tu fisses ta prière avant de venir ce soir dans cette chambre. Catherine n'est-elle pas vertueuse, irréprochable? Combien faudrait-il pourtant de paroles pour faire de cette colombe ignorante la proie de ce gladiateur aux poils roux? Quand je pense que j'ai failli parler! Que de filles maudites par leurs pères rôdent au coin des bornes ou regardent leur tête rasée dans le miroir cassé d'une cellule, qui ont valu autant que Catherine, et qui ont écouté un ruffian moins habile que moi! Eh bien! j'ai commis bien des crimes, et si ma vie est jamais dans la balance d'un juge quelconque, il y aura d'un côté une montagne de sanglots; mais il y aura peut-être de l'autre une goutte de lait pur tombée du sein de Catherine, et qui aura nourri d'honnêtes enfants.

Il sort.

SCÈNE VI

Une vallée ; un couvent dans le fond.

Entrent PHILIPPE STROZZI *et deux moines ;*
des novices portent le cercueil de Louise ;
ils le posent dans un tombeau.

PHILIPPE. — Avant de la mettre dans son dernier lit,
laissez-moi l'embrasser. Lorsqu'elle était couchée, c'est
ainsi que je me penchais sur elle pour lui donner le baiser
du soir. Ses yeux mélancoliques étaient ainsi fermés à
demi ; mais ils se rouvraient au premier rayon du soleil,
comme deux fleurs d'azur ; elle se levait doucement le
sourire sur les lèvres, et elle venait rendre à son vieux père
son baiser de la veille. Sa figure céleste rendait délicieux
un moment bien triste, le réveil d'un homme fatigué de
la vie. Un jour de plus, pensais-je en voyant l'aurore,
un sillon de plus dans mon champ ! Mais alors j'apercevais
ma fille, la vie m'apparaissait sous la forme de sa beauté,
et la clarté du jour était la bienvenue.

On ferme le tombeau.

PIERRE STROZZI, *derrière la scène.* — Par ici, venez par
ici.

PHILIPPE. — Tu ne te lèveras plus de ta couche ; tu ne
poseras pas tes pieds nus sur ce gazon pour revenir trouver
ton père. O ma Louise ! il n'y a que Dieu qui ait su qui
tu étais, et moi, moi, moi !

PIERRE, *entrant.* — Ils sont cent à Sestino, qui arrivent
du Piémont. Venez, Philippe, le temps des larmes est
passé.

PHILIPPE. — Enfant, sais-tu ce que c'est que le temps
des larmes ?

PIERRE. — Les bannis se sont rassemblés à Sestino ; il
est temps de penser à la vengeance ; marchons franchement sur Florence avec notre petite armée. Si nous pouvons arriver à propos pendant la nuit et surprendre les
postes de la citadelle, tout est dit. Par le ciel, j'élèverai
à ma sœur un autre mausolée que celui-là.

PHILIPPE. — Non pas moi ; allez sans moi, mes amis.

PIERRE. — Nous ne pouvons nous passer de vous,
sachez-le, les confédérés comptent sur votre nom ; François Ier lui-même attend de vous un mouvement en faveur

de la liberté. Il vous écrit, comme au chef des républicains florentins; voilà sa lettre.

PHILIPPE *ouvre la lettre*. — Dis à celui qui t'a apporté cette lettre qu'il réponde ceci au roi de France : Le jour où Philippe portera les armes contre son pays, il sera devenu fou.

PIERRE. — Quelle est cette nouvelle sentence?

PHILIPPE. — Celle qui me convient.

PIERRE. — Ainsi vous perdez la cause des bannis, pour le plaisir de faire une phrase? Prenez garde, mon père, il ne s'agit pas là d'un passage de Pline; réfléchissez avant de dire non.

PHILIPPE. — Il y a soixante ans que je sais ce que je devais répondre à la lettre du roi de France.

PIERRE. — Cela passe toute idée! vous me forceriez à vous dire de certaines choses. Venez avec nous, mon père, je vous en supplie. Lorsque j'allais chez les Pazzi, ne m'avez-vous pas dit : Emmène-moi? Cela était-il différent alors?

PHILIPPE. — Très différent. Un père offensé qui sort de sa maison l'épée à la main, avec ses amis, pour aller réclamer justice, est très différent d'un rebelle qui porte les armes contre son pays, en rase campagne et au mépris des lois.

PIERRE. — Il s'agissait bien de réclamer justice! il s'agissait d'assommer Alexandre! Qu'est-ce qu'il y a de changé aujourd'hui? Vous n'aimez pas votre pays, ou sans cela vous profiteriez d'une occasion comme celle-ci.

PHILIPPE. — Une occasion, mon Dieu, cela, une occasion!

Il frappe le tombeau.

PIERRE. — Laissez-vous fléchir.

PHILIPPE. — Je n'ai pas une douleur ambitieuse; laisse-moi seul, j'en ai assez dit.

PIERRE. — Vieillard obstiné! inexorable faiseur de sentences! vous serez cause de notre perte.

PHILIPPE. — Tais-toi, insolent! sors d'ici.

PIERRE. — Je ne puis dire ce qui se passe en moi. Allez où il vous plaira, nous agirons sans vous cette fois. Eh! mort de Dieu, il ne sera pas dit que tout soit perdu faute d'un traducteur de latin.

Il sort.

PHILIPPE. — Ton jour est venu, Philippe! tout cela signifie que ton jour est venu.

SCÈNE VII

Le bord de l'Arno ; un quai. On voit une longue suite de palais.

Entre LORENZO. — Voilà le soleil qui se couche; je n'ai pas de temps à perdre, et cependant tout ressemble ici à du temps perdu.

Il frappe à une porte.

Holà! seigneur Alamanno! holà!

ALAMANNO, *sur sa terrasse.* — Qui est là? que me voulez-vous?

LORENZO. — Je viens vous avertir que le duc doit être tué cette nuit; prenez vos mesures pour demain avec vos amis, si vous aimez la liberté.

ALAMANNO. — Par qui doit être tué Alexandre?

LORENZO. — Par Lorenzo de Médicis.

ALAMANNO. — C'est toi, Renzinaccio? Eh! entre donc souper avec de bons vivants qui sont dans mon salon.

LORENZO. — Je n'ai pas le temps; préparez-vous à agir demain.

ALAMANNO. — Tu veux tuer le duc, toi? Allons donc! tu as un coup de vin dans la tête.

Il rentre chez lui.

LORENZO, *seul.* — Peut-être que j'ai tort de leur dire que c'est moi qui tuerai Alexandre, car tout le monde refuse de me croire.

Il frappe à une autre porte.

Holà, seigneur Pazzi, holà!

PAZZI, *sur sa terrasse.* — Qui m'appelle?

LORENZO. — Je viens vous dire que le duc sera tué cette nuit; tâchez d'agir demain pour la liberté de Florence.

PAZZI. — Qui doit tuer le duc?

LORENZO. — Peu importe, agissez toujours, vous et vos amis. Je ne puis vous dire le nom de l'homme.

PAZZI. — Tu es fou, drôle, va-t'en au diable.

Il rentre.

LORENZO, *seul.* — Il est clair que si je ne dis pas que c'est moi, on me croira encore bien moins.

Il frappe à une porte.

Holà! seigneur Corsini!

LE PROVÉDITEUR, *sur sa terrasse.* — Qu'est-ce donc?

LORENZO. — Le duc Alexandre sera tué cette nuit.

LE PROVÉDITEUR. — Vraiment, Lorenzo! si tu es gris, va plaisanter ailleurs. Tu m'as blessé bien mal à propos un cheval, au bal des Nasi; que le diable te confonde!

Il rentre.

LORENZO. — Pauvre Florence! pauvre Florence!

Il sort.

SCÈNE VIII

Une plaine.

Entrent PIERRE STROZZI *et* DEUX BANNIS.

PIERRE. — Mon père ne veut pas venir. Il m'a été impossible de lui faire entendre raison.

PREMIER BANNI. — Je n'annoncerai pas cela à mes camarades. Il y a de quoi les mettre en déroute.

PIERRE. — Pourquoi? Montez à cheval ce soir et allez bride abattue à Sestino; j'y serai demain matin. Dites que Philippe a refusé, mais que Pierre ne refuse pas.

PREMIER BANNI. — Les confédérés veulent le nom de Philippe : nous ne ferons rien sans cela.

PIERRE. — Le nom de famille de Philippe est le même que le mien; dites que Strozzi viendra, cela suffit.

PREMIER BANNI. — On me demandera lequel des Strozzi, et si je ne réponds pas Philippe, rien ne se fera.

PIERRE. — Imbécile! fais ce qu'on te dit, et ne réponds que pour toi-même. Comment sais-tu d'avance que rien ne se fera?

PREMIER BANNI. — Seigneur, il ne faut pas maltraiter les gens.

PIERRE. — Allons, monte à cheval, et va à Sestino.

PREMIER BANNI. — Ma foi, monsieur, mon cheval est fatigué; j'ai fait douze lieues dans la nuit. Je n'ai pas envie de le seller à cette heure.

PIERRE. — Tu n'es qu'un sot.

A l'autre banni.

Allez-y, vous; vous vous y prendrez mieux.

DEUXIÈME BANNI. — Le camarade n'a pas tort pour ce qui regarde Philippe; il est certain que son nom ferait bien pour la cause.

PIERRE. — Lâches! manants sans cœur! ce qui fait bien pour la cause, ce sont vos femmes et vos enfants qui meurent de faim, entendez-vous? Le nom de Philippe leur remplira

la bouche, mais il ne leur remplira pas le ventre. Quels
pourceaux êtes-vous ?

DEUXIÈME BANNI. — Il est impossible de s'entendre
avec un homme aussi grossier ; allons-nous-en, camarade.

PIERRE. — Va au diable, canaille ! et dis à tes confédérés
que s'ils ne veulent pas de moi, le roi de France en veut,
lui ; et qu'ils prennent garde qu'on ne me donne la main
haute sur vous tous !

DEUXIÈME BANNI, *à l'autre*. — Viens, camarade, allons
souper ; je suis, comme toi, excédé de fatigue.

Ils sortent.

SCÈNE IX
Une place ; il est nuit.

Entre LORENZO. — Je lui dirai que c'est un motif de
pudeur, et j'emporterai la lumière ; — cela se fait tous les
jours ; — une nouvelle mariée, par exemple, exige cela de
son mari pour entrer dans la chambre nuptiale, et Catherine passe pour très vertueuse. — Pauvre fille ! qui l'est
sous le soleil, si elle ne l'est pas ! Que ma mère mourût
de tout cela, voilà ce qui pourrait arriver.

Ainsi donc, voilà qui est fait. Patience ! une heure est
une heure, et l'horloge vient de sonner. Si vous y tenez
cependant ! Mais non, pourquoi ? Emporte le flambeau
si tu veux ; la première fois qu'une femme se donne, cela
est tout simple. — Entrez donc, chauffez-vous donc un
peu. — Oh ! mon Dieu, oui, pur caprice de jeune fille ;
et quel motif de croire à ce meurtre ? Cela pourra les étonner, même Philippe.

Te voilà, toi, face livide ?

La lune paraît.

Si les républicains étaient des hommes, quelle révolution demain dans la ville ! Mais Pierre est un ambitieux ;
les Ruccellaï seuls valent quelque chose. — Ah ! les mots,
les mots, les éternelles paroles ! S'il y a quelqu'un là-haut,
il doit bien rire de nous tous ; cela est très comique, très
comique vraiment. — O bavardage humain ! ô grand tueur
de corps morts ! grand défonceur de portes ouvertes ! ô
hommes sans bras !

Non ! non ! je n'emporterai pas la lumière. — J'irai droit
au cœur, il se verra tuer... Sang du Christ ! on se mettra
demain aux fenêtres.

Pourvu qu'il n'ait pas imaginé quelque cuirasse nouvelle, quelque cotte de mailles. Maudite invention! Lutter avec Dieu et le diable, ce n'est rien; mais lutter avec des bouts de ferraille croisés les uns sur les autres par la main sale d'un armurier! Je passerai le second pour entrer; il posera son épée là, — ou là, — oui, sur le canapé. — Quant à l'affaire du baudrier à rouler autour de la garde, cela est aisé; s'il pouvait lui prendre fantaisie de se coucher, voilà où serait le vrai moyen; couché, assis, ou debout? assis plutôt. Je commencerai par sortir; Scoronconcolo est enfermé dans le cabinet. Alors nous venons, nous venons; je ne voudrais pourtant pas qu'il tournât le dos. J'irai à lui tout droit. — Allons, la paix, la paix! l'heure va venir. — Il faut que j'aille dans quelque cabaret; je ne m'aperçois pas que je prends du froid, et je viderai un flacon; — non, je ne veux pas boire. Où diable vais-je donc? les cabarets sont fermés.

Est-elle bonne fille? — Oui, vraiment. — En chemise? — Oh! non, non, je ne le pense pas. — Pauvre Catherine! que ma mère mourût de tout cela, ce serait triste. Et quand je lui aurais dit mon projet, qu'aurais-je pu y faire? Au lieu de la consoler, cela lui aurait fait dire : crime, crime, jusqu'à son dernier soupir.

Je ne sais pourquoi je marche, je tombe de lassitude.

Il s'assoit sur un banc.

Pauvre Philippe! une fille belle comme le jour; une seule fois je me suis assis près d'elle sous le marronnier; ces petites mains blanches, comme cela travaillait! Que de journées j'ai passées, moi, assis sous les arbres! Ah! quelle tranquillité! quel horizon à Cafaggiuolo! Jeannette était jolie, la petite fille du concierge, en faisant sécher sa lessive. Comme elle chassait les chèvres qui venaient marcher sur son linge étendu sur le gazon! la chèvre blanche revenait toujours, avec ses grandes pattes menues.

Une horloge sonne.

Ah! ah! il faut que j'aille là-bas. — Bonsoir, mignon; eh! trinque donc avec Giomo. — Bon vin! cela serait plaisant, qu'il lui vînt à l'idée de me dire : Ta chambre est-elle retirée? entendra-t-on quelque chose du voisinage? Cela serait plaisant; ah! on y a pourvu. Oui, cela serait drôle qu'il lui vînt cette idée.

Je me trompe d'heure; ce n'est que la demie. Quelle est donc cette lumière sous le portique de l'église? on taille, on remue des pierres. Il paraît que ces hommes sont courageux avec les pierres. Comme ils coupent! comme ils enfoncent! Ils font un crucifix; avec quel courage ils le clouent! Je voudrais voir que leur cadavre de marbre les prît tout d'un coup à la gorge.

Eh bien? eh bien? quoi donc? j'ai des envies de danser qui sont incroyables. Je crois, si je m'y laissais aller, que je sauterais comme un moineau sur tous ces gros platras et sur toutes ces poutres. Eh, mignon! eh, mignon! mettez vos gants neufs, un plus bel habit que cela, tra la la! faites-vous beau, la mariée est belle. Mais, je vous le dis à l'oreille, prenez garde à son petit couteau.

Il sort en courant.

SCÈNE X

Chez le duc.

LE DUC, *à souper;* GIOMO. *Entre le cardinal* CIBO.

LE CARDINAL. — Altesse, prenez garde à Lorenzo.

LE DUC. — Vous voilà, cardinal! asseyez-vous donc, et prenez donc un verre.

LE CARDINAL. — Prenez garde à Lorenzo, duc. Il a été demander ce soir à l'évêque de Marzi la permission d'avoir des chevaux de poste cette nuit.

LE DUC. — Cela ne se peut pas.

LE CARDINAL. — Je le tiens de l'évêque lui-même.

LE DUC. — Allons donc! je vous dis que j'ai de bonnes raisons pour savoir que cela ne se peut pas.

LE CARDINAL. — Me faire croire est peut-être impossible; je remplis mon devoir en vous avertissant.

LE DUC. — Quand cela serait vrai, que voyez-vous d'effrayant à cela? Il va peut-être à Cafaggiuolo.

LE CARDINAL. — Ce qu'il y a d'effrayant, monseigneur, c'est qu'en passant sur la place pour venir ici, je l'ai vu de mes yeux sauter sur des poutres et des pierres comme un fou. Je l'ai appelé, et, je suis forcé d'en convenir, son regard m'a fait peur. Soyez certain qu'il mûrit dans sa tête quelque projet pour cette nuit.

LE DUC. — Et pourquoi ces projets me seraient-ils dangereux?

LE CARDINAL. — Faut-il tout dire, même quand on parle d'un favori? Apprenez qu'il a dit ce soir à deux personnes de ma connaissance, publiquement sur leur terrasse, qu'il vous tuerait cette nuit.

LE DUC. — Buvez donc un verre de vin, cardinal. Est-ce que vous ne savez pas que Renzo est ordinairement gris au coucher du soleil ?

Entre sire Maurice.

SIRE MAURICE. — Altesse, défiez-vous de Lorenzo. Il a dit à trois de mes amis, ce soir, qu'il voulait vous tuer cette nuit.

LE DUC. — Et vous aussi, brave Maurice, vous croyez aux fables ? je vous croyais plus homme que cela.

SIRE MAURICE. — Votre Altesse sait si je m'effraie sans raison. Ce que je dis je puis le prouver.

LE DUC. — Asseyez-vous donc, et trinquez avec le cardinal ; vous ne trouverez pas mauvais que j'aille à mes affaires. Eh bien ! mignon, est-il déjà temps ?

Entre Lorenzo.

LORENZO. — Il est minuit tout à l'heure.

LE DUC. — Qu'on me donne mon pourpoint de zibeline.

LORENZO. — Dépêchons-nous, votre belle est peut-être déjà au rendez-vous.

LE DUC. — Quels gants faut-il prendre ? ceux de guerre ou ceux d'amour ?

LORENZO. — Ceux d'amour, Altesse.

LE DUC. — Soit, je veux être un vert-galant.

Ils sortent.

SIRE MAURICE. — Que dites-vous de cela, cardinal ?

LE CARDINAL. — Que la volonté de Dieu se fait malgré les hommes.

Ils sortent.

SCÈNE XI

La chambre de Lorenzo.

Entrent LE DUC et LORENZO.

LE DUC. — Je suis transi, — il fait vraiment froid.

Il ôte son épée.

Eh bien ! mignon, qu'est-ce que tu fais donc ?

LORENZO. — Je roule votre baudrier autour de votre

épée, et je la mets sous votre chevet. Il est bon d'avoir toujours une arme sous la main.

Il entortille le baudrier de manière à empêcher
l'épée de sortir du fourreau.

Le Duc. — Tu sais que je n'aime pas les bavardes, et
il m'est revenu que la Catherine était une belle parleuse.
Pour éviter les conversations, je vais me mettre au lit. A
propos, pourquoi donc as-tu fait demander des chevaux de
poste à l'évêque de Marzi ?

Lorenzo. — Pour aller voir mon frère, qui est très
malade, à ce qu'il m'écrit.

Le Duc. — Va donc chercher ta tante.

Lorenzo. — Dans un instant.

Il sort.

Le Duc, *seul.* — Faire la cour à une femme qui vous
répond oui, lorsqu'on lui demande oui ou non, cela m'a
toujours paru très sot, et tout à fait digne d'un Français.
Aujourd'hui surtout que j'ai soupé comme trois moines,
je serais incapable de dire seulement : « Mon cœur, ou mes
chères entrailles, » à l'infante d'Espagne. Je veux faire semblant de dormir ; ce sera peut-être cavalier, mais ce sera
commode.

Il se couche. — Lorenzo rentre l'épée à la main.

Lorenzo. — Dormez-vous, seigneur ?

Il le frappe.

Le Duc. — C'est toi, Renzo ?

Lorenzo. — Seigneur, n'en doutez pas.

Il le frappe de nouveau. Entre Scoronconcolo.

Scoronconcolo. — Est-ce fait ?

Lorenzo. — Regarde, il m'a mordu au doigt. Je garderai jusqu'à la mort cette bague sanglante, inestimable
diamant.

Scoronconcolo. — Ah ! mon Dieu, c'est le duc de Florence !

Lorenzo, *s'asseyant sur le bord de la fenêtre.* — Que la
nuit est belle ! que l'air du ciel est pur ! Respire, respire,
cœur navré de joie !

Scoronconcolo. — Viens, maître, nous en avons trop
fait ; sauvons-nous.

Lorenzo. — Que le vent du soir est doux et embaumé !
comme les fleurs des prairies s'entr'ouvrent ! O nature
magnifique ! ô éternel repos !

Scoronconcolo. — Le vent va glacer sur votre visage
la sueur qui en découle. Venez, seigneur.

LORENZO. — Ah! Dieu de bonté! quel moment!

SCORONCONCOLO, *à part.* — Son âme se dilate singulièrement. Quant à moi, je prendrai les devants.

Il veut sortir.

LORENZO. — Attends, tire ces rideaux. Maintenant, donne-moi la clef de cette chambre.

SCORONCONCOLO. — Pourvu que les voisins n'aient rien entendu!

LORENZO. — Ne te souviens-tu pas qu'ils sont habitués à notre tapage? Viens, partons.

Ils sortent.

ACTE V

SCÈNE I

Au palais du duc.

Entrent VALORI, SIRE MAURICE *et* GUICCIARDINI.
Une foule de courtisans circulent dans la salle et dans les environs.

SIRE MAURICE. — Giomo n'est pas revenu encore de
son message; cela devient de plus en plus inquiétant.

GUICCIARDINI. — Le voilà qui entre dans la salle.

Entre Giomo.

SIRE MAURICE. — Eh bien! qu'as-tu appris?

GIOMO. — Rien du tout.

Il sort.

GUICCIARDINI. — Il ne veut pas répondre; le cardinal
Cibo est enfermé dans le cabinet du duc; c'est à lui seul
que les nouvelles arrivent.

Entre un autre messager.

Eh bien! le duc est-il retrouvé? sait-on ce qu'il est
devenu?

LE MESSAGER. — Je ne sais pas.

Il entre dans le cabinet.

VALORI. — Quel événement épouvantable, messieurs,
que cette disparition! point de nouvelles du duc. Ne disiez-
vous pas, sire Maurice, que vous l'avez vu hier au soir? Il
ne paraissait pas malade?

Rentre Giomo.

GIOMO, *à sire Maurice.* — Je puis vous le dire à l'oreille,
le duc est assassiné.

SIRE MAURICE. — Assassiné! par qui? où l'avez-vous
trouvé?

GIOMO. — Où vous nous aviez dit: — dans la chambre
de Lorenzo.

SIRE MAURICE. — Ah! sang du diable! Le cardinal le
sait-il?

GIOMO. — Oui, Excellence.

SIRE MAURICE. — Que décide-t-il? qu'y a-t-il à faire?
Déjà le peuple se porte en foule vers le palais; toute

cette hideuse affaire a transpiré ; nous sommes morts si elle se confirme ; on nous massacrera.

Des valets portant des tonneaux pleins de vin et de comestibles passent dans le fond.

GUICCIARDINI. — Que signifie cela ? va-t-on faire des distributions au peuple ?

Entre un seigneur de la cour.

LE SEIGNEUR. — Le duc est-il visible, messieurs ? Voilà un cousin à moi, nouvellement arrivé d'Allemagne, que je désire présenter à Son Altesse ; soyez assez bons pour le voir d'un œil favorable.

GUICCIARDINI. — Répondez-lui, seigneur Valori, je ne sais que lui dire.

VALORI. — La salle se remplit à tout instant de ces complimenteurs du matin. Ils attendent tranquillement qu'on les admette.

SIRE MAURICE, *à Giomo.* — On l'a enterré là ?

GIOMO. — Ma foi, oui, dans la sacristie. Que voulez-vous ? si le peuple apprenait cette mort-là, elle pourrait en causer bien d'autres. Lorsqu'il en sera temps, on lui fera des obsèques publiques. En attendant, nous l'avons emporté dans un tapis.

VALORI. — Qu'allons-nous devenir ?

PLUSIEURS SEIGNEURS *s'approchent.* — Nous sera-t-il bientôt permis de présenter nos devoirs à Son Altesse ? qu'en pensez-vous, messieurs ?

Entre LE CARDINAL CIBO. — Oui, messieurs, vous pourrez entrer dans une heure ou deux ; le duc a passé la nuit à une mascarade, et il repose en ce moment.

Des valets suspendent des dominos aux croisées.

LES COURTISANS. — Retirons-nous ; le duc est encore couché. Il a passé la nuit au bal.

Les courtisans se retirent. Entrent les Huit.

NICCOLINI. — Eh bien ! cardinal, qu'y a-t-il de décidé ?

LE CARDINAL.

Primo avulso non deficit alter
Aureus, et simili frondescit virga metallo.

Il sort.

NICCOLINI. — Voilà qui est admirable ; mais qu'y a-t-il de fait ? Le duc est mort ; il faut en élire un autre, et cela le plus vite possible. Si nous n'avons pas un duc ce soir ou

demain, c'en est fait de nous. Le peuple est en ce moment
comme l'eau qui va bouillir.

VETTORI. — Je propose Octavien de Médicis.

CAPPONI. — Pourquoi? il n'est pas le premier par les
droits du sang.

ACCIAIUOLI. — Si nous prenions le cardinal?

SIRE MAURICE. — Plaisantez-vous?

RUCCELLAI. —Pourquoi, en effet, ne prendriez-vous pas
le cardinal, vous qui le laissez, au mépris de toutes les lois,
se déclarer seul juge en cette affaire?

VETTORI. — C'est un homme capable de la bien diriger.

RUCCELLAI. — Qu'il se fasse donner l'ordre du pape.

VETTORI. — C'est ce qu'il a fait; le pape a envoyé l'autorisation par un courrier que le cardinal a fait partir dans
la nuit.

RUCCELLAI. —Vous voulez dire par un oiseau, sans doute;
car un courrier commence par prendre le temps d'aller,
avant d'avoir celui de revenir. Nous traite-t-on comme des
enfants?

CANIGIANI, s'approchant. — Messieurs, si vous m'en
croyez, voilà ce que nous ferons : nous élirons duc de Florence mon fils naturel Julien.

RUCCELLAI. — Bravo! un enfant de cinq ans! n'a-t-il pas
cinq ans, Canigiani?

GUICCIARDINI, bas. — Ne voyez-vous pas le personnage?
c'est le cardinal qui lui met dans la tête cette sotte proposition; Cibo serait régent, et l'enfant mangerait des gâ-
teaux.

RUCCELLAI. — Cela est honteux; je sors de cette salle, si
on y tient de pareils discours.

Entre CORSI. — Messieurs, le cardinal vient d'écrire à
Côme de Médicis.

LES HUIT. — Sans nous consulter?

CORSI. — Le cardinal a écrit pareillement à Pise, à
Arezzo, et à Pistoie, aux commandants militaires. Jacques
de Médicis sera demain ici avec le plus de monde possible;
Alexandre Vitelli est déjà dans la forteresse, avec la garnison entière. Quant à Lorenzo, il est parti trois courriers
pour le joindre.

RUCCELLAI. — Qu'il se fasse duc tout de suite, votre cardinal; cela sera plus tôt fait.

CORSI. — Il m'est ordonné de vous prier de mettre aux
voix l'élection de Côme de Médicis, sous le titre provisoire
de gouverneur de la république florentine.

GIOMO, à des valets qui traversent la salle. — Répandez

du sable autour de la porte, et n'épargnez pas le vin plus que le reste.

RUCCELLAI. —Pauvre peuple! quel badaud on fait de toi!

SIRE MAURICE. — Allons, messieurs, aux voix. Voici vos billets.

VETTORI. — Côme est en effet le premier en droit après Alexandre; c'est son plus proche parent.

ACCIAIUOLI. — Quel homme est-ce? je le connais fort peu.

CORSI. — C'est le meilleur prince du monde.

GUICCIARDINI. — Hé, hé, pas tout à fait cela. Si vous disiez le plus diffus et le plus poli des princes, ce serait plus vrai.

SIRE MAURICE. — Vos voix, seigneurs.

RUCCELLAI. — Je m'oppose à ce vote, formellement, et au nom de tous les citoyens.

VETTORI. — Pourquoi?

RUCCELLAI. —Il ne faut plus à la république ni princes, ni ducs, ni seigneurs; voici mon vote.

Il montre son billet blanc.

VETTORI. — Votre voix n'est qu'une voix. Nous nous passerons de vous.

RUCCELLAI. — Adieu donc; je m'en lave les mains.

GUICCIARDINI, *courant après lui.* — Eh! mon Dieu, Palla, vous êtes trop violent.

RUCCELLAI. —Laissez-moi; j'ai soixante-deux ans passés; ainsi vous ne pouvez pas me faire grand mal désormais.

Il sort.

NICCOLINI. — Vos voix, messieurs.

Il déplie les billets jetés dans un bonnet.

Il y a unanimité. Le courrier est-il parti pour Trebbio?

CORSI. — Oui, Excellence. Côme sera ici dans la matinée de demain, à moins qu'il ne refuse.

VETTORI. — Pourquoi refuserait-il?

NICCOLINI. — Ah! mon Dieu, s'il allait refuser, que deviendrions-nous? quinze lieues à faire d'ici à Trebbio, pour trouver Côme, et autant pour revenir, ce serait une journée de perdue. Nous aurions dû choisir quelqu'un qui fût plus près de nous.

VETTORI. — Que voulez-vous? notre vote est fait, et il est probable qu'il acceptera. Tout cela est étourdissant.

Ils sortent.

SCÈNE II

A Venise.

PHILIPPE STROZZI, *dans son cabinet.* — J'en étais sûr. — Pierre est en correspondance avec le roi de France; le voilà à la tête d'une espèce d'armée, et prêt à mettre le bourg à feu et à sang. C'est donc là ce qu'aura fait ce pauvre nom de Strozzi, qu'on a respecté si longtemps! il aura produit un rebelle et deux ou trois massacres. O ma Louise! tu dors en paix sous le gazon; l'oubli du monde entier est autour de toi, comme en toi, au fond de la triste vallée où je t'ai laissée.

On frappe à la porte.

Entrez.

Entre Lorenzo.

LORENZO. — Philippe, je t'apporte le plus beau joyau de ta couronne.

PHILIPPE. — Qu'est-ce que tu jettes là? une clef?

LORENZO. — Cette clef ouvre ma chambre, et dans ma chambre est Alexandre de Médicis, mort de la main que voilà.

PHILIPPE. — Vraiment! vraiment! cela est incroyable.

LORENZO. — Crois-le si tu veux. Tu le sauras par d'autres que par moi.

PHILIPPE, *prenant la clef.* — Alexandre est mort! cela est-il possible?

LORENZO. — Que dirais-tu si les républicains t'offraient d'être duc à sa place?

PHILIPPE. — Je refuserais, mon ami.

LORENZO. — Vraiment! vraiment! cela est incroyable.

PHILIPPE. — Pourquoi? cela est tout simple pour moi.

LORENZO. — Comme pour moi de tuer Alexandre. Pourquoi ne veux-tu pas me croire?

PHILIPPE. — O notre nouveau Brutus! je te crois et je t'embrasse. La liberté est donc sauvée! Oui, je te crois, tu es tel que tu me l'as dit. Donne-moi ta main. Le duc est mort! ah! il n'y a pas de haine dans ma joie; il n'y a que l'amour le plus pur, le plus sacré pour la patrie; j'en prends Dieu à témoin.

LORENZO. — Allons, calme-toi; il n'y a rien de sauvé, que moi, qui ai les reins brisés par les chevaux de l'évêque de Marzi.

PHILIPPE. — N'as-tu pas averti nos amis ? n'ont-ils pas l'épée à la main à l'heure qu'il est ?

LORENZO. — Je les ai avertis ; j'ai frappé à toutes les portes républicaines avec la constance d'un frère quêteur ; je leur ai dit de frotter leurs épées ; qu'Alexandre serait mort quand ils s'éveilleraient. Je pense qu'à l'heure qu'il est, ils se sont éveillés plus d'une fois, et rendormis à l'avenant. Mais, en vérité, je ne pense pas autre chose.

PHILIPPE. — As-tu averti les Pazzi ? l'as-tu dit à Corsini ?

LORENZO. — A tout le monde ; je l'aurais dit, je crois, à la lune, tant j'étais sûr de n'être pas écouté.

PHILIPPE. — Comment l'entends-tu ?

LORENZO. — J'entends qu'ils ont haussé les épaules, et qu'ils sont retournés à leurs dîners, à leurs cornets et à leurs femmes.

PHILIPPE. — Tu ne leur as donc pas expliqué l'affaire ?

LORENZO. — Que diantre voulez-vous que j'explique ? croyez-vous que j'eusse une heure à perdre avec chacun d'eux ? Je leur ai dit : Préparez-vous, et j'ai fait mon coup.

PHILIPPE. — Et tu crois que les Pazzi ne font rien ? qu'en sais-tu ? Tu n'as pas de nouvelles depuis ton départ, et il y a plusieurs jours que tu es en route.

LORENZO. — Je crois que les Pazzi font quelque chose ; je crois qu'ils font des armes dans leur antichambre, en buvant du vin du Midi de temps à autre, quand ils ont le gosier sec.

PHILIPPE. — Tu soutiens ta gageure ; ne m'as-tu pas voulu parier ce que tu me dis là ? sois tranquille, j'ai meilleure espérance.

LORENZO. — Je suis tranquille, plus que je ne puis dire.

PHILIPPE. — Pourquoi n'es-tu pas sorti, la tête du duc à la main ? le peuple t'aurait suivi comme son sauveur et son chef.

LORENZO. — J'ai laissé le cerf aux chiens ; qu'ils fassent eux-mêmes la curée.

PHILIPPE. — Tu aurais déifié les hommes, si tu ne les méprisais.

LORENZO. — Je ne les méprise point ; je les connais. Je suis très persuadé qu'il y en a très peu de très méchants, beaucoup de lâches, et un grand nombre d'indifférents. Il y en a aussi de féroces, comme les habitants de Pistoie, qui ont trouvé dans cette affaire une petite occasion d'égorger tous leurs chanceliers en plein midi, au milieu des rues. J'ai appris cela il n'y a pas une heure.

PHILIPPE. — Je suis plein de joie et d'espoir; le cœur me bat malgré moi.

LORENZO. — Tant mieux pour vous.

PHILIPPE. — Puisque tu n'en sais rien, pourquoi en parles-tu ainsi? Assurément tous les hommes ne sont pas capables de grandes choses, mais tous sont sensibles aux grandes choses; nies-tu l'histoire du monde entier? Il faut sans doute une étincelle pour allumer une forêt; mais l'étincelle peut sortir d'un caillou, et la forêt prend feu. C'est ainsi que l'éclair d'une seule épée peut illuminer tout un siècle.

LORENZO. — Je ne nie pas l'histoire; mais je n'y étais pas.

PHILIPPE. — Laisse-moi t'appeler Brutus; si je suis un rêveur, laisse-moi ce rêve-là. O mes amis, mes compatriotes! vous pouvez faire un beau lit de mort au vieux Strozzi, si vous voulez!

LORENZO. — Pourquoi ouvrez-vous la fenêtre?

PHILIPPE. — Ne vois-tu pas sur cette route un courrier qui arrive à franc étrier! Mon Brutus! mon grand Lorenzo! la liberté est dans le ciel; je la sens, je la respire.

LORENZO. — Philippe! Philippe! point de cela; fermez votre fenêtre; toutes ces paroles me font mal.

PHILIPPE. — Il me semble qu'il y a un attroupement dans la rue; un crieur lit une proclamation. Holà, Jean! allez acheter le papier de ce crieur.

LORENZO. — O Dieu! ô Dieu!

PHILIPPE. — Tu deviens pâle comme un mort. Qu'as-tu donc?

LORENZO. — N'as-tu rien entendu?

Un domestique entre apportant la proclamation.

PHILIPPE. — Non; lis donc un peu ce papier, qu'on criait dans la rue.

LORENZO, *lisant.* — « A tout homme, noble ou roturier, qui tuera Lorenzo de Médicis, traître à la patrie, et assassin de son maître, en quelque lieu et de quelque manière que ce soit, sur toute la surface de l'Italie, il est promis par le conseil des Huit à Florence : 1º quatre mille florins d'or sans aucune retenue; 2º une rente de cent florins d'or par an, pour lui durant sa vie, et ses héritiers en ligne directe après sa mort; 3º la permission d'exercer toutes les magistratures, de posséder tous les bénéfices et privilèges de l'État, malgré sa naissance s'il est roturier; 4º grâce per-

pétuelle pour toutes ses fautes, passées et futures, ordi-
naires et extraordinaires. »

                               Signé de la main des Huit.

    Eh bien! Philippe, vous ne vouliez pas croire tout à
l'heure que j'avais tué Alexandre? vous voyez bien que je
l'ai tué.

    PHILIPPE. — Silence! quelqu'un monte l'escalier. Cache-
toi dans cette chambre.

                                      Ils sortent.

SCÈNE III

Florence. Une rue.

Entrent DEUX GENTILSHOMMES.

    PREMIER GENTILHOMME. — N'est-ce pas le marquis
Cibo qui passe là? il me semble qu'il donne le bras à sa
femme.

                        Le marquis et la marquise passent.

    DEUXIÈME GENTILHOMME. — Il paraît que ce bon mar-
quis n'est pas d'une nature vindicative. Qui ne sait pas à
Florence que sa femme a été la maîtresse du feu duc?

    PREMIER GENTILHOMME. — Ils paraissent bien raccom-
modés. J'ai cru les voir se serrer la main.

    DEUXIÈME GENTILHOMME. — La perle des maris, en
vérité! Avaler ainsi une couleuvre aussi longue que l'Arno,
cela s'appelle avoir l'estomac bon.

    PREMIER GENTILHOMME. — Je sais que cela fait parler,
— cependant je ne te conseillerais pas d'aller lui en parler
à lui-même; il est de la première force à toutes les armes,
et les faiseurs de calembours craignent l'odeur de son
jardin.

    DEUXIÈME GENTILHOMME. — Si c'est un original, il n'y
a rien à dire.

                                      Ils sortent.

SCÈNE IV

Une auberge.

Entrent PIERRE STROZZI *et* UN MESSAGER.

PIERRE. — Ce sont ses propres paroles ?

LE MESSAGER. — Oui, Excellence ; les paroles du roi lui-
même.

PIERRE. — C'est bon.

                                                    Le messager sort.

Le roi de France protégeant la liberté de l'Italie, c'est
justement comme un voleur protégeant contre un autre
voleur une jolie femme en voyage. Il la défend jusqu'à ce
qu'il la viole. Quoi qu'il en soit, une route s'ouvre devant
moi, sur laquelle il y a plus de bons grains que de poussière. Maudit soit ce Lorenzaccio qui s'avise de devenir
quelque chose ! Ma vengeance m'a glissé entre les doigts
comme un oiseau effarouché ; je ne puis plus rien imaginer
ici, qui soit digne de moi. Allons faire une attaque vigou-
reuse au bourg, et puis laissons là ces femmelettes qui ne
pensent qu'au nom de mon père, et qui me toisent toute
la journée pour chercher par où je lui ressemble. Je suis
né pour autre chose que pour faire un chef de bandits.

                                                    Il sort.

SCÈNE V

Une place. Florence.

L'ORFÈVRE *et* LE MARCHAND DE SOIE, *assis.*

LE MARCHAND. — Observez bien ce que je dis ; faites
attention à mes paroles. Le feu duc Alexandre a été tué
l'an 1536, qui est bien l'année où nous sommes. Suivez-
moi toujours. Il a donc été tué l'an 1536 ; voilà qui est fait.
Il avait vingt-six ans ; remarquez-vous cela ? Mais ce n'est
encore rien ; il avait donc vingt-six ans, bon. Il est mort le
6 du mois ; ah ! ah ! saviez-vous ceci ? n'est-ce pas justement
le 6 qu'il est mort ? Écoutez, maintenant. Il est mort à
six heures de la nuit. Qu'en pensez-vous, père Mondella ?

voilà de l'extraordinaire, ou je ne m'y connais pas. Il est donc mort à six heures de la nuit. Paix! ne dites rien encore. Il avait six blessures. Eh bien! cela vous frappe-t-il à présent? Il avait six blessures, à six heures de la nuit, le 6 du mois, à l'âge de vingt-six ans, l'an 1536. Maintenant, un seul mot. Il avait régné six ans.

L'ORFÈVRE. — Quel galimatias me faites-vous là, voisin?

LE MARCHAND. — Comment! comment! vous êtes donc absolument incapable de calculer? vous ne voyez pas ce qui résulte de ces combinaisons surnaturelles que j'ai l'honneur de vous expliquer?

L'ORFÈVRE. — Non, en vérité; je ne vois pas ce qui en résulte.

LE MARCHAND. — Vous ne le voyez pas? est-ce possible, voisin, que vous ne le voyiez pas?

L'ORFÈVRE. — Je ne vois pas qu'il en résulte la moindre des choses. — A quoi cela peut-il nous être utile?

LE MARCHAND. — Il en résulte que six Six ont concouru à la mort d'Alexandre. Chut! ne répétez pas ceci comme venant de moi. Vous savez que je passe pour un homme sage et circonspect; ne me faites point de tort, au nom de tous les saints! La chose est plus grave qu'on ne pense; je vous le dis comme à un ami.

L'ORFÈVRE. — Allez vous promener; je suis un homme vieux, mais pas encore une vieille femme. Le Côme arrive aujourd'hui, voilà ce qui résulte le plus clairement de notre affaire; il nous est poussé un beau dévideur de paroles dans votre nuit de six Six. Ah! mort de ma vie! cela ne fait-il pas honte? Mes ouvriers, voisin, les derniers de mes ouvriers frappaient avec leurs instruments sur les tables, en voyant passer les Huit, et ils leur criaient : « Si vous ne savez ni ne pouvez agir, appelez-nous, qui agirons. »

LE MARCHAND. — Il n'y a pas que les vôtres qui aient crié; c'est un vacarme de paroles dans la ville, comme je n'en ai jamais entendu, même par ouï-dire.

L'ORFÈVRE. — Les uns courent après les soldats, les autres après le vin qu'on distribue, et ils s'en remplissent la bouche et la cervelle, afin de perdre le peu de sens commun et de bonnes paroles qui pourraient leur rester.

LE MARCHAND. — Il y en a qui voulaient rétablir le conseil, et élire librement un gonfalonier, comme jadis.

L'ORFÈVRE. — Il y en a qui voulaient, comme vous dites; mais il n'y en a pas qui aient agi. Tout vieux que je suis, j'ai été au Marché-Neuf, moi, et j'ai reçu dans la jambe un bon coup de hallebarde. Pas une âme n'est venue à mon secours. Les étudiants seuls se sont montrés.

LE MARCHAND. — Je le crois bien. Savez-vous ce qu'on dit, voisin ? On dit que le provéditeur, Roberto Corsini, est allé hier soir à l'assemblée des républicains au palais Salviati.

L'ORFÈVRE. — Rien n'est plus vrai ; il a offert de livrer la forteresse aux amis de la liberté, avec les provisions, les clefs, et tout le reste.

LE MARCHAND. — Et il l'a fait, voisin ? est-ce qu'il l'a fait ? c'est une trahison de haute justice.

L'ORFÈVRE. — Ah bien, oui ! on a braillé, bu du vin sucré, et cassé des carreaux ; mais la proposition de ce brave homme n'a seulement pas été écoutée. Comme on n'osait pas faire ce qu'il voulait, on a dit qu'on doutait de lui, et qu'on le soupçonnait de fausseté dans ses offres. Mille millions de diables ! que j'enrage ! Tenez, voilà les courriers de Trebbio qui arrivent ; Côme n'est pas loin d'ici. Bonsoir, voisin, le sang me démange, il faut que j'aille au palais.

Il sort.

LE MARCHAND. — Attendez donc, voisin ; je vais avec vous.

Il sort. Entre un précepteur avec le petit Salviati, et un autre avec le petit Strozzi.

LE PREMIER PRÉCEPTEUR. — *Sapientissime doctor*, comment se porte votre seigneurie ? Le trésor de votre précieuse santé est-il dans une assiette régulière, et votre équilibre se maintient-il convenable par ces tempêtes où nous voilà ?

LE DEUXIÈME PRÉCEPTEUR. — C'est chose grave, seigneur docteur, qu'une rencontre aussi érudite et aussi fleurie que la vôtre, sur cette terre soucieuse et lézardée. Souffrez que je presse cette main gigantesque, d'où sont sortis les chefs-d'œuvre de notre langue. Avouez-le, vous avez fait depuis peu un sonnet.

LE PETIT SALVIATI. — Canaille de Strozzi que tu es !

LE PETIT STROZZI. — Ton père a été rossé, Salviati.

LE PREMIER PRÉCEPTEUR. — Ce pauvre ébat de notre muse serait-il allé jusqu'à vous, qui êtes homme d'art si consciencieux, si large et si austère ? Des yeux comme les vôtres, qui remuent des horizons si dentelés, si phosphorescents, auraient-ils consenti à s'occuper des fumées peut-être bizarres et osées d'une imagination chatoyante ?

LE DEUXIÈME PRÉCEPTEUR. — Oh! si vous aimez l'art,
et si vous nous aimez, dites-nous, de grâce, votre sonnet.
La ville ne s'occupe que de votre sonnet.

LE PREMIER PRÉCEPTEUR. — Vous serez peut-être étonné
que moi, qui ai commencé par chanter la monarchie en
quelque sorte, je semble cette fois chanter la république.

LE PETIT SALVIATI. — Ne me donne pas de coups de
pied, Strozzi.

LE PETIT STROZZI. — Tiens, chien de Salviati, en voilà
encore deux.

LE PREMIER PRÉCEPTEUR. — Voici les vers.

> *Chantons la liberté, qui refleurit plus âpre...*

LE PETIT SALVIATI. — Faites donc finir ce gamin-là,
monsieur; c'est un coupe-jarret. Tous les Strozzi sont des
coupe-jarrets.

LE DEUXIÈME PRÉCEPTEUR. — Allons, petit, tiens-toi
tranquille.

LE PETIT STROZZI. — Tu y reviens en sournois! tiens,
canaille, porte cela à ton père, et dis-lui qu'il le mette
avec l'estafilade qu'il a reçue de Pierre Strozzi, empoison-
neur que tu es! vous êtes tous des empoisonneurs.

LE PREMIER PRÉCEPTEUR. — Veux-tu te taire, polisson!

Il le frappe.

LE PETIT STROZZI. — Aye! aye! il m'a frappé.

LE PREMIER PRÉCEPTEUR.

> *Chantons la liberté, qui refleurit plus âpre,*
> *Sous des soleils plus mûrs et des cieux plus vermeils.*

LE PETIT STROZZI. — Aye! aye! il m'a écorché l'oreille.

LE DEUXIÈME PRÉCEPTEUR. — Vous avez frappé trop
fort, mon ami.

Le petit Strozzi rosse le petit Salviati.

LE PREMIER PRÉCEPTEUR. — Eh bien! qu'est-ce à dire?

LE DEUXIÈME PRÉCEPTEUR. — Continuez, je vous en
supplie.

LE PREMIER PRÉCEPTEUR. — Avec plaisir, mais ces
enfants ne cessent pas de se battre.

Les enfants sortent en se battant. Ils les suivent.

SCÈNE VI

Venise. Le cabinet de Strozzi.

PHILIPPE, LORENZO, *tenant une lettre.*

LORENZO. — Voilà une lettre qui m'apprend que ma
mère est morte. Venez donc faire un tour de promenade,
Philippe.

PHILIPPE. — Je vous en supplie, mon ami, ne tentez
pas la destinée. Vous allez et venez continuellement,
comme si cette proclamation de mort n'existait pas.

LORENZO. — Au moment où j'allais tuer Clément VII,
ma tête a été mise à prix à Rome; il est naturel qu'elle le
soit dans toute l'Italie, aujourd'hui que j'ai tué Alexandre;
si je sortais de l'Italie, je serais bientôt sonné à son de trompe
dans toute l'Europe, et à ma mort, le bon Dieu ne manquera
pas de faire placarder ma condamnation éternelle dans
tous les carrefours de l'immensité.

PHILIPPE. — Votre gaieté est triste comme la nuit; vous
n'êtes pas changé, Lorenzo.

LORENZO. — Non, en vérité; je porte les mêmes habits,
je marche toujours sur mes jambes, et je bâille avec ma
bouche; il n'y a de changé en moi qu'une misère : c'est
que je suis plus creux et plus vide qu'une statue de fer-blanc.

PHILIPPE. — Partons ensemble; redevenez un homme;
vous avez beaucoup fait, mais vous êtes jeune.

LORENZO. — Je suis plus vieux que le bisaïeul de
Saturne; je vous en prie, venez faire un tour de promenade.

PHILIPPE. — Votre esprit se torture dans l'inaction;
c'est là votre malheur. Vous avez des travers, mon ami.

LORENZO. — J'en conviens; que les républicains n'aient
rien fait à Florence, c'est là un grand travers de ma part.
Qu'une centaine de jeunes étudiants, braves et déterminés,
se soient fait massacrer en vain; que Côme, un planteur de
choux, ait été élu à l'unanimité; oh! je l'avoue, je l'avoue,
ce sont là des travers impardonnables, et qui me font le
plus grand tort.

PHILIPPE. — Ne raisonnons point sur un événement qui
n'est pas achevé. L'important est de sortir d'Italie; vous
n'avez point encore fini sur la terre.

LORENZO. — J'étais une machine à meurtre, mais à un
meurtre seulement.

PHILIPPE. — N'avez-vous pas été heureux autrement que par ce meurtre ? Quand vous ne devriez faire désormais qu'un honnête homme, pourquoi voudriez-vous mourir ?

LORENZO. — Je ne puis que vous répéter mes propres paroles : Philippe, j'ai été honnête. Peut-être le redeviendrais-je sans l'ennui qui me prend. J'aime encore le vin et les femmes ; c'est assez, il est vrai, pour faire de moi un débauché, mais ce n'est pas assez pour me donner envie de l'être. Sortons, je vous en prie.

PHILIPPE. — Tu te feras tuer dans toutes ces promenades.

LORENZO. — Cela m'amuse de les voir. La récompense est si grosse qu'elle les rend presque courageux. Hier, un grand gaillard à jambes nues m'a suivi un gros quart d'heure au bord de l'eau, sans pouvoir se déterminer à m'assommer. Le pauvre homme portait une espèce de couteau long comme une broche ; il le regardait d'un air si penaud qu'il me faisait pitié ; c'était peut-être un père de famille qui mourait de faim.

PHILIPPE. — O Lorenzo ! Lorenzo ! ton cœur est très malade ; c'était sans doute un honnête homme : pourquoi attribuer à la lâcheté du peuple le respect pour les malheureux ?

LORENZO. — Attribuez cela à ce que vous voudrez. Je vais faire un tour au Rialto.

Il sort.

PHILIPPE, *seul.* — Il faut que je le fasse suivre par quelqu'un de mes gens. Holà ! Jean ! Pippo ! holà !

Entre un domestique.

Prenez une épée, vous, et un autre de vos camarades, et tenez-vous à une distance convenable du seigneur Lorenzo, de manière à pouvoir le secourir si on l'attaque.

JEAN. — Oui, monseigneur.

Entre Pippo.

PIPPO. — Monseigneur, Lorenzo est mort. Un homme était caché derrière la porte, qui l'a frappé par-derrière comme il sortait.

PHILIPPE. — Courons vite, il n'est peut-être que blessé.

PIPPO. — Ne voyez-vous pas tout ce monde ? Le peuple s'est jeté sur lui. Dieu de miséricorde ! on le pousse dans la lagune.

PHILIPPE. — Quelle horreur, quelle horreur ! Eh ! quoi ! pas même un tombeau ?

Il sort.

SCÈNE VII

*Florence. La grande place ; des tribunes publiques
sont remplies de monde.*

Des gens du peuple accourent de tous côtés.

Vive Médicis! Il est duc, duc! Il est duc.

LES SOLDATS. — Gare, canaille!

LE CARDINAL CIBO, *sur une estrade, à Côme de Médicis.*
— Seigneur, vous êtes duc de Florence. Avant de recevoir
de mes mains la couronne que le pape et César m'ont
chargé de vous confier, il m'est ordonné de vous faire
jurer quatre choses.

CÔME. — Lesquelles, cardinal?

LE CARDINAL. — Faire la justice sans restriction; ne
jamais rien tenter contre l'autorité de Charles Quint; venger la mort d'Alexandre, et bien traiter le seigneur Jules
et la signora Julia, ses enfants naturels.

CÔME. — Comment faut-il que je prononce ce serment?

LE CARDINAL. — Sur l'Évangile.

Il lui présente l'Évangile.

Je le jure à Dieu, et à vous, Cardinal. Maintenant donnez-moi la main.

*Ils s'avancent vers le peuple. On entend Côme
parler dans l'éloignement.*

CÔME. — « Très nobles et très puissants seigneurs.

« Le remercîment que je veux faire à vos très illustres
et très gracieuses seigneuries, pour le bienfait si haut que
je leur dois, n'est pas autre que l'engagement qui m'est
bien doux, à moi si jeune comme je suis, d'avoir toujours
devant les yeux, en même temps que la crainte de Dieu,
l'honnêteté et la justice, et le dessein de n'offenser personne, ni dans les biens, ni dans l'honneur, et quant au
gouvernement des affaires, de ne jamais m'écarter du
conseil et du jugement des très prudentes et très judicieuses
seigneuries auxquelles je m'offre en tout, et recommande
bien dévotement. »

FIN DE « LORENZACCIO »

AVANT-PROPOS

DE LA SECONDE LIVRAISON
D'UN SPECTACLE DANS UN FAUTEUIL
(1834)

Gœthe dit quelque part, dans son roman de *Wilhelm Meister*, « qu'un ouvrage d'imagination doit être parfait, ou ne pas exister ». Si cette maxime sévère était suivie, combien peu d'ouvrages existeraient, à commencer par *Wilhelm Meister* lui-même !

Cependant, en dépit de cet arrêt qu'il avait prononcé, le patriarche allemand fut le premier à donner, dans les arts, l'exemple d'une tolérance vraiment admirable. Non seulement il s'étudiait à inspirer à ses amis un respect profond pour les œuvres des grands hommes, mais il voulait toujours qu'au lieu de se rebuter des défauts d'une production médiocre, on cherchât dans un livre, dans une gravure, dans le plus faible et le plus pâle essai, une étincelle de vie ; plus d'une fois des jeunes gens à tête chaude, hardis et tranchants, au moment où ils levaient les épaules de pitié, ont entendu sortir des lèvres du vieux maître en cheveux gris ces paroles accompagnées d'un doux sourire : « Il y a quelque chose de bon dans les plus mauvaises choses. »

Les gens qui connaissent l'Allemagne et qui ont approché, dans leurs voyages, quelques-uns des membres de ce cercle esthétique de Weimar, dont l'auteur de *Werther* était l'âme, savent qu'il a laissé après lui cette consolante et noble maxime.

Bien que, dans notre siècle, les livres ne soient guère que des objets de destruction, de pures superfluités où l'*agréable*, ce bouffon suranné, oublie innocemment son confrère l'*utile*, il me semble que si je me trouvais chargé, pour une production quelconque, du difficile métier de critique, au moment où je poserais le livre pour prendre la plume, la figure vénérable de Gœthe m'apparaîtrait avec sa dignité homérique et son antique bonhomie. Et, en effet, tout homme qui écrit un livre est mû par trois raisons : premièrement, l'amour-propre, autrement dit le désir de la gloire ; secondement, le besoin de s'occuper, et, en troisième lieu, l'intérêt pécuniaire. Selon l'âge et les circonstances, ces trois mobiles varient et prennent dans l'esprit de l'auteur la première ou la dernière place ; mais ils n'en subsistent pas moins.

Si le désir de la gloire est le premier mobile d'un artiste, c'est un noble désir qui ne trouve place que dans une noble organisation. Malgré tous les ridicules qu'on peut trouver à la vanité, et malgré la sentence du *Misanthrope* de Molière, qui fait remarquer,

> *Comment dans notre temps,*
> *Cette soif a gâté bien des honnêtes gens ;*

malgré tout ce qu'on peut dire de fin et de caustique sur la nécessité de rimer et sur le « qui diantre vous pousse à vous faire imprimer ? » il n'en est pas moins vrai que l'homme, et surtout le jeune homme qui, se sentant battre le cœur au nom de gloire, de publicité, d'immortalité, etc., pris malgré lui par ce je ne sais quoi qui cherche la fumée, et poussé par une main invisible à répandre sa pensée hors de lui-même ; que ce jeune homme, dis-je, qui, pour obéir à son ambition, prend une plume et s'enferme, au lieu de prendre son chapeau et de courir les rues, fait par cela même une preuve de noblesse, je dirai même de probité, en tentant d'arriver à l'estime des hommes et au développement de ses facultés par un chemin solitaire et âpre, au lieu de s'aller mettre, comme une bête de somme, à la queue de ce troupeau servile qui encombre les antichambres, les places publiques et jusqu'aux carrefours. Quelque mépris, quelque disgrâce qu'il puisse encourir, il n'en est pas moins vrai que l'artiste pauvre et ignoré vaut souvent mieux que les conquérants du pauvre monde, et qu'il y a plus de nobles cœurs sous les mansardes où l'on ne trouve que trois chaises, un lit, une table et une grisette, que dans les gémonies dorées et les abreuvoirs de l'ambition domestique.

Si le besoin d'argent fait travailler pour vivre, il me semble que le triste spectacle du talent aux prises avec la faim doit tirer des larmes des yeux les plus secs.

Si enfin un artiste obéit au mobile qu'on peut appeler

le besoin naturel du travail, peut-être mérite-t-il plus que jamais l'indulgence : il n'obéit alors ni à l'ambition ni à la misère, mais il obéit à son cœur ; on pourrait croire qu'il obéit à Dieu. Qui peut savoir la raison pour laquelle un homme qui n'a ni faux orgueil ni besoin d'argent se décide à écrire ? Voltaire a dit, je crois, « qu'un livre était une lettre adressée aux amis inconnus que l'on a sur la terre. » Quant à moi, qui ai eu de tout temps une grande admiration pour Byron, j'avoue qu'aucun panégyrique, aucune ode, aucun écrit sur ce génie extraordinaire, ne m'a autant touché qu'un certain mot que j'ai entendu dire à notre meilleur sculpteur, un jour qu'on parlait de *Childe Harold* et de *Don Juan*. On discutait sur l'orgueil démesuré du poète, sur ses manies d'affectation, sur ses prétentions au remords, au désenchantement, on blâmait, on louait. Le sculpteur était assis dans un coin de la chambre, sur un coussin à terre, et tout en remuant dans ses doigts sa cire rouge sur son ardoise, il écoutait la conversation sans y prendre part. Quand on eut tout dit sur Byron, il tourna la tête et prononça tristement ces seuls mots : « Pauvre homme ! » Je ne sais si je me trompe, mais il me semble que cette simple parole de pitié et de sympathie pour le chantre de la douleur en disait à elle seule plus que toutes les phrases d'une encyclopédie.

Bien que j'aie médit de la critique, je suis loin de lui contester ses droits, qu'elle a raison de maintenir, et qu'elle a même solidement établis. Tout le monde sent qu'il y aurait un parfait ridicule à venir dire aux gens : Voilà un livre que je vous offre ; vous pouvez le lire et non le juger. La seule chose qu'on puisse raisonnablement demander au public, c'est de juger avec indulgence.

On m'a reproché par exemple, d'imiter et de m'inspirer de certains hommes et de certaines œuvres. Je réponds franchement qu'au lieu de me le reprocher on aurait dû m'en louer. Il n'en a pas été de tous les temps comme il en est du nôtre, où le plus obscur écolier jette une main de papier à la tête du lecteur, en ayant soin de l'avertir que c'est tout simplement un chef-d'œuvre. Autrefois il y avait des maîtres dans les arts, et on ne pensait pas se faire tort, quand on avait vingt-deux ans, en imitant et en étudiant les maîtres. Il y avait alors, parmi les jeunes artistes, d'immenses et respectables familles, et des milliers de mains travaillaient sans relâche à suivre le mouvement de la main d'un seul homme. Voler une pensée, un mot, doit être regardé comme un crime en littérature. En dépit de toutes les subtilités du monde et *du bien qu'on prend où on le trouve*, un plagiat n'en est pas moins un plagiat, comme un chat est un chat. Mais s'inspirer d'un maître est une action non seulement permise, mais louable, et je ne suis pas de ceux qui font un reproche à notre peintre Ingres de penser à Raphaël, comme Raphaël pensait à la Vierge. Oter aux jeunes gens la permission de s'inspirer, c'est refuser au génie la plus belle feuille de sa couronne, l'enthousiasme; c'est ôter à la chanson du pâtre des montagnes le plus doux charme de son refrain, l'écho de la vallée.

L'étranger qui visite le Campo Santo à Pise s'est-il jamais arrêté sans respect devant ces fresques à demi effacées qui couvrent les murailles? Ces fresques ne valent pas grand-chose; si on les donnait pour un ouvrage contemporain, nous ne daignerions pas y prendre garde; mais le voyageur les salue avec un profond respect, quand on lui dit que Raphaël est venu travailler et s'inspirer devant elles. N'y a-t-il pas un orgueil mal placé à vouloir, dans ses premiers essais, voler de ses propres ailes? N'y a-t-il pas une sévérité injuste à blâmer l'écolier qui respecte le maître? Non, non, en dépit de l'orgueil humain, des flatteries et des craintes, les artistes ne cesseront jamais d'être des frères; jamais la voix des élus ne passera sur leurs harpes célestes sans éveiller les soupirs lointains de harpes inconnues; jamais ce ne sera une faute de répondre par un cri de sympathie au cri du génie; malheur aux jeunes gens qui n'ont jamais allumé leur flambeau au soleil! Bossuet le faisait, qui en valait bien d'autres.

Voilà ce que j'avais à dire au public avant de lui donner ce livre, qui est plutôt une étude, ou, si vous voulez, une fantaisie, malgré tout ce que ce dernier mot a de prétentieux. Qu'on ne me juge pas trop sévèrement : j'essaye.

J'ai, du reste, à remercier la critique des encouragements qu'elle m'a donnés, et, quelque ridicule qui s'attache à un auteur qui salue ses juges, c'est du fond du cœur que je le fais. Il m'a toujours semblé qu'il y avait autant de noblesse à encourager un jeune homme qu'il y a quelquefois de lâcheté et de bassesse à étouffer l'herbe qui pousse, surtout quand les attaques partent de gens à qui la conscience de leur talent devrait, du moins, inspirer quelque dignité et le mépris de la jalousie.

                                                    A. DE MUSSET.

TABLE DES MATIÈRES

CO. — IMUCE INTÉGRALA — OE

IMPS 1981. — Mame, Tours.
Nº d'édition 1226. — Printemps 1939. — Imprimé in France.

GF — TEXTE INTÉGRAL — GF

10635-1984. — Mame, Tours.
N° d'édition 10294. — 2e trimestre 1964. — Printed in France.